Colombia
Una nación a pesar de sí misma

David Bushnell

Colombia
Una nación a pesar de sí misma

Nuestra historia desde los tiempos
precolombinos hasta hoy

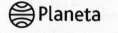

Título original: *The Making of Modern Colombia. A Nation in Spite of Itself*
Traducción: Claudia Montilla V.

Cubierta: *Batalla de Boyacá.* José María Espinosa, c. 1840,
óleo sobre tela.
Colección: Casa Museo Quinta de Bolívar.
Propiedad y cortesía del Ministerio de Cultura-Museo Nacional
de Colombia

© 1994 The Regents of the University of California
Publicado en acuerdo con la Editorial de la Universidad de California

© 2007, David Bushnell

© 2007, Editorial Planeta Colombiana S. A.
Calle 73 N°. 7-60, Bogotá

Nueva edición (séptima impresión): septiembre de 2007
Octava impresión: septiembre de 2008
Novena impresión: noviembre de 2008
Décima impresión: julio de 2009
Décima primera impresión: diciembre de 2009
Décima segunda impresión: agosto de 2010
Décima tercera impresión: enero de 2011
Décima cuarta impresión: julio de 2011
Décima quinta impresión: enero de 2012
Décima sexta impresión: septiembre de 2012
Décima séptima impresión: abril de 2013
Décima octava impresión: enero de 2014
Décima novena impresión: octubre de 2014
Vigésima impresión: julio de 2015
Vigésima primera impresión: febrero de 2016

ISBN 13: 978-958-42-1729-5
ISBN 10: 958-42-1729-1

Impreso por Nomos Impresores

Contenido

PRESENTACIÓN

Como lo anota el profesor David Bushnell, Colombia, no obstante su importancia, ha sido uno de los países latinoamericanos menos estudiados por los científicos sociales de los Estados Unidos y Europa y, en consecuencia, ha sido muy escasa la bibliografía que se ha producido sobre el país. Son múltiples las razones que explican este hecho; una de ellas puede ser que Colombia ha sido un país muy metido en sí mismo, sin grandes movimientos de inmigración, con una economía mediana, cuando no pobre, si se lo compara con sus homólogos del continente pero, sobre todo, un país que se sale de los esquemas con que se mira a Latinoamérica desde el exterior. En efecto, Colombia brilla por la ausencia de dictadores; posee un sistema bipartidista, una tradición electoral y unos partidos políticos que se sitúan entre los más antiguos de occidente, con instituciones propias de la democracia liberal, pero, al mismo tiempo, ha sufrido una tremenda violencia. Para aproximarse a la comprensión de este país es preciso mucho estudio, una mente amplia y un acercamiento a través de las vivencias. Precisamente el profesor Bushnell reúne estas características, pues durante medio siglo se ha dedicado a reflexionar sobre el país, a investigar sobre su historia, a visitarlo, recorrer su territorio y permanecer en él durante largos períodos. Pero también goza del privilegio de guardar cierta distancia con un objeto de estudio tan complejo y por eso expresa en la introducción a este libro: «… mi condición de extranjero me ayuda realmente a ver algunas cosas con mayor claridad».

Este libro fue publicado originalmente por la Editorial de la Universidad de California y uno de sus propósitos era llenar un vacío. Se trataba de presentar en lengua inglesa una síntesis sobre la historia de Colombia, ya que, con excepción de la Historia de Colombia *de Henao y Arrubla, traducida al inglés por J. Fred Rippy y publicada en 1938, no existía tal tipo de obra en ese idioma; para el lector de lengua inglesa es indudable que el libro del profesor Bushnell ha cumplido ampliamente su cometido. Sería el caso, entonces, de preguntarnos si para el lector en español y en especial para el público colombiano tiene interés y valor esta clase de ensayo histórico, cuestión ante la cual no dudo en responder rotundamente que sí. En efecto, el trabajo del profesor Bushnell es una afortunada síntesis que en una perspectiva cronológica nos lleva desde la situación precolombina hasta el fenómeno del narcotráfico, y en la cual se complementan las ópticas de la historia política, social, económica y cultural.*

La mirada que desde afuera puede tener un extranjero, enriquecida con la comprensión interna que producen el estudio, la reflexión y la vivencia, le permite una visión serena de Colombia, no obstante que se registren a cabalidad en su obra los aspectos convulsionantes de nuestra sociedad. No es una historia crítica pero tampoco es una visión apologética; se trata de la perspectiva de un historiador profesional que tiene afecto por el objeto de su investigación pero que por formación puede mirarnos con distancia. Por eso, dentro de la gran información que el libro trae, el autor nos recuerda, por ejemplo, la gran riqueza botánica de Colombia que convierte a este país en el segundo más rico en el mundo, después de Brasil, por el número de especies de flora; nos muestra que Colombia es en Latinoamérica el tercer país en población, el cuarto en extensión, el quinto en producción y el primero en exportación de libros y esmeraldas, pero también de cocaína; la Nueva Granada fue el mayor productor y exportador de oro del imperio español, pero Cartagena, con México y Lima, fue uno de los cuarteles de la temida Inquisición, y la provincia de Vélez, en Santander, en 1853 fue la primera en el mundo en conceder el voto a la mujer, 16 años antes de que se impusiera en Wyoming, primer estado de los Estados Unidos en otorgar el voto femenino. No obstante, la Corte Suprema de Justicia anuló esta disposición basándose en que ninguna provincia podía dar a nadie más derechos de los que la Constitución garantizaba, por lo que Colombia tuvo que esperar hasta 1954 a que el gobierno de Rojas Pinilla concediera el voto a la mujer, «evitando así el deshonor (que recayó en Paraguay) de ser la última nación latinoamericana en extender el voto a la población femenina». A pesar de ello, Rojas Pinilla no celebró elecciones, con lo cual impidió que lo escrito se pusiera en práctica.

El libro del profesor Bushnell tiene un estilo ameno, no exento de inteligente ironía, como lo hace al referirse al período de la Patria Boba: «Bobos o no, los primeros gobiernos independientes alcanzaron muchos logros importantes», los cuales enumera. Se trata de una obra llena de información y de apreciaciones sugestivas que permite una fácil lectura. Dado que es un trabajo de síntesis para que obre como una especie de manual, es comprensible que no todos los temas se traten con igual profundidad. Sin embargo, esto no explica del todo que, en aras de la síntesis, se deje de lado información relevante o que por trazar pinceladas en algunas pocas ocasiones se caiga en el esquema. Sobre lo primero se podría citar el ejemplo siguiente. A propósito de la rebelión contra Bolívar comandada por José María Obando y José Hilario López, se dice: «Otra revuelta fácilmente controlada se presentó en Antioquia, en septiembre de 1829». En medio renglón más hubiera podido consignarse que quien acaudillaba la rebelión era José María Córdova, el militar colombiano más importante de la Independencia, con lo cual se hubiera mencionado, por lo menos una vez, a dicho personaje.

Otros aspectos útiles e interesantes de este libro son la completa bibliografía y los comentarios que sobre ella se hacen, tanto con respecto a las obras de tipo general sobre historia de Colombia como a las específicas relacionadas con los temas tratados en los diferentes capítulos. Son de utilidad los cuadros históricos sobre la población colombiana a partir del siglo XIX y el número de habitantes de algunas

ciudades, así como la lista de los candidatos que se han presentado
a las elecciones presidenciales a partir de 1826.

Este libro del profesor David Bushnell se suma a los que con
anterioridad había publicado en español sobre aspectos de la historia
de Colombia. Entre ellos vale la pena recordar su obra clásica, El
régimen de Santander en la Gran Colombia; *los estudios sobre la*
historia electoral colombiana, especialmente durante el siglo XIX, y
su libro Eduardo Santos y la política del Buen Vecino.

ÁLVARO TIRADO MEJÍA
Investigador Instituto de Estudios Políticos
y Relaciones Internacionales
de la Universidad Nacional de Colombia

A MANERA DE INTRODUCCIÓN:
COLOMBIA COMO CAMPO DE ESTUDIO

Colombia es hoy en día el menos estudiado de los países de
América Latina, y tal vez el menos comprendido. El país ha atraído
a especialistas en literatura latinoamericana, en buena parte gracias
a su novelista ganador del Premio Nobel, Gabriel García Márquez;
los economistas han tomado nota del lento pero constante crecimiento económico colombiano, especialmente en relación con el
resto de América Latina, conocida por las notorias fluctuaciones
que en los años 80 tendieron al descenso, y varios politólogos se
han interesado en las peculiaridades del tradicional sistema político bipartidista colombiano. Sin embargo, en los trabajos que se
presentan en congresos, así como en las publicaciones académicas,
Colombia figura menos prominentemente que Brasil, México o
Argentina, e inclusive menos que Chile o Perú. En el campo de
la historia, específicamente, el único estudio panorámico disponible en inglés es una traducción ya desactualizada de un texto
para secundaria[1], mientras que se conocen por lo menos cuatro
historias modernas del Perú en lengua inglesa. Entre tanto, en
el nivel de las percepciones populares, el nombre de Colombia
sugiere principalmente, en los Estados Unidos y en Europa Occidental, narcotráfico y violencia endémica. Si algo positivo viene a

la mente, es el familiar Juan Valdez de la campaña publicitaria de la Federación Nacional de Cafeteros, cuya imagen es en realidad el estereotipo del campesino latinoamericano.

El país merece algo mejor, aun cuando sea por razones de tamaño. Es la quinta nación latinoamericana en extensión y la tercera en índices demográficos. En verdad, Colombia fue la tercera nación más poblada en los tiempos de la Independencia, aventajada solamente por México y Brasil; Argentina la superó posteriormente por la masiva inmigración que se presentó allí a finales del siglo XIX y a comienzos del XX, fenómeno ajeno a la experiencia colombiana. Pero ahora Colombia vuelve a superar los índices de población argentinos. En cuanto a producción, Colombia es quinta en América Latina, precedida en este aspecto por México, Brasil, Argentina y Venezuela, pero ocupa el primer lugar como exportador de bienes tan diversos como las esmeraldas, los libros, la cocaína procesada y las flores.

Si a pesar de los puntos anteriores el país todavía no recibe la atención académica que merece, sin duda una de las razones es que la dañina imagen de violencia lleva a los investigadores temerosos a estudiar otros lugares del mundo. Otra razón, como anota el historiador Charles Bergquist, es que Colombia no se adapta a los estereotipos y «modelos» usados convencionalmente en las discusiones sobre América Latina[2]. Después de todo, ¿qué puede hacer un latinoamericanista con un país donde los dictadores militares son prácticamente desconocidos, donde la izquierda ha sido congénitamente débil y donde fenómenos como la urbanización y la industrialización no desencadenaron movimientos «populistas» de consecuencias duraderas? Por otra parte, para el estudioso del siglo XIX, Colombia es tal vez el más típico de los países de la región, con su larga secuencia de guerras civiles entre liberales y conservadores, su retrógrado clericalismo y su radical anticlericalismo, todo en un contexto de estancamiento socioeconómico. Pero de todas maneras, incluso los académicos que investigan sobre el siglo pasado escogerán muchas veces su país de especialización con base en los titulares de la prensa.

El problema de la imagen de Colombia como nación se complica con las ambivalentes características de los mismos colombianos. Además de su tendencia reciente a ser los primeros en subrayar los aspectos negativos del panorama nacional, los colombianos continúan exhibiendo diferencias fundamentales en cuanto a clase, región y, en algunos casos, raza. Es por lo tanto un lugar común decir (y los colombianos son los primeros en afirmarlo) que el país carece de una verdadera identidad nacional, o de un espíritu nacionalista propio, por lo menos si se compara con la mayoría de sus vecinos latinoamericanos. En efecto, el nacionalismo a ultranza no es común en Colombia, y el carácter nacional, si se puede aseverar que tal cosa existe, es un agregado de rasgos a menudo contradictorios. Sin embargo, tanto el costeño como el cachaco, que dicen no tener casi nada en común, abrigan los mismos reclamos sobre la sociedad y las instituciones del país, y lo hacen dentro de un marco de referencia compartido.

En cualquier caso, Colombia existe como nación en el mundo actual. Los grupos humanos y los territorios conocidos hoy como Colombia no han alcanzado su estado actual por vías fáciles; han sido sacudidos por antagonismos y malentendidos sociales, culturales, políticos y regionales. Pero la historia es mucho más que vidas perdidas y oportunidades desaprovechadas. Ha habido también grandes logros, incluidas una literatura y unas artes notablemente vigorosas. En varias oportunidades, además, los colombianos han demostrado su capacidad para recuperarse de situaciones peligrosas y terribles y continuar sus actividades cotidianas en circunstancias que al observador extranjero parecerían desesperadas. La habilidad para «arreglárselas» es ciertamente uno de los rasgos para incluir en cualquier modelo confiable del carácter nacional.

El relato que sigue, sobre el surgimiento de Colombia como nación moderna, es el resultado final de una relación personal con Colombia y con colombianos que se remonta a más de medio siglo. No pretende ser una historia completamente objetiva. Si bien la total imparcialidad es deseable en el campo académico, en la práctica humana es imposible, y no pretendo mantenerla en lo que a Colombia respecta. He tenido allí malas experiencias, como en otros lugares, y he visto allí cosas que ahora preferiría no haber presenciado. Pero he hecho buenos amigos en Colombia y he aprendido a amar los paisajes, sonidos y olores que asaltan mis sentidos cada vez que pongo pie en tierra colombiana. También he notado, por muy sentimental que parezca decirlo, que la mayoría de los colombianos son pacíficos, amables, y no están comprometidos en ningún tipo de actividad violenta o criminal.

Todavía no pretendo comprender a Colombia tan bien como lo haría alguien nacido dentro de su cultura y que siempre haya vivido allí, aunque algunas veces mi condición de extranjero me ayuda realmente a ver algunas cosas con mayor claridad. Naturalmente, he recibido la colaboración de muchísimas personas, desde oficinistas hasta distinguidos académicos, colombianos y no colombianos, tan numerosas que tal vez es mejor no ensayar una lista de agradecimientos. Si lo hiciera, omitiría involuntariamente algunos nombres, o necesitaría muchas páginas. Por razones similares, temiendo pecar por mucho o por muy poco, he omitido las notas de referencia, documentando solamente las citas, los datos estadísticos (para que estén al alcance de quien quiera verificarlos) y ciertos casos especiales. Algunos críticos y otros lectores tal vez tendrán objeciones; no así mi editor. Además, al recortar las notas se gana espacio para texto.

Debo de todas maneras reconocer al menos la ayuda de mi familia, cuyos miembros han pasado buen tiempo conmigo en Colombia (uno nació allí). Sobre todo, agradezco inmensamente a mi esposa, a quien arrastré a Colombia justo después del *bogotazo*, la explosión tumultuosa y multitudinaria que azotó a la capital colombiana en abril de 1948, cuando yo era solamente un estudiante de posgrado que iniciaba una investigación doctoral sin los recursos económicos adecuados. Su primera experiencia fue traumática, pero siguió volviendo conmigo y también ha llegado a amar al país. Los suyos han sido un segundo par de ojos a través de los cuales he podido observar la escena colombiana a lo largo de los años.

DAVID BUSHNELL
Gainesville, Florida, 1992
(Edición revisada en 1995)

NOTAS

1. Jesús María Henao y Gerardo Arrubla, *A History of Colombia*, trad. y ed. de J. Fred Rippy, Chapel Hill, N.C., 1938.

2. Conversación personal con Charles Bergquist, cuya fecha ha sido olvidada desde hace mucho tiempo, pero en la que se basa en parte mi discusión sobre la relativa falta de interés por Colombia, desarrollada en el artículo «South America», *Hispanic American Historical Review*, 65, No. 4, nov., 1985, pp. 783-785.

Capítulo 1

Indígenas y españoles

En el principio había montañas, llanuras y ríos, pero especialmente montañas; ningún rasgo geográfico ha determinado la historia de Colombia tanto como los Andes. No alcanzan en su territorio alturas como las de Bolivia y Perú, pero, divididos en tres cordilleras —Occidental, entre el Pacífico y el valle del río Cauca; Central, entre los ríos Cauca y Magdalena; y la ancha cordillera Oriental, que se ramifica hacia Venezuela—, los Andes confieren al paisaje colombiano su estructura básica. También determinan la temperatura, el clima y las facilidades de acceso.

La mayor parte del territorio está formada por planicies bajas. Cubiertas de pastos tropicales o, como en el sureste, de selva amazónica, estas llanuras se denominan «tierra caliente». A medida que se asciende en las diferentes cadenas montañosas, sin embargo, la temperatura promedio desciende y la naturaleza cambia. En la cordillera Central y en la Oriental, así como en el aislado afloramiento de la Sierra Nevada de Santa Marta, muy cerca de la costa del mar Caribe, hay inclusive algunos picos cubiertos de nieve. Pero las montañas también contienen una serie de valles y planicies entre los 1.500 y los 3.000 metros de altura sobre el nivel del mar que ofrecen temperaturas moderadas y, en casi todos los casos, los mejores suelos y condiciones de vida. En estas tierras de elevación media se han radicado durante siglos las más densas concentraciones de habitantes. A pesar de lo anterior, los primeros colombianos no vivieron en los altiplanos, puesto que para alcanzarlos tenían que cruzar primero las planicies bajas.

La Colombia precolombina

Nadie sabe cuándo llegaron a tierras colombianas los primeros seres humanos, pero se puede suponer que eran parte de la gran migración de pueblos nativos americanos que, habiendo cruzado desde Asia, se expandieron a través de Norte y Suramérica. Probablemente, primero encontraron el actual departamento del Chocó, un área caliente y cubierta de bosques tropicales, con una de las mayores precipitaciones anuales de lluvia del mundo. No era el lugar más atractivo para asentarse, pero llegó a ser habitado permanentemente por grupos que hicieron las adaptaciones necesarias al medio ambiente. El resto del país fue finalmente habitado, aunque no sabemos cuánto duró el proceso ni se han encontrado rastros físicos de casi ninguno de los primeros habitantes del país.

Una de las primeras evidencias claras de actividad humana consiste en algunos trozos de piedra tallada encontrados en El Abra, un lugar de la Sabana de Bogotá. La fecha que se ha determinado para las piedras es anterior al año 10.000 a.C. En el borde occidental de la misma sabana, cerca del Salto del Tequendama (donde el río Bogotá cae repentinamente desde una altura de 140 metros hacia el valle del Magdalena), se han hecho descubrimientos similares. Sin embargo, no podemos suponer que las artes de la civilización se hayan desarrollado primero en los alrededores de Bogotá. Tanto aquí como en otros lugares, la secuencia de etapas de desarrollo —el surgimiento de la agricultura, la fabricación de cerámica y otras— fue extremadamente gradual y, en general, comparable a la de otros pueblos indígenas americanos.

La cultura más temprana de la que han quedado restos monumentales se desarrolló en el Alto Magdalena, cerca del nacimiento del río, en un área de fuertes lluvias situada a 1.800 metros de altura y admirablemente apropiada para el cultivo del maíz. Conocida comúnmente como cultura de San Agustín, nombre que tomó de la actual municipalidad donde se encuentran los principales monumentos, floreció desde por lo menos la mitad del primer milenio a.C. hasta después de la llegada de los europeos, aunque probablemente con algunas interrupciones. Los descubrimientos más impresionantes son varios cientos de estatuas de piedra con figuras animales o humanas, algunas de las cuales superan los tres metros de altura y que aparentemente servían como guardias de tumbas. En efecto, el registro arqueológico consiste principalmente en sepulturas, puesto que las estructuras para vivienda eran obviamente construidas con materiales perecederos. No es menos obvio que debió existir una sociedad con cierta complejidad y estratificación para llevar a cabo los trabajos.

En otras partes del país, diferentes pueblos nativos, ninguno de los cuales igualó en estatuaria a los de San Agustín, perfeccionaron sus propias destrezas, adquirieron práctica en el manejo de la ecología y crearon gradualmente organizaciones sociales y políticas más complejas. La orfebrería fue una de las artes que alcanzó altos niveles de sofisticación en casi todos los grupos, gracias a la proliferación del oro de aluvión. Este metal se encontraba generalmente en la región de las cordilleras Central y Occidental, pero los indios que carecían de él en sus territorios lo obtenían a través del comercio. El comercio y otros tipos de contacto existían, de manera similar, con indígenas de América Central, por ejemplo, y con los que conformaron el Imperio Inca, hacia el sur. Las influencias externas no parecen haber sido decisivas en el desarrollo de las civilizaciones nativas; cabe anotar, por ejemplo, que la llama, que sirvió como bestia de carga y fuente de lana y carne en los Andes centrales, no se conoció al norte de la actual frontera con Ecuador. Así, los pueblos nativos de Colombia, como los de Norteamérica, dependían totalmente del potencial humano para el transporte, inclusive en los ríos y lagos.

Los pueblos indígenas que habitaron la esquina noroccidental de América del Sur pertenecían diversamente a los grupos Caribe, Arawak, Chibcha y otros, pero la gran mayoría formaba parte de la gran familia Chibcha, que se extendía hasta Centroamérica y, en algunos reductos, hacia Ecuador. Lo que los Chibchas tenían en común era principalmente el hecho de que hablaban lenguas similares. El término Chibcha es, pues, principalmente una designación lingüística. Ciertamente, los pueblos chibchas presentaban amplias diferencias en otros aspectos. No obstante, la familia incluyó los dos más notables pueblos de la Colombia precolombina: los Taironas y los Muiscas. Los Taironas son los únicos que parecen haber logrado algo similar a una civilización urbana; los Muiscas progresaron más en la dirección de la consolidación política y territorial en vísperas de la llegada de la Conquista española.

Los Taironas vivieron principalmente en las laderas bajas (menos de 1.000 m sobre el nivel del mar) de la Sierra Nevada de Santa Marta, que se levanta abruptamente en la costa Caribe, detrás de la actual ciudad de Santa Marta, hasta alcanzar las nieves perpetuas. De la misma manera que la Sierra está aislada de las cordilleras andinas, los Taironas estaban alejados de otros centros principales de civilización indígena, y aunque su territorio estaba densamente poblado, su extensión naturalmente demarcada limitaba el crecimiento de la población. Una vez conquistados por los españoles, los Taironas fueron olvidados y no figuraron demasiado en las discusiones sobre antigüedades colombianas hasta los años 70, cuando el descubrimiento de «Buritaca 200», también conocida como «Ciudad Perdida», y los estudios sobre otros sitios de los Taironas, revelaron a los colombianos los logros de la civilización. Entre estos logros se incluyen impresionantes trabajos de ingeniería que no se encontraron en ninguna otra región del país: carreteras y puentes hechos con losas de piedra, terrazas para cultivos en las laderas y construcción generalizada de plataformas de nivelación sobre las cuales se erguían viviendas y otros edificios. Las edificaciones han desaparecido, pero el sistema de plataformas permite visualizar formas de vida urbanas. Además, los Taironas también practicaron la estatuaria, aunque en menor escala que San Agustín, y produjeron una gran cantidad y variedad de objetos de piedra; la orfebrería y la fina cerámica tairona son también notables. En términos puramente cualitativos, los Taironas fueron sin duda el pueblo amerindio más sobresaliente entre los precursores de la Colombia moderna.

Los Muiscas no igualaron a los Taironas en sus habilidades técnicas ni en su sofisticación artística, pero fueron mucho más numerosos (cerca de 600.000[1], la más grande concentración de americanos nativos localizada geográficamente entre el Imperio Inca en el sur y la civilización Maya en América Central), y solamente en ese sentido han tendido a moldear las percepciones sobre la cultura y las instituciones de la preconquista. Vivieron en las cuencas montañosas de la cordillera Oriental. La altura de dichas cuencas, la mayor de las cuales es la Sabana de Bogotá, varía entre 2.000 y 3.000 metros y ofrece un clima entre templado y frío. La tierra era fértil y bien irrigada, y los montes más altos que rodeaban los territorios muiscas les ofrecían protección frente a pueblos guerreros como los Panches, del alto valle del Magdalena. Aparte de la antropofagia ritual, no existen verdaderas pruebas de que los Panches fueran caníbales, como más tarde sostuvieron los españoles, pero ciertamente eran vecinos desagradables.

Los Muiscas fueron un pueblo eminentemente agricultor, que se alimentaba de papas y maíz y bebía cerveza de maíz fermentado o *chicha*. Eran expertos en la fabricación de textiles de algodón, fibra que obtenían a través del comercio; trabajaban el oro y practicaron la escultura en menor escala. Pero no realizaron trabajos de ingeniería comparables a los Taironas, ni asentamientos que pudieran ser descritos como ciudades incipientes. Como todos los habitantes nativos de Colombia, carecían de cualquier forma de escritura. Los Muiscas vivían en viviendas unifamiliares esparcidas por los campos, y no solamente sus casas sino también sus «palacios» y templos estaban hechos de caña, madera, barro y otros materiales similares. Por otro lado, las estructuras más importantes podrían haber llevado delgadas láminas de oro martillado colgando de los aleros, las cuales, inevitablemente, fueron las primeras en desaparecer cuando llegaron los españoles. En algunos casos, niños de corta edad se convirtieron en material de construcción. El niño era colocado en el hueco excavado para introducir uno de los pilares de madera que sostendría el edificio; luego se enterraba la columna, que aplastaba al niño, y proseguía la construcción. Esta es una de las variedades de sacrificios humanos practicadas por los Muiscas y otros habitantes de los tiempos anteriores a la Conquista; pero los sacrificios nunca alcanzaron, ni remotamente, las proporciones a que llegaron en el Imperio Azteca.

Los Muiscas poseían algunos yacimientos de sal en las vecindades de Zipaquirá (donde hoy se encuentra la Catedral de Sal), de los cuales obtenían el producto para su propio consumo y para un comercio extenso con los pueblos vecinos. En efecto, la mayoría del oro muisca provenía de otras regiones, no de la suya propia. Aun así, los Muiscas idearon la ceremonia que más claramente se ofrece como modelo para la leyenda de El Dorado, que los españoles encontrarían más tarde en casi toda Suramérica. Como parte de su ceremonia de instalación, el jefe local de un subgrupo muisca se cubría de polvo de oro y luego navegaba hasta el centro de la laguna sagrada de Guatavita (unos 50 km al noreste de Bogotá), para finalmente sumergirse en las heladas aguas. Muchas piedras preciosas y objetos de oro eran lanzados a la laguna como ofrendas a los dioses y, como el polvo de oro, se asentaban en el fondo. Todo esto alimentó la codicia de los conquistadores españoles, una vez que pudieron ubicar el lugar, pero sus drenajes nunca tuvieron éxito.

Políticamente, los Muiscas no tenían un gobierno consolidado, aunque los grupos más fuertes extendían gradualmente su poder sobre los más débiles. En el nivel más bajo, la unidad básica de gobierno y sociedad era una organización similar al clan, asentada en lazos de sangre. Las unidades políticas del nivel más alto han sido denominadas reinos o confederaciones. A la llegada de los españoles predominaban dos de esas confederaciones: una centrada cerca de la actual Bogotá y dirigida por una figura denominada Zipa, y la otra, localizada a unos 100 km al noreste de la actual capital, en Tunja, cuyo jefe llevaba el título de Zaque. Sus respectivas «capitales», desde luego, no eran ciudades como las taironas, sino pequeñas concentraciones de edificios ceremoniales. Ni el Zipa ni el Zaque ejercían control estricto sobre aquellos que les debían obediencia, pero disfrutaban de posiciones muy honoríficas y se rodeaban de un elaborado ceremonial en sus cortes. Ni siquiera un miembro de la nobleza indígena se atrevía a mirarlos a los ojos. Si, por ejemplo, el Zipa indicaba que necesitaba escupir, alguien sostendría un trozo de rica tela para que escupiera en ella, pues sería un sacrilegio que algo tan precioso como la saliva del mandatario tocara el suelo, y quienquiera que sostuviese la tela (siempre mirando en otra dirección), la retiraba inmediatamente para disponer de ella con gran reverencia.

Los líderes indígenas, fuesen jefes locales o cabezas de confederaciones enteras, normalmente heredaban sus posiciones; pero, así como ocurría en otras sociedades nativas americanas, la herencia no era por línea paterna. En cambio, un jefe era sucedido por su sobrino, el primogénito de su hermana mayor. Había algunas excepciones, y aparentemente los súbditos tenían alguna injerencia en el asunto, aunque fuera solamente para confirmar al sucesor en su puesto. Pero la herencia de la manera indicada era una regla, y si los europeos no hubieran intervenido es razonable suponer que el Zipa o el Zaque habrían absorbido en algún momento las posesiones del otro, incluidos grupos más pequeños y autónomos, y constituido eventualmente un reino muisca unido. También existen señales de que los Muiscas estaban a punto de iniciar una etapa de construcción de edificios más sólidos y de otros avances materiales en su civilización. Infortunadamente, nada de esto habría de suceder.

La llegada de los españoles

Una de las numerosas expediciones enviadas a explorar el Caribe a raíz del descubrimiento inicial de Colón avistó la península de la Guajira en 1500. Más tarde, en los primeros años del siglo XVI, otras expediciones tocaron en la costa colombiana en busca de oro y perlas, esclavos indios y aventuras, así como del esquivo pasaje a Asia que el mismo Colón había buscado. El primer intento de colonización se llevó a cabo en el golfo de Urabá, cerca de la actual frontera con Panamá, donde se fundó la población de San Sebastián en 1510. Desde este mismo tramo de costa se iniciaron expediciones al interior y en dirección oeste, hacia el istmo de Panamá, donde Balboa, una vez asumió el puesto de comandante de un contingente de exploradores, encontró el Océano Pacífico en 1513.

Ni San Sebastián ni otros asentamientos del golfo de Urabá resultaron permanentes, pero otras posiciones españolas de la costa del Caribe se desarrollaron más establemente. Santa Marta, la más antigua ciudad española de Colombia, fue fundada en 1526. Localizada sobre una bahía protegida, al este de la desembocadura del río Magdalena, la ciudad se levantaba justamente al lado de los territorios de los Taironas; más tarde, Santa Marta también serviría como punto de partida para la conquista de los Muiscas. Cartagena, hacia el oeste del río, se fundó en 1533; con una bahía mucho mejor que la de Santa Marta, pronto la eclipsaría.

De manera similar, la exploración y el asentamiento también se habían iniciado en la región occidental de Venezuela, donde en 1528 se fundó Maracaibo, más tarde capital del petróleo. La corona española había cedido el área a la firma bancaria alemana Welser, a la cual debía dinero. Los alemanes reclutaban soldados y aventureros españoles, aunque los comandantes eran germanos. Pronto empezaron a extenderse hacia el oeste, a territorios que no les habían sido conferidos, atraídos, entre otras cosas, por los relatos sobre El Dorado. Finalmente, uno de ellos, Nicolás Federmann, viajó hasta territorio muisca por la ruta más tortuosa: yendo al sur, sobre los Andes venezolanos, hacia la cuenca del Orinoco, y luego hacia el oeste, para ascender otra vez los Andes y alcanzar la Sabana de Bogotá, donde encontró a otros europeos que habían llegado primero.

Obviamente, los españoles asentados en Santa Marta y Cartagena también habían oído hablar de ricos reinos que se suponía existían en lugares del interior, y habían comenzado a enviar expediciones para explorarlos. En abril de 1536 salió de Santa Marta la expedición que habría de conquistar a los Muiscas, bajo el liderazgo de Gonzalo Jiménez de Quesada, comisionado por la corona española para explorar el nacimiento del río Magdalena. Para este propósito, Jiménez de Quesada había recibido un ejército de aproximadamente 800 hombres, de los cuales 550 eran de a pie, 50 iban a caballo y otros 200 en siete pequeñas embarcaciones, en las que intentaban navegar toda la longitud del río. Jiménez de Quesada era abogado de profesión. Inicialmente había venido para servir como magistrado principal de Santa Marta, pero demostró ser un comandante tan duro como cualquiera de los soldados de la Conquista. Y no le faltaron oportunidades para mostrar sus capacidades de líder, puesto que los problemas de la expedición se iniciaron casi inmediatamente. Muchas de las embarcaciones se perdieron intentando navegar las traicioneras bocas del Magdalena, y los soldados que viajaban a pie o a caballo (y los sobrevivientes de los naufragios) tuvieron que luchar contra pantanos, insectos, enfermedades y todo tipo de inconvenientes. Lo peor de todo, tal vez, era que había pocos indios en las franjas del Magdalena Medio para robarles comida. Los hombres terminaron haciendo sopa con sus artículos de cuero y morían constantemente de hambre, enfermedades y fatiga. Sin embargo, en marzo de 1537, alrededor de 200 españoles finalmente ascendieron a los altiplanos en que vivían los Muiscas.

Jiménez de Quesada logró causar una buena —aunque engañosa— primera impresión en los Muiscas, al colgar a uno de sus hombres por robar a los indios. No encontró ninguna resistencia activa sino hasta cerca de Bogotá, por parte de Tisquesusa, el Zipa reinante. Los indígenas fueron vencidos fácilmente, aunque Tisquesusa pudo huir y esconderse, luego de lo cual los invasores se dirigieron al norte, con el fin de aplastar a Tunja y su Zaque.

Esto también se logró fácilmente, y en Tunja los españoles se apoderaron de gran cantidad de oro. Estaban particularmente encantados con esas hojillas doradas que colgaban de los aleros de los principales edificios; en palabras de un cronista, el sonido de las láminas movidas por la brisa era un «delicioso tintineo»[2] para los españoles. Jiménez de Quesada y sus hombres habían sido retribuidos menos generosamente en su conquista inicial del reino de Tisquesusa; volvieron entonces a perseguir al Zipa fugitivo, lo derrotaron una vez más, y esta vez lo mataron en combate, aunque involuntariamente, porque los españoles habían planeado tomarlo vivo y torturarlo hasta que les indicara el lugar donde supuestamente escondía el resto de sus tesoros.

El sucesor de Tisquesusa, el Zipa siguiente, decidió hacer una alianza con los españoles para proteger a su comunidad de un ataque de los Panches del valle del Magdalena, vecinos indeseables de los Muiscas. Aunque resistió exitosamente a los Panches, finalmente el nuevo Zipa murió bajo tortura administrada por sus nuevos aliados, con la esperanza vana de que él les revelara dónde estaba enterrado el tesoro de Tisquesusa. Sin embargo, en un lapso de pocos meses, los conquistadores habían recogido una cantidad impresionante de oro en todo el territorio muisca. Habían establecido su control en una zona densamente poblada y fértil que les ofrecía sal y papas, maíz y esmeraldas, así como utensilios de oro. Y habían logrado todo esto solamente con el ejército original de Jiménez de Quesada. Nunca recibieron refuerzos de su base de operaciones, lo cual contrasta con los ejércitos de aventureros que repetidamente se unían a Hernán Cortés en la conquista de México o a Francisco Pizarro en la del Perú. Los hombres de Jiménez de Quesada estuvieron totalmente aislados de otros españoles por casi tres años y probablemente no habrían sobrevivido para contar sus hazañas si se hubieran encontrado con algo parecido a la maquinaria de guerra del Imperio Azteca. Los Muiscas, sin embargo, aunque no carecían de valentía, parecen no haber tenido una vocación militar especial; sufrieron de las mismas desventajas sicológicas y tecnológicas que los otros pueblos amerindios cuando se enfrentaban a la extraña aparición y al superior armamento de los europeos.

Además de librar batallas, en 1538 Jiménez de Quesada fundó Bogotá como ciudad española y la hizo capital del territorio recientemente conquistado, que bautizó con el nombre de Nueva Granada en recuerdo de su lugar de nacimiento en España. A su debido tiempo, el nombre sería aplicado a todo el actual territorio colombiano. La ciudad propiamente dicha se nombró Santa Fe y continuó llamándose así hasta el final del período colonial (aunque por conveniencia será mejor llamarla por el nombre de Bogotá, adaptación española del nombre de un cercano lugar muisca, que la ciudad asumió en el tiempo de la Independencia y retuvo hasta que, por razones no muy claras, en 1991 se rebautizó oficialmente Santa Fe de Bogotá). Pero mientras Jiménez de Quesada trataba de organizar sus conquistas, inesperadamente tuvo que enfrentar a dos grupos diferentes de exploradores, que por casualidad llegaron a Bogotá unas pocas semanas después de su fundación. Una de éstas era la expedición comandada por Federmann, que venía de Venezuela. La otra venía desde el Perú, al mando de uno de los lugartenientes de Pizarro, Sebastián de Belalcázar, quien había tomado recientemente Quito, la ciudad más norteña del Imperio Inca. Luego, viendo que había más tierras para conquistar hacia el norte, Belalcázar emprendió la expedición. Ya había penetrado en la región que posteriormente sería la principal fuente de oro del imperio español, en la vertiente pacífica de los Andes colombianos y sus territorios adyacentes. En 1536 había fundado varias ciudades, entre las cuales las más notables eran Popayán y Cali. Las dos se convirtieron, respectivamente, en los principales centros urbanos del sur de Colombia desde la Conquista hasta mediados del siglo XIX, y desde mediados del mismo hasta la actualidad. También, a su debido tiempo, Belalcázar emprendió la ruta del este, hacia el territorio muisca, para encontrar a Jiménez de Quesada y sus hombres y a Federmann, quien había arribado antes que él.

El modelo normal de la Conquista española, cuando diferentes bandas de conquistadores convergían sobre el mismo territorio desde puntos de origen diversos, como en el caso de Bogotá, era que se enfrentaran en una sangrienta guerra civil para determinar quién debería quedarse con el botín de los conquistados. Es de anotar que nada similar ocurrió en la Nueva Granada entre los grupos de Jiménez de Quesada, de Belalcázar y de Federmann. Al contrario, en una cumbre sostenida a comienzos de 1539 los tres líderes acordaron someter su alegato al gobierno de España y acatar su decisión. Finalmente, la corona española, de manera muy característica, resolvió no entregar la Nueva Granada a ninguno de los tres interesados, sino a un cuarto, el hijo del recién fallecido gobernador de Santa Marta, quien rápidamente se reveló como avaro y abusivo. Jiménez de Quesada recibió numerosos honores y pocas recompensas, incluida la autorización para conquistar enormes porciones de tierra en los *Llanos*. Su esperanza era encontrar allí ricos imperios, pero no fue así. Sin oro y con pocos indios para forzar a trabajar, los españoles consideraron que los Llanos no tenían casi ningún valor. Belalcázar fue confirmado por el Rey como gobernador de Popayán y a Federmann (o más precisamente a sus patrones, la firma Welser) se le adjudicó solamente Venezuela, donde los alemanes mostraron ser exploradores idóneos y buenos luchadores contra los indios, pero poco o nada hicieron para desarrollar la colonia; a la larga, el gobierno español les retiró la concesión.

La Nueva Granada colonial: sociedad e instituciones

Después de muchos años de experimentar con concesiones y otras formas de administración colonial, en la segunda mitad del siglo XVI España estableció el sistema definitivo de gobierno para la Nueva Granada. Como en la totalidad del imperio español, la estructura fue, en principio, altamente centralizada. El territorio era gobernado por el Rey y sus consejeros desde España; el cuerpo consultivo más importante era el Consejo de Indias, cuyos miembros servían simultáneamente como tribunal administrativo, órgano legislativo y corte de apelación. En el lado americano, las más altas autoridades eran los virreyes españoles, cada uno de los cuales disponía de una Audiencia con funciones casi comparables (en menor escala) a las del Consejo de Indias en España. Durante casi todo el período colonial, la actual Colombia formó parte del virreinato del Perú, pero el Virrey de Lima no podía tener mucha autoridad real sobre tierras tan alejadas de la capital peruana. Por esta razón, en 1564 se designó un Capitán General para la Nueva Granada. Con la ayuda de su propia Audiencia, este oficial debía administrar toda Venezuela, con excepción del área de Caracas, y todo el territorio colombiano menos la esquina suroccidental. Esta porción del país, que incluía a Cali y Popayán, quedó bajo la autoridad del Presidente de Quito (Ecuador), quien ejercía las mismas funciones que un capitán general, excepto en lo militar. Este funcionario disponía también de su propia Audiencia, al igual que el Presidente de Panamá.

Los arreglos jurisdiccionales que acabamos de describir permanecieron básicamente idénticos hasta el siglo XVIII, cuando España emprendió reformas extensivas en su administración colonial. En 1717, la Capitanía General de la Nueva Granada fue elevada al nivel de virreinato por derecho propio, y los lazos que la unían con el Perú se rompieron. Seis años más tarde se restituyeron las divisiones anteriores, porque el costo de mantener una corte virreinal en Bogotá parecía mayor que los beneficios. Pero en 1739 el virreinato de la Nueva Granada se restableció definitivamente, debido más que todo a la intensificación de las rivalidades colonialistas en el Caribe, que hacía deseable tener a mano oficiales de alto rango virreinal en el norte de América del Sur. Las dos presidencias de Quito y Panamá quedaron adscritas al virreinato de la Nueva Granada y no al del Perú, como anteriormente, aunque muy poco tiempo después Panamá perdió su condición de presidencia separada. En 1777, finalmente, Venezuela se convirtió en Capitanía General, con capital en Caracas, y comprendiendo en esencia todo el territorio que ocupa actualmente la República de Venezuela. Formaba parte del virreinato, pero las autoridades de Bogotá tenían tanto (o tan poco) poder sobre el Capitán General y la Audiencia de Caracas como antes el Virrey del Perú sobre

Bogotá. La misma distribución territorial existiría en el momento de la Independencia y de hecho serviría como base para la delimitación de las fronteras de las nuevas naciones.

Bajo el nivel de los virreinatos, capitanías generales y presidencias había divisiones territoriales más pequeñas que se pueden denominar genéricamente provincias, cada una con su respectivo gobernador (aunque este título podía variar). El escalón más bajo del sistema político lo constituían los órganos de gobierno locales, principalmente los *cabildos* o concejos municipales. Los miembros del Cabildo eran elegidos de manera no democrática, muy a menudo por alguna forma de nombramiento sumario; pero por lo menos se trataba de residentes locales, fueran españoles nacidos en Europa o fueran criollos. El Cabildo era entonces la única institución del gobierno colonial que tenía cierto carácter representativo. El sistema como totalidad, además, aunque a menudo marcado por la corrupción, la ineficacia y el abuso, no era ni mejor ni peor que la mayoría de los sistemas de gobierno que había por aquella época en el mundo entero. Inclusive, los que podrían parecer casos flagrantes de corrupción eran generalmente instancias en las que el equipo gobernante ignoraba manifiestamente una regulación poco apropiada para las condiciones locales o cambiaba las reglas (bajo la presión del dinero o de las influencias) en favor de los habitantes coloniales. En ese sentido, la «corruptibilidad» del sistema lo hacía, en efecto, más representativo.

El oro fue lo que primero y más poderosamente atrajo a los españoles a la Nueva Granada, y en realidad ellos encontraron grandes cantidades del metal. Pero también los atraían, como en otros lugares de América, regiones que poseían una población nativa lo suficientemente numerosa y maleable como para convertirse en fuerza de trabajo; y en este aspecto la Nueva Granada tenía mucho que ofrecer, sobre todo en el territorio muisca y en otras áreas montañosas pobladas por agricultores sedentarios que ya estaban acostumbrados a una organización social y política más que rudimentaria. En tales áreas los españoles se establecieron como la clase dominante, imponiendo sus reglas sobre los pueblos conquistados a través de sus propios cabecillas locales y también mediante nuevos sistemas de control que los extranjeros instituyeron. Requerían trabajo de los indígenas en minas y campos, aunque la esclavitud de los indios, ampliamente practicada en los primeros años en otras regiones de la América española, no prosperó en la Nueva Granada. Existían allí formas de explotación menos extremas pero igual o mayormente efectivas. La más importante era el sistema de la *encomienda*, por medio de la cual grupos de indígenas eran literalmente entregados al cuidado de un español para que éste pudiera enseñarles el camino hacia la civilización (incluyendo naturalmente la religión católica) y, en retribución por tal guía y protección, el español recibía tributos de los indígenas. El tributo debido a un *encomendero* por el indígena estaba representado inicialmente en trabajo o en bienes, o en ambos. El gobierno español declaró ilegal el pago del tributo con trabajo, pero éste era exigido ampliamente, en violación de la ley. A pesar de que finalmente la corona abolió el sistema de las *encomiendas* (momento en el que los tributos pasaron directamente al tesoro real), los ex encomenderos retuvieron cierta autoridad no oficial sobre sus anteriores protegidos.

Los indígenas también podían ser forzados legalmente, en ciertas circunstancias, a realizar trabajo pagado en las fincas o minas españolas; además, las posibilidades para la explotación ilegal eran todavía más numerosas. Un factor que limitaba la explotación, sin embargo, era la drástica disminución de la población indígena. Al igual que en otras partes de América, incluidas las colonias no españolas, los nativos que fueron conquistados sufrieron una catástrofe demográfica en los dos siglos siguientes a su primer contacto con los europeos. Su reducción fue resultado no solamente de las muertes causadas durante la conquista y la represión de las revueltas, sino también, simplemente, del trabajo excesivo y el maltrato, la disolución de las relaciones sociales tradicionales y la propagación de enfermedades europeas tales como el sarampión y la viruela. Los expertos discrepan sobre la importancia relativa de los diferentes factores (las enfermedades ocupan

35

generalmente el primer lugar entre las causas de la mortandad) y sobre el alcance del declive poblacional, que inevitablemente varía de una región a otra. A lo largo de la costa caribeña, una de las áreas más afectadas, una cantidad cercana al 95% de la población fue eliminada en menos de cien años[3].

Una razón por la cual es difícil medir y evaluar el declive de la población indígena es que la mezcla racial había convertido a numerosos descendientes de indios en mestizos, de ancestro español e indígena. Hacia el final del período colonial, menos de un cuarto de la población de la Nueva Granada, estimada en 1.400.000 habitantes, fue clasificado como indígena. El resto formaba parte, o bien del grupo blanco, o bien del mestizo (más del último que del primero), o si no, descendía de los esclavos traídos de África para trabajar en las tierras bajas de las costas Atlántica y Pacífica (y para ese entonces, de ancestro africano más frecuentemente mezclado que puro). La población total de esa época puede haber sido inclusive menor que en la era de la preconquista. Es difícil precisar qué tanto menor; pero la catástrofe demográfica, por lo menos, ya había sido superada y la población estaba creciendo aproximadamente al 1.6% anual[4].

Aun aquellos que todavía eran contados como indígenas habían sido sometidos a diferentes grados de asimilación cultural, proceso especialmente rápido en las principales áreas de asentamiento españolas. De esa manera, hacia finales del siglo XVII la lengua de los Muiscas había desaparecido virtualmente, salvo en nombres de lugares y términos para designar la fauna y la flora locales que se adoptaron en la lengua castellana. Esta situación se repitió en formas menos extremas en otras zonas de los altiplanos del interior. Contrasta violentamente con la supervivencia, en colonias como México o Perú o inclusive las regiones más elevadas de Ecuador, de pueblos nativos enteros que continuaban diferenciándose claramente —en términos de lengua, vestido y costumbres— de la población española y mestiza. La extensa asimilación de los indígenas se debió en parte a su reducido número y a su mediano nivel de desarrollo social y material, si se compara con el de los pueblos nativos de las otras regiones. Cualesquiera que fueran las razones precisas, la asimilación redujo tajantemente, y desde fecha muy temprana, un potencial obstáculo para la integración nacional, aunque incluso los indígenas asimilados culturalmente permanecieron cerca del más bajo nivel en una sociedad marcada por una aguda estratificación social y de otros tipos.

Económicamente hablando, la Nueva Granada era una de las colonias españolas menos dinámicas de América. En su parte central se ubicaba la zona de los Muiscas: el área montañosa y de mesetas que se extiende hacia el noreste de Bogotá y que corresponde aproximadamente a los actuales departamentos de Boyacá y Cundinamarca. Esta región central se dedicaba principalmente a la agricultura y la ganadería para consumo local. No existía demanda externa para sus productos; si la hubiera habido, por lo demás, los costos del transporte hacia los mercados externos u otras regiones de la colonia habrían sido prohibitivos. Al menos, la región había sido tan densamente poblada en tiempos de la preconquista, como para retener suficiente población indígena incluso después del drástico declive demográfico, y la mayor parte de su producción era realizada por las comunidades indígenas sobrevivientes, las cuales —tal como ocurría antes de la Conquista— eran dueñas comunitarias de sus tierras. Estas tierras comunes o *resguardos* estaban protegidas por las leyes de los mismos conquistadores. Muchas de las mejores tierras, sin embargo, habían caído, de una manera u otra, en manos de los conquistadores y de sus descendientes y se habían convertido en haciendas. Como en la mayor parte de Iberoamérica, estas haciendas usaban métodos extensivos de cultivo y ganadería, con pequeñas inversiones de capital. En su mayoría, los trabajadores de las haciendas eran técnicamente libres, aunque podían también ser indígenas que habían abandonado sus propios poblados para trabajar temporalmente para un terrateniente español y así ganar dinero para pagar sus impuestos. A medida que pasaba el tiempo, un número creciente de pequeños terrenos separados los unos de los otros (*minifundios* incipientes) daba sustento a la población mestiza, así como a blancos pobres y al elemento fluctuante de las masas nativas, es decir, a indígenas que se habían separado de sus comunidades tradicionales pero no estaban todavía reducidos a la condición de proletarios sin tierra.

Paralelas a las fincas agrícolas y ganaderas, en la región central de la Nueva Granada funcionaban pequeñas industrias artesanales. Ya se tratara de una actividad que las familias de los granjeros llevaban a cabo en su tiempo libre, o ya fueran obra de artesanos especializados de las poblaciones de los alrededores, los productos de las pequeñas industrias estaban también destinados exclusivamente al consumo local. Naturalmente, la mayor concentración de artesanos se encontraba en la ciudad de Bogotá, que en vísperas de la Independencia contaba ya con alrededor de 25.000 habitantes. Por el hecho de ser la capital política de la colonia, Bogotá alojaba inevitablemente a un complemento de empleados públicos y profesionales, así como de personal de servicio doméstico. Pero el papel económico que desempeñaba la capital era a grandes rasgos parasitario e inclusive como centro de comercio y servicios tenía que compartir su prestigio con Tunja, cuyos primeros pobladores asentados gozaron de prosperidad mediante la explotación de los indios de las *encomiendas* cercanas.

En la región suroccidental de la Nueva Granada, la provincia de Popayán abarcaba otra zona montañosa de población indígena relativamente densa. Social y culturalmente, Popayán tenía mucho en común con el área central de la colonia. Sin embargo, también contaba con varios yacimientos de oro a lo largo de la costa Pacífica. Una considerable población de esclavos africanos trabajaba las minas, que eran controladas por los propietarios desde la ciudad de Popayán. Este pequeño centro urbano se enriqueció notablemente y su clase alta mostraba pretensiones aristocráticas. En Popayán había más títulos de nobleza españoles que en Bogotá, cuyo único noble era el Marqués de San Jorge. Es más, el primer marqués, quien había obtenido su título hacia fines del siglo XVIII, dejó de pagar el canon que cobraba la corona por la concesión de semejante honor y se había visto enredado en una dilatada demanda sobre su derecho a seguir ostentando el título.

Popayán y sus territorios mantenían desde la Conquista fuertes lazos con lo que hoy es Ecuador, región que era gobernada desde Quito hasta que el virreinato de la Nueva Granada fue establecido en Bogotá; incluso después del cambio administrativo, Quito mantuvo cierta jurisdicción dentro del área de Popayán. La ciudad de Pasto, tan alejada de Bogotá, enviaba sus casos a la Audiencia de Quito y perteneció a la diócesis de la actual capital ecuatoriana hasta el final del período colonial. Llegada la hora de la Independencia, los habitantes de Pasto, así como muchos de Popayán, consideraron seriamente la idea de pasar a formar parte de la nueva República del Ecuador y no de la Nueva Granada independiente.

La jurisdicción de Popayán se extendía por el norte hasta la muy fértil comarca del Valle del Cauca. Aunque actualmente ésta es una de las regiones colombianas de más rápido desarrollo, en la época colonial languidecía en una relativa insignificancia, principalmente por falta de buen transporte. El valle estaba separado de la principal arteria comercial, el río Magdalena, y así mismo de Bogotá, por la empinada cordillera Central; además, la costa Pacífica no contaba todavía con el Canal de Panamá para la salida de sus productos. El transporte era también difícil para la provincia de Antioquia, situada en el noroeste y en las estribaciones de la misma cordillera. Sin embargo, por ser la explotación del oro el principal renglón industrial de Antioquia, ésta podía asumir los costos del transporte. El mineral se extraía de los lavaderos del río Cauca y sus afluentes, o de otros depósitos esparcidos en toda la provincia, y era explotado tanto por cuadrillas de esclavos pertenecientes a las empresas mineras más grandes, como por innumerables buscadores de oro independientes. El terreno antioqueño es escarpado casi en su totalidad, lo que lo tornaba inadecuado para la formación de grandes haciendas, aunque existieron algunas. De igual manera, Antioquia necesitaba una fuente de alimentación constante para sostener los campos mineros.

En parte para satisfacer esta necesidad, surgió un sector campesino independiente, compuesto principalmente de blancos y mestizos. Pero los comerciantes que proveían los suministros a las minas y que manejaban la exportación del mineral eran los que ocupaban la posición dominante en la sociedad antioqueña.

En la parte norte de la colonia se extendía la amplia planicie de la costa, cuya metrópoli era el gran puerto de Cartagena, hoy día el mejor ejemplo de ciudad colonial amurallada que existe en América. Cartagena servía como puerto de escala de flotas que cubrían la ruta entre España y el istmo de Panamá, desde el cual los bienes se transbordaban hacia toda la costa occidental de Suramérica. La ciudad caribeña también administraba casi todo el comercio de importación y exportación de la Nueva Granada. Las exportaciones consistían principalmente en oro, puesto que, aunque el virreinato no se dedicaba al monocultivo sino que, por el contrario, las cosechas eran diversas, el oro era sin lugar a dudas el único producto de exportación significativo. Lo anterior determinó una constante —la monoexportación— que se mantuvo hasta hace muy poco tiempo en Colombia, en la que el oro como producto principal sería sucesivamente sustituido por productos agrícolas. La Nueva Granada era, en efecto, la principal productora del metal en el imperio español, así la cantidad de oro neogranadino fuera mínima comparada con la de plata proveniente de México o Perú y así las minas emplearan a una muy pequeña porción de la población total de la colonia.

Además de servir como puerta de entrada y de salida del mundo exterior, Cartagena era la base principal de las fuerzas marítimas españolas en Tierra Firme (junto con La Habana, uno de los dos grandes centros del poderío naval español en América), y también el principal puerto de entrada para el comercio de esclavos africanos en la América del Sur bajo dominio español. Era en Cartagena donde los cautivos recién llegados eran reunidos y «aclimatados» para luego ser enviados a sus destinos finales. Junto con Ciudad de México y Lima, Cartagena era también uno de los cuarteles generales de la temida Inquisición española, aunque la rama local no fuera tan activa como las otras dos. Solamente cinco o seis personas fueron quemadas en la hoguera por herejía en todo el período colonial, contra más de cien en México y Perú, y alrededor de 726 personas recibieron sentencias menores[5].

Entre otros asentamientos costeros, Santa Marta, punto de partida de la expedición que al mando de Gonzalo Jiménez de Quesada conquistaría a los Muiscas, también contaba con una buena bahía. Pero la ciudad perdió terreno rápidamente, en primer lugar porque el acceso a Cartagena desde el río Magdalena, arteria principal para las comunicaciones internas, era mucho más fácil. La situación ideal para un puerto habría sido sin duda la desembocadura del río, pero las bocas del Magdalena eran de muy difícil navegación. La construcción de un canal que unió a Cartagena con un pequeño afluente del río y permitió el transporte acuático desde el valle alto del río Magdalena hasta el mar Caribe, impidió que Santa Marta jugara un papel comercial importante hasta el siglo XIX. Especialmente hacia el final de la época colonial, la costa caribeña adquirió importancia adicional en pastoreo y agricultura, y empezó a elaborar cueros, azúcar, añil y otros productos tropicales. Estos artículos, sin embargo, nunca estuvieron cerca de alcanzar los niveles de exportación del oro y la mayor parte de las llanuras costeras se mantuvo escasamente poblada.

Aunque su vinculación con el resto de la Nueva Granada siempre fue bastante tenue, el istmo de Panamá tenía varias características en común con la región costera. Desempeñaba un papel fundamental en el comercio marítimo con el extranjero, aunque su economía interna estaba muy pobremente desarrollada. Además, en la mezcla racial de su población predominaba el elemento africano. Solamente pasó a formar parte de la Nueva Granada a mediados del siglo XVIII, cuando fue incluido en el recién creado virreinato. Anteriormente había dependido del Perú y los panameños no se mostraron muy conformes con el cambio. La autoridad de Lima era por lo menos familiar y resultaba mucho más fácil llegar a la capital peruana que a Bogotá: todo lo que había que hacer era embarcarse en un buque costero y navegar al sur bordeando la costa hasta El Callao, el puerto de Lima; para alcanzar la capital de la Nueva Granada, por el contrario, había que cruzar las montañas panameñas (si se partía de Ciudad de Panamá, sobre la costa Pacífica), navegar hacia Cartagena, a contraviento, y desde allí emprender un viaje extremadamente incómodo y largo (hasta un mes en champán) a lo largo del Magdalena hasta desembarcar en Honda, desde donde todavía había que ascender la cordillera para llegar a Bogotá.

Las cosas empeoraron para el istmo, pues a raíz de la anexión a la Nueva Granada Panamá perdió su condición de presidencia separada; al mismo tiempo, se vio afectado por un largo período de depresión económica resultante de varios cambios en el sistema comercial español. Después de todo, la importancia económica de Panamá se basaba en el requisito legal, predominante durante casi todo el período colonial, de que todas las mercancías destinadas a la América del Sur occidental debían cruzar por el istmo, cuya población vivía fundamentalmente del comercio de paso. Pero a mediados del siglo XVIII España reformó los reglamentos comerciales del imperio, de manera que el sistema de flotas entre Cádiz y el istmo fue descontinuado para facilitar legalmente la navegación desde España, a través del Cabo de Hornos, hacia los puertos suramericanos del Pacífico. Este cambio fue beneficioso para Chile pero desastroso para Panamá, que solamente se recuperó con la bonanza del oro de California en el siglo siguiente.

La última región importante de la Nueva Granada, el noreste, estaba compuesta por las provincias coloniales de Pamplona y Socorro, o sea, los actuales departamentos de Santander y Norte de Santander. Se trataba de un área heterogénea, que en cierto modo presentaba casi todas las características de las demás: las mismas razas, las mismas cosechas, los mismos tipos de organización de la propiedad de la tierra. Contaba, así mismo, con el más importante centro manufacturero de la Nueva Granada, la ciudad de Socorro y sus aldeas circundantes. El principal producto eran los textiles de algodón, pero no existía nada parecido a un sistema de fábricas. Al contrario, esta era una industria de unidades familiares individuales, que hilaban y tejían a mano. A menudo eran familias de finqueros que se dedicaban a los textiles en su tiempo libre, o bien esposas e hijas que tejían mientras los hombres labraban la tierra. La industria estaba organizada según el sistema de trabajo fuera de la fábrica, que consistía en que un empresario compraba el algodón, lo distribuía entre diferentes familias que lo hilaban y luego parcelaba el hilo de igual manera para que otras familias tejieran las telas. El producto final era una tela de algodón gruesa para uso local y de las provincias aledañas. La industria empleaba a varios miles de personas, y aunque nadie se hizo rico, mucha gente —principalmente blancos pobres y mestizos— adquirió una mayor independencia económica.

Aunque no constituían una región destacada sino en términos de extensión, los Llanos Orientales fueron más importantes en la Colonia que en otros períodos anteriores al siglo XX. Los Llanos eran una región tropical de pastizales, inundados en épocas de lluvia, resecos en el verano y conectados con los centros urbanos andinos por las más rudimentarias vías de comunicación. La región estaba habitada por una escasa población de indígenas semi-sentados y gran cantidad de rebaños salvajes, para no mencionar los mosquitos y otras plagas. Varias expediciones anduvieron en los Llanos durante la Conquista, pero al no encontrar fuentes de riqueza en el territorio, los pobladores españoles de la Nueva Granada mostraron poco interés por esa comarca. La tarea de establecer presencia colonial fue dejada en manos de órdenes mi-sioneras, especialmente los jesuitas, que se empeñaron en reunir a los indígenas en comunidades misioneras para poder cristiani-zarlos y «civilizarlos». Con ayuda del trabajo indígena, los jesuitas crearon haciendas de pastoreo y plantaciones de azúcar y otros productos de consumo. En 1767, cuando la Compañía de Jesús fue expulsada del imperio español, el dominio de las misiones pasó a manos de órdenes rivales. Éstas no se mostraron tan exitosas en el mantenimiento de las misiones, pero la caída de la economía llanera sólo llegó a comienzos del siglo XIX, cuando las guerras de

Independencia diezmaron los rebaños y las reformas legislativas republicanas asestaron el golpe final al sistema de las misiones[6].

El uso de misiones de frontera como método de colonización fue una de las formas como la Iglesia Católica Romana se hizo sentir en la vida colonial. La Iglesia desempeñaba un importante papel mediador entre el Estado y la sociedad hispánicos y las comunidades indígenas de los altiplanos andinos, que habían sido cristianizadas, al menos superficialmente, poco después de la Conquista. Se ocupó menos de la población de esclavos africanos, aunque el misionero catalán Pedro Claver fue canonizado por su trabajo con los recién llegados a Cartagena. Finalmente, a las comunidades españolas y mestizas la Iglesia Católica no sólo les sumistraba atención religiosa, sino también la mayoría de los servicios sociales disponibles en la época, incluida la educación. Para cumplir con sus funciones, la Iglesia mantenía un clero que, al final de la era colonial, contaba con cerca de 1.850 hombres y mujeres, entre regulares y seglares. Para una población total de 1.400.000 habitantes, esto significaba aproximadamente un miembro del clero para cada 750 personas, proporción mucho mayor que la que existe hoy en cualquier país de América Latina[7]. No obstante, se presentaba una relativa concentración de miembros del clero de todo tipo en Bogotá, Popayán y otros pocos centros urbanos.

El clero no solamente era numeroso con referencia a las estadísticas actuales. También era relativamente rico, pues percibía ingresos por derechos parroquiales y diezmos (requeridos no solamente por la ley eclesiástica sino también por la civil) y disfrutaba de los beneficios de extensas propiedades que había adquirido a través de donaciones e inversiones. Es difícil calcular con precisión el grado de riqueza del clero. Sin lugar a dudas, era menor de lo que los anticlericales del siglo XIX proclamaron para justificar sus ataques a las propiedades eclesiásticas. La Iglesia bien podría haber poseído cerca de un cuarto del total de las propiedades urbanas de Bogotá; pero tal vez es más acertado estimar que era la dueña del 5% del total de propiedades urbanas y rurales (excluida la vasta extensión de dominios públicos no reclamados)[8]. Aun así,

44

la Iglesia, como principal propietario urbano y rural, no tenía rivales. Además, buena parte de las tierras que no le pertenecían directamente estaban hipotecadas a ella a través de gravámenes aceptados como pago de préstamos —puesto que las instituciones de la Iglesia eran así mismo las principales entidades crediticias— o como apoyo voluntario a dotaciones y obras piadosas.

Tanto por su papel de misionera como por su acopio de propiedades, la Iglesia neogranadina encaja en el mismo patrón de toda Hispanoamérica. Sin embargo, su posición era más fuerte en la Nueva Granada que en muchas otras colonias. Por su oro y por la considerable población de indígenas para evangelizar, la Nueva Granada llamó la atención de las autoridades eclesiásticas y civiles desde los primeros años del período colonial. La Iglesia logró construir allí una sólida base institucional que nunca tuvo en colonias como Venezuela o Cuba, las cuales cobraron importancia solamente al final de la época colonial, cuando el celo religioso comenzaba a flaquear. Sin lugar a dudas, la Iglesia no era tan fuerte en las zonas costeras como en el interior andino; el contraste reflejaba fielmente el mayor interés del clero por los criollos e indígenas del interior que por los africanos que componían gran parte de la población de las llanuras costeras. La influencia eclesial, por lo menos en la mente de las clases sociales más altas, empezó a debilitarse a finales del siglo XVIII. Pero este imperceptible cambio no afectó considerablemente la imagen de una Iglesia Católica y Romana cuya posición competía con el Estado y en algunos casos lo desbordaba.

Aunque no fue en realidad una región culturalmente atrasada, la Nueva Granada colonial hizo menos contribuciones notorias al mundo de las artes y las letras que los dos centros principales del poderío español en América, México y Perú. Una de las más idiosincrásicas crónicas de la Conquista española (y que no carece de algún valor perdurable) es *Elegías de varones ilustres de Indias,* en la que el clérigo español Juan de Castellanos registra en verso las hazañas de los primeros conquistadores y exploradores. *El carnero,* de Juan Rodríguez Freile, es una viva muestra del chismorreo de la

45

temprana época colonial, que se lee por placer y no simplemente por tratarse de un documento histórico. En literatura hay muy poco más digno de mención. La colonia ni siquiera tuvo imprenta sino hasta cuando se trajo una a Bogotá en 1738. En el campo de las artes, aparte de mucho arte popular utilitario y religioso, la Nueva Granada produjo al pintor Gregorio Vázquez de Arce y Ceballos, cuyos lienzos de tema religioso eran de gran calidad aunque les faltara la chispa del genio. Vázquez no logró crear una «escuela» de Bogotá comparable con las de Cuzco y Quito, así como tampoco en arquitectura religiosa se logró igualar el esplendor que alcanzaron estas ciudades y muchos otros centros coloniales. Sin duda el más importante logro arquitectónico en la Nueva Granada fue una construcción militar, el fuerte de San Felipe y las obras defensivas asociadas que protegían a Cartagena, terminados a comienzos del siglo XVIII y que nunca pudieron ser tomados por asalto.

Los servicios de educación formal eran inexistentes en las áreas rurales y prácticamente eran poco accesibles para la clase trabajadora en todas partes. Las mujeres, incluso las de las clases sociales más altas, estaban limitadas básicamente a la instrucción que se les impartía en el hogar. Por otra parte, la educación superior estaba relativamente desarrollada, para los hijos de la «élite» colonial. En Bogotá había dos universidades, controladas respectivamente por los jesuitas y los dominicos, en las que se ofrecían las carreras de derecho y teología. Más aún, en la segunda mitad del siglo XVIII la capital de la Nueva Granada se convirtió en uno de los principales centros de actividad intelectual de la América española, especialmente en el campo de la investigación científica. El gran interés por las ciencias naturales, que formaba parte del fermento intelectual que agitó a todo el mundo occidental durante la Ilustración, llegó hasta la remota Nueva Granada, que no pudo sustraerse a las tendencias de la época.

La chispa que provocó avances en las ciencias la encendió en 1760 el arribo al país de José Celestino Mutis, sabio naturalista español que llegó a Bogotá como médico personal de uno de los últimos virreyes coloniales, Pedro Messía de la Cerda. Messía de la Cerda regresó a España luego de expulsar a los jesuitas; pero Mutis se quedó y fue creciendo su fascinación por la enorme riqueza de especies botánicas de la colonia, consecuencia natural de la diversidad topográfica. Desde muy pronto, Mutis adquirió cierto renombre, al afirmar abiertamente la tesis copernicana de que la Tierra gira alrededor del sol y no viceversa, lo cual aún era un poco osado en aquellas fragosidades de los Andes y le causó problemas con la Inquisición. Pero Mutis nunca corrió peligro de caer preso en los calabozos que el Santo Oficio tenía en Cartagena, pues contaba con la simpatía de importantes funcionarios civiles. Por el contrario, fundó la Expedición Botánica, ambicioso proyecto de investigación diseñado con el fin de registrar todas las especies botánicas de la franja suramericana situada al norte de la línea ecuatorial. El propósito sobrepasaba las capacidades de cualquiera, pero con un equipo de investigadores y asistentes, que involucró a expertos pintores que dibujaban las plantas, Mutis adelantó considerablemente el proyecto y por ese motivo fue admitido como miembro honorario de la Academia de Ciencias Sueca.

Aunque Mutis era español, escogió a sus colaboradores principalmente entre la comunidad científica criolla y algunos de los miembros de la Expedición se convertirían en líderes del movimiento independentista de comienzos del siglo siguiente. El mismo movimiento puso un punto final abrupto a la actividad científica en la Nueva Granada, pues dispersó a los líderes del grupo (Mutis ya había muerto) y abrió una serie de nuevas carreras para criollos ambiciosos e inteligentes, las cuales empezaron a tener prioridad sobre la investigación científica.

A pesar de su efímero descollamiento en las ciencias y de su oro, la Nueva Granada no estuvo entre las más preciadas joyas de la corona imperial española. Los funcionarios peninsulares a veces ni siquiera sabían dónde quedaba o qué era: los oficiales del Consulado de Cádiz se refieren a la «isla» de Santa Marta, como si la más antigua de las fundaciones españolas sobre la costa colombiana fuese otro pequeño punto perdido en las aguas del Caribe[9]. La Nueva Granada no era ni remotamente comparable a Nueva España (México) en cuanto a la producción de bienes y evidentemente le faltaba el dinamismo de colonias como Río de la Plata o Venezuela, que presentaban rápido crecimiento económico hacia el final del período colonial. La imagen que surge de los archivos es la de una economía neogranadina somnolienta y de subsistencia, presidida por una clase alta descendiente de los conquistadores o de posteriores inmigrantes españoles y que se diferenciaba del resto de la población más por su engreimiento y vanidad que por el lujo de su estilo de vida, así disfrutara efectivamente de más comodidades.

Para las clases trabajadoras urbanas y rurales, en las cuales ya predominaba, en vísperas de la Independencia, el elemento mestizo, el relativo estancamiento de la colonia no era enteramente perjudicial. Aunque la obligación de pagar tributos podía llevar a los indígenas a alquilarse a los terratenientes criollos neogranadinos por lo menos durante el mínimo tiempo posible para ganar lo equivalente a su cuota anual, no se enfrentaban a los rigores de la *mita* de Potosí, reclutamiento obligatorio para trabajar en las entrañas de la gran «montaña de plata» a que eran forzados los aldeanos peruanos y bolivianos. Afortunadamente para sus habitantes, la Nueva Granada no tenía un Potosí, y la explotación de cualquier tipo de trabajo se mantenía bajo ciertos límites, puesto que las ganancias que recibía el explotador eran modestas y todavía no escaseaban terrenos disponibles e inhabitados. Las minas auríferas eran trabajadas por esclavos negros, quienes al menos estaban mejor lavando oro en la Nueva Granada que cortando caña en Cuba o en Brasil. Y Bogotá, la más aislada de las capitales virreinales, era una ciudad mucho menos atrayente —no opacaba a ciudades menores ni las privaba de sus riquezas y talentos— que, por ejemplo, Lima o Buenos Aires. El perfil moderno de Colombia como país de múltiples centros urbanos, cada uno con vigorosa vida propia, proviene de la era colonial.

En esas ciudades coloniales ya se estaba gestando un contingente de futuros líderes —escribanos y abogados, hombres de negocios, propietarios que vivían fuera de sus latifundios, o la mezcla de todos los anteriores— que pronto emprenderían la formación de una nueva nación.

Notas

1. Hermes Tovar Pinzón, *La formación social chibcha*, 2ª ed., Bogotá, 1980, p. 18.

2. Juan de Castellanos, *Elegías de varones ilustres de Indias*, 4 vols., Bogotá, 1955, t. 4, p. 231.

3. José Antonio Ocampo, ed., *Historia económica de Colombia*, Bogotá, 1987, p. 20. Para una amplia discusión de los problemas inherentes a la medición de la población de la preconquista y su subsecuente declinación, ver Germán Colmenares, *Historia económica y social de Colombia*, 2 vols., Cali, Medellín, 1973-1979, t. I, pp. 47-71.

4. Las cifras de población total provienen de José Manuel Restrepo, *Historia de la revolución de la República de Colombia*, 3ª ed., 8 vols., Bogotá, 1942-1950, T. I, p. XX. Sin embargo, Restrepo agrupa blancos y mestizos bajo una misma categoría. Para la tasa de crecimiento de la población, ver *Manual de historia de Colombia*, 2ª ed., 3 vols., Bogotá, 1982, t. 2, p. 139.

5. José Toribio Medina, *Historia del tribunal del Santo Oficio de la Inquisición de Cartagena de las Indias*, Santiago, 1899, p. 417.

6. Jane M. Rausch, *A Tropical Plains Frontier: The Llanos of Colombia, 1731-1831*, Albuquerque, 1984, en especial caps. 3 y 9.

7. Restrepo, *Historia de la revolución*, t. I, p. XXXVIII.

8. La cifra del 5% corresponde a una deducción basada en el análisis de las propiedades expropiadas a la Iglesia en la década de 1860. Ver Jorge Villegas, *Colombia: enfrentamiento Iglesia-Estado, 1819-1887*, Medellín, 1977, p. 82.

9. Consulado de Cádiz al Ministro del Real Tesoro, sept. 27, 1773, en el Archivo General de Indias (Sevilla), Indiferente General, legajo 2411. Esta joya fue encontrada por Allan Kuethe.

Capítulo 2
Rompimiento de lazos con España (1781-1819)

Al igual que en el resto de la América española, en la Nueva Granada el proceso gradual de crecimiento económico y demográfico debilitó inevitablemente los lazos imperiales con España. Los colonizados, o al menos aquellos que se preocupaban por tales asuntos, tenían cada vez más razones para considerar su propia importancia y necesitaban cada vez menos la guía de la madre patria. Para finales del siglo XVIII, la gran mayoría de blancos eran criollos nacidos en América y no españoles peninsulares; como tales, se sentían menos apegados a la tierra de sus antepasados que a la suya propia. Los mestizos, para no mencionar a los negros ni a los indígenas, tenían razones aún mayores para sentir que la suya era una identidad diferente. La Nueva Granada era distinta de España, no solamente en su topografía y su conformación demográfica, sino también en sus funciones y estructuras económicas y su forma de vida.

Obviamente, el sentido de identidad local no excluía la lealtad prolongada a la corona, pero sí aumentaba la conciencia por parte de los americanos de las diferencias concretas entre sus intereses y los de la monarquía peninsular. Estas disparidades eran, una vez más, similares a las de otros lugares del imperio, aunque con

51

variaciones en su importancia relativa. Por ejemplo, existía la queja común contra las restricciones comerciales impuestas por España, es decir, la prohibición de cualquier negociación directa con puertos fuera del imperio, aunque en casos de emergencia bélica se otorgaban permisos excepcionales. Tales licencias se concedieron muy a menudo en la época final de la Colonia, puesto que el compromiso de España en las guerras de los períodos revolucionario y napoleónico franceses hacía imposible que la madre patria intentara siquiera proveer a las colonias de los productos que necesitaban. Hasta cierto punto, estas excepciones estimulaban el apetito colonial, toda vez que si el comercio directo con los Estados Unidos, por ejemplo, era bueno en momentos de emergencia, debería ser mejor si se mantenía de manera permanente y regular. Sin embargo, la reivindicación comercial no resultaba tan apremiante en la Nueva Granada como en la vecina Venezuela, especializada en la exportación a gran escala de materias primas y alimentos, cuyos fletes eran muy altos en relación con su valor intrínseco, de manera que el requisito legal de embarcarlos exclusivamente para puertos españoles constituía un inconveniente importante. En la Nueva Granada, donde la actividad comercial era más modesta y el único producto importante de exportación era el oro, las regulaciones comerciales, aunque a menudo molestas, no constituían un asunto tan candente.

La relativa falta de dinamismo de la economía neogranadina también determinaba que esta colonia se viera menos afectada por el impacto de las normas imperiales que restringían ciertas industrias, como la vinicultura o la manufactura de telas de alta calidad, que podrían entrar en conflicto con las de la península. En la Nueva Granada era mucho más importante la rivalidad fundamental entre los criollos y los peninsulares o españoles europeos. El clásico historiador colombiano de la Independencia, José Manuel Restrepo, asignó a dicha rivalidad el primer lugar en su lista de factores que llevaron al rompimiento con España[1]. La rivalidad, que incluía discriminación contra los criollos en la adjudicación de puestos en los niveles altos de la administración, discriminación en asuntos comerciales y menosprecio por parte de los altivos españoles hacia los americanos, se convirtió en fuente fundamental de descontento a lo largo y ancho de los territorios coloniales. Pero no hay evidencias de que la rivalidad presentara características especiales ni de que asumiera mayor intensidad en la Nueva Granada.

También hubo desafecto, en la medida en que se cuestionaba cada vez más el sistema político español, en el cual destacaba la persistencia de la monarquía absoluta tanto en las colonias como en la metrópoli, que no permitía expresiones de representación política, excepto en el nivel de la administración municipal, bajo la forma de los *cabildos*. Especialmente después de las revoluciones francesa y angloamericana, la falta de representación constituía un flagrante anacronismo. Los que ansiaban la independencia real conformaron por mucho tiempo una pequeña minoría, pero otros aspiraban por lo menos a una mayor autonomía dentro del marco del imperio español. De cualquier manera, éstos recibieron, hasta cierto punto (es difícil precisar qué tanto) la influencia de las nuevas corrientes ideológicas de la época —subversivas, desde el punto de vista de la corona española— que emanaban directamente de Francia, Inglaterra y los Estados Unidos. Las nuevas ideas se abrieron camino en las colonias desafiando la censura y otros obstáculos, pero llegaron, como lo hizo la ejemplarizante noticia de la independencia de las colonias británicas del gobierno imperial. Difícilmente se habría podido mantener en secreto esta noticia, cuando España misma, por razones relacionadas con rivalidades europeas por el poder, apoyó abiertamente a las colonias angloamericanas en su esfuerzo, el cual fue favorablemente reseñado en la prensa española. Una vez más, en comparación con Venezuela, la Nueva Granada no era una de las colonias más fácilmente expuestas a las ideas extranjeras. Gracias al auge del cacao en el siglo XVIII, a sus amplios contactos en el extranjero y a la evidente proximidad geográfica de sus centros urbanos a las Indias Occidentales británicas, francesas y holandesas, Venezuela se encontraba en una buena posición para absorber nuevas influencias intelectuales. El florecimiento de los estudios científicos promovido por José Celestino Mutis en la Nueva Granada no pudo compensar los efectos del estancamiento económico y el aislamiento geográfico. Sin embargo, en los últimos años del régimen colonial, en la Nueva Granada aumentó la desafección; en realidad, fue el escenario de una de las principales rebeliones populares de fines del siglo XVIII.

Antecedentes y precursores de la Independencia

La rebelión de los Comuneros en la Nueva Granada fue una de las dos más notables sublevaciones hispanoamericanas (la otra fue la sangrienta revuelta de Túpac Amaru en el Perú, que ocurrió exactamente al mismo tiempo). La relación precisa de esta revuelta con el posterior movimiento independentista es tema de debate, aunque por lo menos se la debe considerar como antecedente; pero el movimiento comunero tiene una correspondencia clara con la independencia de las colonias inglesas, puesto que se inició como protesta contra el alza de los impuestos, establecida precisamente para costear la participación de España en la guerra independentista de los Estados Unidos, del lado de los revolucionarios angloamericanos. Ambas revoluciones se originaron, pues, en protesta contra las exigencias fiscales de las potencias metropolitanas que buscaban financiar sus rivalidades imperiales. En la Nueva Granada se necesitaba dinero para mantener la gran base naval de Cartagena; para conseguirlo, tanto el monopolio gubernamental del tabaco como el del aguardiente subieron sus precios. Estos son solamente dos de una serie de monopolios fiscales mediante los cuales el Estado se encargaba de la producción y venta de artículos específicos y absorbía las ganancias para engrosar el tesoro real. El monopolio del tabaco era holgadamente el más importante; junto con los derechos aduaneros y la *alcabala*, o impuesto colonial a las ventas, constituía uno de los pilares principales del sistema de ingresos del erario. Pero otros tributos también se incrementaron y, para asegurarse de que fueran recolectados, el gobierno expidió nuevos y molestos mecanismos.

Los decretos fiscales entraron en vigencia a comienzos de 1781 y con ellos se inició el malestar. En varios lugares, furibundos habitantes rompieron los avisos que se habían fijado en las paredes e inclusive quemaron tabaco y derramaron aguardiente del gobierno —tal como ocurrió en el «Boston Tea Party»—. Estas «fiestas» del tabaco y el aguardiente tuvieron lugar principalmente en la provincia de Socorro, el principal centro manufacturero de la Nueva Granada, que había recibido un duro golpe con las nuevas medidas: la fibra de algodón, antes exenta, estaba ahora sujeta a la alcabala. El movimiento parece haberse iniciado como una explosión de raíz popular, que movilizó a criollos pobres y de ingresos medios así como a mestizos, que se manifestaron en contra de los nuevos impuestos y aterrorizaron a los funcionarios reales de la región. Una vez iniciado el movimiento, algunos miembros de la clase alta local asumieron su conducción, aunque éstos posteriormente dijeron haber intervenido solamente para mantener las cosas bajo control y con miras a restaurar la autoridad del gobierno real a la primera oportunidad. Sin duda, ellos simpatizaban con el objetivo principal de reducir los impuestos, pero eran más conscientes que las masas de las posibles consecuencias de la rebelión, y por lo tanto se unieron a ellas con reservas mentales absolutamente genuinas. En todo caso, en la ciudad de Socorro los habitantes se organizaron en una asamblea popular o *común* (de ahí el nombre del movimiento) y eligieron como sus dirigentes a cinco prominentes criollos locales, quienes ostentaron el título de Capitanes Generales, el más importante de los cuales fue Juan Francisco Berbeo. Los cinco redactaron rápidamente un juramento secreto según el cual admitían haber aceptado sus nuevas posiciones bajo presiones y se aseguraron de que su secreto llegara a oídos de las autoridades.

La escena se repitió en otros lugares de la provincia de Socorro y en las vecinas. La gente se amotinaba, organizaba su *común* y elegía sus «capitanes» locales, quienes —tal como había ocurrido en Socorro— a menudo aceptaban con reservas. Los pueblos formaron una dispersa alianza encabezada por Socorro, pero los lazos eran muy informales; nunca surgió algo similar a un gobierno revolucionario unificado. Una vez establecidas las «comunas», se suspendió la quema de tabaco y se inició su venta, con el fin de cubrir los gastos de la rebelión. Los Comuneros formaron sus fuerzas armadas, depusieron a funcionarios públicos poco populares y, en general, asumieron el control de la situación. El Virrey se encontraba en Cartagena atendiendo la defensa contra los británicos, y el Virrey encargado que había dejado en Bogotá pronto emprendió la fuga. Por esta razón, la Audiencia, tribunal superior de la colonia, asumió la suprema autoridad ejecutiva y judicial. La Audiencia pronto se mostró incapaz de tomar medidas decisivas, pues era incierta tanto la lealtad de la población en general como la de las milicias locales, única fuerza militar disponible por cuanto las unidades regulares se habían concentrado en Cartagena.

De esta manera, viendo el camino despejado, los Comuneros marcharon hacia Bogotá, animados por la consigna de «¡Viva el Rey y muera el mal gobierno!», lema corriente de los amotinados e insurrectos en todas las regiones del imperio antes del levantamiento final contra la madre patria. La divisa no significaba una exigencia de cambios fundamentales en el sistema político, sino solamente la suspensión de abusos específicos, como eran los nuevos precios del aguardiente y el tabaco. Contando —se ha dicho— con 20.000 hombres[2], lo que sería un ejército mayor que cualquiera de los que combatieron por la independencia en esta parte de América, las fuerzas comuneras se detuvieron en Zipaquirá, cerca de la capital. Allí entablaron negociaciones con el arzobispo Antonio Caballero y Góngora, encargado por la Audiencia para llegar a un acuerdo con los sublevados. Lo que la Audiencia quería impedir, ante todo, era la entrada de los Comuneros a Bogotá, por temor a lo que podrían hacer en las calles de la ciudad. Por eso, aunque los rebeldes consintieron en renunciar a algunas exigencias menores y en no entrar a la capital, obtuvieron a grandes rasgos lo que querían. Todos los nuevos impuestos se derogaron, algunos de los agravios se remediaron y el arzobispo llegó inclusive a conceder que en adelante se preferiría a los criollos en la adjudicación de empleos públicos. Esta última concesión poco tenía que ver con los problemas financieros que originaron el movimiento, pero muestra claramente las susceptibilidades que el asunto despertaba.

Por otra parte, la resolución de Berbeo y la alta jerarquía de los líderes Comuneros pronto empezó a debilitarse, especialmente luego de enterarse de que el Virrey, al conocer los términos del acuerdo, los había reprobado y había despachado refuerzos militares desde la costa. En estas circunstancias, los Comuneros aceptaron dócilmente la sugerencia del prelado de renunciar voluntariamente a las concesiones que acababan de obtener. Muchos de los insurrectos, perplejos ante las circunstancias, podrían haber continuado la lucha para mantener sus conquistas, de no haber sido por la falta de liderazgo firme; habrían podido causar verdaderos problemas a las autoridades, pues la fuerza gubernamental que tanto alarmaba a los jefes Comuneros no pasaba de 500 hombres. Pero los líderes, en efecto, se negaron a continuar la empresa.

Solamente unos pocos Comuneros de segundo rango decidieron hacer demostración de resistencia, pero fueron fácilmente aplastados. El más importante de éstos fue José Antonio Galán, un mestizo de origen relativamente humilde aunque con cierta educación. Él y otros terminaron por ser atrapados y ejecutados, y sus cabezas, ensartadas en lanzas o expuestas en jaulas de madera, fueron paseadas por todo el territorio central de la Nueva Granada, a manera de advertencia. El cuerpo de Galán fue descuartizado y sus partes se exhibieron en diferentes poblaciones. Su casa fue arrasada y en el suelo se esparció sal, como hicieran los romanos a la caída de Cartago. Gracias a la intervención del arzobispo, sin embargo, todos aquellos que habían participado solamente en las primeras etapas de la rebelión obtuvieron el perdón y se les respetó la vida. Al tiempo que se restablecían los detestados impuestos, el Virrey renunció y su sucesor murió poco tiempo después de asumir el cargo. El siguiente Virrey designado fue el propio arzobispo

Caballero y Góngora, quien procedió a restablecer el orden que reinaba antes de la guerra con Inglaterra. El funcionario ordenó descolgar las partes del cuerpo de Galán, que llevaban expuestas más de seis meses.

Aun sin el levantamiento comunero, la situación fiscal habría vuelto a la normalidad una vez terminada la emergencia bélica; por consiguiente, no se puede afirmar con certeza que los alzados lograran nada concreto. Sin embargo, vale la pena notar las grandes proporciones que llegó a tomar la revuelta. No se trató de un simple motín, porque en su mejor momento el movimiento controlaba casi un tercio de la Nueva Granada, con brotes de descontento aquí y allá, inclusive en territorio venezolano. Los funcionarios encargados de los impuestos cargaron con la peor parte, pues fueron golpeados y a veces hasta asesinados; cada vez que empezaba un nuevo episodio, saltaba al escenario todo tipo de personas, con toda clase de reclamos. Era claro que en la colonia no hacían falta los temas enardecedores y que cualquier protesta pequeña podía fácilmente convertirse en algo más grande.

Más aún, la memoria de la rebelión se prolongó en el tiempo, pasó posteriormente a ser parte del folclor patriótico colombiano y sirvió, entre tanto, para asustar a las autoridades españolas, las cuales nunca más pudieron tener la certeza de confiar en la población local. Como anotó Caballero y Góngora, la lealtad instintiva y tradicional de la gente habría bastado antes del alzamiento para mantener el orden en el territorio neogranadino, pero con la revuelta de los Comuneros se había perdido «la inestimable inocencia original»[3]. Los neogranadinos, en efecto, habían probado el fruto prohibido de la revolución y podrían tener todavía menos escrúpulos la próxima vez que intentaran levantarse. En consecuencia, en los años finales de la Colonia las autoridades españolas decidieron reducir la importancia de la milicia colonial en favor de un acopio modesto de fuerzas del ejército regular, y los últimos virreyes insistieron en que no querían cualquier tipo de soldado estacionado en Bogotá, sino exclusivamente soldados nacidos en España.

Al mismo tiempo, las autoridades se preocuparon por no provocar antagonismos innecesarios con la población nativa. No solamente eliminaron la mayor parte del régimen fiscal vigente antes de la revuelta de Socorro, sino que también evitaron implantar en el país el sistema de intendentes, diseñado según procedimientos franceses de la época borbónica y establecido hacia el final de la Colonia en otras partes de la América española para mejorar la eficiencia de la administración, especialmente en lo relativo al cobro de impuestos. Cuidadosamente escogidos y bien pagados, los intendentes sustituyeron una amplia variedad de formas gubernamentales de nivel provincial que no estaban reglamentadas y que a menudo se superponían. En la Nueva Granada, que no era una prioridad desde el punto de vista español, nada se había hecho, hasta el momento en que se inició la revuelta, para implantar el nuevo sistema. Ahora, por temor a agitar los ánimos de los habitantes, la corona optó simplemente por mantener vigentes los antiguos procedimientos.

Finalmente, dos problemas interpretativos en relación con los Comuneros han sido ampliamente discutidos por los historiadores colombianos. Uno consiste en definir si los Comuneros apuntaban hacia la independencia, como han insistido algunos autores colombianos, a pesar de que nunca se proclamó oficialmente tal objetivo, sino únicamente el de solucionar reclamaciones específicas. Puesto que ésta sería una discusión sobre intenciones secretas, es tan complicado asentir como disentir; pero la mayoría de las evidencias que se han presentado en apoyo de esta tesis son altamente cuestionables, y es sin duda muy difícil reconciliarla con los reparos del alto mando comunero, dignos de tener en cuenta para la discusión. En su momento, el historiador revisionista Indalecio Liévano Aguirre indicó que el objetivo de la revuelta, al menos en lo que respecta a sus elementos populares, era la transformación *social* y que los líderes oligarcas como Berbeo habían traicionado el movimiento por temor a su radicalización[4]. En realidad, tampoco hay evidencias que apoyen esta tesis. En lo relativo a la oposición a las alzas de impuestos no existían diferencias entre «masas» y «oligarquía», y las pocas instancias de genuina protesta socialrevolucionaria que tuvieron lugar en relación con la rebelión, como por ejemplo la que ocurrió entre los indígenas de los aislados Llanos Orientales, que se levantaron contra colonos blancos y atacaron también al clero misionero, poco tenían que ver con la tendencia principal del movimiento.

El fin de la rebelión no significó que terminara la inconformidad, cuyas manifestaciones aparecían una y otra vez e involucraban incluso a gente prestante. El ejemplo más claro es Antonio Nariño, la réplica colombiana del bien conocido «Precursor de la Independencia» venezolano Francisco de Miranda. Nariño pertenecía a la «crema» de la sociedad bogotana, muy pocos de cuyos miembros se habían relacionado con los Comuneros, aunque bastantes bien habrían podido ser simpatizantes. Nariño era, además, próspero comerciante y científico e intelectual aficionado; su biblioteca de alrededor de 2.000 volúmenes era una de las más grandes, si no la mayor colección privada de la colonia. En ella se podían encontrar varios libros prohibidos por las autoridades civiles y religiosas. Huelga decir que la presencia de dichas obras en su biblioteca no es prueba de que Nariño hubiera leído y asimilado sus peligrosas enseñanzas; pero también había instalado en su casa una especie de recinto secreto que estaba decorado con bustos y retratos de sus más admirados héroes, antiguos y modernos. Este santuario, que nunca se completó, incluiría a Sócrates y Platón entre los antiguos —nada extraordinario—, mientras que los modernos eran George Washington y Montesquieu, Benjamin Franklin y Jean-Jacques Rousseau, así como otros por el estilo. Nariño había escogido, para estamparla bajo el busto de Franklin, su favorito, la siguiente cita: «Quitó del cielo el rayo de las manos, y el cetro a los tiranos»[5]. Nariño citaba de memoria pasajes sustanciales de los escritos de Rousseau. Más aún, usaba su santuario como lugar de encuentro de un reducido círculo de amigos que se reunían para evaluar el estado de la colonia e intercambiar lo que, desde el punto de vista de las autoridades, constituía sin duda acopio de ideas subversivas. A pesar de la inscripción escogida para el busto de Franklin, es probable que Nariño sólo esperara, al menos inicialmente, cierta liberalización gubernamental dentro del marco de referencia del imperio español.

Lo último —en orden mas no en importancia— es anotar que Nariño disponía de una imprenta en la cual realizó un acto que, desde fines de 1793, le garantizó reconocimiento: de manos de un capitán de la guardia del palacio del Virrey había recibido una copia del documento básico de la Revolución Francesa, la Declaración de los Derechos del Hombre; lo había leído con entusiasmo y procedió a traducirlo e imprimirlo en su propia imprenta un domingo por la mañana, cuando los demás estaban en misa. Imprimió cien o más copias, vendió una y regaló otra. Aparentemente, Nariño se asustó y decidió guardar las demás copias (que finalmente destruyó) e intentó infructuosamente recuperar las que ya había distribuido. A la larga, el hecho sería descubierto, y a pesar de su amistad con el Virrey, un burócrata ilustrado, Nariño tuvo serios problemas con la autoridad. Su biblioteca fue allanada, lo cual aumentó sus dificultades. Cuando finalmente fue juzgado, Nariño trató de negar que hubiera editado los Derechos del Hombre y posteriormente, cuando vio que ese argumento no bastaría para su defensa, admitió haberlo hecho solamente por el dinero que podría sacar de su venta. Tal afirmación era igualmente difícil de creer y al final presentó otra defensa, enderezada a probar que el documento en cuestión no era en modo alguno subversivo, que nada había en él que no estuviera acorde con las doctrinas de Santo Tomás de Aquino y otros escritores de impecable ortodoxia. El argumento fue brillantemente expuesto y logró hacer que el sistema colonial de control del pensamiento pareciera tonto, pero en últimas tampoco fue suficiente. Nariño fue sentenciado a diez años de prisión en un puesto militar del norte de África y al exilio perpetuo de América, y sus propiedades fueron confiscadas. Incluso el abogado que lo defendió fue también condenado a diez años de reclusión.

El Precursor fue embarcado hacia España rumbo a su prisión en el norte de África, pero logró escapar cuando el navío estaba en la bahía de Cádiz. De allí viajó directamente a Madrid e hizo sondeos para solicitar la revisión de su sentencia. Al no conseguir nada, se dirigió a París y posteriormente a Inglaterra. En Londres intentó en vano una audiencia con el Primer Ministro, pero en cambio logró establecer contacto con un miembro del gabinete británico, para discutir el estado de las colonias españolas y la posibilidad de apoyo británico para su liberación, lo mismo que hacía el venezolano Miranda cuando visitaba corte tras corte en sus viajes por Europa. De esta manera, finalmente Nariño se había radicalizado por causa de sus propias experiencias y coqueteaba con la idea de la independencia. En última instancia, regresó a la Nueva Granada, que recorrió de incógnito durante cierto tiempo para observar el estado de las cosas. Aparentemente, llegó a la conclusión de que el pueblo no estaba listo aún para la independencia o algo similar y en 1797 se entregó al nuevo Virrey, a quien dio buenos consejos, basados en sus observaciones, sobre cómo mejorar la administración de la colonia. Los seis años siguientes los pasó en prisión. Fue liberado y después vuelto a arrestar, y cuando el movimiento independentista se puso en marcha en 1810, Nariño languidecía en los calabozos de la Inquisición en Cartagena.

Se debe hacer énfasis en el hecho de que el Precursor, aunque representante de la capa superior de la aristocracia criolla, había avanzado políticamente mucho más que la mayoría de los miembros de su misma clase social, no solamente en lo que respecta a su devoción por Franklin y Rousseau, sino por su temprana adhesión a la idea de la independencia. Seguramente existían espíritus afines que compartían estas ideas y había otros más que todavía no estaban preparados siquiera para contemplar tan extrema solución, pero en mayor o menor grado, cada vez se sentían más desapegados al régimen colonial. Lo mismo ocurría en las colonias vecinas, aunque no existió suficiente contacto directo entre los grupos para reforzar los sentimientos revolucionarios o simplemente reformistas que los animaban.

Crisis de la monarquía española

Un estímulo externo fue necesario para que el movimiento independentista se pusiera en marcha y estallara. Los eventos ocurridos en Europa fueron los que aportaron dicho estímulo: en 1808 Napoleón depuso al legítimo Rey de España, Fernando VII, tomó presa a toda la familia real e intentó instalar a uno de sus hermanos en el trono español, bajo el nombre de José I. Napoleón había logrado imponer monarcas-marionetas en otros países europeos, pero en España el resultado fue un brote de protestas populares y el surgimiento de un movimiento de resistencia que a la larga fue encabezado por una Junta Central acuartelada en Sevilla, que obstinadamente rechazó a José y mantuvo su lealtad a Fernando. La junta española propuso gobernar España y sus colonias en nombre del legítimo Rey hasta cuando éste pudiera recuperar el trono. En América, las autoridades reales aceptaron de manera general los reclamos de la Junta y la mayoría de la población hizo lo mismo, por lo menos tácitamente. Pero una minoría porfiada insistía en que ellos mismos, los españoles nacidos en América, tenían tanto derecho a formar juntas y a gobernar provisionalmente las colonias en nombre del Rey como los españoles de la Junta de Sevilla. A continuación se iniciaron algunos movimientos que buscaban la creación de tales juntas americanas, aunque ninguna sería exitosamente establecida antes de 1810. El hecho es que, simplemente por la manera como se habían desarrollado los eventos en España, los españoles americanos se veían ahora forzados a escoger entre las diferentes facciones en disputa por el poder sobre las colonias, y cualquiera que quisiese cambios en el sistema de gobierno tenía ahora su mejor oportunidad para presionar. Incluso aquellos que deseaban ansiosamente la separación de España podrían lograr exactamente los mismos beneficios al organizar su propio gobierno, aparentando asumir el poder en nombre de un Rey cautivo de los franceses. La invocación del nombre real tendería a atajar la oposición de quienes por tradicionalismo o timidez se mostraban reacios al cambio.

Un movimiento de notables venezolanos que pretendían instalar una junta de gobierno en Caracas en 1808 fracasó por las medidas decisivas que impuso la Capitanía General. Al año siguiente se logró establecer en Quito una Junta, que fue aplastada por refuerzos españoles enviados desde el Perú pocos meses después. En Bogotá también existía un movimiento que intentaba constituir una Junta, especialmente después de que Quito lo hiciera e invitara a la capital del virreinato a imitarla. El Virrey Antonio Amar y Borbón fue incapaz de evitar que el Cabildo de Bogotá debatiera la propuesta, pero con algunas intimidaciones logró atajar cualquier decisión final. En conclusión, todo lo que la ciudad logró fue adoptar un *Memorial de agravios* para enviar a España, cosa que nunca ocurrió, aunque su texto circuló en forma manuscrita. Redactado en noviembre de 1809 por el doctor Camilo Torres, quien se convertiría en uno de los líderes y mártires de la lucha por la independencia, el memorial no solamente detallaba quejas específicas sino que también recalcaba la injusticia de la presunción española de gobernar a una población americana mayor o tan grande como la de la madre patria. En el documento, Camilo Torres incluía una alusión amenazante: «Más pesaban, sin duda, siete millones que constituían la Gran Bretaña europea, que tres que apenas formaban la Inglaterra americana; y con todo, la justicia cargada de su parte inclinó la balanza»[6].

Para que la amenaza de Torres se hiciera realidad, la situación de la madre patria tendría que empeorar aún más. Los franceses nunca pudieron forzar a toda España a aceptar el mandato de José I, pero los ejércitos napoleónicos llegaron a tomar todas las ciudades principales, incluida Sevilla, sede de la Junta Central. A comienzos de 1810, el movimiento de resistencia había sido reducido a poco menos que el puerto de Cádiz. Además, la Junta decidió disolverse en favor del recién creado Consejo de Regencia, una medida que podría haber parecido un mero detalle técnico, pero que volvió a plantear el asunto de las relaciones entre las colonias y la madre patria, tan sólo por el hecho de que aquéllas tendrían que reconocer a la nueva autoridad española. Siendo problemática la propia supervivencia de una España independiente, el impulso de creación de Juntas en las colonias americanas se fortaleció y la oposición de resueltos partidarios de las autoridades españolas se debilitó. Por lo tanto, el resultado ahora fue diferente: una tras otra, todas las colonias quedaron bajo el control de juntas de gobierno nativas, con una excepción importante en América del Sur: el Perú.

La Patria Boba (1810-1816)

Caracas fue la pionera en el proceso: el 19 de abril de 1810, el Capitán General de Venezuela fue depuesto en favor de una Junta integrada por criollos. En la Nueva Granada, Cartagena no se quedó muy atrás y estableció su propia Junta el 10 de mayo. Como las noticias provenientes de España, que desencadenaban estos eventos, llegaban más tarde a Cartagena, para efectos prácticos ambas Juntas fueron creadas simultáneamente. A medida que las noticias se recibían en otras ciudades del virreinato, se creaban más juntas, hasta que, el 20 de julio, Bogotá impuso la suya. Inicialmente, el Virrey Amar y Borbón formó parte de ella, pero había buenas razones para dudar de su lealtad al nuevo orden y por lo tanto fue excluido y luego puesto bajo arresto. Su esposa también fue detenida, no tanto por representar una amenaza para la junta de Bogotá, sino más bien con el fin de aplacar un motín de mujeres que querían verla humillada.

De igual manera que las de Caracas y de Quito —del año anterior—, la junta de Bogotá juró fidelidad a Fernando VII aun cuando reclamara para sí autoridad total para gobernar en su nombre durante su infortunado cautiverio. En Venezuela, Caracas dio el primer golpe, y cuando su junta impuso su autoridad en toda la Capitanía General, la mayoría de las provincias remotas aceptaron su poder. En la Nueva Granada, sin embargo, algunas provincias apartadas (como Cartagena) habían actuado para crear juntas antes de que lo hiciera la capital. Y cuando se llegó al punto de decidir si dichos organismos, así como los que ya estaban en vías de formación, aceptarían subordinarse al de Bogotá, la respuesta fue negativa. Por lo menos en el momento de la decisión, cada uno reclamó un idéntico derecho a asumir el control en nombre del cautivo Rey Fernando.

Hasta cierto punto, esta desunión política era inevitable. Sin duda, ninguna otra región de la América española enfrentaba tantas dificultades (tantos obstáculos de transporte y comunicaciones por kilómetro cuadrado) como la Nueva Granada, con una población esparcida en núcleos aislados en las cordilleras andinas, para no mencionar los asentamientos de la costa. De esa manera, la separación geográfica vino a reforzar todas las diferencias socioeconómicas básicas que existían entre las grandes regiones; el resultado fue un agudo regionalismo que complicó enormemente los primeros intentos de organización política. En realidad, no solamente se demostró que las diferentes provincias eran incapaces de unirse, sino que algunas comenzaron a desmembrarse internamente. Después de todo, una vez proclamado el principio de que cada provincia debería ser una entidad independiente, con su propia Junta de gobierno, ¿por qué considerar solamente las provincias existentes, todas ellas rezagos del pasado sistema colonial? Consecuentemente, algunas poblaciones remotas comenzaron a declararse independientes de sus respectivas capitales provinciales, con el propósito de crear aún más provincias autónomas. Cartagena, que era una de las más ansiosas por seguir su propio camino en lugar de seguir el liderazgo de Bogotá, probó de su propio cocinado cuando la segunda ciudad de la provincia se declaró cabeza de una nueva provincia independiente, con su propia junta. Se trataba de Mompós, el puerto sobre el río Magdalena donde tradicionalmente se almacenaba el oro que posteriormente se enviaría a España para mantenerlo fuera del alcance de los piratas mientras la flota que lo transportaría tocaba puerto en Cartagena. En 1811, al tratar de obligar a Mompós a regresar al dominio de Cartagena, las fuerzas de la capital de provincia causaron el primer derramamiento de sangre en combate civil entre patriotas de la Nueva Granada.

Finalmente, al culminar el año de 1811, se formó un gobierno general bajo el nombre de Provincias Unidas de la Nueva Granada. El primer Presidente fue Camilo Torres, el autor del *Memorial de agravios*. Las Provincias Unidas constituyeron una federación muy amplia, vagamente comparable a la creada por el Código de la Confederación durante la revolución angloamericana. Su debilidad estructural (las autoridades federales dependían totalmente de la cooperación voluntaria de las provincias) se veía agravada por el hecho de que ni siquiera abarcaba a todas las provincias. Particularmente, dejaba por fuera de ella a la más importante de todas, Bogotá. Junto con una provincia vecina, que en realidad se anexó, Bogotá redactó una constitución propia bajo el nombre de Cundinamarca. Era un nombre indígena, que se consideraba amplia pero erróneamente como el correspondiente a la región central de la Nueva Granada antes de la llegada de los primeros españoles. En realidad, se trataba de un término quechua, de origen peruano o ecuatoriano, cuya aplicación al área de Bogotá provenía de varios malentendidos[7]. A pesar de lo anterior, el nombre simbolizaba un esfuerzo consciente por parte de los revolucionarios de distanciarse de las tradiciones hispánicas y hacer énfasis, retóricamente, en su identidad americana. En el mismo espíritu, durante los años de la lucha por la independencia el nombre de Santa Fe, que siempre se había usado para la capital en los tiempos coloniales, pasó a ser Santa Fe de Bogotá y finalmente sólo Bogotá, en honor del asentamiento muisca de nombre similar que había existido aproximadamente en el mismo lugar.

Aunque Cartagena no parecía ansiosa por liberar al «Precursor» neogranadino Antonio Nariño de la prisión de la Inquisición, éste consiguió la libertad, regresó a Bogotá y se sumergió en la política revolucionaria. Allí importunó de tal manera al Presidente de Cundinamarca, que éste se vio obligado a alejarse del poder. Nariño lo sucedió como Presidente, asumió poderes dictatoriales que usó moderadamente y no cesó de destacar las debilidades del sistema federal, abogando por la necesidad de un gobierno más centralizado que pudiera ejercer poder real en todo el territorio de la nación.

Considerados los peligros que enfrentaba el movimiento revolucionario, la posición de Nariño tenía mucho sentido. Los rezagos del gobierno antifrancés que resistía contra Napoleón en España eran todavía incapaces de hacer algo contra la propagación de la insurrección en las colonias, pero la mayoría de los españoles dudaba de que sus colonos americanos, una vez experimentado el autogobierno bajo la apariencia de que mandaba en nombre de un Rey ausente, volverían prontamente a la obediencia. En consecuencia, la hostilidad de España hacia los nuevos gobiernos de América era manifiesta, y si bien la atención se volcó inicialmente hacia otras colonias —como Venezuela— más bien que hacia la Nueva Granada, no había ninguna garantía de inmunidad. En efecto, a medida que la marea europea se volvía lentamente en contra de la Francia napoleónica, se tornaba más y más posible que Fernando VII recuperara su trono e intentara, con recursos redoblados, volver a ejercer el control sobre las colonias.

Además, los patriotas neogranadinos enfrentaban, de vez en cuando, la hostilidad de ciertos reductos de resistencia contrarrevolucionaria en su propio territorio. Uno de ellos era Santa Marta, tradicional —y tradicionalmente fracasado— adversario comercial de Cartagena. En 1810 esta ciudad estableció brevemente una Junta de gobierno, pero pronto cayó víctima de una reacción que instaló un gobierno realista en reemplazo de la Junta. Tal reacción parecía totalmente lógica, pues Cartagena era una ciudad patriótica y durante los años siguientes la rivalidad comercial entre ambas ciudades se sublimó en un conflicto militar entre realistas y patriotas. Otro punto neurálgico fue Pasto, en el lejano sur. Rodeada por altas montañas y profundos cañones, la población era una comunidad todavía más introvertida y conservadora, apenas afectada por las nuevas corrientes intelectuales o económicas de la época. En Pasto la gente no quería oír nada de independencia, ni siquiera la respaldada por una lealtad nominal a Fernando VII; además —otro inconveniente para los patriotas—, la ciudad estaba ubicada justo en la vía principal hacia Quito, que desde 1810 había vuelto a establecer su propia junta de gobierno, que esta vez iba a durar dos buenos años.

Aunque fuera por razones de supervivencia, la receta de Nariño de un gobierno central fuerte para dirigir la lucha era preferible a una disgregada alianza de provincias autónomas, tal como ocurría con las Provincias Unidas de la Nueva Granada, que en último término establecieron su capital en Tunja. Pero Nariño no poseía los medios para exigir que las otras provincias aceptaran sus ideas y, al mantener a su Cundinamarca fuera de la unión porque ésta no tenía un gobierno lo suficientemente fuerte, simplemente aumentó su debilidad. Para empeorar la situación, Nariño intrigó con agitadores en varios lugares para tratar de derrocar a las autoridades locales y obligarlas a unirse a Cundinamarca. De esa manera desencadenó un estado de guerra civil entre los dos gobiernos, que se inició en 1812 y continuó esporádicamente hasta 1814, cuando las tropas federales de las Provincias Unidas finalmente conquistaron Bogotá con la ayuda de un auxiliar venezolano, Simón Bolívar, que había sido temporalmente expulsado de su país natal. Para esa época, Nariño ya no estaba en la capital. Había partido con un ejército hacia el sur para aplastar a los realistas de Pasto, se había adelantado demasiado a sus hombres y había sido capturado por el enemigo. Posteriormente fue enviado a prisión en España, donde permaneció por seis años. (Si se considera toda la carrera política de Nariño desde su arresto por imprimir la Declaración de los Derechos del Hombre hasta su liberación final en 1820, resulta que pasó en prisión aproximadamente dos tercios de ella).

Mientras tanto, la Nueva Granada también había declarado la independencia formal, tal como lo estaban haciendo otras colonias españolas, entre ellas Venezuela, que encabezó el proceso el 5 de julio de 1811. Sólo que la Nueva Granada, debido a su división interna, lo hizo gradualmente. La provincia de Cartagena fue la primera en cortar todos sus lazos con España, en noviembre de 1811. Cundinamarca hizo lo mismo, urgida por Nariño, en julio de 1813. Pero la declaración de independencia fue un tecnicismo, pues la Nueva Granada había administrado, o mejor, maladministrado sus asuntos desde 1810. El 20 de julio, aniversario de la instalación de la primera junta de Bogotá, y no una de las fechas en que se proclamó formalmente la Independencia, se convertiría en la principal fiesta nacional de la Colombia moderna.

El proceso de la Independencia fue abruptamente interrumpido por la reconquista española del país en 1815-1816; los desacuerdos entre los patriotas a propósito de la forma de gobierno constituyeron sin duda uno de los factores que contribuyeron al colapso. Otro factor fue la total falta de experiencia de los jefes revolucionarios criollos, pocos de los cuales habían estado expuestos al trabajo de gobernar más allá del nivel municipal. A causa de su fracaso y de su frecuente falta de sentido práctico (la adopción del tipo más débil posible de federación por parte de las Provincias Unidas es solamente uno de los ejemplos), todo el período desde 1810 hasta la reconquista fue llamado Patria Boba por los historiadores posteriores. Bobos o no, los primeros gobiernos independientes alcanzaron muchos logros importantes. La terrible Inquisición fue abolida y en Cartagena se hizo una gran hoguera en la que no ardieron los herejes, como en otros tiempos, sino la parafernalia del tribunal. Naturalmente, cesó la discriminación contra los criollos en la distribución de puestos oficiales; ahora los discriminados empezaron a ser los españoles europeos. Finalmente, los puertos —en realidad, el puerto, Cartagena, ya que Santa Marta estaba en manos de los realistas— se abrieron sin restricciones al comercio con todas las naciones amigas.

Ciertas reformas socioeconómicas resultan especialmente interesantes, pues contradicen la muy común interpretación de que las guerras de Independencia latinoamericanas fueron movimientos política y militarmente superficiales, desprovistos de mayor significación excepto en el sentido en que abrieron la región a la penetración económica anglosajona. No hubo, es verdad, transformaciones sociales fundamentales, que por cierto nadie reclamaba todavía. Tampoco hubo reformas estructurales que abarcaran toda la nación, porque en la Nueva Granada no existía un gobierno nacional efectivo que pudiera imponerlas. Sin embargo, algunas de las provincias separadas, por su propia iniciativa, llevaron a cabo notables reformas. En 1814, por ejemplo, la provincia de Antioquia —y subsecuentemente otra más— dio el primer paso hacia la abolición de la esclavitud al garantizar la libertad de todos los niños que desde el momento nacieran de madre esclava. Se trataba del principio de la libertad de vientres, que después de la guerra se extendió a todas las regiones del país. No fue la primera medida tomada contra la esclavitud en América del Sur. Chile ya había hecho lo mismo en 1811 y Argentina en 1813, pero la acción de Antioquia resultaba notablemente más significativa, por lo menos que la de Chile, que solamente contaba con unos pocos miles de esclavos, mientras éstos eran todavía muy importantes en la fundamental industria antioqueña de la minería del oro. Además, el comercio de esclavos, cuya principal vía de entrada era Cartagena, fue erradicado formalmente por acción de los revolucionarios locales.

Varias medidas importantes se tomaron también en relación con los indígenas. El tributo, o impuesto colonial que cada indio adulto debía pagar anualmente, se eliminó de manera generalizada y varias provincias, entre ellas Bogotá, ordenaron la distribución de los *resguardos* o terrenos comunales entre los indígenas, que recibirían las tierras como propiedad privada. Pero estas medidas, a pesar de haber sido preparadas como pasos hacia la erradicación de la miseria entre los naturales, no fueron lo que a simple vista parecían. La abolición del tributo, decretada inclusive por el gobierno que todavía resistía en Cádiz, excusaba a los indígenas de pagar un impuesto que resultaba simbólicamente molesto, pero el corolario resultó ser que en adelante deberían pagar todos los demás impuestos ordinarios de los cuales habían sido tradicionalmente exentos como «compensación» por el pago del tributo. En lo que respecta a los *resguardos*, su desmonte no era algo que los indígenas reclamaran (con ciertas excepciones menores). En realidad, la división de las tierras comunes en pequeños lotes privados los hacía inevitablemente presa más fácil de los criollos o mestizos que quisieran, a la larga, apoderarse de ellos por medios justos o injustos. Esa era una medida que los criollos —y no los indígenas— habían reclamado al antiguo gobierno español; los criollos habían logrado reducir poco a poco dichos territorios comunales, pero para decretar su liquidación general tuvieron que esperar hasta tener las riendas del poder directamente en sus manos. Ahora eso se había cumplido, pero por el momento la medida en cuestión era virtualmente imposible de implantar, entre otras razones, por falta de la maquinaria administrativa requerida.

Otra reforma que los criollos habían perseguido por mucho tiempo, la abolición del monopolio del tabaco, fue llevada a cabo en la provincia de Socorro, que era una importante área de cultivo de la hoja y que recientemente había sido el foco de la rebelión de los Comuneros, iniciada en buena medida como protesta por el monopolio oficial. El hecho de que el tabaco constituyera la segunda fuente de ingresos del gobierno contaba menos que el deseo de los terratenientes locales de sembrar tanto tabaco como quisieran y que el de otros empresarios de manufacturar y vender libremente los productos del tabaco. La reforma estaba totalmente acorde con la cláusula de la Constitución provincial de Socorro según la cual cualquier medida que atentara contra el «sagrado derecho de propiedad»[8] era ilegal, y también con la tendencia general hacia una economía más liberal («liberal» en el sentido decimonónico), que debería basarse en el libre juego de las iniciativas individuales y no en la reglamentación de las actividades económicas por parte del Estado o de grupos privilegiados depositarios de intereses particulares.

No había ninguna contradicción entre el liberalismo económico, ejemplificado también en la apertura de la nación al comercio con el resto del mundo, y el hecho de que la mayoría de los líderes del movimiento revolucionario fueran miembros de la más alta clase social criolla. Esta clase social ya acaparaba la parte principal de la riqueza y de los medios de producción y, en términos generales, sus miembros llevaban las de ganar en caso de recibir mayor libertad económica. De todas maneras, los criollos de la clase alta no estaban dispuestos a seguir adelante con la total abolición de la esclavitud, aunque las medidas iniciales contra tal institución sean fácilmente comprensibles. En cuanto al cese del comercio de esclavos, era un medio de ganar respetabilidad internacional, y posiblemente el aprecio y favor británicos, con un impacto mínimo en la economía interna, toda vez que la Nueva Granada no contaba con una economía de plantación basada en el trabajo esclavo en expansión, como ocurría en Cuba o en el Brasil. Además, en los distritos de la minería del oro la población esclava alcanzaba ya a reproducirse naturalmente, lo cual hacía casi que innecesario mantener la trata[9]. Cuando adoptaron la libertad de vientres, por otra parte, los antioqueños podían suponer que, al igual que la población *parda*, muchos negros libres hijos de esclavos querrían aceptar el trabajo asalariado en la industria minera, con lo que se mantenía la mano de obra necesaria. La suposición puede no haber sido del todo exacta, pero por lo menos es cierto que o había razones para temer una drástica escasez de trabajadores en un futuro inmediato, y tampoco a largo plazo.

Colapso y renovación de la causa patriota

Si bien las medidas reformistas de la Patria Boba no presentaron ninguna amenaza real para la estabilidad social o política, los desacuerdos entre facciones, sobre todo la lucha entre los centralistas de Bogotá y los federalistas de las Provincias Unidas, redujeron claramente sus posibilidades de supervivencia. La catástrofe que la eliminó finalmente, sin embargo, no fue ni mucho menos única en la América española durante el período de la Independencia, pues el único régimen patriota que no sufrió la Reconquista por parte de las fuerzas realistas fue el del Río de la Plata. Además, la caída de la Patria Boba en la Nueva Granada estuvo íntimamente relacionada con el curso de los hechos en la vecina Venezuela.

Como ya se anotó, Venezuela precedió a la Nueva Granada en el establecimiento de su propia Junta y también en la declaración formal de la Independencia. Pero la «Primera República» venezolana, muy similar a la Patria Boba, tuvo una vida aún más corta. A fines de 1811 adoptó una Constitución federalista, contradiciendo los consejos del Precursor Francisco de Miranda, que había regresado de Europa para tratar de guiar a sus compatriotas y muy pronto se había visto envuelto en rivalidades locales y personales similares a las de la Nueva Granada. Sin embargo, Venezuela, dueña de una costa sobre el Caribe mucho más larga y con una población concentrada principalmente cerca del mar, era mucho más vulnerable al contraataque de las fuerzas realistas desde las Antillas. El terremoto que durante la Semana Santa de 1812 destruyó Caracas y otras ciudades empeoró notablemente la situación, de manera que a mediados del mismo año la República estaba en estado de colapso y, como Nariño poco después, Miranda fue enviado a prisión en España (aunque, a diferencia del Precursor neogranadino, Miranda murió en una cárcel peninsular). Entre los líderes que lograron escapar, sin embargo, se encontraba Simón Bolívar, quien en última instancia eclipsó a todos los demás y se convirtió en objeto del más importante culto heroico latinoamericano. Un sacerdote colombiano del siglo XX se dirigió a Bolívar como si fuera una divinidad: «Padre nuestro, Libertador Simón Bolívar que estás en los cielos de la Democracia Americana: queremos invocar tu nombre»[10].

Vástago de una riquísima familia de cultivadores de cacao, Bolívar había adquirido cierta experiencia militar como oficial de la milicia colonial; pero cuando se instaló la junta de Caracas, solamente contaba con veintiséis años de edad y su papel en defensa de la Primera República fue mínimo. Compartía la aversión de Miranda hacia el federalismo, pero no confiaba en Miranda como líder y fue uno de los que le obstruyeron la evasión cuando cayó la República. El mismo Bolívar, tras algunas vacilaciones, se refugió en Curaçao y de allí pasó a Cartagena, donde ofreció sus servicios a los patriotas de la Nueva Granada. Fue aceptado inmediatamente, y en 1813 el gobierno de las Provincias Unidas le concedió la ayuda que requería para lanzar un ataque contra el ya restablecido régimen español en Venezuela. En una brillante campaña relámpago, retomó Caracas y se ganó el título de «Libertador» que orgullosamente ostentaría por el resto de su vida. Desafortunadamente, la Segunda República que creó en Venezuela —más una dictadura militar *de facto* que una República federal— cayó al año siguiente.

En esta ocasión no hubo un terremoto, pero los desacuerdos políticos volvieron a crear problemas. Aún más seria fue la reacción violenta de los enemigos de los patriotas, que aprovecharon el hecho de que la mayoría de los revolucionarios, incluido Bolívar naturalmente, estaban asociados con la aristocracia criolla dueña de la tierra y de los esclavos. En los últimos años del período colonial, estos aristócratas habían resistido la movilidad social de los *pardos* libres y a la vez intentaban fundar grandes propiedades privadas en las praderas del Orinoco. Lo anterior provocó conflictos con la población seminómada y libre de los llaneros, quienes antes habían usufructuado la misma tierra, donde reunían y sacrificaban rebaños salvajes para alimentarse, explotar sus pieles y vender otros productos animales cuando y donde sintieran la necesidad de hacerlo.

Después de iniciado el movimiento independentista, el gobierno revolucionario abolió toda forma de discriminación contra la población no blanca, pero los *pardos* no habían recibido noticia de dichas medidas, o no creían que fueran disposiciones de buena fe. Y el nuevo régimen apoyó abiertamente la intención de los terratenientes criollos de apropiarse de los terrenos de los Llanos. Así, existía un foco oculto de tensión entre el liderazgo patriota y las masas venezolanas (primordialmente de color), tanto en los Llanos como en otros lugares. Los jefes de las guerrillas realistas explotaron esta tensión y organizaron fuerzas irregulares que acosaron cruelmente a la Segunda República y finalmente la derrocaron. La misma agitación social había existido en menor grado durante la Primera República, pero aquel régimen estaba condenado aun sin necesidad de la agitación. Una situación de descontento racial y social existía también en la Nueva Granada, mas el simple hecho de que la economía neogranadina era menos dinámica que la venezolana hacía que allí el problema social fuera menos agudo, aparte de ciertas excepciones regionales. Los sectores no blancos de la población tenían que impulsar su crecimiento económico antes de que su situación legal y social llegara a ser causa de fricción, y en la Nueva Granada había menos oportunidades para surgir. El progreso tampoco amenazó el estilo de vida del sector llanero de la Nueva Granada, que en realidad era una plaza fuerte de los patriotas.

A fines de 1814, Bolívar se encontraba otra vez en la Nueva Granada, donde, como ya se dijo, ayudó a las Provincias Unidas a conquistar Bogotá. Tal vez sea extraño que este antifederalista declarado apoyara de tal manera la causa federal en la Nueva Granada, pero el gobierno de las Provincias Unidas le había brindado su ayuda en 1813. A continuación, participó tanto en la guerra contra la fortaleza realista que era Santa Marta, como en un desastroso conflicto entre las autoridades federales nacionales y la ciudad de Cartagena. Tales luchas, mutuamente destructivas, no eran de su agrado, especialmente porque Bolívar veía claramente que constituían una amenaza para la supervivencia de la causa patriota en la Nueva Granada. Para esta época le había sido restituido el trono a Fernando VII y España había preparado una masiva fuerza expedicionaria, compuesta por veteranos de su lucha nacional contra Francia, para aplastar la rebelión colonial de una vez por todas. El primer destino de la expedición era Venezuela, donde se esperaba que eliminara definitivamente los reductos de resistencia patriota que hasta entonces habían sobrevivido, antes de proceder con la Nueva Granada. Por ende, Bolívar abandonó sus esperanzas para con los patriotas de la Nueva Granada y a mediados de 1815 se trasladó una vez más a Jamaica y posteriormente a Haití, con miras a organizar nuevas expediciones para la liberación de su nativa Venezuela. Partió poco antes de que el general Pablo Morillo, comandante de la expedición española, arribara a Santa Marta, procedente de Venezuela y con un ejército de 5.000 hombres.

El objetivo inicial de Morillo en la Nueva Granada era Cartagena, que se hallaba en poder de los patriotas; la ciudad era un punto estratégico clave y debía ser sometida antes de que Morillo pudiera dedicarse totalmente a la revolución del interior andino. Una vez que sus fortificaciones definitivas estuvieron terminadas, Cartagena no pudo nunca ser tomada por la fuerza, ni siquiera por la poderosa flota del almirante Edward Vernon, que intentó hacerlo en 1742 durante la llamada «Guerra de la Oreja de Jenkins» (Vernon no logró la fama en Cartagena sino cuando un miembro del contingente angloamericano de su expedición, Lawrence Washington, decidió bautizar la propiedad de su familia con el nombre del almirante). Morillo tampoco estaba destinado a tomar Cartagena por asalto. Sin embargo, logró dominarla luego de un sitio de ciento seis días, durante el cual los habitantes de la ciudad se vieron obligados a alimentarse con burros, ratas y bacalao rancio; centenares murieron. En un intento desesperado por salvar la situación, Cartagena se proclamó formalmente parte del Imperio Británico, pero los funcionarios ingleses del Caribe ignoraron cortésmente el ofrecimiento, de acuerdo con la neutralidad determinada por la ley británica en el conflicto hispanoamericano.

Casi inmediatamente, Morillo dejó claro que no planeaba establecer compromisos con los rebeldes. Por una parte, restableció la Inquisición, y, por otra, creó una corte militar para juzgar a los principales patriotas que fueran hechos prisioneros. Las ejecuciones comenzaron fuera de las murallas de Cartagena, al mismo tiempo que diferentes batallones emprendían el camino hacia el resto de la colonia. La falta de preparación de los patriotas, así como su creciente desmoralización, hicieron que la tarea de la Reconquista fuera relativamente fácil; a comienzos de mayo de 1816 el gobierno peninsular estaba nuevamente establecido en Bogotá. En esta ciudad, así como en todo el territorio de la Nueva Granada, Morillo y sus lugartenientes aplicaron una política de terror, diseñada para liquidar a las principales figuras militares y políticas de la Patria Boba y, al mismo tiempo, escarmentar a la población con los peligros de la desobediencia. Durante el período que va desde la caída de Cartagena hasta la batalla de Boyacá, en agosto de 1819, en la cual se eliminó definitivamente el dominio español, más de 300 personas fueron ejecutadas en el país, incluidos el presidente Camilo Torres y el prominente científico criollo Francisco José de Caldas. Algunos pocos afortunados lograron escapar hacia los espacios abiertos de los Llanos y permanecieron allí, fuera del alcance de sus perseguidores.

Al igual que la derrota, representada en la expedición de Morillo, la liberación final de la Nueva Granada provino de Venezuela. Para el comienzo de 1816, Venezuela había sido «pacificada» en su casi totalidad; pero antes de que terminara el año, Bolívar regresó de las Indias Occidentales con el fin de establecer posiciones firmes de manera permanente. Esta vez logró proyectar una imagen más popular de la causa patriota, prometió bonificaciones para los soldados y la abolición de la esclavitud y consiguió la cooperación de líderes de origen social relativamente humilde, de los cuales el más notable fue José Antonio Páez, peón de hacienda en la región del Orinoco que aun antes del regreso de Bolívar había establecido una base de resistencia patriota en los Llanos. En este momento, Bolívar no podía todavía derrotar a los veteranos españoles de Morillo que dominaban Caracas y las regiones altas de Venezuela. Pero a mediados de 1819 cambió de mira abruptamente y marchó al oeste, en dirección al corazón de la Nueva Granada.

Bolívar escogió la Nueva Granada como objetivo por varias razones. Primero que todo, la presencia de las fuerzas militares enemigas era más débil allí y el descontento con el dominio español crecía. La ola de ejecuciones era ya de por sí lo suficientemente aterradora, y peor todavía era el hecho de que los impuestos habían sido elevados para pagar el costo de la represión. El descontento popular con estas medidas había estimulado la formación de guerrillas patriotas, que eventualmente podrían apoyar a un ejército invasor. Indirectamente, la lucha guerrillera produjo la más prominente heroína del movimiento independentista colombiano, Policarpa Salavarrieta, que no se enroló en ningún destacamento armado sino que servía como enlace y como informante en la capital, hasta que fue descubierta y encontró su lugar en el registro honroso de los mártires.

Finalmente, Bolívar podía contar con la ayuda de pequeñas bandas de fugitivos del naufragio de la Patria Boba que ocupaban la sección neogranadina de los Llanos, no muy lejos de las estribaciones de la cordillera Oriental, y que habían logrado repeler todos los intentos realistas de recuperar tan despoblada región. Francisco de Paula Santander, destinado a convertirse en el más importante héroe nacional de Colombia después de Bolívar, era la figura clave de los grupos llaneros. De origen cucuteño y estudiante de leyes cuando comenzó la lucha por la Independencia, Santander nunca ejerció su profesión, sino que se unió a la causa republicana y probó ser un oficial militar competente, si bien autodidacta. Desde temprano demostró además poseer un genuino talento administrativo al organizar la provincia de Casanare como reducto patriota.

Con importante apoyo de Santander, Bolívar planeó y ejecutó una campaña que probablemente fue su máximo logro militar. A la cabeza de un ejército mixto de venezolanos, neogranadinos y voluntarios europeos, cruzó los Llanos en época de lluvias, durante las cuales vastos trechos estaban inundados, y luego escaló los Andes por caminos que alcanzaban hasta 4.000 metros de altura. En los primeros encuentros con el enemigo, luego de ganar los altiplanos, Bolívar casi sufrió una derrota, pero el 7 de agosto de 1819, en Boyacá, en el camino entre Tunja y Bogotá, obtuvo una victoria fundamental. Como batalla no fue muy notable, pues cada uno de los ejércitos enfrentados contaba con menos de 3.000 hombres; sin embargo, la confrontación destruyó el principal contingente español del interior de la Nueva Granada y franqueó a Bolívar el camino hacia Bogotá, donde entró sin oposición tres días después. Allí encontró un tesoro de medio millón de pesos que el Virrey había dejado al huir apresuradamente. Gracias a la batalla de Boyacá, Bolívar logró el control de un área de población relativamente densa, de la cual podía obtener impuestos y reclutas,

79

para no mencionar las provisiones que suministraban las fincas y las pequeñas industrias artesanales.

Casi todo el resto de la Nueva Granada cayó rápidamente en manos de las columnas patriotas que se esparcían por todo el territorio desde la capital. En octubre de 1821 Cartagena fue tomada nuevamente, esta vez como resultado del sitio de los patriotas. Panamá, que había permanecido bajo firme control hispánico durante la Patria Boba, protagonizó su propia revolución incruenta en el mes siguiente. Solamente quedaba bajo dominio español la tradicionalmente realista ciudad de Pasto, que finalmente cayó, aunque como secuela de la liberación final del Ecuador. Allí, en octubre de 1820, la ciudad portuaria de Guayaquil se rebeló contra España por iniciativa propia, después de lo cual Bolívar envió al general Antonio José de Sucre para que avanzara hacia los altiplanos ecuatorianos. Fue la victoria de Sucre en la batalla de Pichincha, librada en las afueras de Quito en mayo de 1822, la que obligó al gobernador español de Pasto a llegar a un acuerdo con los patriotas. La subyugación definitiva de la región tomaría más tiempo, pues los pastusos montaron su propia y feroz resistencia guerrillera. Mientras tanto, sin embargo, los soldados, el dinero, los equipos, los suministros y pertrechos de la Nueva Granada habían contribuido a la liberación definitiva de Venezuela, alcanzada en junio de 1821 en la batalla de Carabobo, donde Bolívar triunfó al lado de Páez.

Considerándolo bien, la lucha por la independencia de la Nueva Granada fue menos traumática que la guerra librada en Venezuela o México, aunque costó muchas más vidas y recursos que la del Ecuador. En Venezuela, por la que se combatió continuamente y con ferocidad inusitada, la población pudo haber disminuido durante el período; por lo menos, las muertes civiles y militares, incluidas las que ocurrieron por privaciones y enfermedades y el volumen de población perdida por la vía del exilio, anularon cualquier crecimiento demográfico natural. En la Nueva Granada, sin embargo, aunque la élite criolla fue diezmada por los pelotones de fusilamiento (algo que, paradójicamente, no conoció la venezolana), los combates fueron ante todo locales y esporádicos. Desde el punto de vista económico, la agricultura venezolana era más vulnerable a la interrupción por causa de la guerra, porque la industria del cacao, especialmente, se orientaba hacia los mercados de exportación; tanto la agricultura como la ganadería fueron duramente golpeadas porque los trabajadores eran llevados continuamente a los campos de lucha y porque los ejércitos contendientes se apoderaban del ganado. Por otra parte, el comercio en la Nueva Granada era casi puramente local y los productores de los valles andinos eran vulnerables solamente a los desórdenes que se desencadenaran en su vecindad inmediata. La industria más expuesta a la interrupción fue la del oro, cuya producción parece haber disminuido en un 40%[11]. Sin embargo, y contrariamente a lo ocurrido con la minería de la plata en México, donde la inundación de las minas y la destrucción de los equipos causaron daños cuya reparación exigió muchos años y grandes inversiones, la producción aurífera en la Nueva Granada no involucraba minería profunda sino principalmente explotación de aluviones, de manera que la destrucción de instalaciones complejas no constituía un grave problema. Más seria fue la pérdida de trabajadores esclavos por huida o por reclutamiento militar. No obstante, pasada la guerra la recuperación de la minería fue relativamente rápida, a pesar de la continua disminución de la esclavitud. El daño que sufrieron otros sectores de la economía básica neogranadina también se reparó rápidamente.

En muchos sentidos, la lucha por la Independencia causó impacto en la estructura social. Los esclavos que combatieron en el ejército rebelde obtuvieron la libertad como recompensa. Otros esclavos encontraron en la confusión de la guerra una ocasión para escapar. Para la población libre también se presentaron oportunidades de mejorar su estilo de vida por medio del servicio militar, como fue el caso de José Antonio Páez en Venezuela. Su falta de educación y su modesta posición social se compensaban con sus destrezas como jinete y su don de liderazgo; al final, no solamente ganó un alto rango militar y el poder político, sino igualmente una vasta extensión de tierras que habían sido confiscadas a los que apoyaban al enemigo. Otros mejoraron su situación mediante intrigas políticas o maniobras de especulación financiera, pero, como se ejemplifica en las propiedades que cambiaron de mano a través de la confiscación y redistribución entre los patriotas que las merecieron, los casos de movilidad social hacia arriba, resultado de las condiciones de los tiempos de guerra, fueron contrarrestados por otros de movilidad hacia abajo, con pocos cambios en el patrón general. Se trataba, por lo demás, de un modelo que presentaba a una minúscula clase alta que ejercía la dominación sobre una vasta mayoría de campesinos, vaqueros, artesanos y sirvientes, que, con la excepción parcial de los artesanos, no tenían acceso a la educación formal ni a la influencia política y contaban con pocas comodidades materiales, aunque la comida, por lo menos, era en general abundante y barata.

A raíz de la Independencia los grupos dominantes exhibían un color de piel más oscuro que antes, pues los pocos afortunados que lograron ascender en la escala social eran a menudo mestizos (como Páez, por ejemplo) o, menos frecuentemente, descendientes, en alguna proporción, de africanos (por ejemplo, el máximo héroe naval de la Independencia, el almirante José Padilla). Pero el cambio en la sociedad fue, repetimos, limitado, y aquellos que mejoraron su nivel de vida no necesariamente recibieron reconocimiento social equiparable a sus logros militares o económicos. El cambio fue también más restringido en la Nueva Granada que en Venezuela, tan sólo por el hecho de que el impacto total de la guerra había sido menor que en la colonia vecina.

Notas

1. José Manuel Restrepo, *Historia de la revolución de la República de Colombia*, 3ª ed., 8 vols., Bogotá, 1942-1950, t. I, p. XLVII.

2. John Leddy Phelan, *The People and the King: The Comunero Revolution in Colombia, 1781*, Madison, Wis., 1978, p. 143.

3. José María Pérez Ayala, *Antonio Caballero y Góngora, Virrey y Arzobispo de Santa Fe, 1723-1796*, Bogotá, 1951, p. 380.

4. Indalecio Liévano Aguirre, *Los grandes conflictos sociales y económicos de nuestra historia*, Bogotá, 1964, caps. 16-17.

5. Guillermo Hernández de Alba, *El proceso de Nariño a la luz de documentos inéditos*, Bogotá, 1958, p. 160.

6. Camilo Torres, *Memorial de agravios*, facsímil de 1832 ed., Bogotá, 1960, p. 21.

7. Gabriel Camargo Pérez, «Etiología y metamorfosis de la voz Cundinamarca», *Boletín de historia y antigüedades*, vol. 73, No. 754, julio-sept, 1986, pp. 665-688.

8. Horacio Rodríguez Plata, *La antigua provincia del Socorro y la Independencia*, Bogotá, 1963, p. 47.

9. William Frederick Sharp, *Slavery on the Spanish Frontier: The Colombian Chocó, 1680-1810*, Norman, Okla., 1976, pp. 125-126. Aunque el trabajo citado se refiere específicamente al Chocó, es poco probable que el panorama antioqueño fuera diferente.

10. David Bushnell, ed., *Simón Bolívar: Man and Image*, New York, 1970, p. 127.

11. José Antonio Ocampo, ed., *Historia económica de Colombia*, Bogotá, 1987, p. 104.

Capítulo 3

El experimento grancolombiano (1819-1830)

Unos meses después de la victoria de Boyacá, el Congreso de Angostura (hoy Ciudad Bolívar), en el bajo Orinoco, proclamó la unión de todo el territorio que anteriormente conformaba el virreinato de la Nueva Granada como una nación única con el nombre de República de Colombia. En aquel momento, el actual Ecuador estaba totalmente dominado por los españoles y la Nueva Granada solamente contaba con representación simbólica en el Congreso. Sin embargo, en lo que respecta a la Nueva Granada y Venezuela, la unión ya era un virtual *fait accompli* por la manera como se había conducido la lucha militar por la Independencia. Unos ejércitos libertadores, indiscriminadamente compuestos por venezolanos y neogranadinos, habían cruzado las fronteras una y otra vez, y a la larga todos habían aceptado el comando supremo del venezolano Simón Bolívar; el mismo Libertador apoyaba fuertemente la causa de la unión. En Angostura no se adoptó una organización definitiva, sino que se determinó que un congreso constituyente más representativo se encargara de definirla cuando llegara el momento apropiado. En todo caso, el Congreso de Angostura estableció un gobierno provisional que incluía administraciones separadas para Venezuela y la Nueva Granada, cada una encabezada por su Vicepresidente; el organismo creó también un gobierno nacional con Bolívar como Presidente, que contaba con un reducido número de funcionarios para ayudarlo y con un ejército combinado de los dos países.

La proclamación de la unión en Angostura marcó el establecimiento formal de lo que se conoce en los manuales de historia como la Gran Colombia, para diferenciarla de la más pequeña Colombia actual. Bajo el mando de Bolívar, la nueva nación eliminó antes que nada las fuerzas enemigas que todavía operaban en su territorio y posteriormente jugó un papel fundamental en la liberación del Perú y Bolivia. Durante cierto tiempo, la nación disfrutó de relativa estabilidad y de un prestigio sin igual en toda Hispanoamérica. Pero esta estabilidad solamente duraría hasta mediados de 1826, toda vez que ciertas debilidades estructurales no podían ser resueltas o ignoradas por más tiempo. Y por lo menos algunas de estas debilidades fueron exageradas por el tipo de organización constitucional concebido para la nueva nación por el congreso constituyente reunido en Cúcuta, en 1821.

El Congreso de Cúcuta

El Congreso de Cúcuta había sido elegido por medio de un sufragio restringido que excluía de la votación a la mayoría de los habitantes, lo cual no dejaba de ser lo normal durante el período en cuestión. Más aún, se habían eliminado restricciones en beneficio del voto de los soldados del ejército revolucionario, lo cual determinó que la elección fuera inusualmente democrática para la época. En el momento de la elección del congreso, sin embargo, la mayoría del territorio venezolano, incluida la ciudad de Caracas, y casi todo el Ecuador estaban todavía bajo el dominio realista y por lo tanto sus habitantes no participaron en la votación. En todo caso, los diputados mostraron pocos escrúpulos a la hora de ratificar el acta de unión de 1819, lo cual no fue obstáculo para que se reviviera en el congreso constituyente el debate entre federalistas y centralistas, tan común durante los anteriores regímenes republicanos tanto en Venezuela como en la Nueva Granada. La complejidad del asunto aumentó puesto que el territorio a centralizar o federalizar era ahora mucho más extenso. Varias preguntas asaltaron a los constituyentes: ¿Se debía instalar gobiernos unitarios en cada una de las tres grandes secciones, es decir, Nueva Granada, Venezuela y Ecuador, para luego integrarlos bajo una unión federal? O más bien, ¿debería cada provincia subalterna convertirse en un estado federal? O, finalmente, ¿se debía rechazar cualquier concesión a las demandas de federalismo?

Los diputados venezolanos apoyaron en términos generales la tercera alternativa, acaso por suponer que era la preferida de Bolívar. Éstos, así como otros centralistas, insistían en que el fracaso de anteriores experiencias federales de los gobiernos patriotas bastaba para prevenir un nuevo desastre. Los jóvenes liberales de la Nueva Granada, quienes ya empezaban a alinearse con Santander, en aquel momento Vicepresidente especial de la Nueva Granada bajo el esquema provisional adoptado en Angostura, eran en su mayoría centralistas; a pesar del atractivo teórico de la alternativa federalista, ellos vislumbraban la ventaja táctica que constituiría apoyar a Bolívar, con miras a ocupar puestos importantes en una posible República unitaria. Finalmente, el simple beneficio práctico que representaba un gobierno unificado para culminar la lucha contra España llevó al «gran compromiso» del congreso constituyente colombiano. Éste adoptó una Constitución rígidamente centralista, que, sin embargo, incluía expresamente una cláusula según la cual una nueva convención podría reconsiderar el asunto después de un período de prueba de diez años. Para entonces la guerra probablemente habría llegado a su fin, no solamente en Colombia sino en el resto de Suramérica; entonces, si la nación así lo quisiera, podría instaurar un régimen federalista sin arriesgar su propia seguridad.

En otros aspectos, la Constitución establecía un gobierno de tipo republicano, con poderes separados y garantías para los derechos individuales. Mantenía algunos requisitos de propiedad e ingresos para ejercer el derecho del voto y determinaba que no sólo el Presidente, sino también el Congreso, deberían ser elegidos indirectamente por un sistema de asambleas electorales. Al menos durante diecinueve años no se impondría la prueba de alfabetismo para otorgar el derecho del voto. Ser analfabeto en 1821 era considerado como un infortunado legado de la opresión española y por lo tanto no debía penalizarse; a partir de 1840 el saber leer y escribir se consideraría responsabilidad del ciudadano. A pesar de la regulación del sistema electoral que impuso en la Constitución, el mismo congreso constituyente eligió a los primeros Presidente y Vicepresidente constitucionales con el fin de que el nuevo régimen entrara en vigencia inmediatamente. La elección de Bolívar como Presidente fue automática; y como él era venezolano, se decidió que el Vicepresidente debía ser neogranadino. La vicepresidencia sería una posición especialmente importante, pues Bolívar se proponía continuar al mando de los ejércitos que se enfrentaran a España y en consecuencia dejaría encargado del ejecutivo al Vicepresidente. Los dos candidatos obvios eran Santander y Nariño. Este último acababa de regresar de su cautiverio en España y tenía precedencia sobre Santander en cuanto a edad y logros. Bolívar había aprovechado la experiencia de Nariño al nombrarlo Vicepresidente de Colombia mientras tenía lugar el congreso constituyente. A pesar de todo, Nariño también contaba con varias enemistades políticas, que de hecho eran rezagos de los rencores de la Patria Boba, y poco tiempo antes de la elección se había enfrentado directamente al Congreso. Luego de varias votaciones, Santander fue elegido, aunque con cierto recelo, pues su ascenso se consideraba muy reciente y el personaje no llegaba a los treinta años de edad.

El Congreso de Cúcuta promulgó varias reformas básicas que no podían aplazarse hasta cuando se reuniera el nuevo. Se trataba de reformas predominantemente «liberales», pues la mayoría de los diputados se alineaba, en diferentes grados de adhesión, al lado del credo del liberalismo decimonónico, que buscaba ampliar la esfera de la libertad individual en asuntos políticos, económicos y religiosos, así como limitar el poder no solamente de la Iglesia tradicional sino, para ciertos propósitos, del Estado. Sin duda se debe reconocer al Congreso de Cúcuta que su primer decreto, sancionado incluso antes de ser promulgada la nueva Carta, fuera la ley de manumisión, que en lo esencial era una ley de libertad de vientres. Al igual que la ley antioqueña de 1814, a partir de la cual fue diseñada, la nueva legislación determinaba que todos los recién nacidos de madres esclavas serían libres al alcanzar una edad específica; de esta manera, la disposición entró a reforzar el efecto de la guerra como factor de aceleración en la abolición de la esclavitud. La sanción final de la ley dio lugar a escenas de la más pura emoción romántica, y varios diputados se levantaron para declarar, en medio de lágrimas y ovaciones, que concedían la libertad a sus esclavos.

El Congreso reafirmó —e hizo extensiva a toda la República— la liquidación de los resguardos, que ya habían decretado algunas de las provincias de la Nueva Granada. Como parte del esfuerzo para reformar el sistema fiscal de la Colonia, eliminó la *alcabala* o impuesto a las ventas y reiteró la abolición del tributo de indios, que había sido reimplantado por la Reconquista. Para compensar la desaparición de la *alcabala*, el Congreso decidió experimentar atrevidamente un régimen de impuestos directos, que recaudaría el 10% de los ingresos producidos por la tierra o el capital. En lugar del tributo, declaró a los indígenas ciudadanos iguales en derechos, obligándolos ahora a pagar los demás impuestos de los que antes estaban exentos. El sistema de aduanas se simplificó y se establecieron aranceles moderados, diseñados para producir ingresos y no para proteger a los productores nacionales (salvo en algunos casos especiales). Aunque las obligaciones eran ahora más bajas que antes, su totalidad se pagaba ahora en los puertos suramericanos, lo cual aumentaba el ingreso local, ya que anteriormente una parte de ellas se desembolsaba en España.

Una de las reformas más significativas, de impacto tanto económico como religioso, fue la liquidación de monasterios que tuvieran menos de ocho residentes y la subsecuente confiscación de sus bienes. Los promotores de esta medida alegaron la inmoralidad, ignorancia e inutilidad de monjes y frailes, retratados como reliquias obsoletas de la Edad Media; y, en efecto, aun algunos amigos de los monasterios admitieron que sus patrones de comportamiento eran generalmente muy bajos. Pero las órdenes religiosas contaban con gran apoyo de las clases populares, y por esta razón, así como por un genuino interés por promover la educación, las propiedades embargadas a los monasterios fueron destinadas a dotar las escuelas secundarias de todo el país. Después de todo, la educación era también una causa popular. Otra ley que afectó a la Iglesia, mucho menos controvertida que la anterior, fue la abolición de la Inquisición, institución en estado latente pero jurídicamente viva luego de su restauración formal durante la Reconquista de Morillo. De manera similar, se eliminaron todas las formas de censura previa que antes se aplicaban a publicaciones religiosas o de otro orden, con excepción de las ediciones de la Biblia.

Ahora bien, es importante hacer referencia a algunas medidas que, conspicuamente, dejaron de tomar los diputados de Cúcuta. La legislación sobre la esclavitud, por ejemplo, no liberó a los desafortunados que habían nacido antes de las reformas. Aunque la *alcabala* fue abolida, se mantuvo el monopolio del tabaco, lo que en el plano teórico era todavía más objetable; simplemente, el gobierno necesitaba los ingresos que producía ese monopolio. De igual manera, los conventos de monjas no sufrieron lo mismo que los monasterios de varones y la desaparición de la Inquisición no dio paso a la tolerancia religiosa, tema que la Constitución evadía cautelosamente. La legislación colonial en lo tocante a la herejía y los herejes permaneció en los registros, pues la ley que abolía la Inquisición solamente eliminaba una agencia cuya misión especial era combatir la herejía (esa era también, sin duda, una señal de que la herejía no debía ser combatida tan vigorosamente).

Tanto en sus avances como en sus limitaciones, el trabajo del congreso constituyente tenía mucho en común con el de los primeros gobiernos de otros países latinoamericanos. Todas las naciones suprimieron la Inquisición y casi todas emprendieron acciones contra la esclavitud. Todas enmendaron el sistema fiscal y la Gran Colombia no fue la única en su valeroso aunque finalmente fracasado intento de imponer el impuesto directo. En todas partes de América Latina el espíritu de las reformas era claramente liberal. Pero también en todas partes el progreso neto en lo que respecta a la reforma de las instituciones coloniales fue limitado y obedeció, bien al poder de los intereses creados, bien a la fuerza persistente de creencias y actitudes tradicionales —«preocupaciones», como las llamaran los frustrados reformadores— comunes entre la población. Así, solamente la monarquía brasileña y la provincia argentina de Buenos Aires se atrevieron a decretar la libertad de cultos en la temprana etapa de los años 20 del siglo XIX.

Los liberales constituían una minoría influyente, pero de todas maneras una minoría; cuando proponían cambios que traspasaban los límites de lo aceptable provocaban casi siempre reacciones más o menos violentas. La causa innovadora en la Gran Colombia contaba con fuerte apoyo de algunos comerciantes y profesionales prominentes, pero estos grupos no eran numerosos: probablemente no había más de 200 ó 300 abogados diplomados en todo el país[1]. Los militares, el clero y la aristocracia terrateniente eran más liberales de lo que se ha creído, pero preferían reformar gradualmente, sobre todo cuando sus intereses estaban en juego. El clero en particular estaba destinado a abandonar finalmente el liberalismo y ejercía una influencia mucho mayor sobre los sectores populares, que los intelectuales liberales. Pero estos sectores populares, por lo general dedicados a la agricultura primitiva o a labores de servicio doméstico en pueblos y ciudades, al principio ni siquiera participaban en las consultas.

La administración de Santander

El clima de opinión política era esencialmente liberal en los primeros tiempos de la Gran Colombia, a pesar de lo anotado anteriormente. El vicepresidente Santander, en quien recaía la administración del país en ausencia de Bolívar, estaba comprometido con la renovación de las estructuras legales e institucionales, aunque se mostraba cauteloso en cuanto a la inmediata puesta en marcha de dichas reformas. Se conocen pocas anécdotas pintorescas y muy pocos detalles sobre los intereses humanos de una figura pública de la talla de Santander. Serio y generalmente distante, carecía de los toques ligeros y los geniales destellos que Bolívar exhibiera tanto en su correspondencia privada como en sus documentos públicos[2]. Pero Santander era un hombre trabajador y minucioso, tal como lo requería un sistema de gobierno tan centralizado, dentro del cual un nombramiento rutinario en Caracas era decretado en sesiones del gabinete nacional. Santander se conoce más que todo como «el hombre de las leyes», apelativo usado en primera instancia por Bolívar y que refleja de manera precisa tanto su tendencia a insistir en tecnicismos legales como su inmutable devoción por los principios constitucionales y republicanos. Santander también aprovechaba cualquier oportunidad para infundir esa devoción en los demás; con ocasión de la ejecución de un militar condenado por asesinato en la plaza mayor de Bogotá, Santander llevó todo un batallón a presenciar el acto. Mientras el cadáver yacía en la plaza, el propio Santander disertó sobre la majestad de la ley y la necesidad de respetar a la autoridad civil (el hecho de que el oficial ejecutado posiblemente fuera inocente del crimen que se le imputaba no significa que el sermón del presidente hubiera sido hipócrita).

La correspondencia entre lo que Santander predicaba y sus acciones es sorprendente, aunque es cierto que hay algunas variaciones interesantes. Generalmente respetaba los derechos de sus oponentes, de hecho nombrando a algunos de ellos en el gobierno (no sólo a los que quería ganar para su causa). Sin duda, no era propiamente sereno cuando enfrentaba las críticas y se daba a escribir ásperas réplicas que luego aparecían bajo un leve barniz de anonimia en la prensa del gobierno. Pero Santander nunca cerró la prensa opositora, ni mucho menos encarceló a los editores. Así mismo, fue uno de los pocos gobernantes latinoamericanos del siglo XIX que tomó en serio los privilegios de la rama legislativa, algunas veces exageradamente: la excusa predilecta con que justificaba su incapacidad para resolver algún asunto urgente era que, según la Constitución, la acción necesaria solamente podía ser tomada por el Congreso. Sin embargo, como estaba dispuesto a complacer a los legisladores, generalmente lograba lo que se proponía.

El Vicepresidente y el Congreso conjuntamente produjeron leyes que de muchas maneras complementaban los cambios que ya había adoptado el Congreso Constituyente. Se decretaron reformas fiscales que reducían aún más los aranceles; el monopolio estatal del tabaco de mascar (*chimó* y *mohó*), si bien no todo el monopolio del tabaco, fue eliminado. Los mayorazgos fueron debidamente declarados ilegales en 1824, con el argumento de que se trataba de una restricción anacrónica al intercambio libre de las propiedades, y se hicieron varios intentos para asegurar el control civil sobre el estamento militar. Las medidas más controvertidas fueron sin duda las relacionadas con asuntos religiosos. Una ley de 1824, que Santander apoyó resueltamente, ratificaba para la nueva República el derecho del *patronato*, es decir, el control que tradicionalmente ejercía el Estado sobre la Iglesia en los nombramientos clericales y sobre la mayoría de los asuntos, con excepción de los doctrinales. Con esta medida, la Gran Colombia rechazaba el alegato según el cual el gobierno no podría ejercer tales poderes sin una renovación de autoridad concedida por el Papa. La insistencia generalizada entre jefes administrativos y liberales en mantener el *patronato*, una institución tan ajena al espíritu del liberalismo, reflejaba, entre otras cosas, desconfianza hacia la manera como el clero podría utilizar su prestigio si se le otorgaba autonomía total. Por costumbre e inercia, la mayoría del clero aceptó humildemente la decisión, aunque una minoría clamorosa protestaba amargamente, apoyándose en términos jurídicos y en la convicción cada vez más creciente de que el nuevo régimen no siempre velaba por los intereses de la Iglesia.

El Congreso Constituyente ya había propiciado esta convicción y varios decretos subsiguientes, aprobados por el Congreso y sancionados por Santander, contribuyeron a aumentarla.

La mayoría de estas medidas era de poco alcance, como aquellas que suspendían el *fuero eclesiástico* (la tradicional exoneración del clero de la jurisdicción laica) en un número limitado de casos, o las que liberaban del pago de diezmos a las nuevas plantaciones de cacao y café. Pero ciertas medidas tomadas únicamente por el Vicepresidente ofendían a un amplio sector del clero. Una de éstas fue su copatrocinio de la Sociedad Bíblica Colombiana, fundada en 1825 por un misionero inglés, cuya distribución de Biblias baratas era ostensiblemente inofensiva pero francamente concebida, al menos en lo que al misionero respecta, como una cuña introducida por el protestantismo. Desde el punto de vista de los ortodoxos, la labor de Santander en la educación fue todavía peor. A pesar de que la propaganda liberal afirmaba lo contrario, ningún clérigo se opuso seriamente a la fundación de nuevas escuelas y universidades, que el Vicepresidente promovió hasta donde lo permitieron los limitados recursos económicos y el número de maestros disponibles. Pero otra cosa era incluir en el pensum lecturas de autores «heréticos», tales como el filósofo utilitarista inglés Jeremy Bentham. Algunos militantes tradicionalistas predijeron que el castigo divino no se haría esperar y no se sorprendieron cuando Bogotá fue sacudida por un fuerte terremoto en 1826.

Sin embargo, a pesar de los iniciales signos de desafecto por parte del clero, en términos generales la Gran Colombia de los primeros años resultó notablemente exitosa. Una fuente de satisfacción la constituyó el liderazgo político-militar que asumió entre las naciones latinoamericanas, especialmente las hispanoamericanas. A la liberación de Quito, en mayo de 1822, había seguido la incorporación no enteramente voluntaria del puerto de Guayaquil, cuyas facciones locales preferían la independencia o la anexión al Perú. Pero Bolívar, que había asumido el control de la sierra ecuatoriana, no podía permitir que la costa tuviera una capacidad de decisión libre y por eso prevaleció la anexión a la Gran Colombia. Al año siguiente, Bolívar marchó hacia el Perú para dirigir la lucha contra España en el territorio que hasta entonces había sido el principal bastión del poderío realista. La victoria en Ayacucho (diciembre de 1824) del lugarteniente favorito de Bolívar, el general Sucre, significó el final de la guerra, salvo escaramuzas y encuentros menores. El ejército de Sucre era una amalgama de colombianos, peruanos, argentinos, chilenos e inclusive algunos voluntarios europeos. Pero el alto mando era desproporcionadamente colombiano y, sin lugar a dudas, ninguno de los otros libertadores latinoamericanos pudo compararse con Bolívar.

De igual manera, Colombia tuvo éxito en el ámbito diplomático al ser reconocida por los Estados Unidos en 1822 y tres años más tarde por la Gran Bretaña; fue una de las primeras naciones hispanoamericanas en lograrlo. Otro detalle diciente es que el Papa, quien no quiso establecer relaciones formales con ninguna nación hispanoamericana hasta los años 30, aceptó en 1827 designar obispos en las diócesis vacantes de la Gran Colombia. Este gesto fue equivalente al reconocimiento tácito, especialmente porque los nombramientos se hicieron luego de ser aprobados por Santander, a pesar de que el Papa se preocupara por subrayar el hecho de que ellos obedecían a su propia autoridad y no implicaba que el pontífice aceptara el *patronato* del gobierno colombiano. La preeminencia de la Gran Colombia se vio aumentada por su patrocinio del primer Congreso Interamericano, llevado a cabo en Panamá en 1826; por parte bien de Bolívar, bien de Santander, fueron invitadas todas las naciones de América, con excepción de Haití. Infortunadamente, la asistencia fue irregular y el congreso logró poco. Uno de los delegados de los Estados Unidos murió en el camino y el otro llegó cuando ya habían finalizado las sesiones. Los representantes de las naciones hispanoamericanas firmaron tratados que fomentaban la futura cooperación, incluida la militar; pero ya para esta época no existían peligros externos serios y solamente Colombia se tomó el trabajo de ratificar los acuerdos.

Hasta en asuntos económicos había signos de progreso. Los efectos de la guerra todavía se reflejaban en la economía, pero una gradual recuperación empezaba a sentirse, acelerada en algunos sectores como el comercio internacional, gracias a las políticas económicas del nuevo régimen. Además, para bien o para mal, la actitud de las autoridades, favorable al capital foráneo y en general a los extranjeros, estimuló a los inversionistas europeos y norteamericanos para que abrieran filiales comerciales, montaran compañías mineras y colonizadoras y se embarcaran en empresas de toda índole, entre ellas el proyecto de drenaje de la fabulosa laguna de Guatavita, con miras a recuperar el polvo y las ofrendas de oro que debían estar asentados en el fondo. Una vez extraído el metal, la idea era traer industriosos inmigrantes escoceses para que trabajaran el rico cieno. Sin embargo, estas empresas, tan similares a la que desencadenó la euforia de la Independencia en toda Latinoamérica, produjeron muy pocos resultados concretos. El oro de Guatavita nunca se recuperó, pues el drenaje de la laguna era tremendamente complicado. Las compañías mineras cumplieron rara vez los prospectos con base en los cuales habían ofrecido acciones de respaldo público en Europa, y el número de inmigrantes de buena fe que llegaron a Colombia a través de planes colonizadores fue muy reducido. Aun así, se registraron algunos logros importantes. La navegación de vapor en el río Magdalena, llevada a cabo por el alemán Juan Bernardo Elbers, constituyó la innovación más espectacular, que pronto sería suspendida, pues los barcos encallaban constantemente y el servicio era irregular. Pero el intento de Elbers fue el comienzo de muchas otras empresas de navegación por el río. De otra parte, la sola presencia de los promotores extranjeros, de los legionarios que llegaron al ejército colombiano y de los primeros diplomáticos, estimulaba cultural y socialmente a los colombianos. Los británicos, por ejemplo, no solamente introdujeron el proselitismo protestante, bajo la apariencia de la simple venta de Biblias, como ya se anotó, sino que también trajeron las carreras de caballos y la afición por la cerveza, que los miembros de la clase alta local adoptaron inmediatamente.

En 1824, la Gran Colombia logró de inversionistas ingleses un préstamo por la exorbitante suma de treinta millones de pesos, que en la época tenían el mismo valor que los dólares. Gran parte de ese dinero, no obstante, fue utilizada para consolidar deudas asumidas anteriormente por agentes patriotas en el extranjero y también para la adquisición de materiales bélicos, que tal vez llegaban ya demasiado tarde. Por ejemplo, en los Estados Unidos se adquirieron dos magníficas fragatas para la marina colombiana, que hasta ese momento consistía en gran parte de goletas reformadas y buques corsarios yanquis fletados. Las fragatas costaron más de un millón de dólares y todo el mundo estuvo de acuerdo en que eran de lo mejor en dotación marinera. El problema era que el país no tenía los marineros entrenados para utilizarlas, ni el dinero que su mantenimiento requería, ni mucho menos ocasión de usarlas, pues la guerra con España ya estaba terminada, aunque sólo para efectos prácticos, pues la madre patria solamente aceptó su derrota y estableció tratados en 1837. Durante un corto período, Colombia consideró la posibilidad de usar las naves en un esfuerzo conjunto con México para la liberación de Cuba, pero el plan fue pronto descartado por su falta de sentido práctico y la desaprobación por parte de los Estados Unidos y la Gran Bretaña. Finalmente, las fragatas fueron abandonadas al deterioro en la bahía de Cartagena.

El uso de fondos adquiridos a través de préstamos para pagar a los acreedores internos, quienes voluntaria o forzosamente habían colaborado en la financiación de la Independencia, fue tal vez más productivo, pero igualmente controvertido. Infortunadamente, el valor nominal de tales deudas se había inflado demasiado, ya por estar en manos de especuladores, ya por las ambiciones de los propios acreedores. En cualquier caso, el dinero devuelto a los inversionistas locales sirvió para financiar un aumento considerable en la importación de bienes de consumo europeos, que de otra manera Colombia habría sido incapaz de adquirir. El desenfreno en las importaciones fue especialmente dañino para los artesanos locales, que empezaban ya a padecer los efectos de la competencia extranjera. Este uso de dineros provenientes de préstamos extranjeros provocó además muchísimas acusaciones de favoritismo y corrupción, algunas de las cuales sin duda eran bien fundadas, aunque no existen evidencias de que el propio Santander estuviera envuelto en casos de enriquecimiento ilícito. De todas maneras, al vicepresidente le falló su buen criterio administrativo en la cuestión de los préstamos.

Un último problema causado por el préstamo de 1824 fue que el gobierno colombiano se había endeudado por mucho más de lo que podía pagar en un futuro previsible. Fue otro caso de flagrante exceso de optimismo, pues los intereses anuales y las amortizaciones equivalían a un tercio del ingreso normal del gobierno. A mediados de 1826, Colombia era ya deudora morosa y formaba parte de las naciones latinoamericanas involucradas en la primera de las muchas crisis causadas por la deuda externa. La situación implicaba, además, que no había posibilidades de obtener nuevos créditos, lo cual resultaba beneficioso en última instancia. En realidad, aun sin tener en cuenta la deuda, Colombia era prácticamente insolvente. Los ingresos por aduanas habían aumentado paralelamente a las importaciones, pero otras rentas no lograban crecer; mientras tanto, el tesoro estaba recargado con obligaciones que los virreyes nunca tuvieron que asumir, como el pago de sueldos a congresistas y diplomáticos en el extranjero y a un estamento militar que había crecido inmensamente y que con dificultad, por razones de seguridad o por su propia envergadura, podía ser desmantelado de la noche a la mañana. Los problemas financieros, entonces, se añadieron al ya anotado descontento religioso. Pero lo peor estaba por venir, especialmente en Venezuela.

El comienzo del fin de la unión

Aun después de que terminara la lucha militar, Venezuela no se había tranquilizado del todo. En el interior del país persistían la violencia esporádica y el bandidaje, y la situación se complicaba por el desasosiego de los veteranos desocupados. En Caracas, los agitadores mantenían los ánimos levantados contra la administración nacional. El hecho de que los inconformes que llevaban el liderazgo fuesen liberales militantes en asuntos como el de la posición de la Iglesia, no ayudaba a mejorar la imagen de Santander, quien fue acusado de ignorar a Venezuela en los principales nombramientos, de actuar como un monarca déspota, de malversación de fondos y muchas otras cosas. La mayoría de los cargos eran infundados. Para empezar, el reclamo sobre los nombramientos era exagerado e ignoraba el hecho de que generalmente los venezolanos se negaban a aceptar los puestos que se les asignaban en Bogotá. También es verdad que los venezolanos compensaron su relativa minoría en la administración central monopolizando el alto mando militar, en parte porque un número desproporcionado de los neogranadinos que tenían mando durante los años de la Patria Boba había sido físicamente eliminados por la Reconquista y por lo tanto los oficiales de la Nueva Granada no igualaban a los venezolanos en antigüedad ni experiencia en el campo de batalla.

Justificada o injustificadamente, los venezolanos en general estaban convencidos de que la Nueva Granada estaba absorbiendo de alguna manera una porción indebida de los beneficios que brindaba la unión. En el fondo, se sentían disminuidos en dignidad e importancia por el simple hecho de formar parte de la Gran Colombia, especialmente teniendo en cuenta que el gobierno estaba tan centralizado en Bogotá. Para los venezolanos, la dependencia de un Rey residente en España era mucho menos exasperante que la que existía ahora respecto a Bogotá, que hasta hace poco había sido tan sólo otra capital colonial; por otra parte, encaramada en los Andes y a varias semanas de viaje a través de las montañas, Bogotá parecía tan inaccesible como Madrid, si no más. No todos los venezolanos interesados en política querían lo mismo, pero los unía su rechazo a Bogotá. O, para ser más precisos, casi todos ellos se unían de esa manera; en los extremos oriental y occidental de Venezuela, los celos locales contra Caracas podían pesar a veces más que el resentimiento contra Bogotá. Así, en las elecciones nacionales de 1826, de los 176 votos electorales venezolanos, 41 fueron a favor de la reelección de Santander en la vicepresidencia.

Ninguno de estos votos provenía de Caracas, pero Santander logró buenos resultados en las provincias menores de Venezuela y obtuvo fácilmente una mayoría relativa en toda la nación[3].

Poco tiempo después de que el Congreso grancolombiano confirmara la reelección de Bolívar y de Santander, se inició la revuelta en Venezuela y con ella la disolución de la Gran Colombia. El detonante fue el intento del Congreso de enjuiciar al general José Antonio Páez, quien como comandante militar de la región central de Venezuela y estando Bolívar todavía en el Perú, constituía la figura más poderosa de la escena venezolana. El concejo de la ciudad de Caracas había acusado a Páez porque envió soldados a recoger en las calles a ciudadanos pacíficos para obligarlos, a punta de fusil, a entrar a la milicia; aunque sin duda los cargos eran exagerados, los abusos contra civiles cometidos por los militares eran tan comunes que no resultaba difícil aceptarlos como ciertos. El Congreso, además, sentía claramente que había llegado el momento de confrontar a los líderes militares que actuaban con arbitrariedad, para demostrar de una vez por todas que era la autoridad civil la que mandaba en la nación. Fue un deplorable error de los congresistas.

Cuando Páez fue llamado a Bogotá para su juicio ante el Congreso, el general vaciló brevemente y luego decidió levantarse en rebeldía. Entre los primeros que se alinearon con Páez estuvieron los mismos dirigentes caraqueños que habían presentado la acusación, toda vez que su aversión hacia Santander era mucho más fuerte que la que sentían por Páez. Gran parte del resto de Venezuela se unió al movimiento, aunque nadie sabía a ciencia cierta qué era lo que Páez representaba. El comandante y sus seguidores exigían mayor autonomía regional, pero no necesariamente buscaban separarse de la unión; más aún, todos o casi todos estaban de acuerdo en que ninguna acción drástica podría ser emprendida hasta que Bolívar regresara y obrara como árbitro.

En primera instancia, Santander esperaba también que Bolívar encontrara la fórmula pacífica para resolver el incidente, y adoptó entonces una política de espera cautelosa que contaba con el apoyo general de la Nueva Granada. En Ecuador, sin embargo, el esultado fue diferente. Ecuador era en realidad la Cenicienta de la Gran Colombia: ningún ecuatoriano había ocupado un puesto importante a escala nacional, no había ninguno que fuese general e incluso eran escasos sus coroneles. En política económica, la tendencia a reducir las barreras comerciales favorecía a Venezuela, por ser ésta una comunidad exportadora de productos agrícolas y pastoriles, y perjudicaba al Ecuador, la sección poseedora de la más desarrollada manufactura textil doméstica. En términos generales, los ecuatorianos estaban más molestos que los venezolanos por las reformas anticlericales y tenían, así mismo, otras quejas. En consecuencia, cuando Páez se levantó, Ecuador se volvió también contra el gobierno de Bogotá. En un principio no hubo un desafío patente, pero una serie de improvisadas asambleas comenzó a clamar por cambios políticos y constitucionales. El federalismo, es decir, la autonomía regional, era una de las reformas más vehementemente exigidas. En el Ecuador surgieron a la vez voces que pedían a Bolívar retornar y asumir poderes dictatoriales para curar todos los males que afligían a la República. Lógicamente, federalismo y dictadura no podían ir juntos; pero en medio de la creciente agitación, apareció un emisario del Libertador que dio a entender que el propio general quería la dictadura. La sola sugerencia unió a los jefes militares de la región, en su mayoría no ecuatorianos, y de igual manera a la aristocracia ecuatoriana, que tenía más confianza en Bolívar que en sus propios compatriotas.

El general estaba convencido de que las cosas no habían ido muy bien en la Gran Colombia y atribuía los problemas en gran parte a la desmedida prisa de Santander y los suyos por adelantar las reformas liberales, que consideraba adecuadas en teoría pero prematuras. De hecho, por supuesto, las políticas reformistas (en relación con la Iglesia y otras) poco tenían que ver con la revuelta de Páez, pero el descontento que provocaban había contribuido sin duda a la propagación de la sedición, especialmente en el Ecuador. Bolívar se equivocó flagrantemente al no condenar a Páez y se inclinó por aceptar implícitamente la explicación de este último de que era un simple soldado, injustamente señalado y perseguido por abogados e intelectuales. Por lo demás, el Libertador acababa de redactar una constitución para Bolivia, que esperaba pudiera ofrecer ideas útiles para Colombia. Se trataba de un extraño documento que proponía una legislatura dividida en tres corporaciones y un Presidente vitalicio como figura central, que además designaría a su sucesor. El Presidente tendría poderes legales muy limitados, pero su ejercicio vitalicio le concedería un amplio margen de influencia moral, como la que Bolívar consideraba necesaria para gobernar las naciones latinoamericanas. Aunque a menudo ha sido comparada con el modelo napoleónico, la Constitución boliviana tenía en realidad más cosas en común con el sistema ideado por César Augusto: se presentaba ataviada incluso de «tribunos», «censores» y otras evocaciones de la Roma antigua.

Bolívar estaba muy orgulloso de su obra constitucional, que sinceramente consideraba como panacea para los males de la América española. Y tanto el llamado que le hicieron los venezolanos para que arbitrara en su conflicto como el clamor ecuatoriano por una dictadura, le brindaron la oportunidad perfecta para presionar en favor de la adopción en Colombia de la Constitución boliviana o de una Carta similar. Entonces el Libertador abandonó Lima y llegó a Guayaquil en septiembre de 1826. No se arrogó abiertamente el poder dictatorial, pero recompensó a aquellos que lo habían propuesto. A su llegada a Bogotá, a mediados de noviembre, asumió formalmente la presidencia durante el tiempo necesario para expedir decretos de emergencia y luego volvió a dejar el poder en manos de Santander, para dirigirse a Venezuela y poner fin a la rebelión de Páez mediante el perdón a los rebeldes. Pero el mandatario no consideró ni práctico ni deseable restituir la normalidad constitucional sino que, por el contrario, permaneció en Caracas firmando nuevos decretos y reglamentos para las provincias venezolanas sin considerar la legislación nacional.

Sin lugar a dudas, Bolívar se decepcionó al comprobar que en ninguna parte de la Gran Colombia se había producido una demanda tumultuosa en favor de su concepción favorita, la presidencia vitalicia. Sin embargo, había un clamor generalizado que proponía organizar lo más pronto posible, sin esperar hasta 1831, fecha determinada por los creadores de la Constitución de Cúcuta, una convención nacional para la revisión de la Carta. Adelantar la convención era ilegal, pero el presidente se unió al clamor; el Vicepresidente no estuvo de acuerdo, pero el Congreso cedió a la exigencia y convocó la convención para comienzos de 1828, en la pequeña ciudad de Ocaña.

Para esa época, Bolívar y Santander habían llegado al punto del desacuerdo total. Santander no tenía en buen concepto el modelo constitucional boliviano, al igual que el conjunto de los liberales neogranadinos, quienes consideraban que era tan sólo una monarquía disfrazada y que constituía una traición a los principios republicanos que habían inspirado la lucha contra España. Además, para Santander, el comportamiento reciente del Libertador en Venezuela dejaba mucho que desear, por decir lo menos. Los colaboradores cercanos del Vicepresidente lanzaron una recia campaña contra Bolívar en el Congreso y en la prensa, alegando que trataba de subvertir las instituciones de la nación; las críticas ofendieron profundamente a Bolívar, quien las achacaba a «la pérfida ingratitud de Santander»[4]. Se irritó aún más por la reacción ambivalente de éste ante el motín de la Tercera División colombiana, que Bolívar había dejado en Lima. En enero de 1827 la Tercera División depuso a sus comandantes, regresó al Ecuador y desde allí proclamó su intención de castigar a todos los que habían ofrecido poderes dictatoriales a Bolívar. Santander decidió considerar a la División amotinada como un aliado potencial para la causa constitucional y no como lo que en realidad era, otro lote de militares revoltosos, y difícilmente ocultó su simpatía personal por sus acciones. En estas circunstancias, Bolívar rompió toda correspondencia personal con su Vicepresidente y decidió regresar a Bogotá a mediados de 1827, asumir una vez más el gobierno central y poner fin a las actividades «subversivas» del grupo político santanderista.

Mientras el Presidente se acercaba a Bogotá, muchos de los amigos de Santander se dieron a la fuga, pues suponían que aquél establecería una feroz dictadura a su llegada; pero sus sospechas resultaron infundadas. Lo máximo que sufrieron los más furibundos liberales a manos de los militares bolivarianos fue uno que otro maltrato físico. Incluso a finales del mismo año, Santander consiguió un puesto en la proyectada convención para la reforma constitucional, y con él salió victorioso un número considerable de sus simpatizantes. La facción bolivariana parece haberse confiado y por lo tanto no ejerció toda la presión de que habría sido capaz para apoyar a los candidatos oficiales. De todos modos, Santander sólo contaba con una minoría, pero los seguidores de su contrincante, es decir, los que pretendían reformar el gobierno de la Gran Colombia según los nuevos planteamientos de su líder, también estaban en minoría.

En la actualidad no es fácil distinguir las fuentes de apoyo de las dos facciones rivales. En la historiografía tradicional colombiana se acostumbraba creer que quienes apoyaban a Santander representaban, aunque todavía de manera embrionaria, el núcleo del futuro Partido Liberal; de igual manera, los seguidores de Bolívar serían el embrión del Partido Conservador. Esta afirmación contenía sin duda cierta verdad, como se verá al estudiar de cerca el surgimiento de ambos partidos, alrededor del año de 1840 (ver Capítulo 4). Sin embargo, no es del todo exacta, ni nos dice tampoco quiénes eran, en términos socioeconómicos, los que apoyaban a uno y a otro. Más recientemente, algunos historiadores revisionistas han invertido casi totalmente la interpretación tradicional y presentan a Bolívar como la más «popular» de las dos figuras, defensor de los intereses de las masas trabajadoras, mientras que Santander aparece como el campeón de la «oligarquía» neogranadina, empeñado en destruir a Bolívar precisamente porque su inmensa influencia personal amenazaba diversos intereses creados[5]. Este punto de vista pronto se convirtió en artículo de fe para la izquierda colombiana, que desde entonces pudo así cubrirse con el manto del más grande de los héroes nacionales de América Latina. En realidad, esta interpretación ni siquiera se ajusta a los hechos.

Santander gozaba del apoyo de un número considerable de profesionales y negociantes, más que todo de la región oriental de la Nueva Granada, su tierra natal, y también de Antioquia. Si eran «oligarcas», lo eran de segunda categoría, e intentaban aprovechar cualquier oportunidad que les brindara la Independencia para mejorar su posición. Por otra parte, las élites económicas y sociales de Bogotá, Cartagena y Popayán se inclinaban más hacia el lado de Bolívar, quien también contaba con el respaldo de los militares, venezolanos en su mayoría, como él, y de la Iglesia, preocupada por la vinculación de Santander al incipiente anticlericalismo. El apoyo del clero es, además, uno de los lazos más obvios entre los seguidores de Bolívar y el futuro Partido Conservador.

Es virtualmente imposible determinar quién contaba con la simpatía de los trabajadores urbanos y rurales. En su mayoría, éstos ni siquiera tenían derecho a votar y es poco probable que estuvieran interesados en las rivalidades políticas de los más altos círculos. Y sin embargo, los seguidores de Santander aparentemente habían logrado algún apoyo de las clases populares. El propio Santander participó en estos esfuerzos, hasta el punto de llegar, en forma oportunista, a vestirse con ropas sencillas y usar el poco pulido lenguaje de la gente común cuando se mezclaba con ella en los actos políticos. Por esto el Vicepresidente y sus colaboradores fueron tildados de demagogos por los bolivarianos, y la afirmación de que siempre tuvieron en mente las necesidades de las masas puede todavía ser cuestionada. Los programas reformistas que proponían estaban dirigidos a debilitar muchas de las estructuras tradicionales que, presumiblemente, tendían a mantener a las masas en una situación desventajosa; por lo tanto, dichos programas bien podían haber provocado una respuesta positiva entre los miembros de los sectores populares políticamente activos y receptivos al cambio. Sin embargo, el compromiso de los santanderistas con los conceptos liberales decimonónicos de iniciativa individual y *laissez faire* económico significaba, en términos generales, que no pretendían que el Estado tomara a las masas de las manos y les ayudara a levantarse. Los pobres y los oprimidos, por el contrario, tendrían que ser abandonados a su suerte para que la mejoraran como a bien pudieran.

Aun así, probablemente constituye un dato significativo el hecho de que los pocos dirigentes neogranadinos que tuvieron una verdadera relación con las masas se encontraban, por la razón que fuera, del lado de Santander y no del de Bolívar. Uno de ellos fue el almirante José Padilla, héroe naval que, siendo *pardo*, creó fácilmente un grupo de partidarios pertenecientes a las clases más bajas de Cartagena, en oposición a la elite socioeconómica, que en su mayoría apoyaba a Bolívar. Otro fue el coronel José María Obando, emparentado por línea ilegítima con las primeras familias de Popayán. Desde sus días de guerrillero en la contienda de la Independencia (primero en el bando realista y luego en el patriota), Obando había organizado una fuerte red de adeptos en el suroeste del país. Su popularidad se basaba en parte en su carisma personal y en parte en la existencia de rivalidades regionales y resentimientos sociales que explotaba hábilmente. Ya se había enfrentado al Libertador durante la lucha por la Independencia y ahora estaba firmemente comprometido con la causa santanderista. Con todo, sea cual fuere la configuración exacta de fuerzas que apoyaban a Bolívar o a Santander, ninguno de los dos grupos podía afirmar que era mayoritario en la convención constitucional que finalmente se inició en abril de 1828. Había círculos de independientes, y también un grupo de regionalistas venezolanos que antes se habían opuesto a Santander pero que en última instancia solamente buscaban, por los medios que fuese, socavar la administración central a pesar de que en el momento estuviera encabezada por su compatriota Simón Bolívar. Aunque su aspiración real era la separación, se alinearon con el federalismo y así formaron una extraña alianza con las fuerzas de Santander, quien había sido cualquier cosa menos federalista cuando estuvo encargado del ejecutivo de la Gran Colombia. Entonces Santander, reducido al papel secundario de Vicepresidente y bloqueado por su lucha contra el Libertador, a quien llamaba «supremo perturbador de la República»[6], de repente vio en el federalismo el medio para debilitar el control de Bolívar sobre la nación. Esta inesperada coalición logró diseñar una nueva Constitución federalista de hecho, si no de nombre. En ese momento la convención se disolvió: los bolivarianos, que habían librado una batalla perdida para fortalecer el poder ejecutivo nacional, se retiraron e impidieron reunir el quórum para la votación final.

La dictadura bolivariana (1828-1830)

Cuando la noticia del fracaso de la convención llegó a Bogotá, fue convocada una improvisada asamblea de notables con el fin de decidir qué hacer. En términos legales, la respuesta era simple: puesto que el intento por reformar la Constitución había fracasado, el documento de 1821 seguía vigente tal como había sido redactado. Sin embargo, la facción bolivariana no quería rendirse tan rápidamente. En junio de 1828 la asamblea de notables, controlada por sus seguidores, concedió a Bolívar poderes dictatoriales para «salvar la República». En toda la nación se efectuaron reuniones similares, y un comandante militar afirmó francamente que pretendía lograr una proclamación similar a la de Bogotá «aunque cueste sangre»[7]. En algunos casos, aunque no siempre, costó sangre.

Probablemente, a estas alturas la mayoría de los colombianos que se preocupaban por los asuntos políticos ya estaban preparados para permitir que Bolívar «salvara la República» usando los medios que considerase apropiados. A pesar de sus desventajas teóricas, la dictadura representaba la esperanza de una mayor tranquilidad pública que la que hasta ahora se había vivido en la nación, y Bolívar sin duda estaba dispuesto a hacer la prueba. No era optimista y dudaba de que la unión pudiera mantenerse por tiempo prolongado; por lo menos, sentía que sería necesario garantizar un estatuto especial para Venezuela y Ecuador. Sin embargo, una vez asumido el poder dictatorial, el mandatario intentó resolver pronta y directamente los más urgentes problemas nacionales. Una de sus principales preocupaciones, en este sentido, era subsanar los errores que habían cometido los fervorosos reformadores desde los tiempos del Congreso de Cúcuta.

Empezaron a aparecer decretos dictatoriales en relación con todos los asuntos imaginables: se permitió la reapertura de monasterios suprimidos, se elevaron los aranceles de las importaciones, se otorgaron privilegios especiales al ejército y hasta se reimplantó el tributo indígena. La reversión de las reformas liberales se había iniciado incluso antes de la proclamación de la dictadura, con medidas tales como la restauración del impuesto colonial a las ventas o *alcabala*, aprobada en el Congreso por recomendación de Bolívar luego de su regreso de Lima, y la prohibición de los textos de Bentham, decretada por el propio Libertador a comienzos de 1828. Pero la reacción conservadora no se hizo sentir plenamente sino desde el momento en que Bolívar asumió la dictadura. Una de las reformas que el dictador se negó a derogar en su intento por complacer a los descontentos conservadores fue la ley de manumisión de 1821, que numerosos propietarios de minas y plantaciones exigía afanosamente. Es probable que Bolívar no se sintiera a gusto con todas las reformas que imponía, pero ciertamente las creía necesarias para la consolidación del orden, que claramente se había convertido en su mayor prioridad.

En su reacción contra las medidas de los años inmediatamente posteriores a la Independencia, Bolívar actuaba de conformidad con una tendencia muy común en América Latina: desde México hasta la Argentina, los gobernantes estaban en proceso de moderar las originales ambiciones de cambio, en una actitud que obedecía al aumento de las tensiones políticas y al hecho de que los recursos materiales con que se esperaba contar eran en realidad mucho menores. La dictadura de Bolívar fue moderada, si bien la autoridad del dictador quedaba, a escala local, en manos de oficiales militares o civiles cuya principal cualidad era la de ser seguidores de Bolívar, pero no descollaban por su habilidad ejecutiva ni por el interés de preservar el bienestar social. En Venezuela, Páez recibió amplios poderes en recompensa por su promesa de fidelidad incondicional, aunque en la práctica se comportaba más como un potentado independiente que como un agente de Bolívar. Muy raramente se molestó a los oponentes del régimen debido a sus creencias políticas, pero la prensa liberal dejó de existir por los desaires del gobierno y los partidarios decididos de Santander tuvieron que abandonar sus puestos en la administración. Incluso el cargo de Santander, la Vicepresidencia, fue anulado de un solo plumazo, mientras que la amante del Libertador, Manuela Sáenz, llegó al punto de animar una fiesta con una representación de la ejecución de Santander, gesto no precisamente calculado para calmar los temores de la oposición.

A pesar de la escasa represión, algunos empezaron a conspirar para derrocar la dictadura y un grupo de jóvenes exaltados decidió intentar el método más simple para lograrlo: el asesinato de Bolívar. Se trataba principalmente de profesionales liberales, aunque algunos oficiales del ejército se unieron a ellos, como también lo hizo Mariano Ospina Rodríguez, quien más adelante participaría en la fundación del Partido Conservador y posteriormente, como candidato de dicha colectividad, sería elegido Presidente. En la noche prevista para el atentado, el 25 de septiembre de 1828, los conspiradores entraron intempestivamente al palacio y lograron llegar hasta la puerta del dormitorio de Bolívar. Éste, sin embargo, alertado por los ruidos, alcanzó a saltar por una ventana —en la que hasta hoy una placa conmemora el incidente— y se escondió debajo de un puente hasta que pasó el peligro.

La dictadura se endureció después del atentado. Catorce supuestos conspiradores fueron ejecutados, incluido el almirante Padilla, quien, a pesar de no estar involucrado en el atentado, coincidencialmente se encontraba preso por otros cargos. Muchos amigos de Santander, que tampoco tenían nada que ver, fueron deportados a lejanos confines del país o al extranjero, como medida preventiva. Uno de los expulsados fue el propio Santander, quien en primera instancia recibió una sentencia de muerte, basada principalmente en el supuesto de que, siendo cabeza de la oposición, tendría que haberse enterado de la conspiración, y, puesto que no había informado al gobierno, se suponía que la apoyaba y aprobaba. En realidad, Santander nunca negó saber que estaban en marcha planes revolucionarios, ni tampoco que los consideraba totalmente justificados. Pero jamás se encontraron evidencias que lo vincularan con el intento de asesinato; se sabe que en una ocasión anterior había descartado con vehemencia la eliminación física de Bolívar. Finalmente, el gabinete presidencial recomendó el perdón y, con cierta desconfianza, el primer mandatario conmutó la pena de muerte por el exilio.

La avalancha de medidas represivas no logró terminar con la oposición a la dictadura. En octubre de 1828 estalló la revuelta en el Cauca. Encabezada por José María Obando y por otro oficial santanderista, José Hilario López, la insurgencia ni siquiera consiguió amenazar al gobierno. Sin embargo, ambos oficiales lograron obtener el control de la otrora realista región de Pasto, que dio la bienvenida a los dos coroneles liberales, no tanto por ser liberales, sino porque hábilmente se prestaron al juego de los reclamos y las idiosincrasias locales. Como Colombia estaba en medio de una inútil guerra contra el Perú y Pasto bloqueaba el paso hacia la frontera peruana, Bolívar se vio obligado a librarse de Obando y López por medio de un perdón total, similar al que ya había concedido a Páez.

Las relaciones con el Perú se habían complicado desde los inicios de 1827, cuando una revuelta organizada en Lima cambió el régimen establecido allí por Bolívar antes de su regreso a Bogotá. El nuevo gobierno peruano, además, había ayudado a la revoltosa Tercera División en su desplazamiento hacia el Ecuador; Bolívar estaba convencido de que la intención del Perú era provocar agitación para apoderarse finalmente de Guayaquil y de otras zonas del territorio ecuatoriano. Entre otros desacuerdos, también figuraban la disputa fronteriza de los dos países, así como las deudas que el Perú había contraído con Colombia por su colaboración en la lucha contra España. El resultado fue que estas diferencias condujeron gradualmente a la guerra, que estalló en el segundo semestre de 1828. Perú logró ocupar Guayaquil, pero en febrero de 1829 el ejército colombiano, comandado por Antonio José de Sucre, ganó la batalla más importante del conflicto, en Tarqui, al sur de la sierra ecuatoriana. Otra insubordinación ocurrida en Lima condujo a negociaciones de paz, en las que las partes acordaron someter las diferencias concretas sobre fronteras y deudas a la consideración posterior de comisionados designados para el efecto. Antes de que esto ocurriera, la Gran Colombia había dejado de existir.

Un detalle curioso de la guerra con el Perú fue que por fin dio a la Gran Colombia la oportunidad de utilizar las fragatas que había abandonado en la bahía de Cartagena desde su adquisición en 1824. Después de ser puestas en condiciones de navegar mediante esfuerzos indecibles, fueron entregadas a tripulaciones improvisadas; una de ellas logró doblar el extremo de Suramérica con la intención de atacar al Perú por el Pacífico. Pero cuando alcanzó la costa peruana, la guerra ya había terminado, y el resultado obvio de la hazaña fue un mayor deterioro de la solvencia colombiana. Lo mismo se puede decir de la guerra en general, que no sólo fue excesivamente costosa sino que gozó de gran impopularidad desde el comienzo.

Otro levantamiento que fue fácilmente controlado se presentó en Antioquia en septiembre de 1829. Poco tiempo después tuvo lugar un golpe mucho más fuerte, esta vez en Venezuela. La mayoría de los factores relevantes que habían causado problemas allí a la administración de Santander seguían presentes y nuevas quejas habían ido acumulándose. Las medidas que Bolívar tomó para calmar a la Iglesia lo habían favorecido en el Ecuador y en la Nueva Granada, pero no en Caracas, la ciudad más anticlerical de la nación. De igual manera, al elevar las tarifas, Bolívar había ayudado a los textileros ecuatorianos pero, a la vez, desfavorecido a los agroexportadores venezolanos. El golpe de gracia lo dio el gabinete presidencial en Bogotá cuando sondeó con los gobiernos de Gran Bretaña y Francia la posibilidad de que un príncipe europeo gobernara la nación, a título de monarca, una vez que Bolívar se retirara o falleciera. El plan había sido fraguado por individuos que, ante la desesperación provocada por los sucesos de la República, intentaban encontrar una solución a largo plazo para los problemas nacionales. Bolívar no participó en este plan, pues estaba dirigiendo la guerra contra el Perú cuando se iniciaron las conversaciones, pero sus ministros creían que interpretaban sus sentimientos; por lo tanto, conjuntamente con sus colaboradores, el Libertador recibió la tormenta de críticas que se desató cuando se conocieron los detalles de las negociaciones. Sin lugar a dudas, la idea de la monarquía fue violentamente rechazada, especialmente en Venezuela, donde, a finales de 1829, Páez se convirtió en cabeza de un movimiento abiertamente separatista. En la práctica, Venezuela había dejado de formar parte de la Gran Colombia, aunque su retiro formal tuvo lugar sólo algunos meses más tarde.

Teniendo en cuenta la situación venezolana, la reunión de otra convención, en enero de 1830 en Bogotá, resultaba absolutamente inoportuna. La asamblea había sido originalmente convocada con la esperanza de que pudiera remplazar la dictadura de Bolívar por un sistema constitucional «fuerte» y capaz de lograr los mismos fines por medios legales. En efecto, produjo una Constitución que fortalecía los poderes de la cabeza ejecutiva de la nación, a la vez que prolongaba su período de seis a ocho años (sin darle carácter vitalicio). La Constitución de 1830 se firmó y promulgó, pero durante el tiempo de la convención el país siguió desintegrándose. Una comisión de paz encabezada por el general Sucre —venezolano de origen pero ahora muy apegado a Quito, entre otras cosas por vínculo matrimonial— fue enviada a Venezuela y no logró su cometido. Los soldados venezolanos estacionados en tierras colombianas empezaron a desertar para unirse a sus compatriotas, con el beneplácito de los habitantes locales. La separación de Venezuela no era propiamente impopular en la Nueva Granada, donde la unión no recordaba glorias compartidas sino el costo y la mala conducta de un estamento militar cuya cúspide era eminentemente venezolana; el historiador Restrepo, quien formó parte del gabinete de Bolívar, describió a ese estamento como «el cáncer que devoraba la sustancia de los pueblos»[8]. Incluso aquellos que, por razones sentimentales o de cualquier otra índole, anhelaban la restauración de la unión, se oponían al uso de la fuerza; la opinión de los neogranadinos fue el principal factor que llevó a Venezuela a separarse de manera pacífica.

Los reprimidos seguidores de Santander volvieron a movilizarse, obviamente animados por las noticias procedentes de Venezuela. Bolívar era consciente de que no podía excluirlos indefinidamente de la política y poco tiempo después de la reunión de la convención ofreció una amnistía. Pero el verdadero retorno de los santanderistas comenzó cuando el general caraqueño dejó la Presidencia. En innumerables oportunidades el Libertador había presentado su renuncia al Congreso, siempre subrayando su deseo de volver a la vida privada, pero nadie, ni siquiera él mismo había tomado en serio esta actitud. Esta vez, no obstante, Bolívar concluyó con disgusto que su presencia a la cabeza del gobierno era un obstáculo para la necesaria reconciliación. Se sentía desgastado por sus luchas y enfermo físicamente. Por lo tanto, se alejó de la Presidencia en marzo de 1830 y, cuando llegó el momento de que la convención constituyente eligiera un Presidente para gobernar bajo los términos de la nueva Constitución, insistió en que se nombrara a alguien diferente. La convención designó a Joaquín Mosquera, respetable miembro de la aristocracia payanesa y figura política relativamente independiente. En el momento de su elección no se encontraba en Bogotá y por eso la labor recayó sobre el nuevo Vicepresidente, el general Domingo Caicedo, quien, como Mosquera, era prominente aristócrata y una moderada figura política.

Tanto Caicedo como Mosquera —quien finalmente asumió la Presidencia en junio— buscaron fortalecer su administración ofreciendo posiciones importantes a los amigos liberales de Santander, lo que naturalmente molestó a Bolívar. Todavía más disgusto le produjeron las noticias de Venezuela, donde una convención convocada por Páez había anunciado que no entablaría negociaciones con lo que había quedado de la Gran Colombia mientras Bolívar permaneciera en suelo colombiano. Las noticias del Ecuador eran tan reconfortantes para Bolívar en lo personal como fatales para la República que había fundado. Como era de esperarse, los ecuatorianos decidieron abandonar la nave que se hundía y reclamar su independencia; pero en lugar de proscribir al Libertador lo invitaron a volver a Quito para gobernarlos. Puesto que éste rechazó la oferta, designaron al general Juan José Flores, otro venezolano de origen, ligado al Ecuador por razones personales.

La negativa de Bolívar al ofrecimiento de gobernar al Ecuador no sólo era consecuente con su rechazo de gobernar a Colombia, sino también con su decisión de exiliarse voluntariamente en Europa. Cuando le llegó la invitación, ya se encontraba en camino a la costa del Caribe, a la espera de la primera oportunidad para embarcarse. Infortunadamente, Bolívar no alcanzó a llegar a Europa. Murió en una hacienda, no lejos de Santa Marta, el 17 de diciembre de 1830. Había vivido el tiempo suficiente para presenciar la total desintegración de la Gran Colombia y para redactar su grito final de desesperanza: «El que sirve una revolución ara en el mar»[9].

Notas

1. David Bushnell, *El régimen de Santander en la Gran Colombia*, Bogotá, 1985, p. 57. La mayoría de los datos de este capítulo provienen del mismo trabajo.

2. La más importante biógrafa de Santander, Pilar Moreno de Ángel (*Santander: Biografía*, Bogotá, 1989), intenta hacer de Santander un personaje atractivo, como ser humano y como líder político, pero la falta de detalles estrictamente personales a lo largo de sus 752 páginas es impactante. Como observó Laureano García Ortiz en un famoso ensayo de 1918, reeditado en *Algunos estudios sobre el general Santander*, Bogotá, 1946, p. 20, Santander carecía de «verdadera sensibilidad cordial» y «ternura» y «fue tan sólo un hombre de Estado» admirable.

3. D. Bushnell, *op. cit.* (cuadro), pp. 378-379.

4. Carta a Carlos Soublette, marzo 16 de 1827, en *Cartas del Libertador*, Vicente Lecuna, ed., 11 vols., Caracas y Nueva York, 1919-1948, t. 6, pp. 230-232.

5. Indalecio Liévano Aguirre, *Bolívar*, Medellín, 1971. Una interpretación muy similar es la de Gabriel García Márquez en su relato sobre los últimos días de Bolívar, *El general en su laberinto*, Bogotá, 1989.

6. Carta a Alejandro Vélez, marzo 17 de 1828, en *Cartas y mensajes del general Francisco de Paula Santander*, Roberto Cortázar, ed., 10 vols., Bogotá, 1953-1956, t. 7, p. 399.

7. Carta a Federico Adlercreutz, 25 de junio de 1828, en Caracciolo Parra-Pérez, ed., *La cartera del coronel Conde de Adlercreutz*, París, 1928, pp. 56-57.

8. José Manuel Restrepo, *Historia de la revolución de la República de Colombia*, 3ª edición, 8 vols., Bogotá, 1942-1950, t. 6, p. 495.

9. Carta a Juan José Flores, 9 de noviembre de 1830, en *Cartas del Libertador*, t. 9, p. 376.

Capítulo 4

La Nueva Granada independiente: un estado nacional, no una nación (1830-1849)

La República de la Nueva Granada se afanó por equiparse con una Constitución formal y una serie de instituciones políticas liberales. Hasta la mitad del siglo, con excepción de la muy confusa Guerra de los Supremos (1839-1842), estableció un récord de estabilidad que superó a la mayoría de los países de América Latina. No obstante, la estructura política solamente afectó la vida de una reducida minoría de la población. Incluso para los que participaban activamente, la nación como entidad abstracta significaba todavía menos que la provincia o las regiones en que vivían y adelantaban sus asuntos profesionales y de negocios. La Nueva Granada no solamente adolecía de una débil unidad política; estaba dolorosamente marcada por el subdesarrollo social y económico, o más precisamente por la pobreza extrema y el estancamiento.

Prolongación de la economía colonial

Los más obvios obstáculos para la integración y el desarrollo económico de la Nueva Granada eran las dificultades y los costos del transporte de una provincia a otra, e incluso algunas veces dentro de las mismas provincias. Las distancias reales no eran demasiado grandes: en línea directa, Bogotá estaba tan sólo a 200 km de Medellín, o a 600 km de la costa caribe y Cartagena. El problema era más bien que el quebrado territorio nacional contaba con una precaria red de vías, apropiadas para el paso de animales de carga y caminantes mas no de vehículos, y con un sistema de transporte fluvial demasiado primitivo.

Las carreteras que permitían el paso de carretas existían solamente en los alrededores de Bogotá y otras ciudades y eran tan deficientes que escasamente se podían considerar como tales. Tampoco existía el aliciente de mejorarlas puesto que para alcanzar su destino final, teniendo en cuenta el estado de los demás caminos, las cargas siempre tendrían que ser trasladadas a lomo de mula. Los precios del transporte de carga eran por lo tanto elevados y oscilaban entre 20 y 25 centavos por tonelada/kilómetro en el trayecto de 150 km entre el puerto fluvial de Honda y Bogotá. Naturalmente, los costos aumentaban si se trataba de artículos de gran tamaño, que no podía cargar una mula y que entonces eran transportados por equipos de cargueros humanos. Los viajes eran además muy lentos, pues las mulas tardaban entre cinco y seis días para cubrir la distancia entre Honda y Bogotá[1].

Por lo menos en relación con otras naciones andinas, la Nueva Granada contaba con un mejor sistema fluvial para viajes internos. La navegación en el canal que unía el río Magdalena con el Caribe en Cartagena era en ese momento prácticamente inutilizable y la desembocadura del río ofrecía todavía muchos peligros. De todas maneras, el río era navegable hasta Honda, donde se iniciaba una serie de rápidos; aguas arriba, después de los rápidos, volvía a ser posible la navegación. El río Cauca era también navegable a lo largo de buena parte de su curso. No obstante, el transporte fluvial no resultaba fácil, porque el caudal variaba según la época del año y la mayor parte de las riberas eran malsanas, inhóspitas y muy poco pobladas. Las dificultades físicas para la navegación, combinadas con el reducido volumen de carga, retrasaron el establecimiento permanente de la navegación de vapor por el río Magdalena hasta la mitad del siglo, aunque durante los años veinte ya se habían hecho los primeros intentos. Mientras tanto, la mayor parte de la carga y los pasajeros se movilizaba en diferentes tipos de embarcaciones de remo, la principal de las cuales era el *champán*, de 20 a 25 metros de largo. Su techo protegía a los pasajeros y la carga del sol y la lluvia y servía como plataforma para la tripulación, compuesta de *bogas*, los fornidos y, desde el punto de vista de los extranjeros y las élites nativas, apenas semicivilizados moradores de las riberas, que impulsaban las embarcaciones aguas arriba y ayudaban a la corriente a llevarlas río abajo hincando largas pértigas en el lecho del río. El viaje a Honda podía durar hasta un mes; el de regreso tomaba menos tiempo, pero era igualmente incómodo, considerando el clima tropical, las nubes de mosquitos y hasta los insultos de los *bogas*, según testimonios de algunos viajeros. El transporte fluvial también era caro, aunque significativamente más barato que el terrestre[2].

En la mayor parte de la Nueva Granada, la necesidad del comercio de larga distancia no era todavía prioritaria. Precisamente porque la topografía del país era tan quebrada, cada uno de los principales núcleos de población del interior tenía acceso a un espectro completo de zonas ecológicas, en las cuales tanto los cultivos tropicales como los de clima templado se daban con facilidad. Las artesanías básicas también existían en todas partes, aun cuando, por ejemplo, el comercio interno de textiles se había practicado desde los tiempos de la Colonia. El comercio exterior podría haber constituido el potencial para el intercambio a larga distancia, pero en este caso también surgían muchos obstáculos. Con excepción del oro, las ganancias provenientes de los productos del interior no habrían podido compensar el costo del transporte hasta los puertos del Caribe y además no existía demanda internacional para la mayoría de ellos. En la época que nos ocupa hubo algunas exportaciones de cacao del interior, pero en menor escala que antes de la Independencia; el tabaco, cultivado en su mayoría en las riberas del río Magdalena, se convirtió en importante artículo de exportación en los años 40. Pero éstas fueron excepciones. En lo que respecta a la costa Atlántica, teóricamente se habría podido desarrollar una actividad importante en el comercio del azúcar, el algodón y otros productos, sin la desventaja de los costos del transporte. Pero la costa era una región escasamente poblada y pobremente equipada, inclusive en términos de carreteras locales e infraestructura, y definitivamente carecía de oportunidades frente a competidores de la talla de Cuba o el sur de los Estados Unidos.

El comercio de importación se vio afectado por los mismos problemas. En regiones diferentes a la costera, los costos del transporte hacían imposible vender objetos que no fueran de lujo, para los cuales había muy poca demanda. Los textiles importados constituyeron una excepción parcial, ya que los avances de la Revolución Industrial europea redujeron notablemente los costos de las telas, de manera que todas las calidades, con excepción de las más burdas, se podían vender hasta en los mercados del interior. Sin embargo, la mayor desventaja consistía en que el volumen de las exportaciones era reducido, así que no había manera de costear un volumen considerable de artículos importados. El resultado fue que el nivel global del comercio exterior fuera bajo, incluso en comparación con otros países de América Latina. Entre 1834 y 1839 el promedio anual de exportaciones ascendió a 3.300.000 pesos aproximadamente, equivalentes a una cifra similar en dólares; el volumen de exportaciones era, además, casi idéntico al de los últimos años de la era colonial. Alrededor de un 75% del total consistía en oro. Pero la población había aumentado y, por lo tanto, en términos per cápita, el valor de las exportaciones —un poco menos de dos pesos anuales— era ahora un tercio menor que el alcanzado antes de la Independencia. Además, puesto que el país no había recibido más préstamos extranjeros como el de 1824, ni inversiones foráneas notables, las importaciones necesariamente se mantuvieron en el mismo nivel que las exportaciones y entronizaron un patrón de estancamiento, por lo menos en términos monetarios. Las importaciones aumentaron en volumen, principalmente gracias al permanente descenso de los precios de los textiles[3]. Aun así, con una población equivalente a dos tercios de la neogranadina, Venezuela mantenía un nivel más alto de comercio exterior, basado primordialmente en la venta de productos agrícolas en vez de la monoexportación del oro. En términos de exportaciones *per cápita*, en 1831 para Venezuela la cifra era de 2.50 dólares; en el Perú, cuya economía durante el período inmediatamente posterior a la Independencia apenas florecía, era de más de 3.00; y en Cuba, todavía bajo dominio español, era sorprendente: 19.00[4].

Inicialmente, tanto para las importaciones como para las exportaciones, el socio principal de la Nueva Granada fue Jamaica, en las Indias Occidentales británicas, pero únicamente porque era centro de almacenamiento y distribución del comercio británico y, en menor grado, del resto de Europa. Los Estados Unidos eran importantes proveedores de alimentos, en particular de harina, para la costa del Caribe, así como de algunas manufacturas. Pero ni los Estados Unidos ni ninguna otra nación llegó a superar el liderazgo de Gran Bretaña como fuente de las importaciones, comprador de las exportaciones y destino final del oro neogranadinos.

Corolario de la escasa participación de la Nueva Granada en los mercados mundiales fue la pobreza de sus finanzas públicas, puesto que el comercio con el extranjero no sólo era más fácilmente gravable que otras actividades, sino que constituía una de las pocas fuentes potenciales de ingreso verdaderamente significativas. A pesar del contrabando, los derechos de aduana eran la fuente más lucrativa para el gobierno y llegaron a constituir el 29% del total recolectado en 1836. El anterior fracaso de la Gran Colombia cuando trató de instituir la tributación directa sobre la propiedad y los ingresos había demostrado, además de un rechazo total por parte de los ciudadanos más ricos, que los mecanismos administrativos necesarios para hacerla efectiva eran inexistentes; la medida no volvió a ensayarse en la Nueva Granada independiente. El impuesto interno a las ventas o *alcabala*, restablecido hacia el final de la Gran Colombia, fue nuevamente abolido en 1835 porque constituía un obstáculo al libre intercambio de bienes y era totalmente regresivo, toda vez que recaía de manera desproporcionada sobre los ciudadanos pobres. En realidad, para que la *alcabala* pudiera siquiera competir con los impuestos de aduana como fuente de ingreso, la tasa habría tenido que subir de tal modo, que la gran mayoría de la población, que vivía cerca del nivel de subsistencia, no habría podido pagar. Por lo demás, las únicas fuentes de ingreso a disposición del gobierno eran los monopolios del tabaco y de la sal, además de diferentes impuestos menores sobre el consumo. Al sumar todas estas captaciones, se llegaba, a mediados de los años treinta, a una suma aproximada de dos millones y medio de pesos. Esta cifra, que en una población de 1.686.000 habitantes según el censo de 1835 equivaldría a 1.50 pesos *per cápita*, es bastante engañosa, puesto que incluye el recaudo bruto de los monopolios estatales y no simplemente la ganancia neta que dejaban al tesoro. No es necesario decirlo: con tan limitados recursos fiscales poco era lo que podría hacer cualquier gobierno[5].

La agricultura continuaba siendo la principal ocupación de la gran mayoría de los habitantes, incluidos muchos que desempeñaban también trabajos artesanales. En los altiplanos de la cordillera Oriental, entre Bogotá y Tunja y más allá, los cultivos principales eran, como en los tiempos anteriores a la Independencia, la papa, el maíz y el trigo. La tenencia de la tierra presentaba patrones variados, que no han sido estudiados cuidadosamente, aunque no es aventurado decir que los mejores suelos, como los de la Sabana de Bogotá, por ejemplo, formaban parte de grandes haciendas, junto a las cuales se asentaban pequeñas parcelas campesinas. Las comunidades indígenas, con sus respectivos *resguardos*, todavía existían, a pesar de que la legislación exigía que se convirtieran en propiedades privadas. Como las grandes haciendas estaban dedicadas sobre todo a la ganadería, los pequeños agricultores y las comunidades indígenas proveían la mayoría de cultivos alimentarios.

En las propiedades más extensas la fuerza de trabajo estaba constituida por una mezcla de aparceros, arrendatarios, jornaleros y otros contratados por períodos mayores o menores y bajo diversas condiciones. Los arreglos laborales obviamente permitían los abusos, que incluían, ocasionalmente, formas de peonaje por deuda. Pero la esclavitud era casi inexistente y la práctica de la coacción laboral en los campos no era común. En realidad, no parecía necesaria. Siglos de subordinación al Estado y a la Iglesia españoles, así como a la reducida clase alta de ascendencia española, habían inculcado en el campesinado indígena y mestizo una deferencia instintiva, que determinaba que, por ejemplo, se dirigieran a su patrón como a «mi amo» y a las personas de clase más alta como a «su merced», esta última una expresión que aún hoy subsiste. Obviamente, este modelo sociocultural no favoreció el surgimiento de una democracia vital, algo que ni siquiera se intentó. Como un encargado de negocios francés observara en 1840, «¿qué esperar de una República en donde todo hombre llama amo a todo individuo más blanco o mejor vestido que él?»[6].

En las provincias de Popayán y Pasto prevalecía una sociedad rural muy similar, excepto en lo que respecta al mayor número de *resguardos* indígenas que habían logrado sobrevivir. Al norte de Popayán, en el Valle del Cauca, el clima más tropical favorecía los cultivos de caña de azúcar, otro producto importante. En esta zona había una población considerable de esclavos negros, que trabajaban en grandes haciendas que también criaban ganado y cultivaban productos alimentarios. El Valle del Cauca, con Cali a la cabeza, contaba con suelos fértiles abundantemente irrigados. Sin embargo, las cordilleras que lo separaban del Pacífico y de la región central del país lo relegaban a una participación económica de segundo orden.

La provincia de Antioquia albergaba numerosas fincas familiares pequeñas y medianas, dedicadas enteramente a la producción de alimentos. En términos demográficos, los altos niveles de fertilidad de la zona reflejaban una tendencia a los matrimonios tempranos y estables, asociada, a su turno, con el grado de adhesión al catolicismo convencional, más alto aquí que en otras regiones del país. Por el rápido crecimiento de la población —a una tasa aproximada del 2.5% anual, contra el promedio nacional de 1.5%[7]— y con el agravante de una constante subdivisión de fincas a través de las herencias, la tierra cultivable comenzaba a escasear en algunas zonas de Antioquia. La presión demográfica desencadenó un proceso de migración hacia tierras deshabitadas de las laderas de la cordillera Central y, en menor escala, hacia la cordillera Occidental. Este movimiento no carece de anteceden-tes, incluso durante el período final de la Colonia, pero después de la Independencia fue un fenómeno notable, que se manifestó tanto bajo la forma de asentamientos individuales como de gru-pos organizados. Ambos tipos de colonos recibieron protección cuando reclamaron la propiedad de tierras baldías, así como exenciones de impuestos y otros privilegios mediante una ley de 1834. Una vez iniciada la colonización, sin embargo, dichos grupos tuvieron que enfrentar los alegatos de individuos poderosos que reclamaban las mismas tierras, apegados a documentos antiguos y a menudo dudosos. El resultado fueron prolongados litigios e intermitentes estallidos de violencia física, rasgos comunes de todos los subsiguientes movimientos migratorios del país. Con todo, la colonización antioqueña avanzó. La ciudad de Manizales, destinada a ser posteriormente el principal centro de la industria cafetera, fue fundada en la segunda mitad de la década de 1840. El proceso no se interrumpió de manera relativa sino a comienzos del siglo XX, cuando se agotó la tierra disponible y laborable; para esa época, los colonos se acercaban ya a Cali y a Ibagué, al otro lado de la cordillera Central.

El proceso migratorio y colonizador fue sólo una de las facetas del dinamismo que Antioquia exhibió, en contraste con el estan-camiento general del período de la posindependencia. A expensas de las llanuras de la costa Pacífica, Antioquia también expandió su participación en la minería del oro. Una de las causas de dicha ex-pansión fue que la minería antioqueña, en buena parte en manos de pequeños buscadores, no dependía tanto de la mano de obra esclava y por lo tanto se había perjudicado menos por la decadencia de la esclavitud como institución. Además, Antioquia logró un aumento notable en la explotación de yacimientos de veta, muy diferente de la de placeres de aluvión, que había sido el soporte principal de la industria minera. Los inversionistas y técnicos extranjeros, en su mayoría británicos, desempeñaron un papel fundamental en este desarrollo, pero en asocio con empresarios locales. La extracción no siempre alcanzó los niveles de producción esperados y a mediados de siglo la producción aurífera de la Nueva Granada todavía no había llegado a los que había alcanzado en los últimos años de la Colonia[8]. Sin embargo, las ganancias provenientes del oro, si bien no eran distribuidas igualitariamente, aseguraron para Antioquia lo que, en comparación con el muy modesto nivel de vida general del conjunto del país, podría considerarse un débil resplandor de prosperidad.

En el aspecto social, las provincias de Socorro y Pamplona tenían mucho en común con Antioquia, en particular en lo que atañe a la alta proporción de pequeños propietarios campesinos. Como los antioqueños, los habitantes de estas regiones se ajustaban al estereotipo de buenos trabajadores y gentes de espíritu independiente. Pero al contrario de Antioquia, la región no era una excepción dentro del panorama nacional de pobreza y estancamiento. La tierra estaba en gran parte erosionada, los caminos siempre estaban en mal estado y, a pesar de que Socorro contaba todavía con un número considerable de industrias manufactureras, entre las cuales la de sombreros de paja empezaba a destacarse al lado de los tejidos burdos de algodón, reconocidos desde la Colonia, aquéllas no generaban la misma riqueza que las minas de oro antioqueñas. De hecho, la producción textil solamente se mantenía frente a las importaciones gracias al alto costo del transporte desde los puertos y a la habilidad de los hiladores tanto rurales como urbanos para subsistir con tan reducidos ingresos.

La costa caribeña también padecía el estancamiento socioeconómico. La agricultura de plantación se había visto afectada por la disminución de la mano de obra esclava y las ciudades de Cartagena y Santa Marta, por ser ante todo puertos, a duras penas podían mantenerse con tan poca actividad comercial con el extranjero. Panamá comenzó a escapar de su secular depresión en la década de 1840, cuando se inició la fiebre del oro de California, que aumentó repentinamente el número de viajeros hacia la costa Pacífica de Norteamérica, los cuales estaban ahora menos dispuestos a emprender la lenta ruta marítima que bordeaba el Cabo de Hornos. El impacto de los viajeros extranjeros en la ruta panameña, para no mencionar a todos aquellos que siguieron a los buscadores de oro, creó estímulos económicos pero también causó tensiones sociales y culturales. Al mismo tiempo, el desarrollo de la región, que en el decenio siguiente sería reforzado de manera masiva por la construcción del ferrocarril de Panamá, provocó mayores tensiones en las relaciones económicas (y en otros aspectos) entre el istmo y los países extranjeros, a la vez que agudizó los contrastes y la falta de entendimiento que ya existían en relación con el resto de la Nueva Granada.

Incluso en el istmo, en las regiones alejadas de la zona de tránsito, la situación no había cambiado mucho desde hacía tres siglos. Generalmente, la población rural de la Nueva Granada, que constituía un 90% del total, continuaba viviendo en condiciones que los observadores foráneos consideraban infrahumanas. El hambre, sin embargo, no era tan generalizada en la Nueva Granada como en las naciones industrializadas del Atlántico Norte, puesto que los productos básicos de la alimentación, es decir, la papa, el maíz y el plátano, eran abundantes y baratos. Es posible que esta dieta no cumpliera con todos los requisitos nutricionales (en algunas regiones el consumo de proteínas era definitivamente insuficiente), pero en todo caso el consumo total de calorías no era problemático. Especialmente en las regiones menos elevadas, de clima más cálido, los requerimientos de vivienda y vestuario se satisfacían también fácilmente, aunque las casas de barro y guadua o materiales similares ofrecían pocas comodidades. En todo caso, tanto las élites como los observadores extranjeros se quejaban de que los individuos de las clases más bajas no eran buenos trabajadores precisamente porque podían satisfacer sus necesidades básicas con esfuerzos mínimos. Esta queja no era tan común con respecto a los campesinos de las regiones altas, en las cuales los requisitos mínimos de vivienda y atuendo (comprendidas las ruanas de lana) eran más exigentes por los rigores del clima y los fríos vientos de los Andes. Con todo, sus viviendas —en las que además de las familias se alojaban innumerables insectos—, los muebles y los utensilios, hechos de madera y barro, eran en el mejor de los casos rudimentarios.

Algo que les llamaba mucho la atención a los visitantes foráneos era el hecho de que tanto los sectores medios (oficinistas, pequeños comerciantes y artesanos independientes), como los más favorecidos, no vivían mucho mejor que los miembros de la clase trabajadora, por lo menos en el interior andino. Una diferencia importante en cuanto a estilos de vida, sin embargo, consistía en que los miembros de la clase alta eran totalmente urbanos y preferían vivir en las ciudades a pesar de que poseían extensas propiedades en el campo. Según el censo de 1843, Bogotá tenía algo más de 40.000 habitantes, aunque la cifra incluye a quienes residían en distritos cercanos al casco urbano[9]. La ciudad disponía de calles pavimentadas, que también funcionaban como desagües destapados; de las más importantes dependencias de la Iglesia y el Estado; de una amplia plaza central, que servía de lugar de encuentro, sitio de ejecuciones y mercado semanal, y de un teatro y un museo. Solamente las casas de los ricos tenían más de un piso y no todas contaban con lujos tales como vidrios en las ventanas o alfombras en lugar de esteras de paja para cubrir el piso. A mediados de la década de 1830, en la ciudad había solamente tres carruajes cubiertos, uno de ellos de propiedad del Presidente. En muchos sentidos, se puede afirmar que las condiciones en que vivían las clases altas eran inferiores a las de las clases medias de Francia o Inglaterra; en Bogotá, un ingreso anual de 10.000 dólares (de la época) era considerado principesco y los comerciantes atendían sus propios almacenes, sin que por esto se sintieran rebajados.

Es posible que, en comparación con la capital, en Popayán hubiese más pretensiones aristocráticas, y que Cartagena contara con mejores instalaciones para albergar a los viajeros extranjeros.

Pero ninguna de las otras «ciudades» del país tenía más de diez mil habitantes y casi todas eran sencillamente pueblos grandes. En general, por falta de estímulos comerciales apreciables, la población urbana de la época posterior a la Independencia crecía lentamente y hasta declinaba como porcentaje de la población total del país. Sin embargo, los reducidos centros urbanos mantenían una conciencia clara de sus propias identidades, razón por la cual no resultaba fácil la tarea de fundirlos con sus respectivas zonas rurales para formar una verdadera nación.

Primeros pasos hacia la formación de la nación

Teniendo en cuenta la escasez de recursos y la falta de articulación entre las regiones, tanto la labor de preservación del orden como la de mantenimiento de un mínimo de servicios públicos en la independiente Nueva Granada amilanaban a cualquiera. Para empezar, ni siquiera estaba claro cuál era la extensión del territorio a gobernar. Durante algún tiempo, las autoridades de Bogotá continuaron usando el nombre de Colombia y gobernaban, en teoría, según lo dispuesto en la Constitución de 1830, la cual supuestamente habría resuelto los problemas que obstruían la unión de la Gran Colombia. En la práctica, para la época en que dicha Carta fue promulgada, Venezuela ya se había perdido; Ecuador seguiría su ejemplo muy pronto y el gobierno del Presidente Joaquín Mosquera y el Vicepresidente Domingo Caicedo, que habían asumido el poder luego del retiro de Bolívar, era un asunto exclusivamente neogranadino. Pero la disolución de la unión no era todavía un hecho oficial.

En agosto de 1830, un breve levantamiento militar depuso a Mosquera y lo remplazó por el general Rafael Urdaneta. La revuelta era en parte producto de roces y desconfianza entre las autoridades civiles y la guarnición de Bogotá, compuesta mayoritariamente por venezolanos. Sin embargo, el golpe contaba con el apoyo de grupos civiles, inclusive de sectores del bajo clero, que desconfiaban de la administración Mosquera-Caicedo por su alianza con los liberales seguidores del exiliado Santander, presuntos enemigos de la religión. El hecho de que el propio Urdaneta fuera de origen venezolano, además, lo obligó a expresar sus intenciones en términos decididamente colombianos. Es más, otra asamblea de notables llamaba al Libertador desde Bogotá para que recuperara el mando y salvara a Colombia, cediendo a Urdaneta poderes dictatoriales mientras asumía el poder. Bolívar, enfermo, no aceptó la invitación, pero tampoco repudió a Urdaneta; y hasta el día de su muerte, en diciembre de 1830, sus seguidores se unieron a otros grupos con diferentes intereses para presionar en favor de la restauración de la unión.

Entre los interesados en que el general caraqueño regresara al poder se encontraba un gobierno secesionista que se había establecido en Panamá y que alegaba que la única razón por la cual volvería a formar parte de la Nueva Granada sería que Bolívar estuviera al frente del gobierno. La provincia de Casanare, en los Llanos Orientales, también proclamó la separación, pero los organizadores del movimiento decidieron que el territorio se uniera al gobierno violentamente antibolivariano que se estaba formando en Venezuela. Para Casanare, que tenía mucho más en común con los llanos venezolanos que con los Andes neogranadinos, no era nada descabellado considerar la unión con Venezuela. En el lejano sur también se habló seriamente de separación, particularmente en Pasto, atento a sus conexiones históricas con Ecuador y asediado por la galantería del nuevo gobierno ecuatoriano, encabezado por Juan José Flores. La simpatía hacia el Ecuador se extendía incluso hasta el norte de Popayán, especialmente después de que el Presidente Mosquera, natural de la región, fuera tan groseramente depuesto en Bogotá.

Fue el propio gobierno venezolano el que eliminó la amenaza separatista de Casanare cuando rechazó noblemente el ofrecimiento, negándose a aprovechar la situación de desorden y caos que se vivía en la Nueva Granada. Las demás amenazas también terminaron, pero solamente después de que fuese depuesto el intruso gobierno de Urdaneta. Éste no duró mucho: arbitrario y poco efectivo, se granjeó prontamente la animadversión de todos los sectores y además desprestigió al partido bolivariano, que era su principal soporte político. Los generales José María Obando y José Hilario López, que se habían levantado contra el Libertador en 1828, encabezaron un movimiento contra Urdaneta, quien a comienzos de 1831 aceptó lo inevitable y salió del gobierno sin mayores enfrentamientos. Los vencedores convocaron a elecciones para una convención constituyente, que en efecto se reunió en el mismo año y adoptó medidas tales como la restauración del nombre de Nueva Granada y la elección, *in absentia*, de Santander como presidente.

La convención redactó la primera Constitución de la Nueva Granada, que entró en vigencia en 1832. El documento era poco notable, más bien similar a la Constitución de la Gran Colombia. Aunque claramente liberal y republicana, la nueva Carta resultaba poco democrática; de nuevo se restringió el derecho al voto con requisitos económicos que excluían a la gran mayoría (una cantidad mínima de propiedades o ingresos anuales). Se admitió que los progresos en la enseñanza eran muy escasos y por ello se amplió hasta 1850 el plazo para el requisito de alfabetismo, que en 1821 se había fijado para 1840. La nueva Constitución también moderó el extremado centralismo de la anterior. Las asambleas elegidas a nivel provincial, que en los tiempos de la Gran Colombia solamente servían para redactar peticiones y actuar como colegios electorales, adquirieron el derecho de tomar decisiones relativas a escuelas, caminos y otros asuntos de interés local. Las medidas podían ser anuladas por el gobierno nacional y los gobernadores de las provincias volvieron a ser agentes del poder ejecutivo nacional, pero definitivamente se había logrado algo en dirección a una mayor autonomía local.

Además de redactar una Constitución, la convención restauró algunas de las medidas reformistas de la Gran Colombia que Bolívar había rechazado o suspendido durante su dictadura. Se reafirmó la supresión de los conventos menores, exceptuados los de Pasto, pues la medida podría empujar a los ultraconservadores habitantes de la región a considerar una vez más la anexión al

Ecuador. En el texto de la Constitución, la convención incorporó una reforma que los liberales del decenio anterior no se habían animado a imponer: la eliminación del *fuero militar*, privilegio especial que excluía a los miembros de las fuerzas armadas de la jurisdicción ordinaria. Muy significativamente, la reforma no se hizo extensiva al fuero similar de que gozaba el clero, cuyo poder político era desmesurado. En contraste, la imagen del estamento militar ya había sido afectada, durante los años de la Gran Colombia, por su estrecha asociación con la influencia venezolana. Con el derrocamiento de la dictadura de Urdaneta, la mayoría de los militares venezolanos que permanecía en suelo neogranadino regresó a su lugar de origen y el grupo de oficiales de la Nueva Granada que apoyaba a Bolívar había perdido prestigio al asociarse con el régimen espurio. Finalmente, oficiales como Obando y López, que habían derrocado a Urdaneta en alianza con civiles liberales, se negaron a tomar partido por privilegios militares tales como el fuero, el cual era visto ahora como reliquia del colonialismo, incompatible con las nociones de igualdad republicana ante la ley.

El gobierno provisional llevó a cabo una purga general de los oficiales que habían servido a Urdaneta, disminuyó aún más el tamaño de la institución militar y sembró el germen del descontento entre las víctimas de la purga, quienes causarían serios conflictos en los años siguientes. Sin embargo, al tiempo que se tomaba este tipo de medidas, se logró eliminar cualquier amenaza de separación en las regiones. En Panamá, los militares que simpatizaban con los liberales de la Nueva Granada llegaron al poder por sus propios medios y restituyeron la obediencia a Bogotá. En el suroeste, el deseo de unir la región al Ecuador se había visto reforzado por la presencia de tropas de este país, pero una mezcla de diplomacia política y maniobras militares culminó con la reincorporación pacífica de Pasto, en septiembre de 1832.

El mismo mes, Santander se posesionó como Presidente en Bogotá. Inicialmente, ocupó su cargo de manera provisional, pero en 1833 comenzó un período regular de cuatro años, para el cual fue elegido por una mayoría abrumadora bajo las normas de la Constitución de 1832 (ver Apéndice B). La falta de oponentes serios a su candidatura mostró hasta qué punto todos aquellos que habían apoyado la causa de Bolívar y de Urdaneta estaban desmoralizados por la derrota. Temían, no sin razón, que la candidatura de cualquiera de ellos enfrentase diferentes tipos de obstrucción oficial. En todo caso, no hay duda de que la mayoría de los ciudadanos políticamente activos creía que Santander era la persona con mejores condiciones para echar a andar la frágil República. Sus seguidores habían demostrado habilidades militares y organizativas y el propio Santander era considerado como un administrador habilidoso. El hecho de que hubiera estado ausente del país durante el último conflicto era otra de sus ventajas obvias.

Como Presidente de la Nueva Granada, Santander exhibió casi todos los rasgos con que se había dado a conocer como Vicepresidente de la Gran Colombia. Conservaba el interés por los detalles administrativos, la misma preocupación por la letra —si bien no siempre por el espíritu— de la Constitución y la misma tendencia a fulminar a sus detractores a través de artículos anónimos en los periódicos gobiernistas. También mostró una vena de carácter vengativo que imposibilitó cualquier esfuerzo serio de reconciliación con los bolivarianos, quienes no sufrieron daño físico, a menos que tuvieran cargos de conspiración, pero sí fueron tratados con evidente frialdad y excluidos en general de puestos civiles y militares, así como de cualquier influencia política.

El exclusivismo por parte del gobierno aumentaba la animadversión de los militares desafectos, quienes de cuando en cuando pasaban de acariciar ideas subversivas a conspiraciones activas. En la mayoría de los casos Santander pudo detener los conflictos por medio de relevos en los altos mandos militares y demostraciones de poderío, pero tuvo que enfrentar una crisis de gran magnitud, causada por la conspiración instigada por el general de origen catalán José Sardá, una de las víctimas de las recientes purgas. Con una red de conspiradores que se extendía a varias regiones del país, Sardá había preparado una rebelión que debía estallar a mediados de 1833. Los conspiradores fueron descubiertos antes del inicio de la rebelión y el episodio se convirtió en un prolongado esfuerzo por apresar y castigar a los culpables. Sardá fue hecho prisionero, juzgado y condenado a muerte, pero logró escapar con ayuda de simpatizantes influyentes que lo ocultaron en la capital. Finalmente fue rastreado por agentes encubiertos que lograron ser admitidos en su escondite, con el pretexto de unirse a su movimiento, y lo acribillaron a sangre fría. El hecho de que el general no hubiese sido prendido y ejecutado según la sentencia ya proferida bastó para que los enemigos de Santander levantaran clamores y protestas contra la innecesaria crueldad usada con aquél; pero Santander se negó a sancionar a sus subordinados. Durante el mismo período ya habían sido ejecutados 17 de los demás conspiradores en la plaza mayor de Bogotá, en una escena que Santander —que había rechazado la recomendación de clemencia hecha por el tribunal en relación con siete de los casos— había observado desde la ventana de una oficina. Otro de los conspiradores, Manuela Sáenz, antigua amante de Bolívar, fue enviada al exilio[10].

La firmeza inflexible contra los conspiradores era parte de la fórmula de Santander para garantizar la estabilidad. La cuidadosa administración de las finanzas y el rechazo cauteloso a las innovaciones radicales no eran menos importantes. Como Vicepresidente de la Gran Colombia, Santander había tenido en sus manos la administración de la breve bonanza generada por el préstamo inglés de 1824; como Presidente de la Nueva Granada, heredó un tesoro exiguo, consecuencia inevitable de una nación empobrecida. Los ingresos totales, como ya se anotó, ascendían apenas a peso y medio por habitante. Pero de una u otra manera, Santander pudo administrar con los fondos de que disponía: un año terminaba en déficit, pero al siguiente habría excedentes y, en términos generales, durante toda su administración el gobierno tuvo solvencia. Como el rubro de las fuerzas armadas siempre era el más voluminoso, Santander trató de disminuir los desembolsos para gastos militares, que fluctuaban entre el estrecho rango de 46% a 51% de los gastos totales[11]. El tamaño del estamento militar se mantuvo bajo estricto control y se sostuvo el número de efectivos autorizado de alrededor de 3.300 hombres, aproximadamente uno por cada 500 habitantes[12].

Puesto que la Constitución de 1832 establecía que el fortalecimiento de las fuerzas armadas debía hacerse por ley del Congreso, este último compartió el crédito de la reducción del gasto militar. En esta materia el Congreso se guiaba por consideraciones fiscales, por la permanente desconfianza hacia los antiguos seguidores de Bolívar y por cierto desdén evidente en las clases altas hacia los militares, a quienes consideraban carentes de las calidades de cuna y educación para descollar en la sociedad y la política[13]. Desde luego, algunos oficiales combinaban el rango militar con el prestigio social; entre éstos, sin embargo, los más prominentes, como el general Tomás Cipriano de Mosquera, tendían a ser bolivarianos comprometidos y por lo tanto a ellos se les negó la participación activa mientras Santander y sus aliados estuvieron en el poder.

Si bien no existían mayores desacuerdos entre Santander y el Congreso en cuanto a la reducción del gasto bélico, no siempre concordaban en otros asuntos financieros. Cuando el Congreso abolió definitivamente la *alcabala*, tuvo que hacerlo por encima del veto presidencial. Santander no objetaba la intención de eliminar el gravoso impuesto, pero creía que el tesoro de la nación no estaba todavía en condiciones de prescindir de él. Por razones similares, y con éxito en este respecto, el Presidente combatió una iniciativa que contaba con fuerte apoyo en el Congreso y que pretendía eliminar el monopolio estatal del tabaco. En ambos casos Santander mostró cierto distanciamiento de la teoría liberal, y lo mismo puede afirmarse en cuanto a su posición frente a la política de aranceles. Durante los años de la Gran Colombia había abogado por aranceles cuyo propósito básico consistía en generar recursos para el tesoro, aunque mostraba poca simpatía hacia las exigencias proteccionistas. Pero para la década de 1830 había aumentado su escepticismo frente a la noción de que el progreso provendría automáticamente de la acción de las fuerzas naturales del mercado. Por eso en estos años se mostró más dispuesto a satisfacer, al menos en parte, las demandas de los productores locales, que básicamente tendían al alza de los aranceles. También aprobó privilegios especiales para algunos empresarios, en su mayoría bogotanos, que buscaban, con recursos limitados, establecer fábricas de vidrio, loza, papel y textiles de algodón. Santander reafirmó personalmente su apoyo a la industria doméstica usando, de manera ostentosa, ropas elaboradas con telas de fabricación local, a pesar de que su casa había sido amueblada con sillas traídas de los Estados Unidos y alfombras belgas. Por lo menos, el Presidente había podido pagar el costo del transporte de sus muebles por el río Magdalena hasta la ciudad de Bogotá; la mayoría de los ciudadanos no estaba en condiciones de hacerlo y para muchos artículos, los costos de transporte seguían constituyendo una firme medida de protección, aun más que los aranceles.

Ni los incrementos arancelarios —en realidad bastante moderados—, ni los privilegios especiales tuvieron efectos notables en el fomento de la industria doméstica. Y la insistencia de Santander en oponerse a la reducción de impuestos a la vez que vigilaba celosamente la nómina del gobierno (en los aspectos civil y militar) y otros gastos oficiales, solamente pudo haber tenido cierto poder deflacionario, que acentuaba el estancamiento general del país. El orgullo del Presidente por su presupuesto balanceado era también un tanto ingenuo, pues el gobierno operaba a una escala mínima de gasto *per cápita*. Sin embargo, estaba dispuesto a aflojar las restricciones presupuestales en favor de la inversión estatal en la educación, pues este era uno de sus compromisos desde los tiempos de la Gran Colombia. Mientras fue Presidente, el número de niños que asistían a las escuelas primarias del Estado pasó de 17.000 a más de 20.000. Contados los escolares inscritos en las escuelas privadas, el porcentaje total de niños que recibían educación primaria llegaba apenas al 15% de la población en edad escolar[14]. La proporción no resultaba muy impresionante, pero superaba la correspondiente a Venezuela[15], cuya economía era más dinámica; y de haberse mantenido la tasa de incremento en la educación —lo cual desde luego no ocurrió—, la Nueva Granada habría llegado a ser uno de los líderes de la enseñanza pública en América Latina.

Santander no solamente estimuló la educación primaria. Se aseguró de que se abrieran nuevas escuelas secundarias y se ocupó personalmente de ellas, asistiendo a sus actos públicos. También volvió a instaurar el controvertido Plan de Estudios de la Gran Colombia, de manera que Jeremy Bentham y otros escritores de ortodoxia cuestionable retornaron al pensum. Las mismas protestas se levantaron, pero una vez más Santander impuso sus ideas. En relación con otras reformas, el Presidente estaba dispuesto a ceder, porque, de manera similar a Bolívar, Santander había llegado a la conclusión de que el pueblo no estaba preparado para asumirlas. Cuando un periódico editado por un cercano aliado político suyo despertó acalorada controversia al clamar por la supresión de todos los conventos y la introducción de la tolerancia religiosa, Santander lo presionó para que suspendiera la publicación, a pesar de que era una de las que divulgaban sus artículos. Pero lo menos que Santander podía hacer era asegurarse de que la siguiente generación estuviera preparada para la libertad de cultos y en general para una amplia gama de reformas liberales.

Aunque Bentham y el Plan de Estudios molestaban a muchos clérigos, el gobierno de la Nueva Granada fue el primero de Hispanoamérica en entablar relaciones diplomáticas con el Vaticano. Fue un tributo a la relativa estabilidad del país en un continente desgarrado por el desorden y, así mismo, el resultado de persistentes y habilidosas gestiones diplomáticas desplegadas desde los tiempos de la Gran Colombia. El primer nuncio presentó sus credenciales cuando faltaban algunas semanas para que terminara la administración de Santander. En sus palabras de bienvenida, el Presidente incluyó un recordatorio intencional: que las relaciones con la Iglesia debían estar siempre de conformidad con las leyes de la nación, lo que quería decir con el sistema de *patronato,* que daba al Estado derecho de opinión en temas tales como la designación de funcionarios eclesiásticos. Se presentarían, en efecto, roces con el nuncio a propósito del *patronato* y otros asuntos, pero la tarea de manejar al embajador quedaría en manos del sucesor de Santander. Las relaciones Iglesia-Estado fueron armoniosas en términos generales, especialmente si se las compara con las que se dieron en el período de mitad de siglo que estaba por venir.

La elección del sucesor del general Santander, en 1837, resalta dentro del contexto latinoamericano del siglo XIX por el simple hecho de que el candidato apoyado por la administración saliente fuese el derrotado y de que esta derrota fuese aceptada pacíficamente. El candidato de Santander era José María Obando, cuyas credenciales como hábil adalid de las causas liberales estaban a la vista. Por lo demás, Obando contaba con un grupo de leales seguidores en todas las provincias del suroeste. Sin embargo, sobre su candidatura se levantaba una sombra: la sospecha de que, en cierta manera, él había tramado el asesinato del general Antonio José de Sucre, hombre de la mayor confianza de Bolívar y uno de los héroes aclamados de la lucha de independencia. La acusación (hoy todavía tema de gran controversia en las repúblicas grancolombianas)[16], nunca fue probada, pero en la época que analizamos tenía gran difusión y definitivamente perjudicó a Obando, incluso entre quienes estaban comprometidos con sus mismos objetivos. Para Santander valían más el registro de servicio y el rango militar, pues creía que la Nueva Granada no estaba todavía preparada para tener un mandatario civil.

Esta fue justamente una de las razones por las cuales Santander se opuso a la candidatura del triunfador, el doctor José Ignacio de Márquez, quien había trabajado con él en el gobierno de la Gran Colombia y más recientemente había ocupado el puesto de Vicepresidente de la Nueva Granada; pero Santander y Márquez estaban en un proceso de distanciamiento. Una versión atribuye el enfriamiento de sus relaciones a un incidente que había ofendido a Santander: las propuestas amorosas que Márquez hiciera a Nicolasa Ibáñez, amante del general por mucho tiempo[17]. Sin embargo, la razón principal eran los diferentes temperamentos políticos: Márquez había moderado su posición frente a los problemas nacionales en mayor grado que Santander y no compartía la inflexible antipatía de éste hacia quien quiera que hubiese estado asociado con la dictadura de Bolívar. Por eso Márquez recibió el apoyo de la facción bolivariana, que hasta entonces no intentaba presentar una candidatura propia. En efecto, Márquez se convirtió en el candidato de la oposición, si bien sus diferencias con el Presidente eran básicamente de grado y énfasis. Pero los votos combinados de moderados como el propio Márquez y todos aquellos que por cualquier razón se oponían al gobierno en el poder dieron a éste la mayoría electoral. Como ningún candidato obtuvo la mayoría absoluta, el Congreso tomó la decisión final y confirmó la victoria de Márquez. Entonces Santander entregó el poder a una persona a quien se había opuesto, jactándose, en una proclama, de que había respetado la voluntad del pueblo y la ley de la nación.

Al menos inicialmente, Márquez representó un cambio más de estilo que de sustancia. Buscó promover una atmósfera de conciliación nacional y buena voluntad al llamar a participar en su gobierno a los enemigos jurados de su predecesor, los bolivarianos, aunque conservó algunos remanentes de la administración Santander; en cierto modo, el propio Márquez era un remanente. No intentó sacar del pensum a Bentham ni a ninguno de los autores heterodoxos; simplemente, mostró menos entusiasmo por ellos. Durante la primera mitad de su período continuó buscando el equilibrio presupuestal y redujo gradualmente el volumen de las fuerzas armadas. Se encargó de que se ratificara formalmente el acuerdo que Santander había negociado con Venezuela y el Ecuador, según el cual las tres naciones se distribuían el pago de la deuda externa de la Gran Colombia, que todavía estaba en mora, y dio otro paso adelante en la consolidación del nuevo régimen: estableció relaciones diplomáticas con la antigua madre patria. La Nueva Granada no fue la primera república hispanoamericana en intercambiar embajadores con España, pero sí una de las primeras.

La Guerra de los Supremos y el surgimiento de los partidos

En la mitad de su período presidencial, Márquez tuvo que enfrentar una insurrección revolucionaria, confusa y muy contradictoria, pero que tuvo importantes repercusiones en el sistema político del país. La chispa que la inició fue la decisión tomada por el Congreso, en 1839, de suprimir los conventos menores de Pasto, que hasta entonces habían escapado a los efectos de la ley aprobada por la Convención constitucional de la Nueva Granada. El obispo de Popayán había aceptado la medida, pero los habitantes de Pasto la interpretaron como un duro golpe contra la religión; sin lugar a dudas, en ello incidía además un factor de protesta regional contra la intromisión externa en los asuntos de Pasto. Los pastusos decidieron, pues, rebelarse, pero fueron derrotados. Entonces, a mediados de 1840, José María Obando intervino para apoyarlos, y revivió el movimiento. Obando era una figura comprometida con las facciones liberales y no un reaccionario que privilegiara al clero, pero la región de Pasto era una de sus bases de apoyo personal y, en este caso, el líder consideró apropiado convertirse en el abanderado de la causa de sus seguidores. La acción de Obando, por otra parte, tenía mucho que ver con los últimos desarrollos políticos a escala nacional: la administración Márquez recibía ataques permanentes de los santanderistas radicales, que se autodenominaban «progresistas» y que criticaban vehementemente las alianzas de Márquez con los enemigos del anterior Presidente. El propio Santander, quien luego de dejar la presidencia había sido elegido a la Cámara de Representantes, era ahora uno de los dirigentes de la oposición en el Congreso. Santander no apoyaba el uso de la violencia revolucionaria, pero no todos sus partidarios eran devotos de los métodos legales; su muerte, acaecida en mayo de 1840, puso fin a su influencia personal en cuanto a la restricción de la violencia.

Obando se declaró «Supremo director de la guerra en Pasto, general en jefe del ejército restaurador y protector de la religión del Crucificado»[18]. Proclamó la reorganización del país a partir de lineamientos federalistas, en lo cual se ve claramente el atractivo que la opción federal constituía para las facciones que no estaban en el poder. En 1828 Santander y sus amigos se habían interesado por el federalismo como manera de oponerse a la dictadura de Bolívar, pero quedaron bastante satisfechos con la Constitución centralista de 1832, siempre y cuando ellos mantuvieran el control del gobierno en Bogotá. Ahora, luego del cambio de administración, un número cada vez mayor de progresistas volvía a descubrir las ventajas teóricas del federalismo, para no mencionar su utilidad táctica como estandarte para captar a su favor el sentimiento regionalista (como en el caso de Pasto). En efecto, diferentes jefes militares del resto del país comenzaron a levantarse contra la administración de Márquez, de la misma manera que lo había hecho Obando, y, en mayor o menor medida, todos proclamaban que el federalismo era su objetivo. El movimiento se denominó *Guerra de los Supremos* por la tendencia de los comandantes locales a titularse «jefes supremos» de esto y aquello. En ningún momento existió un liderazgo a escala nacional que dirigiera efectivamente las acciones en el conjunto del territorio; más bien, la lucha tuvo lugar en diferentes escenarios regionales, pobremente cordinados. La costa Atlántica fue la región donde los revolucionarios alcanzaron mayor fortaleza.

A comienzos de 1842, las fuerzas del gobierno lograron finalmente dominar a los revoltosos. Para entonces, los antagonismos entre el presidente Márquez y sus críticos se habían disparado, incluidos los progresistas que no se habían levantado en armas. Además, para suprimir la rebelión, Márquez se vio precisado a reforzar sus lazos con los bolivarianos, en particular con sus jefes militares claves, tales como Tomás Cipriano de Mosquera y Pedro Alcántara Herrán. En medio del conflicto bélico, Herrán ganó las elecciones a la Presidencia, como sucesor de Márquez, lo cual completó el acercamiento entre liberales moderados del corte de Márquez y antiguos seguidores de Bolívar. Como éstos fueron de los que ocuparon cargos públicos, tanto civiles como militares, se les llamó «ministeriales», o «partido ministerial»; pero en realidad constituyeron en forma embrionaria el partido que en 1848 adoptaría el nombre de Partido Conservador. Sus oponentes, por su parte, comenzaron a abandonar el nombre de progresistas y pasaron a denominarse liberales. Para todos los efectos y propósitos, habían nacido los dos partidos tradicionales de Colombia.

Como organizaciones formales, los partidos evolucionaron únicamente a partir de la segunda mitad del siglo XIX y sólo en nuestro siglo se establecieron de manera permanente. De igual manera, aun antes de la Guerra de los Supremos, los activistas políticos habían conformado organizaciones *ad hoc* y redes de correspondencia para las elecciones. Entonces, la guerra civil de 1839-1842 constituyó un hito porque en ella los bandos se alinearon sólidamente según patrones que serían duraderos. Sin embargo, tales patrones no son fáciles de definir. Como ya se dijo, el conflicto entre Santander y Bolívar y sus respectivos seguidores durante la década de la Gran Colombia anticipó, hasta cierto punto, la posterior división entre los partidos. Los adeptos de Bolívar que aún sobrevivían, con muy pocas excepciones terminaron en el bando ministerial/conservador. Pero la situación es mucho más compleja en lo que respecta a los primeros partidarios de Santander. El mismo Márquez, después de todo, había sido uno de ellos. Más impactante es el caso de Mariano Ospina Rodríguez, uno de los implicados en el atentado contra Bolívar de septiembre de 1828 y que terminó siendo aliado de Márquez y posteriormente secretario del Interior en la administración de su enemigo de otrora, el presidente Herrán.

Las diferencias sociales y económicas entre los dos grupos tampoco eran claras. Algunos autores trataban de explicar la dicotomía liberal-conservadora con base en un conflicto entre «tienda» y «hacienda», en el cual los liberales representaban los intereses comerciales y profesionales y los conservadores los intereses de los grandes terratenientes. Pero, como señaló Frank Safford en el que continúa siendo el más agudo análisis de la conformación inicial de los partidos, las diferencias ocupacionales fueron tenues en la formación de los mismos, entre otras cosas porque el mismo individuo podía ser a la vez terrateniente, comerciante y abogado; o, si no lo era, en su familia había individuos comprometidos con cualquiera de estas actividades. Además, como se verá, hubo muy pocas instancias en las que los intereses específicos de comerciantes y terratenientes determinarían su alineación en partidos políticos opuestos. Safford propone entonces un esquema según el cual los conservadores fueron más fuertes en las áreas que, a fines de la era colonial y comienzos de la republicana, eran las más importantes política y económicamente (Bogotá, Popayán y Cartagena, especialmente), mientras que los liberales dominaban en las áreas periféricas (como, por ejemplo, las provincias orientales que luego serían los departamentos de Santander y Norte de Santander). El análisis de Safford apunta hacia diferencias en términos de prestigio social y conexiones familiares entre los dirigentes de ambos lados, y también hacia diferencias regionales. No sugiere ninguna diferencia clara en cuanto a ocupación económica, aunque tampoco excluye la posibilidad de que los comerciantes o terratenientes conservadores pudieran haber sido más poderosos que sus contrapartes liberales. El esquema de Safford rechaza, así mismo, el aroma levemente más aristocrático de la facción bolivariana como enfrentado al de la santanderista durante los años de la Gran Colombia, aunque admite abiertamente que se trata sólo de un modelo en bruto y que no puede dar cuenta, dice, de la tendencia predominantemente conservadora de Antioquia, que en cierta manera (social y geográfica, si no económicamente) podría ser clasificada entre las regiones periféricas[19].

En cualquier caso, ambos partidos eran multiclasistas y cubrían todo el territorio nacional; y a pesar de todas las diferencias en la pujanza *relativa* de una región a otra y de los estragos que causaron a veces sus disputas, los partidos eran una de las pocas fuerzas unificadoras en una nación dolorosamente fragmentada geográfica y culturalmente. Los partidos no sólo estaban presentes en todas las regiones del país, sino que también estaban destinados a promover la colaboración más allá de las fronteras de clase, o, en términos diferentes, estaban destinados a servir como mecanismos de control social mediante los cuales los dirigentes de las clases altas manipulaban a sus seguidores de las clases inferiores. En el momento en que los partidos comenzaban a formarse, la mayoría de los ciudadanos, hombres y mujeres, estaban excluidos legalmente de la participación activa en la política electoral, si bien es cierto que los artesanos urbanos generalmente cumplían con todos los requisitos para votar, al igual que muchos —no necesariamente todos— pequeños propietarios rurales. Pero los jefes políticos buscaban el apoyo de aquellos que no podían votar, para organizar manifestaciones, intimidar a sus adversarios y combatir en las guerras civiles. En las etapas de formación del sistema de partidos es difícil precisar qué tanta identificación emocional existía, por parte de los seguidores, con uno u otro partido, incluso en el nivel de los que estaban capacitados para votar. Sin embargo, en la medida en que surtió efecto, tal lealtad a una causa partidaria que traspasaba las fronteras de clase no podía menos que contribuir a mitigar los conflictos entre los grupos sociales.

Entre los sectores urbanos que no pertenecían a las élites, los artesanos eran los más propensos a participar conscientemente en la política partidista, con programas propios que presionaban en favor de sus intereses. La protección arancelaria para sus productos era el punto clave de su plataforma de lucha, aunque también estaban interesados en la capacitación en artes industriales y en una serie de mejoras cívicas[20]. Toda vez que los artesanos podían ofrecer votos y habilidades, los políticos a menudo se esforzaron por conseguir su apoyo, prometiéndoles trabajar en pro de sus peticiones, que casi siempre olvidaban al ser elegidos. Se ha supuesto generalizadamente, por otra parte, que los campesinos terminaban afiliados a un partido por la irresistible influencia de algún jefe político local o *cacique*, quien algunas veces era también el principal terrateniente de la región. La idea de que las afiliaciones de las masas rurales a los partidos respondían a imposiciones y no a convicciones o decisiones conscientes bien puede ser exagerada. Pero es significativo que desde el comienzo las comunidades rurales se inclinaran masivamente hacia una u otra de las alternativas, mientras en las ciudades había siempre representación para un mayor número de tendencias.

Tanto en las jurisdicciones rurales como en las urbanas, los sacerdotes a menudo actuaban como organizadores políticos, casi invariablemente del lado ministerial/conservador. La actitud del clero se basaba, desde luego, en el mismo temor a las reformas anticlericales y a la educación a lo Bentham que había determinado que la Iglesia apoyara a Bolívar contra Santander en los años veinte. A pesar de la cautela que Santander mostró como Presidente de la Nueva Granada en relación con los asuntos religiosos, él y sus seguidores —el naciente Partido Liberal— todavía despertaban en el clero sentimientos que iban desde una moderada desconfianza hasta la hostilidad fanática. Además, era mucho más fácil para el clero que para cualquier agitador laico llevar a las masas a la acción, como se hizo evidente en un tumulto que estalló en Medellín en 1836 con el propósito de sacar de la prisión a un sacerdote alborotador.

La ventaja táctica de contar con el clero como apoyo político no se olvidó luego de las primeras etapas del Partido Conservador, y durante el resto del siglo la gran diferencia entre ambas colectividades tuvo que ver precisamente con la situación legal de la Iglesia. Los liberales intentaban todavía reducir su poder e influencia, por considerarlos obstáculos para el progreso material e intelectual de la nación, si bien, al igual que Santander, se daban cuenta de que la población en general no estaba preparada para grandes cambios. El naciente Partido Conservador no pretendía volver a instaurar la Inquisición, a pesar de que algunos propagandistas liberales lo insinuaban, pero sus miembros proponían que la innovación eclesiástica debía ser lenta, y no solamente por el beneficio a corto plazo que significaba tener al clero como aliado. Debido al estado incierto del orden público y lo que para algunos era una peligrosa pérdida de la disciplina social, los conservadores veían en la religión Católica un soporte esencial de la estabilidad tanto política como social. El catolicismo era, después de todo, una de las pocas cosas que servía, al menos nominalmente, para unir a todos los miembros de la sociedad. Por esa misma razón, sus instituciones no podían alterarse a la ligera.

La desgarradora experiencia del país en la reciente Guerra de los Supremos era una razón de más, desde el punto de vista ministerial, para fortalecer la posición de la Iglesia y los valores asociados a ella. Esta actitud resultó hábilmente simbolizada en 1843, cuando los vencedores de aquella guerra civil redactaron una nueva Constitución y cambiaron el encabezamiento de «En el nombre de Dios, Autor y Supremo Legislador del Universo» por «En el nombre de Dios Padre, Hijo y Espíritu Santo»[21]. Los términos del primer encabezamiento, con sus matices de deísmo dieciochesco, dieron paso a una expresión de ortodoxia tradicional. Además, la administración de Herrán consideró apropiado echar atrás un acto notorio de despotismo ilustrado español al invitar a los jesuitas, expulsados del imperio en 1767, para que regresaran a la Nueva Granada. Se preveía que los jesuitas servirían como educadores expertos y profundamente ortodoxos, y que además retomarían el trabajo en las misiones de frontera, cada vez más abandonadas desde el final del período colonial. En la práctica, los jesuitas tuvieron muy pocas oportunidades, excepto la de establecer escuelas secundarias para los jóvenes de las clases altas, antes de ser nuevamente expulsados en 1850.

En un espíritu similar, el secretario del Interior del presidente Herrán, Mariano Ospina Rodríguez, lanzó una contrarreforma educativa general que, una vez más, retiró del currículum a Bentham y otros autores. La intención, sin embargo, no era simplemente remplazar textos heterodoxos por una mayor dosis de religión tradicional, sino reducir la importancia de los estudios teóricos en favor de conocimientos más útiles, como las ciencias naturales. Se esperaba que éstas alejarían a los jóvenes de la vana y tal vez peligrosa especulación filosófica y los llevarían hacia empeños prácticos para bien del país. Además, especialmente cuando Herrán dejó la Presidencia y pasó a ser ministro ante los Estados Unidos, los estudiantes neogranadinos recibieron estímulos para buscar entrenamiento técnico en el extranjero. El programa fue lógicamente concebido, pero el estado de subdesarrollo del país, que brindaba pocas oportunidades para ingenieros profesionales, significó que los resultados se quedaran cortos frente a tantas expectativas[22].

En el plano político, los principales cambios introducidos por la Constitución de 1843 sirvieron para fortalecer el Ejecutivo, en relación con el Congreso y las asambleas provinciales. Estas transformaciones, además, fueron llevadas a cabo como reacción ante las recientes manifestaciones de desorden civil, pero los críticos liberales cuestionaron el aumento del poder presidencial aduciendo que se estaba creando una verdadera autocracia. Sin embargo, sus acusaciones resultaban exageradas: los cambios eran solamente relativos. Herrán había sido un ferviente seguidor de la dictadura de Bolívar, pero ni él ni ninguno de los ex bolivarianos pretendía restablecer la dictadura. Tampoco intentaban exhumar panaceas como la presidencia vitalicia o la monarquía, que algunos miembros de su facción habían intentado imponer en los últimos días de la unión grancolombiana. Ahora habían llegado a aceptar un tipo bastante convencional de liberalismo republicano y al respecto sus diferencias con antiguos seguidores de Santander, como Márquez y Ospina, eran mínimas. En última instancia, el pensamiento político del partido ministerial/conservador debía más a Santander que a Bolívar; rechazaba las tendencias federalistas que ahora se imponían entre los liberales, pero ni siquiera Santander, como jefe de gobierno, había sido federalista.

En un sentido amplio, existía consenso en cuanto a los fundamentos de la estructura política, aunque no en relación con detalles técnicos tales como qué líder o facción estaría a cargo del manejo del sistema. Los sectores dominantes de la sociedad neogranadina querían un gobierno con poderes limitados y con participación popular limitada, que operara dentro de un marco de acción predecible, y esto era exactamente lo que disponían las constituciones de 1832 y 1843. Aquellos grupos dominantes no tenían, por lo general, ninguna razón para temer a los sectores populares; en consecuencia, no tenían necesidad de mantener un ejército fuerte, ni de aplicar mano dura para conservar el control sobre las clases bajas; por el contrario, un régimen militar podría convertirse en una amenaza, por ser inherentemente incontrolable. No todos, desde luego, estaban dispuestos a participar en el juego político acatando las normas legales; si así hubiera sido, ni la conspiración de Sardá ni la Guerra de los Supremos habrían tenido lugar. El uso de la fuerza o del fraude para tratar de conseguir más poder del que se tenía fue un fenómeno más que común durante el siglo XIX. Sin embargo, el monopolio del poder por parte de cualquiera de los grupos no sería tolerado por mucho tiempo y, en términos generales, prevalecería un nivel relativamente alto de urbanidad y cortesía entre los adversarios políticos. Después de todo, los actores de ambos bandos generalmente se conocían entre sí y tenían muchos intereses comunes.

La existencia de intereses compartidos hace que sea particularmente difícil establecer diferencias precisas entre ambos partidos en lo relativo a las cuestiones económicas. La política fiscal del gobierno inevitablemente daba paso a desacuerdos y debates, pero sólo de vez en cuando despertó controversias violentas, hasta poco antes de la mitad del siglo, momento en que se desencadenó una batalla por el proteccionismo arancelario. No obstante, esta batalla, así como la mayoría de las discusiones sobre asuntos económicos, no se libró entre liberales de un lado y ministeriales/ conservadores del otro, sino que, por el contrario, dividió a los partidos. Tampoco se presentaron conflictos obvios de intereses económicos entre los grupos de comerciantes, terratenientes y profesionales, que en última instancia proveían el liderazgo de los partidos. Una excepción parcial fue la relacionada con la esclavitud. Tanto los liberales como la mayoría de sus oponentes estaban satisfechos con el principio de su gradual abolición mediante la libertad de vientres, tal como el Congreso de Cúcuta lo había dispuesto en 1821. Pero los más prominentes dueños de esclavos del Valle del Cauca, Popayán y el suroeste, en su mayoría alineados del lado ministerial, todavía encontraban reparos a la ley. Entre otras preocupaciones, pensaban que el requisito de que los hijos técnicamente libres sirviesen a los patrones de sus madres hasta la edad de 18 años era una compensación insuficiente. La experiencia vivida por estos individuos durante la Guerra de los Supremos, cuando Obando y otros caudillos liberales acudieron, con éxito considerable, en busca del apoyo de los esclavos y negros libres para la causa revolucionaria, había aumentado su resentimiento. Veían la necesidad de controlar más estrictamente a los negros de la región y sus propuestas dieron fruto en 1842, cuando una ley autorizó la extensión del servicio obligatorio de los hijos de las esclavas hasta los 25 años. Todavía más impactante fue la ley aprobada al año siguiente, que permitía la exportación de esclavos a los países vecinos. Varios dueños de esclavos se libraron de presuntos agitadores y esclavos problemáticos vendiéndolos en el Perú. La resurrección de la trata de esclavos, si bien a menor escala, produjo protestas diplomáticas por parte de los británicos, las cuales tal vez hicieron que se acelerara el proceso de extinción de la esclavitud[23].

Si el manejo de la esclavitud reveló la faceta menos ilustrada del régimen ministerial (o protoconservador), sus tendencias más progresistas se hicieron evidentes durante la administración de Tomás Cipriano de Mosquera, quien sucedió a Herrán en 1845. Mosquera pertenecía a uno de los clanes aristocráticos de Popayán que había luchado intensamente por moderar la ley de manumisión, y había sido un fanático admirador de Bolívar. Se conocía por su vanidad; entre otras cosas, alegaba ser descendiente de Carlomagno y mostraba una vena de crueldad vengativa, que se hizo evidente en la ejecución de prisioneros durante la Guerra de los Supremos. Pasado ese conflicto, Herrán —que coincidencialmente era el yerno bogotano de Mosquera— lo envió en misión diplomática al sur del continente, lo cual aceptó con placer, en parte porque le daba la oportunidad de continuar atormentando a su reciente enemigo y rival, el general Obando, al buscar en vano su extradición a la Nueva Granada desde el exilio peruano en que se encontraba. No obstante, Mosquera no llevaba la carga de las preocupaciones doctrinarias y era impredecible, lo cual resultaba en cierto sentido refrescante; por otra parte, su compromiso con el avance del país era sincero. Para desesperación de muchos de sus compañeros ministeriales que lo habían hecho Presidente, Mosquera fue realmente el iniciador del período de frenética innovación en todos los aspectos que marcaría a la Nueva Granada de mitad del siglo.

El activismo desplegado por Mosquera encontró expresión en un amplio espectro de obras públicas y progresos técnicos. Aumentó la inversión en carreteras y comenzó la construcción del actual edificio del Capitolio, cuyo impresionante diseño neoclásico y albañilería de piedra agració el costado sur de la Plaza de Bolívar de Bogotá (aunque el edificio solamente fue terminado ya entrado el siglo XX). El gobierno de Mosquera introdujo el sistema métrico de pesos y medidas, así como técnicas modernas de contabilidad, y sacó de circulación las monedas depreciadas. Con la ayuda de subsidios gubernamentales, la navegación de vapor por el río Magdalena finalmente se estableció de manera permanente. Además, la administración Mosquera negoció el tratado Mallarino-Bidlack de 1846, por el cual los Estados Unidos garantizaban la protección de la soberanía de la Nueva Granada, lo mismo que la seguridad del tránsito a través del istmo de Panamá. Este tratado fue invocado más adelante por Theodore Roosevelt para evitar que Colombia pusiera fin a la revolución panameña de 1903; pero en su momento parecía ser un paso necesario hacia la construcción de un ferrocarril o de un canal en Panamá, para beneficio inmediato de los panameños y del país en general. El tratado llevó rápidamente a la suscripción de un contrato con inversionistas de los Estados Unidos para la construcción del primer ferrocarril nacional que atravesaría el istmo, aunque la aprobación final del contrato y la iniciación de las obras tendrían lugar después de que finalizara el período de Mosquera.

El tratado y el ferrocarril de Panamá indicaban claramente la intención de buscar más estrechas relaciones económicas con el mundo del Atlántico Norte. En efecto, el más impactante de los aspectos de la administración Mosquera fue la adopción de un programa económico liberal, diseñado para librar la iniciativa privada de restricciones obsoletas y de esa manera sentar las bases para una agresiva estrategia de desarrollo orientada hacia afuera. El cambio de política fue en gran parte obra de Florentino González, hombre de credenciales liberales-santanderistas pero dueño de una independencia de pensamiento comparable a la de Mosquera. González aceptó el cargo de secretario de Hacienda en el gabinete de Mosquera, y en esa condición tomó la serie de medidas que llevarían a la definitiva abolición del monopolio estatal del tabaco, en 1850. Para entonces, una gradual privatización del negocio de la hoja ya había conducido a aumentos considerables en la producción y las exportaciones. Mucho más controvertida fue la reforma arancelaria de 1847, que introdujo una rebaja del 25% en las tarifas y provocó el pánico entre los artesanos. También hubo gran consternación en el partido del Presidente por ésta y otras determinaciones, no tanto por razones doctrinales, pues ya se ha dicho que la política económica no constituía punto de divergencia entre los partidos, sino porque tales reformas eran producto de la colaboración con el adversario liberal.

En último análisis, el enfoque con que Mosquera manejó su gobierno despertó dudas sobre su ortodoxia política y causó una profunda división en las filas del partido ministerial/conservador. Esta división persistió hasta la batalla electoral por la sucesión presidencial de 1849, en la que el partido de gobierno entró a la contienda con dos candidatos importantes y otros menos opcionados. El resultado fue la victoria del candidato liberal José Hilario López, quien tomó las riendas del proceso que había iniciado Mosquera y lo llevó a mayores extremos.

Notas

1. Para tarifas de transporte de carga, ver tabla en William Paul McGreevey, *Historia económica de Colombia, 1845-1930,* Bogotá, 1975, p. 43; en cuanto a la duración de viajes, ver Jorge Orlando Melo, «La evolución económica de Colombia, 1830-1900», en *Nueva historia de Colombia,* 8 vols., Bogotá, 1989, t. 2, p. 74.

2. Eduardo Posada Carbó, «Bongos, champanes y vapores en la navegación fluvial colombiana del siglo XIX», *Boletín cultural y bibliográfico,* No. 21, 1989, pp. 3-5.

3. José Antonio Ocampo, *Colombia y la economía mundial, 1830-1910,* Bogotá, 1984, pp. 84, 89, 100, 141-142.

4. John V. Lombardi, *The Decline and Abolition of Negro Slavery in Venezuela* (Westport, Conn., 1971), 164-172; David Bushnell y Neil Macaulay, *El nacimiento de los países latinoamericanos,* Madrid, 1989, p. 301 (tabla, en la cual aparecen las cifras de ingreso *per cápita* en dólares de 1880).

5. Jorge Orlando Melo, «La evolución económica», t. 2, p. 87, 90. Ver también Malcolm Deas, «The Fiscal Problems of Nineteenth-Century Colombia», *Journal of Latin American Studies,* 14, No. 2, nov. 1982, pp. 287-328.

6. Citado por Germán Colmenares, «Formas de la conciencia de clase en la Nueva Granada de 1848 (1848-1854)», *Boletín cultural y bibliográfico,* 9, No. 3, 1966, p. 399.

7. Ver tabla en Melo, «La evolución económica», t. 2, p. 67.

8. Vicente Restrepo, *Estudio sobre las minas de oro y plata en Colombia,* 5ª edición, Medellín, 1979, p. 175.

9. Departamento Administrativo Nacional de Estadística (DANE), *Estadísticas históricas,* Bogotá, 1975, p. 110.

10. Pilar Moreno de Ángel, *Santander: Biografía,* Bogotá, 1989, pp. 588-608.

11. Fabio Zambrano Pantoja, «Aspectos de la agricultura colombiana a comienzos del siglo XIX», *Anuario colombiano de historia social y de la cultura,* No. 10, 1982, p. 188.

12. James L. Payne, *Patterns of Conflict in Colombia,* New Haven, Conn., 1968, p. 120.

13. Anthony P. Maingot, «Social Structure, Social Status, and Civil-Military Conflict in Urban Colombia, 1810-1858», en *Nineteenth-Century Cities: Essays in the New Urban History,* Stephan Thermstrom y Richard Sennett, eds., New Haven, Conn., 1969, pp. 297-342.

14. Jean Batou, *Cent ans de résistance au sousdéveloppement: L'industrialisation de l'Amérique Latine et du Moyen-Orient face au défi européen, 1770-1870,* Ginebra, 1990, p. 335.

15. Ramón J. Velásquez, «Pórtico», en: *Libro de decretos del Poder Ejecutivo de Venezuela por el Despacho del Interior y Justicia, 1831-1842,* Caracas, 1973, p. XXV.

16. El Volumen 3 de Luis Martínez Delgado y Sergio Elías Ortiz, eds., *Epistolario y documentos oficiales del general José María Obando,* 4 vols., Bogotá, 1973-1975, contiene una muestra de escritos que defienden a Obando. Un historiador norteamericano fue llamado a examinar el asunto; ver Thomas F. McGann, «The Assassination of Sucre and its Significance in Colombian History, 1828-1848», *Hispanic American Historical Review,* 30, No. 3, agosto 1950, pp. 269-289, que sostiene la tesis de la culpabilidad de Obando, hoy contraria a la versión aceptada por los historiadores colombianos.

17. Pilar Moreno de Ángel, *Santander,* pp. 691-692.

18. Jesús María Henao y Gerardo Arrubla, *Historia de Colombia,* 8ª edición, Bogotá, 1967, p. 642.

19. Frank Safford, *Aspectos del siglo XIX en Colombia,* Medellín, 1977, pp. 153-199.

20. David Lee Sowell, *The Early Latin American Labor Movement: Artisans and Politics in Bogotá, 1832-1919,* Filadelfia, 1992, pp. 35-38, 59-61.

21. Manuel Antonio Pombo y José Joaquín Guerra, *Constituciones de Colombia,* 4 vols., Bogotá, 1951, t. 3, pp. 259 y 329.

22. Frank Safford, *The Ideal of the Practical: Colombia's Struggle to Form a Technical Elite,* Austin, Tex., 1976, pp. 114-123 y cap. 6.

23. John W. Kitchens y J. León Helguera, «Los vecinos de Popayán y la esclavitud en la Nueva Granada», y John W. Kitchens y Lynne B. Kitchens, «La exportación de esclavos neogranadinos en 1846 y las reclamaciones británicas», *Boletín de historia y antigüedades,* 63, No. 713, abril-junio 1976, pp. 219-239, 239-293.

Capítulo 5

La revolución liberal del siglo xix (1849-1885)

El tercer cuarto del siglo XIX es la época en que la historia de Colombia (nombre que volvió a adoptar la Nueva Granada en 1863) ilustra más claramente los desarrollos que se estaban llevando a cabo en la vasta escena latinoamericana. A pesar de su moderado brote de crecimiento económico hacia afuera, siguió siendo uno de los países más pobremente articulados con el mercado del norte del Atlántico; pero el estado de su economía doméstica no era muy diferente del que predominaba en otros países. En el ámbito político, Colombia es un buen ejemplo de la manera como los conflictos entre «liberales» y «conservadores» y entre Iglesia y sectores anticlericales se propagaban de una nación a otra. Tal como ocurría en otros lugares, en Colombia los liberales mantuvieron su preponderancia durante el período y lograron imponer sus programas.

La coyuntura de mitad de siglo

En la Nueva Granada, lo mismo que en países como México (con la «reforma» de Benito Juárez y otros) y Argentina (reorganizada según planteamientos liberales luego de la caída de la dictadura de Juan Manuel Rosas), el predominio del liberalismo alrededor de 1850 era en parte una reacción inevitable contra las deficiencias reales o imaginarias de los anteriores dirigentes. Ni el régimen de la facción ministerial en la Nueva Granada ni la anterior administración de Santander, quien a fuerza de duras experiencias se había hecho más prudente, se pueden equiparar a la total irresponsabilidad de Santa Anna en México o a la brutalidad del régimen de Rosas en Buenos Aires; pero tanto Santander como los ministeriales habían desconfiado de las reformas que se alejaban demasiado de las prácticas establecidas, y representaban la dominación continuada sobre la sociedad por parte de los mismos que habían luchado por la Independencia y luego establecido las primeras instituciones republicanas. Desde el punto de vista de los que habían alcanzado la mayoría de edad luego de la Independencia de España, ya era hora de que otros tuvieran oportunidades. La generación del medio siglo no buscaba impedir que los héroes de la Independencia se desempeñaran en la vida pública, pero sí exigía una mayor participación en la cosa pública y quería imponer su propio programa.

El cambio generacional implicaba el surgimiento de los primeros líderes nacionales educados en escuelas totalmente republicanas, no coloniales, que habían sido expuestos a una variedad de ideas extranjeras mucho más amplia que la que era posible antes de la Independencia, cuando el contacto intelectual con el mundo exterior era más complicado, aunque no inexistente. Bolívar en su dictadura final y los ministeriales en los años 40 habían intentado purificar el sistema educacional eliminando las lecturas de Bentham y otros autores heterodoxos, pero estas obras se conseguían muy fácilmente. Además, todos los miembros de las clases dominantes, con excepción tal vez de una pequeña minoría oscurantista, habían recibido la influencia de las corrientes liberales —políticas, sociales y económicas— que constantemente ganaban popularidad en el mundo occidental. Un detalle ilustrativo es el hecho de que cuando las noticias de la revolución de 1848 en Francia finalmente llegaron a la remota Bogotá, el mismo Mariano Ospina Rodríguez, quien como ministro había proscrito a Jeremy Bentham, hizo tañer las campanas de las iglesias a manera de celebración[1].

De la misma manera que la fuerza del liberalismo en Europa Occidental y en los Estados Unidos se asocia convencionalmente con la consolidación del orden capitalista y el ascenso de la burguesía, los desarrollos económicos crearon una atmósfera más favorable para la recepción de las ideas liberales en la Nueva Granada. La economía era todavía una mezcla de elementos capitalistas y precapitalistas (su proporción relativa dependía de la definición de capitalismo que se usara), y no existía en el país una clase social que pudiera ser comparada con la burguesía francesa o la británica. Sin embargo, la economía comenzó a despertar de su largo período de estancamiento. Al igual que la nueva generación, el cambio económico obedeció en parte al paso del tiempo. La mayoría de los daños que la economía había sufrido durante la lucha por la Independencia y los subsiguientes conflictos civiles se habían superado, mientras la población había continuado creciendo lentamente; todos estos elementos aumentaron el potencial de crecimiento económico. Así mismo, habían sido introducidas algunas mejoras en la infraestructura básica, entre las cuales la más notable era la navegación de vapor por el río Magdalena. Pero, no obstante, fueron todavía más importantes el continuo crecimiento de los mercados del Atlántico Norte y las transformaciones en los términos del intercambio comercial, que determinaron una posición más favorable para los productores de materias primas, a medida que los precios mundiales de las manufacturas declinaban. A juicio de los líderes políticos y empresariales de la Nueva Granada, esta era una oportunidad que no se podía desperdiciar.

La mitad del siglo presenció, entonces, un renacimiento del optimismo económico que había prevalecido, sin demasiados fundamentos reales, en los años inmediatamente posteriores a la Independencia y que luego había decaído, lo que reforzó el talante conservador de las dos décadas siguientes. La repentina posibilidad de acceso a más amplios recursos y oportunidades hizo que los neogranadinos intentaran nuevas tácticas. En particular, el momento parecía propicio para una búsqueda sistemática de crecimiento económico orientado hacia afuera. Las tímidas reformas proteccionistas de los años 30 no habían producido los resultados esperados y, además, ahora parecía que los dogmas del *laissez faire* del liberalismo económico gozaban de aceptación universal. Esto se percibía en libros y revistas que cruzaban el Atlántico, ya los autores fueran economistas ingleses o novelistas románticos franceses, e incluso en los trabajos de los primeros socialistas utópicos como Proudhon y Saint-Simon, leídos en Bogotá como exaltados defensores de las libertades individuales y no como precursores del colectivismo. Además, en 1846 la potencia económica del siglo, la Gran Bretaña, después de muchos años de predicar el libre comercio mientras mantenía prácticas proteccionistas, decidió dar buen ejemplo al eliminar las últimas *corn laws* o «leyes de los granos» y desmantelando sus políticas arancelarias de tipo proteccionista.

Es fácil entender cómo los que favorecían la promoción del comercio exterior llegarían más adelante a intuir que la mejor manera de lograrlo era dando vía libre a los empresarios particulares para que pudieran responder rápidamente a los incentivos del mercado. A su vez, la reorientación parcial de la economía en tal dirección durante el tercer cuarto del siglo, aproximadamente, fortaleció a los sectores que tenían intereses creados en las políticas liberales, mientras que el éxito evidente de la estrategia en cuestión hacía más atractivos otros aspectos del programa liberal. Por lo tanto, no solamente fue el liberalismo de libre comercio el que predominó en la Nueva Granada. Las ideas de libre comercio y *laissez faire* económico, por una parte, y las metas del liberalismo en asuntos políticos, culturales y hasta religiosos, por otra, eran fundamentalmente congruentes y se reforzaban mutuamente, porque en todas las instancias el impulso primordial consistía en la disminución del control del gobierno u otras corporaciones en las decisiones y actividades individuales. Los principios liberales, entonces, lograron gran aceptación en la sociedad neogranadina. Algunos rechazaban el anticlericalismo liberal, y los artesanos luchaban en la retaguardia contra la apertura a la economía mundial, pero el liberalismo no era monopolio de ningún sector económico en particular, ni tampoco del Partido Liberal, aunque éste asumiría el poder en 1849 y lo mantendría casi permanentemente hasta mediados de la década de 1880.

Primer ciclo del reformismo liberal

Como ya se anotó en el capítulo anterior, la administración de Tomás Cipriano de Mosquera había ofrecido al país algunos anticipos de lo que sería el activismo reformista; pero las compuertas solamente se abrieron después de las elecciones de 1849, en las que el candidato liberal José Hilario López resultó elegido Presidente. López no obtuvo la mayoría de los votos, pero superó ampliamente a cada uno de los dos candidatos que se disputaban el apoyo de la facción ministerial, que para entonces empezaba a denominarse Partido Conservador. Los liberales, por otra parte, a pesar de no haber ganado en Bogotá, contaban con importantes bloques de apoyo en la capital, reclutados principalmente entre los artesanos organizados y los intelectuales. Los primeros estaban enfurecidos con el partido gobernante porque había reducido tan notoriamente los aranceles y, por lo tanto, apoyaron a López con la esperanza de que, de alguna manera, prestara atención a sus reclamos. Esta esperanza resultaría frustrada a la postre, pero por lo pronto los artesanos, así como los estudiantes, atiborraron la iglesia de Santo Domingo cuando el Congreso se reunió allí para decidir finalmente cuál de los candidatos que habían recibido el mayor número de votos sería el Presidente. En la última ronda de votación el dirigente conservador Mariano Ospina Rodríguez emitió un voto a favor de López con el argumento de que si éste no era elegido, los congresistas no saldrían vivos de la iglesia[2]. El argumento de Ospina no tenía muchas bases en la realidad, pero reflejó la pesada atmósfera que rodeó la elección y el triunfo de López.

La continuidad entre las administraciones de Mosquera y López fue evidente principalmente en lo que se refiere a política económica. El nuevo gobierno y el Congreso elevaron los aranceles pero no de manera que los artesanos vieran satisfechos sus reclamos de proteccionismo efectivo; además, completaron el proceso que liberaba a cultivadores y comerciantes de tabaco de las limitaciones del monopolio estatal. La producción y venta de tabaco ya se habían privatizado en parte y en mayo de 1850 quedaron totalmente liberadas del control estatal. Por una feliz coincidencia, esto ocurrió cuando la demanda mundial de la hoja comenzaba a aumentar de manera constante, a la vez que experimentaba ciertos cambios, como que el rapé y el tabaco de pipa perdían terreno (el primero del todo y el segundo relativamente) frente a los cigarros. El resultado fue una inesperada oportunidad para que productores nuevos vinieran a ofrecer lo que el mercado requería. Colombia, cuya participación en el comercio mundial del tabaco había sido mínima hasta finales de la década de los años 40, por primera vez se convirtió en un importante exportador. A mediados del decenio siguiente, el tabaco representaba más de un cuarto de las exportaciones, acercándose al oro en importancia; ya para los años 60 pasó a ser el primer producto, y de él provenía más de un tercio del total de las exportaciones.

El episodio del éxito del tabaco fue un punto decisivo en la estructura del comercio exterior de Colombia, porque constituyó la primera vez que un producto agrícola lograba rivalizar con los metales preciosos. El *boom* del tabaco no estaba destinado a durar, porque los productores colombianos no pudieron mantenerse frente a la competencia (por ejemplo, la de las Indias Occidentales Holandesas) en cuanto a control de calidad, procesamiento y empaque. En los años 70, por lo tanto, el oro recuperó brevemente su lugar como primer producto de exportación y el tabaco cayó al cuarto puesto, detrás del café y la quina. Aun entonces, sin embargo, las ganancias combinadas de los productos agrícolas excedían holgadamente las del oro, de manera que el cambio en la naturaleza de los productos de exportación se mantuvo, si bien la bonanza del tabaco fue muy corta[3].

Por lo menos mientras duró, el aumento en las exportaciones de tabaco fue considerado inevitablemente como la más clara reivindicación de las políticas económicas liberales. Algunos estudiosos de épocas posteriores no han estado tan seguros al respecto, no solamente porque se demostró que el avance del tabaco carecía de bases sólidas, sino también porque la organización de la producción en las zonas tabacaleras fue adversa a los pequeños productores. El antiguo monopolio estatal, desde su fundación durante la era colonial, pactaba la compra de las cosechas usualmente con pequeños cultivadores. En los años 50, sin embargo, una estructura diferente se impuso en la región de Ambalema, localizada sobre el río Magdalena y que ahora era la zona más importante de producción de tabaco. Aquí, la mejor tierra para el tabaco estaba concentrada en grandes haciendas, en las que los productores operaban bajo un sistema combinado de arriendo y trabajo a destajo que era evidentemente desfavorable. En menor grado, surgieron patrones organizativos similares en otras áreas tabacaleras. Si además se tiene en cuenta la gran cantidad de beneficios económicos que llegó a manos de los comerciantes intermediarios, quienes también obtenían utilidades por las importaciones que generaba la bonanza de la hoja, es posible sostener que el *boom* del tabaco sirvió para aumentar la desigualdad económica en el país. Pero, no todos los beneficios recayeron en comerciantes y terratenientes. Aparte del hecho de que los pequeños cultivadores independientes se sostuvieron en algunas regiones, es preciso anotar que incluso los que ni siquiera alcanzaban tal status pueden haber mejorado un tanto su nivel de ingresos. Después de todo, también se sabe que muchos campesinos de los altiplanos de la cordillera Oriental se trasladaron al valle del Magdalena para trabajar en las plantaciones de tabaco, atraídos por la posibilidad de ingresos en efectivo (pues antes habían permanecido al margen de la economía monetaria) y de adquirir pequeños lujos a los que no estaban acostumbrados, como, por ejemplo, incluir carne en su dieta[4].

Otra reforma cuyo impacto socioeconómico ha despertado evaluaciones favorables y desfavorables es la relativa al status de las tierras comunales de los indígenas o *resguardos*; la distribución de la tierra entre las familias aborígenes había sido repetidamente ordenada desde el movimiento de la Independencia, pero nunca se había llevado a cabo en forma exhaustiva. Más aún, para proteger a los indígenas de los ardides de criollos o mestizos que intentaban usurpar sus terrenos, la legislación especificaba que las parcelas que antes formaban parte de *resguardos* serían inalienables por cierto número de años luego de que los indígenas las recibieran como propiedad privada. No obstante, en 1850, con miras a liberar a los indígenas de una vez por todas de este vestigio de colectivismo tradicional, el Congreso autorizó a las asambleas provinciales para regular la distribución de tierras de resguardo y explícitamente revocó el requisito de inalienabilidad que regía para las parcelas distribuidas. Esta ley llevó a la liquidación final de los *resguardos* en los altiplanos orientales y en la mayoría de las regiones del país, con excepción de la del suroeste, donde vivía la mayoría de las comunidades indígenas y donde las autoridades provinciales vacilaban en eliminarlos de un solo golpe. En aquellos lugares donde se produjo la división, el resultado, según una interpretación, fue que los indígenas se vieron pronto despojados de sus parcelas y reducidos a la condición de proletarios sin tierra. Pero esta interpretación es un tanto exagerada, puesto que no toda la tierra que antes pertenecía a los indígenas pasó a otras manos, y en algunos casos los mismos miembros de las comunidades eran los que presionaban para que se hiciera la repartición. Estos indígenas probablemente terminaron aprovechándose de sus compañeros, pero por lo menos en tales casos no se trató de la codicia de los criollos[5].

Si la política liberal en relación con las tierras de los indígenas pudo no haber beneficiado en realidad a los propios indígenas, el tratamiento que los liberales dieron a otra minoría racial deprimida, los esclavos, es tal vez incuestionable. Por medio de una ley de mayo de 1851, todos los esclavos que quedaban en la Nueva

Granada recibieron la libertad el 1º de enero del año siguiente. Para entonces había solamente alrededor de 20.000 esclavos[6], puesto que el principio de libertad de vientres había estado vigente desde 1821; así mismo, las condiciones materiales de vida de los esclavos no necesariamente cambiaron, puesto que se hizo muy poco para ayudar a los recién liberados a mejorar su situación, mientras que los dueños habían recibido compensaciones en forma de certificados de deuda emitidos por el gobierno (aunque de valor cuestionable). Con todo, no hay evidencia de que ningún esclavo liberado pidiera volver a la esclavitud y muchos de ellos se movilizaron, si no verticalmente, al menos horizontalmente, abandonando los campos mineros o las plantaciones donde habían estado trabajando y creando problemas a los dueños de esclavos de las provincias del occidente del país. Una revuelta conservadora que fracasó en 1851 surgió de alguna manera del temor de estos propietarios. Al mismo tiempo, el solo hecho de que la emancipación final hubiese llegado bajo auspicios liberales determinó que el partido cautivara y mantuviera la abrumadora fidelidad de los negros de la nación.

Tras las medidas que afectaban a indígenas y esclavos, estaba el esfuerzo concertado por eliminar las restricciones a la comercialización y flujo libre de la propiedad y de la fuerza de trabajo. Muchas otras reformas se adoptaron para el mismo efecto durante los cuatro años de la administración López. Una de estas leyes facilitaba la redención de los *censos* o hipotecas eclesiásticos, que eran considerados drenajes improductivos del ingreso de los terratenientes y a la vez impedimentos para la venta y transferencia de propiedad raíz. Otra ley eliminó el requisito de grados académicos para el ejercicio de las profesiones diferentes a la farmacéutica. Adoptada en nombre de la «libertad de instrucción», la medida permitió al ciudadano obtener, de la manera que quisiera y pudiera, la cantidad de conocimientos que considerase necesaria y sencillamente impuso el *caveat emptor* como principio clave para consumidores potenciales de servicios profesionales. Otra de las reformas extendía el mismo principio al intercambio de ideas, por medio de la derogación de las leyes sobre la difamación o cualesquiera otras que pudieran limitar la palabra escrita. Los gravámenes fiscales también cayeron, ya que el gobierno nacional cedió a las provincias recaudos como los diezmos y el *quinto* (porcentaje recaudado sobre los metales preciosos extraídos), que en la mayoría de los casos fueron abolidos. Fácilmente se podrían encontrar más ejemplos similares.

De acuerdo con todo lo anterior, la Nueva Granada parecía empeñada en introducir, sin más demoras, el reino absoluto de la libertad humana. En el proceso, el mismo Estado parecía a punto de desvanecerse, siguiendo el aforismo de que «el mejor gobierno es el que menos gobierna». En efecto, algunos liberales simplemente lo creían así; pero el Estado no desapareció. La pérdida de los diferentes tipos de ingreso (y en este sentido la abolición del monopolio del tabaco fue mucho más importante que todos los demás) se vio compensada de manera considerable por un aumento en las entradas de las aduanas; de igual modo, varias funciones, además de la distribución de resguardos, fueron transferidas por el gobierno nacional a las autoridades provinciales. Sin embargo, los liberales todavía no llegaban al federalismo total. En una nueva Constitución que entró en vigencia en 1853, dispusieron que los gobernadores provinciales fueran elegidos localmente; esta medida, junto con el aumento de ingresos y responsabilidades provinciales, representó un paso en la dirección federalista, pero los gobernadores elegidos eran todavía, en muchos sentidos, agentes del ejecutivo nacional, y en la distribución de funciones específicas las autoridades centrales todavía recibían la parte principal.

La Constitución de 1853 incorporaba la mayoría de las reformas que ya se habían adoptado y añadía algunas más. Una de éstas era el sufragio universal masculino, respecto al cual muchos liberales todavía tenían reservas. Por encima de las dudas sobre la capacidad del individuo común para elegir inteligentemente a sus candidatos, existía el peligro de que los nuevos capacitados para votar, en vez de decidir independientemente, fueran manipulados por sacerdotes, terratenientes u otros jefes. Sin embargo, la combinación de teoría democrática y el siempre venerado ejemplo francés (que había adoptado el sufragio universal masculino después de la revolución de 1848) logró superar las dudas de los liberales. Es más, pasaron a instituir el método del voto directo en lugar del sistema de colegio electoral que antes regía los comicios y a confeccionar una notable lista de funcionarios públicos que debían ser elegidos por voto popular y que incluía no sólo a los gobernadores provinciales sino también al Procurador General y a los jueces de la Corte Suprema de Justicia.

La legislatura provincial de Vélez dio un paso más y votó para extender el sufragio a las mujeres, con la especificación de que estuvieran debidamente representadas, como lo estaban los hombres, en las juntas electorales, para que existiera la certeza de que su participación fuese realmente efectiva. Esta extraordinaria medida, adoptada en 1853, dieciséis años antes de que se legislara en Wyoming, primer estado de los Estados Unidos que implantó el voto femenino, fue propiciada y apoyada por un gobernador liberal de tendencias radicalmente doctrinarias, quien parece haber tenido una esposa políticamente activa. Obviamente, la medida no fue solamente el resultado del trabajo de una pareja. En cierto sentido había habido un precedente en 1852, en las elecciones presidenciales para escoger el sucesor de López, cuando un elector por Bogotá votó a favor de Sixta Pontón de Santander, viuda del general Santander. Infortunadamente, los adherentes de la emancipación política de las mujeres todavía eran una reducida minoría. No solamente doña Sixta no se convirtió en la primera mujer del mundo en ser elegida Presidente, sino que la Corte Suprema procedió a anular el decreto de Vélez con el argumento de que ninguna provincia podía otorgar a nadie más derechos de los que la Constitución nacional le garantizaba; y aparentemente la anulación llegó antes de que ninguna veleña pudiera ejercer el derecho al sufragio[7].

En otro ámbito nacional, la nueva Constitución estableció la tolerancia religiosa absoluta en la Nueva Granada e incluyó la libertad de cultos en la lista de derechos de todos los ciudadanos.

Junto con la abolición de la censura religiosa, garantizada por la ley de libertad de la palabra escrita, esa medida dio paso a las primeras actividades abiertas de misioneros protestantes, que fueron iniciadas por presbiterianos de los Estados Unidos antes de finalizar la década. La norma que imponía la tolerancia no provocó oposición violenta y los primeros misioneros tuvieron cuidado de no crear problemas con un proselitismo indiscreto o agresivo. La Iglesia Católica tenía menos razones para estar conforme con la separación formal de la Iglesia y el Estado, implícita en el hecho de que la Constitución de 1853 no hizo ninguna referencia a las relaciones entre ambas instituciones, y explícita en virtud de una ley sancionada más tarde en el mismo año. La Iglesia estaba satisfecha con su independencia del Estado con respecto a la intromisión de éste en los nombramientos clericales, pero tenía objeciones en cuanto perdía cualquier tipo de privilegios, así como la protección de que antes gozaba. Tanto la Iglesia como los laicos más devotos estaban también ofendidos por las poco deseables secuelas de la tolerancia y la separación del Estado, como la introducción del matrimonio civil y, peor todavía, la legalización del divorcio.

En realidad, las relaciones entre el Estado y la Iglesia se habían empezado a deteriorar con el decreto de 1850, expedido por López, que expulsaba del país a los jesuitas. Esta flagrante violación de los principios de libertad religiosa y de otro tipo, que los liberales aparentemente deberían apoyar, fue vagamente justificada con base en la presunción de que los jesuitas formaban parte de una organización internacional dedicada precisamente a socavar tales principios. En palabras del joven José María Samper, en aquella época acérrimo defensor del liberalismo, la Compañía de Jesús era «azote de la humanidad entera, un murciélago criado en las tinieblas en los calabozos del crimen, pronto a chupar la sangre del hombre inadvertido»[8]. La reconocida habilidad de los hijos de Loyola como educadores y el hecho de que generalmente mantenían modelos de comportamiento más elevados que los del clero en general, los hizo todavía más peligrosos a los ojos de sus enemigos. El propio presidente López, que no era un ideólogo liberal y que además sabía de los jesuitas contaban con un amplio círculo de amigos y admiradores, dudó al ordenar la expulsión, pero finalmente cedió a la presión de sus colaboradores. Puesto que no existían bases legales para la expulsión, el gobierno simplemente declaró que la sanción pragmática de 1767, por medio de la cual se había expulsado a la Compañía de la Nueva Granada, estaba todavía vigente.

La Iglesia sufrió otras molestias menores, aunque todavía no se habían presentado ataques generalizados contra sus propiedades ni contra las órdenes religiosas, con excepción, desde luego, de los jesuitas. Aun así, las protestas de los jerarcas eclesiásticos contra la política liberal en lo que afectaba a la Iglesia, llevaron al exilio al arzobispo de Bogotá, Manuel José Mosquera, junto con otros prelados. Por su parte, los anticlericales liberales en general tomaban la precaución de mostrarse cual devotos creyentes de las doctrinas fundamentales de la Iglesia, con el argumento de que solamente deseaban limitar ciertos poderes civiles y algunas prerrogativas del clero, que para nada tenían que ver con la cristiandad apostólica. De esta manera pretendían plantear una similitud con el propio Jesucristo, quien había librado una batalla contra el establecimiento eclesiástico. Pero esta pretensión de los liberales no convenció a los miembros del clero de la Nueva Granada, ni tampoco a los líderes del Partido Conservador, que manifestaron su apoyo a la jerarquía de la Iglesia; en la cuestión religiosa encontraron un arma poderosa para atacar a sus oponentes liberales y, por otra parte, el asunto les sirvió para definir la línea que dividía a los dos partidos.

Como ya se anotó, algunos conservadores se molestaron con la abolición de la esclavitud, pero difícilmente se puede decir que esta era una característica común a todos los miembros del partido. De igual manera, ambas colectividades insistían en que favorecían la soberanía popular y las libertades individuales, tanto políticas como económicas. El resultado fue que las críticas por parte del conservatismo al partido que ostentaba el poder giraban en torno a las violaciones que éste llevaba a cabo en contra de esos mismos principios en asuntos como el de la Compañía de Jesús y al supuesto extremismo que los liberales mostraban, incluso en prosecución de los más admirables fines. Algunos publicistas conservadores, como José Eusebio Caro (quien fuera coautor, junto con Mariano Ospina Rodríguez, del manifiesto que sirvió como declaración de principios del Partido Conservador, y quien además encabezaba la reacción contra la imposición de los textos de Bentham en la educación de la Nueva Granada), también deploraban el apego del liberalismo a escritores europeos heterodoxos, en detrimento del pensamiento católico tradicional. Pero las conclusiones que los conservadores sacaban de sus propias fuentes de inspiración no eran radicalmente diferentes, con excepción de las que trataban asuntos religiosos.

El desafecto de la Iglesia y los conservadores no constituyó una amenaza seria para el régimen liberal, especialmente luego de la rebelión conservadora de 1851, que fue fácilmente reprimida por el gobierno y que además dejó a los conservadores, incluso a los que no habían participado, en una situación incómoda. Suponiendo que no se les permitiría asumir el poder aunque lo ganaran en las elecciones, los conservadores no hicieron nada por competir en los comicios de 1853, a pesar de que el candidato liberal era José María Obando, una figura cordialmente detestada y temida por muchos conservadores. Obando se convirtió en el primer candidato, después de Santander, en ganar la presidencia con una evidente mayoría de votos a su favor. Sin embargo, la aplastante victoria de Obando encubría divisiones entre los liberales, las cuales, en última instancia, resultarían mucho más graves que la oposición del conservatismo.

Una de las facciones liberales estaba compuesta por reformadores radicales, ansiosos de eliminar de una vez por todas las restricciones de tipo gubernamental y corporativo que limitaban la libertad individual. Su talante era doctrinario y a menudo despreciaba tanto las costumbres heredadas como las dificultades prácticas; estos liberales fueron denominados «gólgotas», por la apasionada evocación oratoria que uno de ellos hiciera de

Jesucristo, Mártir del Gólgota. Inicialmente, el mote se usó de manera satírica, pero en realidad cobijaba al grupo dominante dentro del liberalismo e involucraba a altos funcionarios del gobierno, destacados publicistas y muchos miembros del Congreso. Sus portavoces típicos eran civiles de buena educación y de nivel social más elevado que la mayoría de sus oponentes dentro del mismo partido.

Un grupo bastante diferente de activistas liberales estaba compuesto por artesanos organizados, que los futuros gólgotas habían reclutado con el fin de apoyar la campaña de José Hilario López y que poco tiempo después se habían separado. Desde luego, los artesanos estaban primordialmente interesados en eliminar la reforma arancelaria de Mosquera. Sin embargo, durante cierto tiempo aceptaron la colaboración de jóvenes liberales de clase alta dentro de la Sociedad Democrática de Bogotá, organización surgida a partir de una anterior asociación de artesanos y que se dedicaba a apoyar la administración liberal; la Sociedad también llegó a manifestarse públicamente en favor de un amplio espectro de causas reformistas, como por ejemplo la expulsión de los jesuitas, que no siempre tenían que ver con los intereses inmediatos del artesanado. El hecho de que no se hubiera logrado una verdadera reforma arancelaria, unido al creciente sentimiento de que habían sido utilizados para fines diferentes a los propios, los llevó al desencanto y al rechazo de las prácticas del ala gólgota del partido, y finalmente a la separación; sin embargo, el rompimiento definitivo por parte de los artesanos llegó después de que la Sociedad Democrática de Bogotá propiciara la creación de una amplia red de sociedades similares en todo el territorio nacional. Estas sociedades se convirtieron, en casi todos los casos, en grupos profundamente comprometidos con la política. En el Valle del Cauca, especialmente, los miembros de la Sociedad se unieron para fomentar una oleada de ataques violentos contra los conservadores locales. Tanto en Cali como en algunos pueblos cercanos, los artesanos eran menos importantes que en Bogotá, pero existía un generalizado resentimiento popular contra los grandes terratenientes, quienes habían venido usurpando los *ejidos*, tierras comunales de los municipios que siempre habían estado a disposición de los habitantes, por ejemplo, para sus actividades de pastoreo. Uno de los objetivos del régimen liberal era precisamente eliminar las formas de propiedad comunal en favor de la individual; pero el hecho es que la mayoría de los grandes hacendados del Valle eran conservadores, mientras que los «demócratas» locales se preocupaban mucho menos que los gólgotas por las sutilezas de la teoría económica. El resultado fue una explosiva combinación de conflictos de partido y de clase que contribuyó al estallido de la rebelión conservadora de 1851 y al aumento de las tensiones dentro del Partido Liberal, pues algunos de sus miembros no estaban muy conformes con la incitación a resentimientos sociales.

La última facción importante de liberales fue la conocida con el nombre de «draconianos», quienes abanderaban la moderación pragmática en la mayoría de los planes de acción y se mostraban recelosos de que los gólgotas, en su frenética búsqueda de mayores libertades individuales, pudiesen sacrificar el orden social. Un punto en el que disentían absolutamente, y que les valió el mote de «draconianos», era la pena de muerte, que los gólgotas buscaban eliminar y que los draconianos defendían; y la defendieron con éxito, excepto en cuanto a los «delitos políticos», para los cuales fue abolida. Los draconianos desconfiaban igualmente de la reducción del pie de fuerza del ejército, que el Congreso había bajado a 1.500 hombres en 1853[9]. En efecto, había más militares en el bando draconiano que en el gólgota y, en general, se trataba de oficiales que no provenían de medios aristocráticos. Se puede afirmar que, en el aspecto social, la facción draconiana tenía bastante más sabor popular. Sin lugar a dudas gozaba de mayor aceptación en los sectores populares, entre otros motivos porque su figura más importante era José María Obando, quien gozaba de la admiración de las masas liberales. No es sorprendente, entonces, que a medida que las divisiones internas del Partido Liberal se tornaban más profundas, los artesanos, y en general todas las sociedades democráticas, se alinearan más decididamente con el bando de los draconianos.

La situación se definió solamente después de la elección de Obando como Presidente. Los gólgotas se habían opuesto a dicha elección, aunque sus posibilidades de evitarla eran mínimas; y a pesar de su propia falta de entusiasmo en relación con diferentes aspectos de la Constitución de 1853, Obando la impuso, como correspondía a su cargo. Pero la desconfianza entre la administración y el Congreso, controlado por los adversarios liberales de Obando y los conservadores, aumentaba constantemente. Finalmente, en abril de 1854, la presión del legislativo por reducir el tamaño y la importancia del estamento militar (comprendida la Guardia Nacional, en la cual el papel de los artesanos había llegado a ser importante) provocó un golpe de Estado, encabezado por el general José María Melo, comandante de la guarnición bogotana. La esperanza de Melo era que Obando aceptara el golpe como expresión de la voluntad popular, suspendiera la Constitución de 1853 y el Congreso y continuara como Presidente. Cuando Obando rehusó acatar las recomendaciones de Melo, éste asumió la Presidencia y estableció una dictadura que no se mantendría por mucho tiempo.

El golpe de Melo no sólo fue repudiado por Obando sino también por el ex presidente López, quien había mantenido buenas relaciones con todos los sectores liberales, y por varios de los draconianos civiles. Los únicos que apoyaron decididamente a Melo fueron las tropas bajo su mando y los artesanos de Bogotá, quienes se manifestaron en las calles de la ciudad contra los intrigantes gólgotas y los comerciantes codiciosos, además de prestar sus servicios con gran entusiasmo en la Guardia Nacional. Pero este apoyo no fue suficiente: con excepción de los pertenecientes a las áreas cercanas a Bogotá, la mayoría de los funcionarios militares y civiles rechazó a Melo como Presidente y en su lugar reconoció al gobierno «constitucionalista» que sus oponentes gólgotas y conservadores instalaron poco tiempo después. Este gobierno recobró poco a poco el territorio que Melo controlaba y a comienzos de diciembre sus fuerzas lograron entrar a Bogotá. Luego de haber matado a sus dos caballos favoritos en los salones de recepción del palacio presidencial, para evitar que cayeran en manos de sus opositores, el general Melo se rindió y posteriormente fue enviado al exilio. Entre 300 y 400 seguidores de Melo, artesanos en su mayoría, terminaron siendo confinados en el ardiente, húmedo y malsano istmo de Panamá. Muchos de ellos nunca regresaron[10].

El interregno conservador

La alianza de gólgotas y conservadores contra draconianos y artesanos era totalmente lógica, puesto que los cabecillas de los dos primeros grupos tenían orígenes sociales similares y diferencias conciliables en cuanto a políticas nacionales, excepto en los asuntos relacionados con la Iglesia. La alianza funcionó bien hasta el derrocamiento de Melo e incluso por algún tiempo más. Sin embargo, la contribución de los conservadores había sido mayor; contaban con más apoyo a nivel nacional y, si bien tal vez resultaron inferiores respecto a cierto tipo de talentos (pensadores y publicistas), disponían de generales y coroneles con mayor experiencia bélica. De los tres ex presidentes militares que encabezaron la represión de los melistas, Mosquera y Herrán eran conservadores, mientras el único liberal era López, quien por lo demás no se contaba entre los gólgotas. Por todo esto, no sorprende que el anterior partido de oposición ampliara paulatinamente su papel en el gobierno hasta que logró prevalecer.

Obando nunca regresó a la presidencia, pues los vencedores de la corta guerra civil lo acusaron, en el peor de los casos, de haber sido cómplice de aquellos que lo depusieron, y en el mejor de los casos, de ser culpable de negligencia irresponsable por no haber evitado el golpe. Obando fue juzgado por el Congreso ya restablecido y retirado formalmente del poder, para siempre. Su Vicepresidente, José de Obaldía, que había escapado de los melistas refugiándose en la embajada de los Estados Unidos, encabezó el gobierno constitucionalista; pero su período, que no coincidía con el presidencial, expiró a comienzos de 1855. En las elecciones que designarían a su sucesor triunfó un conservador, Manuel María Mallarino, quien de hecho terminó el período de Obando. Mallarino continuó encabezando un régimen de coalición, con dos liberales en su gabinete; pero en abril de 1857 fue sucedido por otro conservador, Mariano Ospina Rodríguez, ganador de la primera elección presidencial desde que se instituyera el sufragio universal masculino. Ospina Rodríguez organizó una administración totalmente conservadora.

El presidente Ospina volvió a traer a los jesuitas; ya bajo el gobierno de Mallarino se había derogado la legalización del divorcio, una de las más escandalosas medidas del anterior régimen liberal (aun cuando en algunos estados seguía vigente a pesar de todo). Aparte de estos cambios, poco se hizo, o más bien, poco se intentó en relación con las reformas de 1849-1853. Es más, en cierto sentido los conservadores impulsaron el programa liberal, puesto que bajo su auspicio la nación adoptó, en 1858, la primera Constitución netamente federalista, bajo el nombre de Confederación Granadina.

La adopción formal del federalismo era en la práctica, sin lugar a dudas, un paso menos radical de lo que parecía. La Constitución de 1853, aunque centralista en principio, había sido gradualmente transformada por una serie de actos legislativos que crearon gobiernos regionales cuasiautónomos, unidos al resto de la Nueva Granada a través de vínculos federales. El primero de estos gobiernos regionales fue establecido en 1855 en Panamá, donde predominaba el sentimiento autonomista y donde además muchos de los problemas que el gobierno tenía que enfrentar eran exclusivos de la región. Consecutivamente, otras comarcas del país exigieron privilegios similares para sus administraciones locales, y uno tras otro surgieron «estados» federales similares al de Panamá. Por esta razón, el hecho de establecer una abierta y franca estructura gubernamental federalista, que reglamentara homogéneamente el *status* jurídico de las diferentes regiones, fue sin duda positivo. No resultó difícil tomar la medida, pues muchos jefes conservadores habían llegado a considerar el federalismo como una forma de organización política válida, bien guiados por argumentos teóricos fincados en el éxito que tal estructura había alcanzado en los Estados Unidos o bien por la ventaja táctica que la adopción de un sistema federalista les brindaría, en el sentido de que podrían mantener siempre el control por lo menos de aquellas regiones donde eran fuertes políticamente. En caso de que los ideólogos liberales volvieran a obtener el poder en Bogotá, en regiones como Antioquia, por ejemplo, los conservadores estarían en condiciones de hacer lo que quisieran.

Algo más importante aún: el germen federalista daba fe de la permanente debilidad de los lazos que mantenían la unión en la Nueva Granada. El Estado nacional, que nunca había sido lo suficientemente fuerte, se había visto todavía más restringido por las reformas de la década de los cincuenta. La Iglesia, con su papel unificador, también estaba debilitada. El crecimiento económico se había acelerado, pero con énfasis en la búsqueda de mercados internacionales, y el comercio entre las regiones era ahora —en términos relativos— más débil que nunca. Si existía algún impulso hacia una mayor unidad nacional, éste provenía del desarrollo del sistema de partidos, aunque ellos fueran al mismo tiempo causantes de las discordias. El decenio de 1850 fue, en todo caso, un período crucial para la consolidación de los partidos colombianos, gracias a la expansión de la participación política y al carácter altamente competitivo que alcanzó durante la mayor parte del período.

La introducción del sufragio universal masculino, sobre todo, contribuyó a la ampliación de esa participación. Ahora resultaba ventajoso para un dirigente político reclutar simpatizantes dentro de las masas, y cuantos más mejor, no solamente para ejercer presión sobre los opositores y, en casos extremos, disponer de un pie de fuerza, sino igualmente para votar en las elecciones. Y, en efecto, los varones votaron en cantidades nada despreciables. En la única instancia en la que se han analizado los datos de participación electoral —los comicios presidenciales de 1856—, el

40% de los hombres adultos acudió a las urnas. La cifra es notable e incluso sospechosamente alta para cualquier país a mediados del siglo XIX, y especialmente para una nación donde la gran mayoría de la población era aún de tipo rural y vivía a considerable distancia de los lugares de votación, además de que se enfrentaba al pésimo estado de las vías de comunicación. En algunos distritos, la participación aparente se acercó al 100%, lo cual sugiere la posibilidad de un fraude o que los votantes fueron llevados a votar masivamente, instigados por los gamonales. Sin embargo, el patrón general que surge de los datos no es improbable; los porcentajes de participación electoral alta eran típicos de áreas donde el clientelismo político había arraigado notablemente (como en el caso de Tunja, con un 71% de participación), mientras que las cifras eran más bajas en regiones donde el campesinado gozaba de una mayor independencia (como Antioquia, con un 32%), o donde los vínculos con el sistema político nacional eran débiles, como ocurría en Panamá, que presentó un reducido 21%[11]. Incluso si se considera un margen de fraude electoral, es evidente que los líderes políticos tuvieron mucho éxito al convocar a sus compatriotas a participar en el proceso.

Aquéllos tenían un obvio incentivo al buscar el compromiso popular en su beneficio, por cuanto la competencia política era reñida y nada garantizaba que determinado partido ganaría la elección. En el período inmediatamente posterior a la derrota conservadora en la guerra civil de 1851, la situación habría sido diferente, pues los liberales no se enfrentaban a una oposición efectiva. Pero incluso en aquel momento, las facciones rivales de gólgotas y draconianos necesitaban reclutar cada vez más simpatizantes dentro del marco de los conflictos internos del partido liberal. Ya para finales de 1853, cuando se efectuó la primera elección nacional con sufragio universal masculino para escoger Procurador General y magistrados de la Corte Suprema de Justicia, los candidatos que contaban con el apoyo conservador (uno de los cuales era Florentino González, el ministro de Hacienda liberal durante la administración de Mosquera) obtuvieron la mayor cantidad de votos. Durante el resto de la década, exceptuando el intervalo de Melo, el país vivió una aguda y casi constante competencia entre los partidos, puesto que las elecciones para los diferentes cargos provinciales o estatales no se cumplían simultáneamente; incluso el Presidente y el Vicepresidente eran elegidos en años diferentes y para períodos que no coincidían. Siempre había campañas electorales en marcha y la mayoría de las veces simultáneamente en varias regiones del país. Esto, a su turno, determinó el constante reclutamiento de personas, así como el adoctrinamiento de los reclutados con base en los lemas y símbolos de la causa partidista.

A pesar de la división entre gólgotas y draconianos y de otras divisiones faccionales que ambas colectividades tuvieron que enfrentar, el incipiente sistema de partidos continuó siendo esencialmente bipolar: conservadores vs. liberales. Este modelo enfrentó un serio desafío cuando el ex presidente Mosquera, cada vez más distanciado de sus copartidarios conservadores, lanzó su propia candidatura a la presidencia en las elecciones de 1856. En esta instancia, Mosquera improvisó un Partido Nacional independiente y obtuvo aproximadamente un 15% de la votación total, que no fue suficiente para ganar; es poco probable, además, que los votos que logró arrebatar a los otros candidatos hayan determinado el resultado final. Como los demás partidos nuevos que aparecieron en repetidas coyunturas electorales, la agrupación de Mosquera no perduró. Más bien marcó para el propio Mosquera un paso significativo en su conversión a las filas liberales, a las cuales llevó a la victoria en la guerra civil que derrocó a Ospina Rodríguez, triunfador en las elecciones de 1856.

La tendencia colombiana hacia un sistema bipartidista no fue, desde luego, exclusiva dentro de la América Latina del siglo XIX. El mismo modelo apareció en México, América Central, Ecuador y otros países. Pero la Colombia moderna es la única nación en la cual la dicotomía conservador-liberal se ha mantenido desde mediados del siglo XIX hasta finales del XX. No hay consenso en cuanto a las razones que sustentan tan notable supervivencia, aunque la cuestión religiosa, que significó una clara polarización entre proclericales y anticlericales, reforzó sin lugar a dudas el efecto de otros factores que favorecían el bipartidismo y por lo tanto es posible que haya influido en el resultado final. La controversia religiosa colombiana tampoco fue única en América Latina, pero allí duró más y constituyó una ardua contienda, si se tiene en cuenta que los dos bandos estaban relativamente parejos: un núcleo de reformistas anticlericales doctrinarios que llevaban las riendas del partido liberal, enfrentado a una fuerte e institucionalizada Iglesia con poderosos aliados laicos. En constraste, la Iglesia venezolana, por ejemplo, carecía del vigor necesario para enfrentar a los anticlericales; y en el Ecuador el Partido Liberal era muy débil, o al menos lo fue hasta el final del siglo. En México, donde en un principio las fuerzas estaban repartidas de manera muy similar a las de la Nueva Granada/Colombia, la Iglesia y los conservadores se desprestigiaron notablemente por su alianza con el intruso Imperio de Maximiliano en la década de 1860 y nunca recuperaron el poderío político de antes.

Cualesquiera que sean las razones precisas por las cuales se pudo mantener el bipartidismo, ya a mediados del siglo XIX era evidente que liberales y conservadores mantenían el control del país. En las elecciones de 1857, de un total de votos superior a 200.000, solamente se registraron 75 por candidatos que no pertenecieran a los dos partidos principales o al general Mosquera, cuyos seguidores a su vez serían pronto reabsorbidos por aquéllos[12]. Los modelos regionales de poderío partidario también estaban claramente determinados. El conservatismo predominaba, por ejemplo, en Pasto, Antioquia y el área de Tunja, y el liberalismo en la costa Atlántica; muchas poblaciones pequeñas, que incluían enclaves liberales acosados en áreas conservadoras, y viceversa, ya mostraban abrumadora y a veces unánime lealtad a uno de los partidos, lo cual se repetiría elección tras elección hasta hace muy poco tiempo.

Aunque se ha aseverado con gran frecuencia que la filiación partidista inicial de los grupos populares era consecuencia de la manipulación desde arriba por clérigos, terratenientes, o gamonales políticos de un tipo u otro, no siempre resultaba así. Por lo menos entre artesanos urbanos y ciertas comunidades indígenas no faltaban unas decisiones espontáneas de apoyar al partido que pareciera más inclinado a respetar sus intereses específicos. En todo caso, la intensidad de la competencia entre los partidos creó una situación de potencial inestabilidad; los mezquinos brotes de violencia local eran normales en época de campañas electorales y, de cuando en cuando, estallaba una guerra civil general. Los episodios de violencia partidista instensificaron, naturalmente, la rivalidad entre los bandos, pues los seguidores de uno u otro cerraban filas para defenderse del enemigo. Otra paradoja de la historia colombiana, sin embargo, es que la violencia política, si bien ha sido muy frecuente, se ha mostrado bastante ineficaz, excepto en lo que a producir muertes y destrucción se refiere, pues casi nunca se ha derrocado un gobierno por la fuerza. El politólogo James Payne explicó con acierto este fenómeno basándose precisamente en la amplitud y profundidad de la identificación popular con los partidos tradicionales: si a todas las ventajas naturales del ejercicio del poder se añadía el apoyo instintivo de los fieles, que respaldarían al diablo si éste llevara los colores del partido predilecto, un gobierno era virtualmente imposible de derrocar[13]. Aun así, unos pocos presidentes han caído como resultado de golpes de Estado, incluido José María Obando (tanto si se considera que éste fue depuesto por Melo como si se da el crédito a los constitucionalistas). Uno solo cayó a manos de una revolución: el remplazante interino de Mariano Ospina Rodríguez.

Ospina no carecía de atractivos personales. Incluso como Presidente, caminaba por las calles de Bogotá sin guardias ni séquito oficial y durante su mandato continuó ejerciendo su cátedra de derecho, en la cual siempre prevenía a sus estudiantes contra doctrinas corrosivas. También cultivaba los valores burgueses de orden, sentido práctico y espíritu de trabajo, que veía ejemplificados en los Estados Unidos; llegó incluso a solicitar a su ministro en Washington que explorara la posibilidad de anexar la

Nueva Granada a la unión norteamericana[14]. La solicitud no fue muy conocida en su momento, ni siquiera más tarde, y tampoco produjo ningún resultado. Por otra parte, el hecho de que Ospina creara un gobierno unipartidista luego del de coalición encabezado por Mallarino pronto desencadenó fricciones con el Partido Liberal y el primer mandatario tuvo que enfrentar la hostilidad del ex presidente Mosquera, que en el momento se desempeñaba como gobernador del Estado del Cauca. La antipatía de Mosquera hacia Ospina se debía en parte a desagrado personal y en parte a rivalidad política, pero reflejaba con creces el hecho de que Mosquera, como gobernador, se preocupaba por defender y ampliar la autonomía de su Estado, mientras que Ospina, a pesar de haber adoptado el federalismo, interpretaba libremente los poderes que todavía tenían validez para las autoridades centrales. Por lo tanto, Ospina respaldó una serie de leyes que el Congreso adoptó en 1859 y que asignaban un papel más importante a las autoridades centrales en asuntos tales como la supervisión de las elecciones de Presidente y Congreso. Las medidas se adoptaron venciendo una tozuda oposición liberal, pero la mayoría de los gobiernos regionales las rechazaron como inconstitucionales.

Una serie de revoluciones locales contra los gobiernos de ciertos Estados anticiparon la guerra civil general. Se iniciaron en el Estado de Santander, que se había formado con la unión de las provincias de Socorro y Pamplona y que además era plaza fuerte del sector radical del Partido Liberal, la mayoría de cuyos líderes habían sido gólgotas en años anteriores. En el gobierno de Santander, estos dirigentes habían ensayado el hiperactivo reformismo de los años 1849-1853 y habían abolido la pena de muerte, decretado la libertad para acuñar monedas, entregado la construcción de carreteras y la educación a manos de la iniciativa privada y remplazado casi todos los impuestos por un único impuesto directo al ingreso personal. Algunas de estas medidas fueron rápidamente abrogadas o modificadas, pero de todas maneras Santander se caracterizó por sus experimentos utópicos[15]. Desde el punto de vista de los conservadores locales, quienes habían sido totalmente excluidos del poder del Estado por el sistema electoral, todo esto contribuía a crear un clima de anarquía. Se rebelaron y, una vez reprimidos, se levantaron nuevamente. Con insurrecciones similares en otras partes del país, la administración Ospina declaró, a finales de 1859, el estado de emergencia del orden público, a fin de justificar el uso de las fuerzas nacionales para restablecer la tranquilidad.

En mayo del año siguiente, Mosquera se sublevó y asumió el liderazgo de las facciones liberales dedicadas a derrocar a Ospina. La lucha abarcó casi todo el país y las bajas fueron considerables en ambos bandos. Pero los liberales lograron superar a Ospina: en julio de 1861 Mosquera tomó Bogotá y, a pesar de que las luchas continuaron durante más de un año, el resultado era ya indudable. El expresidente Ospina (cuyo período había terminado durante la guerra, razón por la cual entregó el poder a un sucesor interino) fue uno de los prisioneros capturados durante la caída de la capital. El primer impulso de Mosquera fue ejecutarlo, pero al final fue enviado al exilio y pasó los siguientes nueve años de su vida en Guatemala, donde se dedicó a estudiar la floreciente industria del café, cuyas lecciones aplicaría en Colombia a su regreso.

La república radical

La victoria liberal en la guerra civil abrió un período de activo reformismo, más radical aún que el de los años 1849-1853. El primer objetivo fue la Iglesia. En la anterior serie anterior de reformas, la institución había sido despojada de la tradicional protección del Estado pero, aparte de la acción contra los jesuitas y de la pérdida de los diezmos (o mejor dicho, de la obligatoriedad de su pago por ley nacional), se había mantenido intacta en sus estructuras básicas. En su condición de jefe provisional del Estado e incluso antes del final de la guerra, Mosquera se aplicó a atacar dichas estructuras. Poco después de la ocupación de Bogotá, en julio de 1861, Mosquera expidió una serie de decretos que asignaban al gobierno un derecho de «tutelaje» sobre la Iglesia (*tuición de cultos*), expulsó nuevamente a la Compañía de

Jesús y expropió la mayoría de los bienes eclesiásticos, excepción hecha de las edificaciones que se utilizaban para fines religiosos. Los demás bienes raíces de la Iglesia y el monto de las hipotecas eclesiásticas (censos) pasaron a manos del Estado, que prometió a cambio pagar a la Iglesia el equivalente anual de 6% del valor de lo que había tomado. Siguieron varios decretos en los cuales se recogía una serie adicional de medidas anticlericales, entre ellas la abolición de otras órdenes religiosas de monjas y frailes (aunque todavía con algunas excepciones regionales). El arzobispo de Bogotá, Antonio Herrán (hermano del ex presidente Herrán), fue arrestado por haber objetado enérgicamente las medidas, y el Papa excomulgó a Mosquera.

Esta dramática ofensiva contra la Iglesia institucional no solamente reflejaba el triunfalismo liberal como secuela de la victoria militar, sino también los sentimientos de ira y venganza provocados por la estrecha colaboración del clero con los vencidos conservadores. Durante la primera oleada de reformas, tanto los obispos como los curas parroquiales habían instigado a los fieles para que apoyaran al gobierno de Ospina Rodríguez, y a menudo sus servicios fueron más allá de la mera persuasión. El ejemplo de las reformas devastadoras con las cuales los liberales mexicanos encabezados por Benito Juárez sojuzgaron y expropiaron a la Iglesia también influyó en Colombia[16]. Sea como fuere, las razones implícitas que llevaron a las reformas eran en gran medida económicas: la tradicional convicción liberal de que el hecho de poner en circulación los bienes de la Iglesia estimularía notablemente la economía y además la creencia de que sería la manera de encontrar recursos para pagar las deudas a corto plazo del gobierno, incluido el costo de la reciente revolución.

Ambos objetivos económicos habrían podido alcanzarse con la venta de las propiedades de la Iglesia, aunque hubo desacuerdos entre los propios liberales sobre la forma de proceder. Mosquera expresó su esperanza de que la liquidación de las propiedades eclesiásticas, con facilidades para su división y venta por pequeños lotes, produjera una más justa distribución de la propiedad en el país. Puesto que aplicar dicha propuesta requería tiempo y habida cuenta de que la hacienda pública tenía necesidad urgente de dinero, el Presidente sugirió emitir bonos del tesoro con los bienes raíces como respaldo; tan pronto el Estado los vendiera, redimiría el valor total de los bonos. La propuesta era coherente y bien intencionada, pero debido a la generalizada falta de confianza en las obligaciones del gobierno, era probable que no produjera tantas entradas como la venta directa de las propiedades; además, la propuesta se oponía a las ambiciones de los ciudadanos acaudalados (algunos de los cuales eran políticos influyentes dentro del Partido Liberal), ansiosos de ampliar su propia riqueza comprando lo que la Iglesia había perdido.

La discusión sobre el proceso favoreció finalmente a los que proponían la venta directa y rápida; aun así, ésta produjo muchísimo menos que el valor real de los bienes de la Iglesia, especialmente porque los pagos se hicieron en buena medida en forma de viejas obligaciones del gobierno. La suma total de los bienes tampoco resultó ser lo que los liberales esperaban: aproximadamente 10.000.000 de pesos (o sea, cuatro pesos *per cápita*), incluidos tanto las propiedades raíces como los censos que los compradores redimían al depositar el valor nominal en el Tesoro Nacional[17]. El beneficio neto para el Tesoro fue efímero y en general decepcionante. Los teóricos liberales, de todas maneras, encontraron justificación en los supuestos beneficios para la economía en general, puesto que se había liberado una gran cantidad de bienes de las *manos muertas* de la Iglesia. Sin embargo, hay pocas evidencias de que los nuevos propietarios hubieran utilizado las tierras de manera más productiva que los antiguos.

Tampoco hay mucha evidencia que respalda la tesis de que los compradores laicos de terrenos antes eclesiásticos hubieran subido los arriendos a los campesinos, ni que hubiesen expulsado a estos últimos para introducir ganado (es muy probable que el clero ya hubiera dedicado los terrenos a la ganadería). Exceptuando el enriquecimiento de algunos compradores a gran escala, los efectos económicos de las desamortizaciones no parecen muy importantes, aunque la Iglesia perdió una fuente de ingreso considerable. El valor neto de la pérdida es imposible de calcular, pero es seguro que el clero no pudo mantener sus servicios sociales ni educacionales, en un momento en que el Estado era incapaz de asumirlos.

El siguiente objetivo de los reformistas liberales fue el propio Estado central. En 1863 se reunió en Rionegro (Antioquia) una convención constituyente, la cual redactó una nueva Constitución que llevaba el concepto del federalismo a mayores extremos que cualquier otra carta fundamental del hemisferio. El nuevo nombre del país fue Estados Unidos de Colombia, pero los estados recibieron poderes mucho más amplios que los que les confiere el modelo angloamericano. En total, había nueve: Antioquia, Bolívar (que comprendía Cartagena y la mayor parte de la costa sobre el Caribe), Boyacá (Tunja y sus regiones interiores), Cauca, Cundinamarca, Magdalena (la región costera situada al oriente del río, con capital en Santa Marta), Panamá, Santander y Tolima (que abarcaba las antiguas provincias de Neiva y Mariquita, en el Alto Magdalena). Estos estados retuvieron todos los poderes que no se habían especificado como responsabilidades del gobierno central; éstas, por su parte, estaban determinadas con mucha precisión. Así, por ejemplo, el gobierno nacional era responsable únicamente de las rutas de transporte «interoceánico». Los estados tenían derecho de establecer sus propios sistemas postales y algunos procedieron a emitir sus propias estampillas. La cámara alta del Congreso pasó a llamarse Senado de Plenipotenciarios, como si en efecto se tratara de delegados de naciones soberanas. El Presidente se elegía a partir de un voto por estado, y los estados eran libres de establecer los requisitos de votación tanto para las elecciones nacionales como para las locales. La mayoría aprovechó esta instancia para hacer retroceder el sufragio universal masculino, cuyos resultados no habían sido del todo satisfactorios desde el punto de vista liberal, y volvieron a imponer requisitos tales como el alfabetismo y las calificaciones económicas. No menos importante, finalmente, era la disposición de que cualquier reforma constitucional requería la aprobación de los nueve estados.

La nueva Constitución limitó aún más la eficacia de la administración nacional al fijar al Presidente un período de dos años solamente, sin posibilidad de reelección inmediata. Este punto no emanaba tanto de principios teóricos como de la desconfianza que muchos liberales sentían hacia su nuevo líder, Mosquera, quien obviamente entraría como Presidente bajo la nueva Carta. Sin embargo, sí había un rigor doctrinario liberal en lo que respecta a las libertades individuales, que fueron definidas en los términos más amplios posibles. La absoluta libertad de prensa de los años 50 se amplió a partir de la Carta de Rionegro y cubrió la libertad de palabra: los ciudadanos podían hacer acusaciones falsas, clamar por el derrocamiento violento de un gobierno y otras cosas por el estilo, contando con protección constitucional. La Carta también garantizaba la inviolabilidad de la vida humana, lo que significaba que la pena de muerte se abolía en todos los casos; pero, al mismo tiempo, tal vez con cierta inconsistencia teórica, garantizaba el derecho de los ciudadanos a poseer armas y municiones y a participar libremente en el comercio de armas en tiempos de paz.

La prueba determinante para el espíritu federalista llegó poco después, en 1864, cuando Manuel Murillo Toro, la figura más notoria de los liberales radicales, sucedió a Mosquera como jefe del ejecutivo federal. Uno de los efectos laterales de la victoria liberal en la guerra civil había sido el remplazo de todos los gobiernos estatales que hubieran apoyado a la administración conservadora de Ospina Rodríguez, incluido el de Antioquia. Sin embargo, esta era una región fuertemente conservadora, y los conservadores antioqueños, irritados ante la imposición de un gobierno de la minoría, depusieron a sus gobernantes liberales y designaron como gobernador a uno de los suyos, Pedro Justo Berrío. Era Murillo Toro quien ahora tenía que decidir si aceptaba el *fait accompli* de los conservadores antioqueños o invocaba, como pretexto para echar atrás la acción conservadora, el impreciso poder asignado al Presidente federal por la Constitución de 1863 para velar por el mantenimiento del orden.

Con su aceptación de Berrío como gobernador de Antioquia, Murillo hizo patente que la autodeterminación de los estados federales iba a ser significativa. El mandatario seccional y su partido procedieron a convertir el gobierno del estado de Antioquia en una especie de modelo, favorecidos por la relativa homogeneidad social de la región y la cohesión de su burguesía comercial. Hubo en Antioquia avances modestos pero constantes en la educación y las obras públicas, así como niveles bastante altos de honestidad y eficiencia administrativas. Se prestó mucha atención a la educación hasta para las niñas, de manera que en 1880 había más niñas que niños en la escuela primaria, aunque la situación era diferente en la secundaria; además, la educación que se impartía a las jóvenes ponía énfasis en las labores del hogar y la preparación religiosa[18]. En realidad, los conservadores antioqueños cooperaban estrechamente con el poderoso clero local y además se negaron a colaborar en la aplicación de las medidas nacionales contra las propiedades de la Iglesia.

Más tarde los conservadores lograron controlar otros dos estados, Tolima y Cundinamarca. Pero debido a que en Cundinamarca se encontraba la capital, no se les permitió permanecer en el poder. En los demás estados prevalecieron siempre los liberales mientras rigió la Constitución de 1863, manteniendo a los conservadores alejados del poder por todos los medios, tergiversando los distritos electorales y aplicando el fraude y la intimidación si era necesario. Por eso la caída de un gobierno estatal, fuese en elecciones o por la fuerza (lo que no era raro), significaba generalmente que una facción liberal había expulsado a otra. Las autoridades nacionales se entrometieron a veces en estos conflictos políticos dentro de los estados, aun después de la aprobación de la ley de 1867 (abolida en 1876) que prohibía expresamente al Presidente de la nación tomar partido en guerras civiles suscitadas dentro de los estados.

Por desgracia, en estas disputas entre liberales eran muy comunes las irregularidades electorales: de la era federalista proviene el aforismo de que «el que escruta elige». Un caso extremo ocurrió en Bolívar en 1875, cuando se registraron 44.112 votos en favor de Rafael Núñez para Presidente, mientras su rival liberal, Aquileo Parra, solamente había obtenido siete. Parra, sin embargo, resultó elegido, pues tenía más estados a su favor y eso era lo que contaba en última instancia, no los votos populares (fraudulentos o legítimos)[19]. El hecho de que Núñez fuera natural de Bolívar habría explicado una desequilibrada votación a su favor, teniendo en cuenta además que éste era uno de los estados que no habían limitado el sufragio universal masculino; pero de todas maneras los resultados oficiales suponían que un 90% de la población masculina había votado, lo cual era bastante improbable.

A pesar de que sus prácticas electorales dejaban mucho que desear y aunque las autoridades nacionales algunas veces intervenían en sus asuntos violando la letra y el espíritu de la Constitución, los estados federales en realidad disfrutaron de una gran autonomía. Algunos de ellos la usaron para ocuparse de asuntos que habían sido descuidados o pobremente manejados por los funcionarios de Bogotá. La mayoría, no obstante, carecía de los recursos necesarios para hacer casi cualquier cosa, mala o buena, especialmente si se tiene en cuenta que el gobierno nacional retenía la posesión de una de las fuentes de ingreso más lucrativas, las aduanas. En el período que va de 1873 a 1874, según cálculos de Malcolm Deas, los ingresos estatales *per cápita* oscilaban entre 24 centavos en Boyacá y 1.08 pesos en Antioquia, hasta 1.42 en Panamá (donde los costos no eran comparables). La media, correspondiente al estado de Bolívar, era de 83 centavos[20]. La devolución de funciones gubernamentales a los estados significó por lo tanto, entre otras cosas, la ratificación de la desigualdad entre los niveles de desarrollo de las regiones del país, toda vez que pocos estados consiguieron realmente acercar sus gobiernos a los gobernados —presupuesto básico del federalismo—, mientras a la mayoría de ellos apenas le alcanzaba para pagar la minúscula nómina burocrática. Inevitablemente, el Tesoro Nacional comenzó a entregar subvenciones a los estados, bajo diversos pretextos. Junto con el hecho de que el gobierno nacional asumió varias funciones que sólo recaían sobre él con base en interpretaciones ligeras de la Constitución, las subvenciones debilitaron el sistema federal; pero el proceso de debilitamiento todavía no había llegado muy lejos cuando el experimento federalista terminó abruptamente.

A escala tanto nacional como estatal, los liberales (y los conservadores en sus plazas fuertes) mostraron en general un respeto admirable por la libertad de prensa y las libertades individuales. Es más, a pesar de que algunos gobernadores fueron depuestos, los presidentes federales —con una sola excepción— se sucedieron pacíficamente al término de los dos años establecidos. La excepción ocurrió en 1867, después de que Tomás Cipriano de Mosquera fuera nuevamente elegido para el más alto cargo de la nación. La desconfianza entre Mosquera y los altos líderes de la facción radical no había desaparecido, e incluso había aumentado como resultado de ciertas actitudes asumidas por el mandatario. Por ejemplo, éste pedía revisar todas las ventas de propiedades confiscadas a la Iglesia llevadas a cabo durante la administración de Murillo Toro, con miras a corregir posibles irregularidades. Aparte de la acusación implícita a Murillo, la petición molestó a quienes habían adquirido las propiedades. Mosquera tuvo que retractarse, pero pronto aparecieron otras disputas.

La situación continuó hasta que se descubrió que, a espaldas del Congreso, el Presidente había intentado comprar en Nueva York un navío de guerra para ser utilizado por el Perú en un conflicto surgido entre la hermana república y España. El objetivo de Mosquera era noble, pero se habían cometido varias irregularidades, que sus detractores en el Congreso aprovecharon. Frente al escándalo, Mosquera disolvió el cuerpo legislativo, asumió poderes dictatoriales y convocó a los militares y a las clases populares para que se manifestaran en su apoyo, en una nueva versión de la alianza entre artesanos y draconianos. Pero la estrategia fue menos exitosa para Mosquera de lo que antes había sido para Melo. Un grupo de militares constitucionalistas que, tal como ocurrió en 1854, contaban con fuerte respaldo de los radicales y los conservadores, derrocó a Mosquera. De esta manera culminó el único intento abortivo de interrumpir la normalidad constitucional. Fue la última tentativa de este tipo por parte de un Presidente, hasta cuando en 1885 Rafael Núñez declarara que la Constitución federal había sido invalidada por los hechos.

Desde el punto de vista de Mosquera —y de ciertos revisionistas posteriores, especialmente Indalecio Liévano Aguirre—[21], la causa primera del derrocamiento fue la incapacidad de la «oligarquía» radical para tolerar los esfuerzos del mandatario que se proponía gobernar en beneficio de la nación como un todo. Tampoco se puede negar que los líderes radicales, aunque en su mayoría magnánimos y capaces, eran sectarios en sus ideas políticas y estaban comprometidos con intereses económicos específicos o directamente involucrados en aspectos relativos a la economía de exportación (como igualmente lo estaban varios de sus opositores); había no pocos *parvenus* y *literati,* en términos de Marco Palacios[22], que habían ascendido en la sociedad a través de la política y sus conexiones y provenían en su mayoría de los tres estados centrorientales de Cundinamarca, Boyacá y Santander. Creían que la estrategia de crecimiento económico hacia el exterior, favorecida oficialmente desde finales de los años 40, traería en última instancia mayor bienestar a todos los colombianos. Pensaban, así mismo, que las medidas gubernamentales especialmente diseñadas para ayudar a los estratos más pobres de la sociedad eran generalmente contraproducentes. En efecto, los radicales tenían una visión bastante modesta de lo que debía ser el papel del gobierno como tal. El presidente Eustorgio Salgar lo expresó en su discurso inaugural de 1870, en el cual advirtió claramente que «la nación no debe esperar de mi gobierno la realización de grandes empresas y combinaciones políticas»[23]. Sin embargo, eran leales al legado de Santander en cuanto tenían un interés especial por la educación. Como gólgotas de la década de 1850, los miembros originales de la facción radical habían, por lo general, apoyado las medidas que tendían a la privatización de la educación, pero a lo largo de las dos décadas siguientes hicieron aportes importantes al desarrollo de la enseñanza pública en Colombia.

Uno de estos logros fue la fundación, en 1867, de la Universidad Nacional de Colombia en Bogotá. La medida anulaba una parte de la reforma educacional de 1850, que simplemente abolía, como innecesarias, las universidades entonces existentes e integraba sus programas al sistema de *colegios* de nivel secundario. La nueva universidad contaba con las disciplinas tradicionales —el derecho, la medicina y la filosofía—, pero además hacía hincapié en estudios técnicos, lo cual reflejaba el genuino deseo de los líderes colombianos de poner a tono el país con la nueva era de ferrocarriles y mecanización general. En este sentido, el programa de estudios evocaba lo propuesto por Mariano Ospina Rodríguez en la década del 40, aunque la mayoría de los liberales habría rechazado la comparación. Pero la universidad era relativamente independiente de las mezquinas rivalidades políticas. La lista de profesores era un verdadero «quién es quién» de la élite cultural de la capital; incluía al ideólogo y humanista conservador Miguel Antonio Caro (como profesor de latín), junto con adherentes del liberalismo clásico y de la nueva escuela positivista, para no mencionar otros de difícil clasificación. La creación de la universidad, además, formaba parte de un más amplio florecimiento cultural que también se notaba en el vigoroso periodismo político; en la proliferación de literatura de tipo *costumbrista*, que retrataba usos regionales, populares y pintorescos, y en la aparición de un perdurable clásico de las letras latinoamericanas, la novela romántica de Jorge Isaacs, *María* (1867), en la que el autor ofrecía una evocación poderosamente nostálgica de la vida en una hacienda del Valle del Cauca.

Ninguno de los avances mencionados anteriormente tenía relevancia para el colombiano medio, que no podía siquiera leer. Sin embargo, el régimen liberal hizo un esfuerzo notable por revitalizar la educación primaria, que muy poco había progresado desde la década del 30. La medida clave a este respecto fue un decreto expedido en 1870 por el presidente Salgar y su secretario del Interior, Felipe Zapata, en el cual se establecía la instrucción primaria gratuita y obligatoria en todo el territorio nacional, además de darle un carácter de neutralidad religiosa. La medida trae a la mente las campañas contemporáneas del gran educador-presidente argentino Domingo Faustino Sarmiento. Como en Argentina, se fundaron las Escuelas Normales para preparar cuantos maestros fueran necesarios, y se invitó a varios expertos extranjeros para que enseñaran los últimos avances de la teoría y la práctica pedagógicas. A diferencia de Sarmiento, quien invitó a Argentina a especialistas de los Estados Unidos, los colombianos contrataron una misión alemana. Una diferencia todavía mayor entre ambos países latinoamericanos, por supuesto, era el nivel de recursos financieros nacionales disponibles. Durante la presidencia de Sarmiento (1868-1874), Argentina estaba al borde del despegue económico, mientras el crecimiento de la economía colombiana era mucho más modesto. El gobierno nacional destinó un 4% de su presupuesto para la educación, lo que sólo ascendía a 200.000 pesos; una quinta parte fue asignada directamente a la Universidad Nacional[24].

La educación era una responsabilidad que legalmente correspondía tanto al gobierno nacional como a los estados y municipalidades, pero la mayoría de estos últimos estaban, en mayor o menor grado, urgidos de financiación, y por lo tanto eran incapaces de contribuir con fondos importantes. Igualmente, eran celosos de su propia autonomía. El problema más grave era la hostilidad de la Iglesia y del Partido Conservador. El decreto de 1870 no excluía la religión de las escuelas públicas; simplemente afirmaba que la educación religiosa debía ser impartida por representantes de las iglesias, en horas específicas, para aquellos alumnos cuyos padres así lo solicitaran. Los clérigos más moderados se conformaron con la disposición, pero los activistas católicos y conservadores adujeron que la medida era el primer paso hacia un sistema escolar totalmente alejado de Dios, y presionaron a familias, autoridades locales y a cualquiera que los escuchara, para que se alejaran de las escuelas públicas. Contradiciendo los términos del decreto, algunos estados declararon la obligatoriedad de la educación religiosa. El hecho de que algunos de los miembros de la misión alemana fueran protestantes provocó aún mayor descontento. La creciente agitación desencadenada por el asunto de la educación religiosa, más que ningún otro factor, despertó una rebelión conservadora en 1876, que constituyó la más seria alteración del orden público desde el final de la guerra civil de 1859-1862. En tales circunstancias, se hace todavía más notorio el hecho de que se hubiera presentado un verdadero avance en la educación primaria, con el aumento de 60.155 estudiantes en 1870 a casi 84.000 cuatro años después. Un 3% de la población total asistía ahora a las aulas, en contraste con el 1.2% de 1835[25]. Infortunadamente, este aumento repentino en el progreso educativo fue truncado por la guerra civil de 1876 y sus secuelas, cuando los liberales decidieron reducir el énfasis en este punto de su programa.

El levantamiento de 1876 fue desencadenado por otros reclamos, además de la amenaza a la religión en la educación oficial. Este asunto fue el que movilizó a los clérigos y a las masas conservadoras, pero el liderazgo del partido también sentía gran frustración por su exclusión de cuotas de poder significativas, excepto en Antioquia y Tolima; por otra parte, las disensiones en las filas del liberalismo constituían un estímulo para los conservadores, pues las antiguas fricciones entre los bandos radical y mosquerista se habían convertido en una separación mucho más definitiva entre la «oligarquía» radical y una nueva corriente autodenominada independiente. La mayoría de los antiguos seguidores de Mosquera —quien luego de un breve exilio en el Perú había regresado al país para convertirse en gobernador de su estado natal y volver a ser una fuerza en la política regional del Cauca— se unieron al bando de los independientes. La nueva agrupación también capitalizó el descontento de la región costeña, cuyos políticos liberales tendían a sentir, al igual que los conservadores del resto del territorio, que su influencia era menor de la que se merecían. Desde luego, estos dirigentes no tenían objeciones contra la hegemonía liberal, pero se resentían de la dominación por parte del ejecutivo federal, en manos de líderes radicales de la cordillera Oriental, de cuyas filas habían salido todos los presidentes desde la caída de Mosquera.

Los independientes también acusaban a los radicales del oriente de concentrar los recursos nacionales en proyectos que respondían a intereses de sus regiones. Como ejemplo principal citaban el ferrocarril del Norte, proyecto ambicioso diseñado para unir a Bogotá con el río Magdalena a través de una ruta que cruzara los estados de Cundinamarca, Boyacá y Santander. Que este proyecto hubiese recibido financiación nacional era una irregularidad desde el punto de vista constitucional, pues la Carta únicamente autorizaba la participación del gobierno nacional en rutas «interoceánicas», lo cual hacía referencia a obras tales como el ferrocarril de Panamá o la proyectada construcción de un canal a través del istmo, que en realidad comenzó en 1881 mediante la concesión otorgada a una compañía francesa. Pero mediante una descarada y absurda interpretación, el ferrocarril del Norte aparecía como parte de un corredor de ferrocarriles, carreteras y rutas fluviales que uniría el Pacífico con el Atlántico, pasando por la capital. La vía férrea no se construyó, pero sí se gastó dinero federal en los preparativos. Para los liberales independientes el incidente se convirtió en la prueba definitiva de que el liderazgo radical se dedicaba exclusivamente a sus intereses regionales. Cuando los independientes presentaron la candidatura de Rafael Núñez para las elecciones presidenciales de 1876, ésta no tenía casi nada que ver con discrepancias doctrinales; más bien, se trataba de poner término al monopolio del gobierno federal por parte de los políticos radicales, que sólo favorecía a una región.

Después de una amarga contienda —salpicada de irregularidades de lado y lado y que llevó a la derrota nuñista—, los revolucionarios conservadores esperaban que el sector independiente de Núñez no apoyara al vencedor radical, Aquileo Parra. Intentaron la revuelta tres meses después de la posesión de Parra, y fracasaron. En parte, su descalabro se debió a que, por el aparente fanatismo de los elementos clericales que respaldaban la rebelión, la mayoría de los independientes se quedó con la administración radical por considerarla un mal menor. La lucha fue dura y destructiva, en términos de vidas y recursos, pero el gobierno logró dominar la situación antes de finalizar el año. Al hacerlo, depuso los gobiernos conservadores de Antioquia y Tolima, los cuales se habían unido a la rebelión (en el caso de Antioquia, no sin reservas, en vista del cómodo *modus vivendi* que los conservadores antioqueños habían alcanzado bajo el mandato liberal). Para los radicales, una consecuencia alarmante del episodio fue el prestigio que adquirió en el conflicto el general liberal independiente Julián Trujillo, quien ganaría las siguientes elecciones presidenciales y sería luego sucedido por Núñez, en 1880. No obstante, mientras los liberales combatían a los conservadores y mantenían disputas intestinas, el ciclo de la expansión de las exportaciones se acercaba a su fin. A la larga, la frustración económica amenazaría también su permanencia en el poder.

Apogeo del modelo de crecimiento hacia afuera

El aumento de las exportaciones de bienes se mantuvo durante casi toda la era liberal, con inevitables fluctuaciones y cambios en los productos de exportación. El valor anual de las exportaciones, en pesos oro, que se había elevado desde 3.3 millones durante la primera mitad de la década del 40 hasta 6.4 millones en el período entre 1854 y 1858, ascendió a casi 10 millones a comienzos de los años 70, y entre 1881 y 1883 llegó a 15.5 millones. En términos *per cápita*, las cifras son menos impresionantes y reflejan una recuperación y un incremento modesto respecto a los niveles coloniales. Sin embargo, los precios de las manufacturas importadas, especialmente los textiles, continuaron cayendo, de manera que las divisas generadas por las exportaciones pagaban un aumento muy notable, si no del valor, al menos del volumen de las importaciones. El *poder adquisitivo* de las exportaciones colombianas se multiplicó casi nueve veces en el mismo período[26].

El *boom* del tabaco, que había abierto el camino, resultó ser transitorio, por razones que ya se anotaron, y aunque el producto siguió siendo un importante renglón de las exportaciones durante los años 70, se derrumbó finalmente a comienzos del decenio siguiente. El producto rival del tabaco fue, durante toda la era liberal, la quina, o más precisamente la corteza llamada chinchona, que se usaba ampliamente en la medicina, especialmente para el tratamiento de la malaria. La quina, que ya era un producto menor de exportación durante la Colonia, había languidecido en los primeros años de la posindependencia, durante los cuales Bolivia se convirtió en la principal fuente de abastecimiento. Pero las favorables condiciones de mercado de mediados del siglo llevaron a los empresarios colombianos a volver a las exportaciones de quina, esta vez a gran escala, y durante los siguientes treinta años lograron dominar el mercado. Se trataba de una típica industria extractiva, en la cual equipos de recolectores, que generalmente trabajaban para comerciantes especuladores, recorrían áreas inmensas de bosque en Santander y otras regiones para arrancar las cortezas de los árboles de chinchona. A comienzos de la década de 1880, la quina se convirtió por poco tiempo en el más importante producto de exportación, al dar cuenta de un 31% del valor total, para luego caer más rápida y fulminantemente que el tabaco, hacia finales de la misma década. La causa inmediata fue la competencia de las plantaciones recientemente establecidas en la India y el sureste de Asia. Infortunadamente, el método de explotación en Colombia era tal, que la producción sólo podía satisfacer la creciente demanda internacional destruyendo continuamente el recurso mismo. Y a pesar de que algunos productores intentaron cultivar quina utilizando el sistema de plantación, no lograron soportar la competencia de los productores asiáticos.

Otras dos bonanzas de corta vida fueron las del algodón y el añil. Desde la Colonia, había antecedentes de producción y exportación de algodón en la región costera del Caribe, pero no había sido un producto importante durante las primeras décadas de vida independiente. La guerra civil de los Estados Unidos (1861-1865), sin embargo, creó una repentina escasez y un brusco aumento de los precios, que los productores colombianos trataron de aprovechar. Pero como su fibra era en general de menor calidad, no pudo competir cuando las condiciones de los mercados algodoneros volvieron a la normalidad. El añil también tenía una larga historia de producción, principalmente para uso local como tintura. A medida que el algodón dejaba de ser artículo importante, el añil se convirtió por poco tiempo en un renglón principal de exportación, como resultado de los disturbios ocurridos en las regiones productoras de la India, que hasta entonces había sido el principal proveedor. Se organizaron plantaciones en varias partes del país con el fin de aprovechar esta inesperada oportunidad y, a comienzos de los 80, el añil representaba casi un 7% de la totalidad de las exportaciones. Pero los productores locales nunca juzgaron necesario invertir en sistemas de riego y fertilizantes adecuados ni en una administración científica de los cultivos, de manera que la industria se estableciera de manera permanente, y pronto, al igual que el algodón, el añil decayó. Esta fue otra de las instancias en las que los colombianos lograban detectar condiciones favorables de mercados, entraban a explotarlas y eran incapaces de adoptar las medidas necesarias para dar a la industria una significación a largo plazo dentro de la economía nacional. El economista José Antonio Ocampo ha alegado, con certeza, que la mentalidad especulativa que tal modelo revela no era del todo irracional[27]. Con los altos costos del transporte y lo inadecuado de la infraestructura, para no mencionar las incertidumbres políticas, los inversionistas bien podían tener buenas razones para no establecer compromisos a largo plazo.

Además, hubo dos áreas en las cuales se sentaron las bases para una expansión más duradera. Una de ellas fue la ganadería. Grandes terratenientes habían introducido pastos artificiales y alambre de púas, así como otras mejoras, que condujeron a un gran aumento en el número de cabezas de ganado durante la segunda mitad del siglo, con cierto impacto en el comercio exterior a través de ventas de cueros y de ganado en pie (este último principalmente a Venezuela). Todavía más importante fue el café, cuyo cultivo se expandió rápidamente. Hacia el final de los años 70 había alcanzado el primer lugar en las exportaciones de productos agrícolas, aunque superaba sólo por estrecho margen a la quina y al tabaco. El cultivo para exportación se hizo importante ante todo en el noreste de Santander (lo que hoy es el departamento de Norte de Santander), de donde se sacaba por la ruta del río Zulia hacia el puerto venezolano de Maracaibo. Más tarde, Cundinamarca se convirtió en productor importante. En ambos estados los pioneros de la exportación de café eran grandes propietarios, cuyas plantaciones generalmente funcionaban con base en alguna combinación de trabajo asalariado y arriendos, o aparcería; pero especialmente en Santander, las pequeñas fincas familiares también cultivaban café, con lo cual anticiparon el patrón que finalmente sería el dominante en la industria cafetera colombiana.

A pesar del auge de las exportaciones de productos agrícolas, los metales preciosos siguieron siendo importantes en el comercio exterior. Representaban una porción que tendía a ser cada vez menor (un poco menos de 25% a finales del siglo XIX), solamente porque el valor total de las exportaciones estaba creciendo más rápidamente. Como ya se dijo, sin embargo, el incremento de las exportaciones *per cápita* no era demasiado notable: de un deprimido nivel de $1.88 dólares a mediados de la década de 1830 pasó a $3.28 en 1855 y a $4.77 en 1880. Los datos tampoco son dignos de mención dentro de una perspectiva latinoamericana, puesto que en 1880 Venezuela exportaba $6.38 *per cápita*; Brasil, $8.53, y Argentina $31.69; en 1884 la colonia española de Cuba exportaba $45.91[28]. El aparente éxito de la estrategia de crecimiento del país, que consistía en la orientación hacia afuera, debe entonces describirse como un fenómeno casi superficial. La economía de exportación era frágil y padeció una depresión a mediados de la década del 70 (con la guerra civil de 1876 como factor agravante) y, posteriormente, la «depresión severa» —en términos de Ocampo— que se inició en 1883. La depresión reflejó una temporal nivelación por lo bajo en la expansión del café, junto con el colapso definitivo de las exportaciones de quina y el deterioro de los términos internacionales del comercio[29]. Estos hechos, junto con los permanentes vaivenes que dominaban la producción y comercialización de muchos productos, hicieron que algunos colombianos se tornaran cada vez más escépticos sobre la estrategia económica escogida, así como sobre el marco político dentro del cual se intentaba ponerla en práctica.

El éxito alcanzado por la promoción de las exportaciones fue a la vez causa y efecto de modestas y necesarias mejoras en la infraestructura del país. El ejemplo más evidente fue la construcción de ferrocarriles. El ferrocarril de Panamá se terminó en 1856 y durante el período de predominio liberal (entre los años 60 y 1885) se iniciaron las obras de otros nueve (ver Apéndice C).

Estas vías férreas tenían algunas características comunes.

Todas eran cortas, si se considera su longitud total (por ejemplo, 27 km en la ruta Barranquilla-Sabanilla), o la parte que para 1885 ya estaba terminada (por ejemplo, 38 km hacia el oeste del río Magdalena en el ferrocarril de Antioquia). Casi todas fueron construidas por el esfuerzo conjunto de colombianos y extranjeros; el más importante promotor foráneo de los ferrocarriles fue el ciudadano norteamericano nacido en Cuba Francisco J. Cisneros. Los ferrocarriles fueron financiados con la ayuda de una mezcla variable de subsidios y privilegios concedidos por los estados o las autoridades federales. No estaban conectados entre sí, aunque la línea de Girardot y el ferrocarril de la Sabana, de Bogotá a Facatativá, acabaron por unirse. La mayoría se consideraban auxiliares del transporte por el río Magdalena, aunque el de Santa Marta nunca llegó tan lejos. En mayor o menor grado, todos los ferrocarriles fueron diseñados para facilitar la expansión del comercio externo. La línea que unía a Barranquilla con Sabanilla, de hecho, no tenía ninguna otra razón de existir.

Los fragmentos ferroviarios de Colombia eran casi insignificantes si se los compara con las redes que otros países, como México y Argentina, estaban tendiendo en la misma época. La dificultad que presentaba el terreno que la mayoría de las líneas tenían que cubrir hacía que su construcción fuera inevitablemente costosa, sobre todo en relación con la posible carga que sería transportada por aquéllas. No sorprende que los ferrocarriles de Barranquilla-Sabanilla y La Dorada, que no tenían que ascender las montañas y que además complementaban directamente el sistema del río Magdalena, fueran los más rentables. Pero en todo caso Colombia, al igual que la mayoría del mundo durante la segunda mitad del siglo XIX, fue arrastrada por el entusiasmo y el romanticismo inherentes a la construcción de carrileras, hasta el punto de que los líderes del país daban por sentado que las vías férreas serían la llave que permitiría la entrada de Colombia al mundo moderno. Como consecuencia, la construcción de carreteras quedó relegada a un segundo plano. Una carretera apropiada para vehículos de ruedas se construyó durante la década de 1870 entre Medellín y Barbosa, población ésta situada dentro del mismo valle. Hacia 1885, la carretera de Bogotá a Facatativá se extendió hasta Cambao (sobre el Magdalena), aunque no era verdaderamente adecuada. En cuanto a infraestructura del transporte tampoco logró hacerse gran cosa. Fue mucho más fácil, afortunadamente, introducir el telégrafo que tender redes apropiadas de carreteras y ferrocarriles, pues los cables escalaban montañas y salvaban precipicios con relativa facilidad. El primer mensaje telegráfico se recibió en Bogotá en 1865 y el servicio se extendió prontamente a otras ciudades importantes. Dos años después se completó la conexión con Nueva York a través de un cable submarino.

Se produjeron también algunos avances con miras a la superación de las deficiencias de la infraestructura financiera. Hasta la mitad del siglo, Colombia careció de un sistema bancario formal. Algunas instituciones religiosas hacían préstamos hipotecarios y comerciantes especuladores prestaban dinero a alto interés, pero los bancos, tal como ya se conocían en economías más desarrolladas, simplemente no existían. Tanto la escasez de capital líquido como el bajo volumen de transacciones y la incertidumbre política conspiraban contra el establecimiento de instituciones bancarias. Un intento inicial para crear de un banco en Bogotá había fracasado poco después de la Guerra de los Supremos, en medio de una racha de operaciones especulativas. Las cajas de ahorros, concebidas en principio para prestar sus servicios a los artesanos urbanos, aparecieron en la década de los 40 en varias ciudades y resultaron relativamente exitosas, pero finalmente no lograron satisfacer las necesidades del comercio y la industria. El intento, llevado a cabo en 1864, de abrir una sucursal del Banco de Londres, México y América del Sur terminó en fracaso. Pero en 1870 se inauguró la primera entidad bancaria permanente del país, el Banco de Bogotá, cuyo grupo fundador contaba con exportadores. Entre los primeros clientes del banco había un individuo desconfiado que cada semana pasaba por la institución y hacía que el cajero contara el dinero que había depositado en la cuenta, para cerciorarse de que todavía estaba allí. Tal falta de confianza era comprensible por la novedad del sistema, pero fue pronto superada con la apertura de otros bancos que no solamente operaban en la capital.

El desarrollo de la producción de bienes para el mercado internacional constituyó igualmente un factor importante, aunque no fue el único, en lo que respecta al flujo continuo de población (como ya había ocurrido en Antioquia) desde los altiplanos hacia las laderas de altitud media e incluso hasta las llanuras de tierra caliente. El café, que crecía mejor entre 800 y 1.800 metros, ejemplificó claramente el proceso, pero se puede afirmar lo mismo en relación con otros bienes de exportación. También hubo migración relacionada con la expansión de la ganadería, actividad que muchas veces tenía lugar en elevaciones bajas o medianas, y hasta con la expansión de nuevas cosechas. Sea cual fuere el incentivo, el movimiento de colonos destinado a ocupar las laderas poco habitadas tuvo como resultado incidental la gradual reducción de las zonas libres, que antes servían como escape para el crecimiento demográfico y como alternativa al trabajo en haciendas para la clase laboriosa rural. De hecho, muchos terratenientes se apropiaban, legal o ilegalmente, de franjas de tierra de propiedad pública más extensas de lo que necesitaban para la producción, por lo menos en parte con el fin de asegurarse mano de obra para sus haciendas.

Ninguno de los bienes de exportación era producido con base en un sistema rígidamente capitalista de asalariados. Tanto las fluctuaciones estacionales en la demanda de mano de obra como la permanente inestabilidad del suministro de la misma, requerían la combinación de la forma salarial con otros métodos. Esta es apenas una de las razones por las cuales es casi imposible saber con certeza, o hasta qué punto, el nivel de vida promedio de las masas rurales se vio afectado por los cambios económicos; tal vez la mejor respuesta es que no fue muy afectado. Hubo, es verdad, una relativa expansión del sistema de grandes propiedades, y la remuneración de los trabajadores, en cualquiera de las formas existentes, raramente fue generosa. Aun así, cuando el crecimiento demográfico y la constante subdivisión de lotes campesinos en áreas ocupadas desde hacía tiempo obligaron a los campesinos a movilizarse en busca de oportunidades, por ejemplo de Boyacá al valle del Magdalena, lo más probable es que les iba mejor partiendo que permaneciendo en el lugar.

A pesar de la sucesión de *booms* en las exportaciones, la producción para el consumo interno continuó siendo mucho mayor que la destinada al exterior; pero de todas maneras estaba lejos de tener la misma importancia como motor de cambio en la economía general. La población continuó siendo esencialmente rural y no urbana. No obstante, en la segunda mitad del siglo se percibió una leve aceleración de la expansión urbana. Entre los censos de 1851 y 1870 la población de Medellín creció hasta duplicarse, y Bogotá, que en 1876 recibió iluminación de gas y a comienzos de la década siguiente tranvías de caballos, a finales del siglo había superado los 100.000 habitantes. En otros lugares el crecimiento demográfico era menos espectacular, pero la tasa urbana igualaba la de la población en general, lo cual no había ocurrido en los veinticinco años posteriores a la Independencia y probablemente la excedió por un pequeño margen.

La aceleración del comercio de importación y exportación impulsó el crecimiento de centros comerciales como Buca-ramanga y Cúcuta, que se beneficiaban del comercio del café santandereano, para no mencionar a Barranquilla, término de la ruta fluvial del Magdalena. El comercio exterior contribuyó, así mismo, al desarrollo de Bogotá y Medellín, aunque el auge de Medellín como núcleo cafetero llegaría sólo a comienzos del siglo XX, y Bogotá era más importante como mercado para las importaciones que como punto de origen para las exportaciones. Lo que más contribuyó al crecimiento de Bogotá fue, desde luego, el hecho de ser centro de suministro de servicios gubernamentales y de otro tipo. Unas pocas fábricas pequeñas, de chocolate, cerillas y productos similares, surgieron en la capital, apoyadas principalmente en mano de obra femenina; pero aquí, como en otras partes del país, casi todas las manufacturas funcionaban todavía en la modalidad artesanal.

Los artesanos locales, tanto urbanos como rurales, se mantenían, aunque con dificultad, contra la competencia de las importaciones, gracias a los altos precios del transporte y a su propia capacidad de sobrevivir, bien restringiendo el consumo propio, bien dedicándose a otras ocupaciones. Más aún, a pesar de las apariencias, todavía gozaban de cierta protección arancelaria. Casi hasta el final de la era liberal, los gobiernos estuvieron comprometidos con los aranceles bajos y la promoción del comercio internacional como principal motor del crecimiento. Pero de todas maneras era preciso conservar algunos aranceles para mantener los ingresos, y aunque las tarifas eran generalmente moderadas, afectaban de manera apreciable el costo de los productos importados. La decisión de imponer tributos a varios tipos de mercancías importadas con base en el peso y no en el valor declarado, adoptada en 1861 como medio para simplificar la recolección y reducir el fraude, hizo más oneroso el impacto de los derechos sobre telas burdas y baratas, así como otros bienes de consumo popular, mientras favorecía notablemente a los consumidores de artículos de lujo. Aunque no fuera la intención de los legisladores, el método de tasación protegía a los artesanos, cuya producción se concentraba en esos renglones más baratos. La producción textil nacional, por lo tanto, no se redujo; las importaciones cubrieron solamente el aumento de la demanda determinado por el crecimiento demográfico y los nuevos gustos del consumidor.

Luego de la elección de Rafael Núñez como Presidente en 1880, el proteccionismo rudimentario de los años 60 y 70 se volvería ostensible, como parte del nuevo activismo oficial en asuntos económicos. Como se verá en el próximo capítulo, este cambio tuvo algo más de forma que de contenido sustancial. De manera parecida, los liberales radicales que controlaron la administración durante la mayor parte de la existencia de la Constitución de 1863 no practicaron de modo consistente las doctrinas de no intervención del liberalismo clásico. No solamente dejaron a los artesanos la protección descrita anteriormente, sino que también subsidiaron la construcción de los ferrocarriles y trataron de construir un sistema de educación pública; además, colaboraron con su adversario Mosquera en el despojo de la Iglesia. Al mismo tiempo, practicaron un estilo de administración, por lo menos a escala nacional, que generalmente fue ordenado y bien intencionado. Infortunadamente, avanzaron muy poco en la creación de una nación verdaderamente unificada, en un país todavía marcado por grandes diferencias sociales y regionales.

Notas

1. Luis Eduardo Nieto Arteta, *Economía y cultura en la historia de Colombia,* 5ª edición, Bogotá, 1975, p. 247.

2. Antonio Cacua Prada, *Don Mariano Ospina Rodríguez, fundador del conservatismo colombiano,* Bogotá, 1985, p. 23.

3. José Antonio Ocampo, *Colombia y la economía mundial, 1830-1910,* Bogotá, 1984, pp. 100, 203-254.

4. René de la Pedraja Toman, «Los cosecheros de Ambalema: un esbozo preliminar», *Anuario colombiano de historia social y de la cultura,* 9, 1979, pp. 39-61, enfatiza los efectos negativos de los cambios en la industria del tabaco sobre los propios cultivadores. Una evaluación más positiva es la de Miguel Samper, uno de los apóstoles colombianos del liberalismo económico clásico en el siglo XIX, en *Escritos político-económicos,* 3 vols., Bogotá, 1925-1926, t. 1, pp. 35-36.

5. Ver William Paul McGreevey, *Historia económica de Colombia, 1845-1930,* Bogotá, 1975, p. 143, y Glenn Thomas Curry, «The Disappearance of the Resguardos Indígenas of Cundinamarca, Colombia, 1800-1863», Tesis Doctoral, Vanderbilt University, 1981, en especial pp. 205-206.

6. Margarita González, *Ensayos de historia colombiana,* Bogotá, 1977, p. 330.

7. *El eco de los Andes,* Bogotá, 10 de agosto de 1852; Carlos Restrepo Piedrahíta, *Constituciones de la primera república liberal, 1853-1866,* 2 vols., Bogotá, 1979, t. 1, pp. 173-178; *Informe que presenta el gobernador provincial de Vélez, en sus sesiones de 1855,* t. 2, p. 8.

8. *El Suramericano,* Bogotá, 27 de septiembre de 1849.

9. James L. Payne, *Patterns of Conflict in Colombia,* New Haven, Conn., 1968, p. 120 (cuadro).

10. David Lee Sowell, *The Early Latin American Labor Movement: Artisans and Politics in Bogotá, 1832-1919,* Filadelfia, 1992, pp. 74-75.

11. David Bushnell, «Voter Participation in the Colombian Election of 1856», *Hispanic American Historical Review,* 51, No. 2, mayo de 1971, p. 242.

12. Se debe suponer que por lo menos algunos de los votos por «otros» quedaron sin tabular, pero de todas maneras su número total sería insignificante.

13. Payne, *Patterns of Conflict,* pp. 146-152. La discusión de Payne se refiere al siglo XX, pero es igualmente válida para el siglo XIX.

14. Frank Safford, «Politics, Ideology and Society in Post-independence Spanish America» en: *The Cambridge History of Latin America,* Leslie Bethell, ed., Cambridge, Inglaterra, 1984, t. 3, p. 413.

15. David Church Johnson, *Santander siglo XIX: cambios socio-económicos,* Bogotá, 1984, pp. 47-114.

16. Robert J, Knowlton, «Expropiación de los bienes de la Iglesia en el siglo XIX en México y Colombia: una comparación», en *El siglo XIX en Colombia visto por historiadores norteamericanos,* Bogotá, 1977, pp. 29-56.

17. Jorge Villegas, *Colombia: enfrentamiento Iglesia-Estado, 1819-1887,* Medellín, 1977, p. 82. Los archivos disponibles no permiten mayor precisión. La cifra de 12.000.000 de pesos que Villegas menciona en otra parte de su libro (29-31) y que aparece también en otros trabajos, incluye ciertas propiedades no eclesiásticas expropiadas por el mismo decreto.

18. Patricia Londoño, «Mosaico de antioqueñas del siglo XIX», *Revista de estudios colombianos,* 5, 1988, p. 31.

19. David Bushnell, «Elecciones presidenciales, 1863-1883», *Revista de extensión cultural,* Universidad Nacional de Colombia, Sede de Medellín, 18, diciembre de 1984, p. 48.

20. Malcolm Deas, «The Fiscal Problems of Nineteenth-Century Colombia», *Journal of Latin American Studies,* 14, No. 2, noviembre de 1982, p. 305.

21. Indalecio Liévano Aguirre, *El proceso de Mosquera ante el Senado,* Bogotá, 1966.

22. Marco Palacios, *Estado y clases sociales en Colombia,* Bogotá, 1986, p. 116.

23. Citado por Antonio García Isaza, «Reflexiones sobre nuestro radicalismo y tradicionalismo en el siglo XIX», *Boletín de historia y antigüedades,* 75, No. 760, enero-marzo de 1988, p. 105.

24. Jaime Jaramillo Uribe, «El proceso de la educación en la República (1830-1886)», en *Nueva historia de Colombia,* 8 vols., Bogotá, 1989, t. 2, p. 232. Estos datos corresponden específicamente al año de 1870.

25. José Antonio Ocampo, ed., *Historia económica de Colombia,* Bogotá, 1987, pp. 125-126. Las estadísticas oficiales, desde luego, no deben considerarse como totalmente exactas. Jane M. Loy, «Primary Education during the Colombian Federation: The School Reform of 1870», *Hispanic American Historical Review,* 51, No. 2, mayo de 1971, p. 288, presenta cifras ligeramente diferentes, pero que de todas maneras reflejan un notable aumento en el número de matriculados.

26. Ocampo, *Historia económica,* p. 141-143, y *Colombia y la economía mundial,* pp. 84, 89.

27. Ocampo, *Colombia y la economía mundial,* p. 63.

28. David Bushnell y Neill Macaulay, *El nacimiento de los países latinoamericanos,* Madrid, 1989, p. 301. Valores en dólares de 1880.

29. Ocampo, *Colombia y la economía mundial,* p. 113.

Capítulo 6

La Regeneración y su secuela: una reacción positivista y conservadora (1885-1904)

El período del predominio liberal en Colombia llegó a su fin en la penúltima década del siglo XIX. Factores tales como los excesos de las administraciones liberales en relación con la Iglesia, el federalismo a ultranza (que debilitó el orden público) y las crecientes dudas a propósito de las políticas económicas liberales, contribuyeron al inevitable despertar de la reacción. Las luchas contra la Iglesia impedían el apoyo sincero de una población abrumadoramente católica, mientras el federalismo —tanto resultado como causa de la lamentable debilidad del Estado colombiano— había empeorado una situación ya delicada. En cuanto a los asuntos económicos, el régimen liberal había perseguido abiertamente la integración de la economía colombiana a los mercados internacionales como elemento clave para el crecimiento continuo y había supuesto que la empresa privada produciría espontáneamente su propio crecimiento si se liberaba a los individuos de restricciones arbitrarias. Mientras los productos de exportación se comportaran bien, el sistema parecía estar justificado. Pero cuando finalmente se debilitó la demanda de productos colombianos en el exterior, el resultado fue cierta pérdida de confianza entre los sectores liberales y un impulso en el vigor crítico de sus detractores. La crisis de los mercados internacionales pudo no haber sido la causa principal del descontento, pero en muchos sentidos fue la gota que rebosó la copa.

El programa de Núñez y Caro: orden, progreso y tradición

El hombre que convocaría finalmente una coalición exitosa como oposición al establecimiento liberal fue el doctor Rafael Núñez. En la década de 1850 había sido un liberal doctrinario, pero su pensamiento evolucionó constantemente hasta que en el punto máximo de su trayectoria llegó a representar la manifestación colombiana de la escuela de pensamiento «positivista», que tanta influencia ejerció en toda América Latina durante los últimos años del siglo XIX y los primeros del XX. Núñez no era positivista en el sentido estricto, aunque sin duda se sentía atraído por pensadores británicos positivistas y social-darwinistas, especialmente Herbert Spencer. La asociación de Núñez con los positivistas reside principalmente, en un sentido amplio, en el rechazo a ideologías abstractas (liberales, conservadoras o de cualquier otro tipo) y la consecuente predilección por la concentración *práctica* en las metas del orden y el progreso. Núñez evidenciaba la influencia de Spencer especialmente en su preocupación por la sociedad como organismo complejo y en evolución que puede ser manipulado pero cuya transformación es imposible de la noche a la mañana[1].

El pensador buscó reformar la Constitución de 1863 porque sentía que ésta había fortalecido de tal manera los estados y debilitado al ejecutivo nacional, que impedía cualquier administración efectiva: la Carta era una creación ideal que nada tenía que ver con la realidad colombiana. Aunque en el aspecto religioso Núñez era un libre pensador, estaba convencido de que se debería negociar un arreglo amistoso entre la Iglesia y el Estado. Puesto que la Iglesia Católica Romana, para bien o para mal, formaba parte integral del organismo social colombiano, Núñez pensaba que la única alternativa viable era aceptar su presencia y concederle una posición especial, de poder e influencia. En efecto, la Iglesia debía ser usada de manera inteligente, para promover la moralidad y la disciplina social. Finalmente, Núñez pedía cambios en las políticas económicas, que incluían una mayor actividad del Estado. Probablemente, la más clara ilustración de sus ideas al respecto es su creencia de que el gobierno debía promover la industria nacional a través de formas de protección como los aranceles. Los críticos de Núñez interpretaban su clamor por tarifas más altas como simple táctica para ganar los votos de los artesanos, y encontraban explicaciones similares para los demás puntos en los que Núñez se alejaba del estricto credo del *laissez faire* económico. Pero cualesquiera que hayan sido sus motivos, su separación de tal credo es otra indicación más del pragmatismo y la falta de prejuicios doctrinarios que hicieron de Núñez un «positivista» en el sentido amplio anteriormente descrito.

A menudo se ha dicho que Núñez «se volvió conservador». Entre los liberales colombianos esta fue la manera de decir que había traicionado a su partido, acusación que yace en el centro de la polémica partidista que se levantó a propósito del reformador y de su vida política. La acusación no es, sin embargo, técnicamente correcta, por más que Núñez, aunque no lo hubiera querido, hubiese contribuido al predominio conservador en Colombia desde finales del siglo XIX hasta 1930. Durante los años 70, como publicista y activo político con muchos seguidores en su nativa costa Atlántica, Núñez surgió como líder de la facción independiente del Partido Liberal, en oposición a los radicales, quienes, además de controlar el gobierno nacional, perseguían la pureza doctrinal (que no siempre practicaron). Como se anotó en el capítulo anterior, en la división interna del partido jugaba el elemento regional, toda vez que los bastiones de los radicales estaban en los estados de Boyacá, Cundinamarca y Santander, mientras los independientes eran mucho más fuertes en la costa y el Cauca (en este caso gracias a la alianza con los seguidores del ex presidente Mosquera).

Núñez no logró la presidencia en su primer intento de 1876, pero finalmente la obtuvo para el período de 1880 a 1882, con el voto combinado de los liberales independientes y los conservadores, para quienes Núñez era una alternativa ante la amenaza radical. Como Presidente, logró ampliar la autoridad del ejecutivo nacional a través de ciertas medidas; de igual manera, subieron los aranceles, para satisfacción de los artesanos de ambos partidos que habían apoyado su coalición. Pero la total institucionalización de los cambios que Núñez proponía, fundamentales para la «regeneración» de Colombia desde su propio punto de vista, requerían la reforma de la Constitución (el lema de Núñez era «¡regeneración o catástrofe!»). Para tal reforma se necesitaba el consentimiento unánime de todos los estados. Mientras dominaran en uno solo, los radicales podían bloquear las propuestas de Núñez; y en realidad controlaban más de un estado. Estos liberales admitían que muchas de las críticas de Núñez al sistema de gobierno eran válidas, pero desconfiaban de él, en parte por su alianza con los conservadores; la desconfianza llevó a los radicales, entonces, a obstruir las propuestas de cambio.

Después de los dos años de espera estipulados por la Constitución para optar a la reelección, Núñez volvió a la Presidencia en 1884. Esta vez tuvo suerte; en 1885, temiendo que Núñez planeara reformas que desafiaran la Constitución, los radicales lanzaron una revuelta contra el Presidente, que fue rápidamente eliminada, con gran ayuda conservadora. Este desenlace de los hechos dio a Núñez el pretexto perfecto para anunciar abiertamente: «¡Señores! La constitución de 1863 ha dejado de existir!»[2]; también aumentó su dependencia del apoyo conservador, pero de todas maneras Núñez evitó hacerse miembro de tal partido y más bien intentó formar uno nuevo, llamado Nacional, con los independientes que lo apoyaban junto con algunos conservadores de ideas similares. Una mayoría de los liberales, por su parte, prefirió reforzar su oposición a Núñez y a todo lo que el Presidente defendía antes que unirse al nuevo partido, en el cual consecuentemente predominaron cada vez más los ex conservadores y no los liberales. Después de la muerte de Núñez, en 1894, el Partido Nacional se convertiría en poco más que una facción del Partido Conservador.

Aunque el fracaso del tercer partido fue evidente —como ocurrió cada vez que algo similar se intentó—, Núñez logró casi todos sus objetivos. Sus puntos de vista están contenidos en la Constitución de 1886, que se mantuvo, aunque con numerosas reformas, hasta 1991. El autor principal de la Carta fue uno de los colaboradores conservadores de Núñez, Miguel Antonio Caro, estudioso de los clásicos, inflexible defensor de los valores tradicionales católicos y ferviente admirador de la herencia colonial española. Pero no hay evidencias de desacuerdos fundamentales entre Núñez y Caro en lo que respecta al estilo de gobierno. La nueva Constitución era rígidamente centralista: los estados, que pasaron a llamarse departamentos, retuvieron asambleas elegidas con poderes regionales limitados, pero sus gobernadores, que a su vez nombrarían a los alcaldes, serían designados directamente por el Presidente. El partido que obtuviera el control de la Presidencia podría así extender el monopolio absoluto del poder ejecutivo en todo nivel. Estas reformas tenían cierto parecido con el sistema que se estableció en 1832 para la Nueva Granada, pero en aquel entonces el sistema bipartidista era tan incipiente que las implicaciones fueron distintas. Ahora las divisiones estaban claramente marcadas; la total exclusión de uno de los partidos nacionales evidentemente exacerbaría el sectarismo político y, de manera indirecta, aumentaría las probabilidades de violencia entre los partidos. La nueva Constitución reforzó aún más la Presidencia al extender el período de gobierno a seis años y autorizar la reelección inmediata. Una vez más se limitó el sufragio universal masculino, por medio de la imposición del requisito de alfabetismo para las elecciones nacionales (no para las locales), y las garantías de las libertades civiles fueron planteadas de manera mucho menos terminante que en 1863. Finalmente, se restableció la pena de muerte.

La contribución de Núñez a la causa de la unificación nacional no consistió exclusivamente en la redacción de una nueva Constitución que reforzaba el ejecutivo nacional, sumada a la formación de un nuevo partido que, aunque reconocidamente efímero, se había presentado como alternativa que superaba las disputas entre liberales y conservadores. También fue simbólica, al dar a sus compatriotas un Himno Nacional. El hecho de que a tales alturas del siglo Colombia no tuviera un símbolo musical aglutinador era tal vez otro de los signos de la relativa debilidad del sentimiento nacional (el himno venezolano, por el contrario, databa de la época de la Independencia). Núñez, que entre otras cosas era también poeta, escribió la letra del himno, y la música estuvo a cargo de un maestro italiano residente en Bogotá. El coro del cántico, si bien abstracto, es conmovedor:

> *¡Oh gloria inmarcesible!*
> *¡Oh júbilo inmortal!*
> *En surcos de dolores*
> *el bien germina ya.*

En la primera estrofa, a manera de celebración de la Independencia de España, Núñez incluyó las líneas «La humanidad entera, que entre cadenas gime, comprende las palabras del que murió en la cruz». Este intento de asociar el nacimiento de la nación colombiana con las enseñanzas de Cristo bien puede ser históricamente traído de los cabellos, pero no más que el clamor que a mediados del siglo XIX elevaran los reformistas liberales al «Mártir del Gólgota»; en todo caso, lo que reclamaba el «Regenerador» era una versión más ortodoxa de la cristiandad católica. En mayor medida aún que sus planteamientos políticos, la actitud de Núñez frente a la cuestión religiosa representaba una tajante reacción contra la que había predominado en la época inmediatamente anterior. Algunas de sus ideas se hicieron patentes en la Constitución de 1886; el resto pasó a formar parte del Concordato establecido con el Vaticano en 1887. La tolerancia religiosa permaneció vigente y no se restablecieron los diezmos obligatorios; en todos los demás aspectos, las reformas liberales fueron echadas atrás. Las propiedades expropiadas a la Iglesia que todavía permanecían en manos del gobierno regresaron a su anterior dueña, y ésta recibió indemnizaciones por las que habían pasado a manos de terceros y por lo tanto no podían ya ser devueltas. Las órdenes religiosas, entre ellas la jesuita, volvieron a la legalidad y se restableció una versión reducida del *fuero eclesiástico*. La Constitución, además, contenía una provisión según la cual la educación pública debería en adelante atenerse a los dictámenes de la religión católica; esta provisión fue interpretada en la práctica de manera que el clero adquirió el poder de veto en cuanto a los textos escolares, el pensum y el nombramiento de maestros. El artículo más desconcertante del Concordato era el que declaraba la validez pasada y presente de todos los matrimonios católicos, sin excepción. El primer matrimonio del propio presidente Núñez fue rehabilitado, y por lo tanto su divorcio y subsecuente matrimonio civil quedaron anulados. La primera dama de la nación, de esta manera, pasó de ser esposa del Presidente a mera concubina. Este era el precio que Núñez estaba dispuesto a pagar a cambio de la tranquilidad religiosa. Afortunadamente para la pareja presidencial, la primera esposa de Núñez murió poco tiempo después, lo cual le permitió a éste normalizar su situación con la bendición de la Iglesia.

Desde una perspectiva hemisférica, las políticas religiosas de Núñez evocan las de la dictadura de orientación positivista de Porfirio Díaz en México, que de manera muy similar frenó las reformas anticlericales que Benito Juárez y otros liberales mexicanos llevaran a cabo a mediados del siglo. En México, sin embargo, las reformas no fueron eliminadas, sino que se convirtieron poco a poco en letra muerta mientras la dictadura forjaba su propio acercamiento a la Iglesia. El objetivo de evitar que las controversias religiosas marcaran los debates políticos, de manera que éstos pudieran dedicarse a otros asuntos, era muy claro en ambos casos, pero solamente Núñez estableció una alianza explícita con los conservadores, quienes obtuvieron así el restablecimiento formal de los poderes y privilegios de la Iglesia Católica. Los conservadores mexicanos se habían desacreditado por su asociación con el imperio de Maximiliano y la intervención francesa; su contraparte colombiana no había cometido una traición comparable.

Aunque sus políticas y programas económicos no fueron tan amplios como los de la dictadura de Díaz en México, Núñez también llevó a cabo varias innovaciones en este campo (iniciadas en su primera presidencia, como ya se anotó). La importancia fundamental de las medidas económicas de Núñez es menos evidente que la de las religiosas y políticas. El aumento de los aranceles ayudó sin duda a los artesanos, pero el proteccionismo oficial no fue lo suficientemente sistemático como para estimular una verdadera industrialización. La creación del banco oficial, llamado Banco Nacional, que también data del primer período presidencial de Núñez, llevó a la primera emisión de papel moneda por parte del gobierno colombiano, que a la larga sustituiría los billetes que habían venido emitiendo instituciones financieras privadas. El Banco Nacional en realidad emitió un poco más de la cuenta, lo que tuvo unos moderados efectos inflacionarios. Tanto la oposición liberal como una disidencia conservadora atacaron las políticas monetarias del gobierno de la Regeneración, argumentando un evidente alejamiento de la ortodoxia teórica y una amenaza a las posibilidades de crédito internacional para el país (que de hecho no eran notablemente altas). Además, estas prácticas gubernamentales incomodaron a algunos individuos, puesto que los salarios tendían, como es normal, a aumentar menos que los precios y los acreedores no querían aceptar dinero depreciado como pago de las deudas. Al mismo tiempo, al causar un descenso en el valor del peso en relación con las monedas extranjeras, la inflación doméstica —bastante moderada por cierto— determinó que los precios de las importaciones aumentaran, cosa que provocó la ira de los importadores pero a la vez reconfortó a los artesanos locales. Por otra parte, el proceso de depreciación de la moneda nacional tendía a mejorar la posición competitiva de las exportaciones colombianas en el mercado mundial y, de acuerdo con la tesis de algunos estudiosos, contribuyó a aumentar notablemente las ventas de café, producto que se había consolidado a la cabeza de las exportaciones. Las evidencias en este sentido no son concluyentes, sin embargo[3]; además, Colombia no alcanzó su liderazgo —después de Brasil— en el mercado mudial del café en este período, sino en la segunda década del siglo siguiente.

Como una consecuencia fiscal de la centralización política, el gobierno nacional recuperó el control sobre algunos de los ingresos que anteriormente recaudaban los estados. También ideó nuevos impuestos, entre ellos el de exportación de café, amargamente criticado por ser un supuesto tropiezo en la integración de Colombia a los mercados mundiales. El tributo referido fue instituido sólo después de la muerte de Núñez; pero éste estaba tan empeñado como sus colaboradores en generar nuevos ingresos, porque veía la necesidad de aumentar la participación del gobierno como promotor de ferrocarriles y obras públicas, con el fin de remediar la penosa insuficiencia de la infraestructura económica del país. Sin embargo, el nuevo régimen nunca pudo generar recursos suficientes para alcanzar verdaderos avances en este sentido. Un pequeño logro fue la terminación del primer ferrocarril que llegaba hasta Bogotá; pero éste solamente se extendía 40 kilómetros a lo largo de la Sabana, uniendo a la capital con Facatativá. El equipo para la construcción, incluidos rieles y locomotoras desarmadas, había arribado con gran dificultad a Bogotá desde el río Magdalena, por un camino primitivo. Otras líneas férreas que se habían iniciado antes avanzaron también y la línea de Cúcuta al Zulia, por ejemplo, se terminó en 1888. Pero la compañía francesa encargada del Canal de Panamá entró en bancarrota en 1889 sin haber concluido siquiera la mitad de la obra. En fin, aparte de la política monetaria y a pesar del compromiso de Núñez de hacer del Estado un ente más activo, no hubo un verdadero rompimiento económico con la precedente era liberal. Tanto las condiciones del mercado mundial como las características básicas de la topografía y los recursos físicos colombianos continuaron determinando la evolución de la producción y del comercio, en mucho mayor grado de lo que el gobierno hiciera o dejara de hacer.

Si bien hubo un limitado progreso en la modernización del sistema básico de transporte, empezaron a aparecer algunas comodidades en las ciudades y pueblos más importantes, generalmente como resultado de la iniciativa privada, aunque con el estímulo de las autoridades locales. Los cambios eran apreciables sobre todo en Bogotá, donde los primeros teléfonos empezaron a funcionar en 1884, y unos seis años después se instaló el alumbrado eléctrico (para complementar el de gas, utilizado desde hacía algún tiempo). Durante el mismo período, una compañía privada contratada por la municipalidad construyó un moderno acueducto de tubería metálica, el cual remplazó al ya muy deteriorado sistema colonial, que proveía el líquido únicamente a las fuentes comunales y a unos pocos edificios públicos y privados. Estas y otras innovaciones similares, no obstante, beneficiaban principalmente a los despachos oficiales del centro de la ciudad y a las viviendas de la clase alta, también en el centro. La gran mayoría de bogotanos continuaban sacando agua de acequias o de las fuentes públicas; con seguridad carecían de servicio telefónico y tampoco asistían a las carreras de caballos, abiertas para entretenimiento de las élites en 1894. En efecto, el «progreso» de este tipo sirvió para ampliar las diferencias sociales que, a pesar de haber existido siempre, no eran tan evidentes cuando los más ricos llevaban un estilo de vida que, por falta de alternativas, era relativamente sencillo.

No sería justo culpar a las políticas de la Regeneración de la creciente desigualdad social, y, en efecto, ésta no era primordial para los voceros de la oposición. El Partido Liberal, en especial, estaba mucho más preocupado por los excesos políticos, que en realidad ocurrieron, independientemente de que Núñez fuera el responsable. Aunque fue Presidente titular hasta su muerte en 1894, Núñez pasaba la mayor parte del tiempo en su nativa Cartagena, y alguien se encargaba del gobierno en Bogotá. Hacia el final de la vida de Núñez, ese alguien era Miguel Antonio Caro, quien como Vicepresidente fue también el sucesor del mandatario para la terminación del período presidencial de 1892-1898. En todo caso, estos fueron años de continua represión desde el punto de vista de los liberales, a quienes se negó totalmente la posibilidad de ocupar cargos ejecutivos de cualquier nivel; los políticos de la oposición estuvieron en este lapso más excluidos que los conservadores durante los años de 1863 a 1885, pues éstos al menos tenían la oportunidad de controlar algunos estados bajo el régimen federal. De igual manera, los liberales se quejaban de que no se les había permitido el acceso a que tenían derecho en el Congreso nacional, las asambleas departamentales y los concejos municipales. Entre 1896 y 1904, los liberales solamente pudieron elegir a dos miembros de la Cámara de Representantes, y a pesar de que sin duda su partido disfrutaba sólo de un apoyo minoritario a escala nacional, habrían podido ganar en muchos distritos electorales si la elección se hubiera llevado a cabo en condiciones justas. Varios liberales fueron enviados al exilio y silenciados algunos periódicos de la oposición, según un patrón que consistía más en medidas enérgicas intermitentes que en acoso sistemático.

Los liberales no fueron los únicos objetivos de la represión oficial. Entre otras víctimas aparecían los artesanos de Bogotá, que se habían beneficiado del alza de aranceles de Núñez pero se veían muy afectados por el continuo aumento de los precios. En enero de 1893, los artesanos se lanzaron a la calle masivamente en señal de protesta contra un periódico oficialista que ponía en duda su conducta moral; entre cuarenta y cuarenta y cinco personas murieron en esta manifestación, remota precursora del *bogotazo* de 1948. Como consecuencia, la actividad política de los artesanos se vio restringida y algunos de ellos fueron sometidos a estricta vigilancia por la fuerza policiva de la capital, la cual estaba en proceso de profesionalizarse bajo la dirección de un experto técnico francés[4]. Las quejas del Partido Liberal, aun así, representaban la mayor amenaza para la estabilidad política. Las imputaciones liberales de la Regeneración como dictadura absoluta eran definitivamente exageradas, pero la situación era lo suficientemente mala como para incitar a los liberales, en más de una ocasión, a la rebelión armada, en la cual invariablemente eran derrotados. Una de estas rebeliones fue un corto levantamiento liberal en 1895. Mucho más seria fue la Guerra de los Mil Días, entre 1899 y 1902.

Calamidades gemelas: la Guerra de los Mil Días y la pérdida de Panamá

Rafael Núñez había insistido en que su Regeneración era la alternativa a la catástrofe nacional, pero la ejecución de sus programas no previno, sino que hasta cierto punto incitó a dos catástrofes separadas que golpearon a Colombia durante el cambio de siglo: la más sangrienta de sus guerras civiles y el desmembramiento de su territorio. La primera de estas calamidades sobrevino inmediatamente después de otras elecciones muy disputadas, en las cuales, según los liberales, la saliente administración Caro había impuesto arbitrariamente como Presidente al candidato de su predilección, pisoteando los derechos de los liberales y los conservadores disidentes. Puesto que el elegido por la administración era Manuel A. Sanclemente, mayor de ochenta años ya muy debilitado, los liberales supusieron que Caro pretendía gobernar tras bambalinas y que por lo tanto era poco probable que la situación política mejorase realmente.

Es posible argumentar que el estallido de la Guerra de los Mil Días fue provocado igualmente, al menos en parte —como lo ha sostenido con mucha insistencia el historiador Charles Bergquist—[5] a causa de una nueva ronda de la crisis económica. La depresión de los productos de exportación, asociada con la desaparición de la anterior hegemonía liberal, había dado paso al aumento de las exportaciones de café en los primeros años de la Regeneración; pero el rápido incremento de la producción, en Colombia y en otros países productores del grano, llevó a una abrupta caída de los precios internacionales en la segunda mitad de la década de 1890. El impacto del descenso en Colombia se agravó, según los críticos del gobierno, por las políticas económicas oficiales. Al respecto, tales personajes tenían en mente no sólo el supuesto mal manejo monetario, sino también la imposición de obligaciones fiscales a las exportaciones de café en 1895. Es difícil precisar cuánta verdad había en las acusaciones, pero el apuro económico del país intensificó al menos la oposición al régimen por parte de los liberales y los conservadores disidentes; la mayoría de estos últimos tenía su plaza fuerte en Antioquia, una importante región cafetera. Los disidentes, que tomaron el nombre de Históricos, o Conservadores Históricos, en oposición a los Nacionalistas de Caro, herederos directos de Núñez y su Partido Nacional, nunca se aliaron formalmente con los liberales, pero su desencanto estimuló a estos últimos y necesariamente debilitó al gobierno de Bogotá. De esta manera, pocos fueron los sorprendidos cuando, a finales de 1899, militantes liberales desencadenaron el nuevo conflicto civil, que duraría aproximadamente tres años y contribuiría, indirectamente, a la pérdida de Panamá. Dentro del Partido Liberal había una facción que preveía, si no la pérdida de Panamá, al menos algunos de los terribles efectos que sin duda traería la guerra, pero las frustraciones de esa colectividad ya eran demasiado insoportables como para detenerse a contemporizar.

Los liberales sufrieron gran desilusión al descubrir que los conservadores históricos, cuando la suerte estuvo echada, se aliaron con sus correligionarios rivales y respaldaron al gobierno en lugar de ayudar y apoyar al otro partido. En ese sentido, su comportamiento reproducía el de los liberales independientes, que de la misma manera habían frustrado a los rebeldes conservadores de 1876. Sin embargo, los liberales lograron casi inmediatamente poner en acción un ejército y una flotilla en el río Magdalena. La flota del río fue destruida rápidamente por las fuerzas del gobierno, pero la fortuna se mostró voluble en los combates terrestres, que tuvieron lugar principalmente en la parte oriental del departamento de Santander, plaza fuerte de los liberales radicales durante la era federal.

A la derrota liberal ocurrida en Bucaramanga, el 13 de noviembre de 1899, siguió una victoria decisiva, cuando las fuerzas encabezadas por los generales Rafael Uribe Uribe y Benjamín Herrera aplastaron a un importante ejército del gobierno en la batalla de Peralonso. Los liberales no complementaron su victoria con una persecución del enemigo hasta Bogotá, como bien hubieran podido intentarlo. En cambio, adormecidos por la excesiva confianza en la victoria, perdieron tiempo esperando concesiones gubernamentales que nunca llegaron. Lo que sí llegó fue un definitivo triunfo conservador en la batalla de Palonegro, librada entre el 11 y el 26 de mayo de 1900. Durante dos semanas de combate permanente, los dos ejércitos, que juntos sumaban 25.000 hombres, sufrieron más de 4.000 bajas, siendo los liberales los más afectados. El hedor de tantos cuerpos de hombres y animales en descomposición en el campo de batalla era insoportable. Los médicos y las enfermeras, especialmente del lado revolucionario, fueron incapaces de curar a los innumerables heridos, muchos de los cuales fueron abandonados a su suerte y murieron en medio de atroces dolores; la contaminación de las fuentes de agua complementó los estragos de las enfermedades, que fueron más letales que los disparos. Al final, los liberales no solamente perdieron la batalla sino igualmente grandes cantidades de armas y equipos imposibles de remplazar, y un ímpetu que nunca recuperaron.

Después de Palonegro, los liberales no pudieron librar batallas convencionales, excepto en Panamá e intermitentemente en la costa, y fueron reducidos a una irregular guerra de guerrillas, en la vana esperanza de desgastar al gobierno. Esta variedad de actividad guerrera predominó en la región del alto Magdalena y en las vertientes cercanas, al oeste y al sur de Bogotá, área donde la colonización se estaba extendiendo rápidamente debido al auge de la producción cafetera, y donde la presencia de las instituciones tradicionales era relativamente débil. En corto tiempo, la guerra de guerrillas resultó marcada por estallidos de brutalidad y bandidaje por parte de ambos contendientes, hasta el punto de que los alarmados liberales de clase alta —que ejercían poco control real sobre los bandos nominalmente afiliados a su partido— se tornaron más y más partidarios de una solución negociada de la guerra civil.

Las posibilidades para tal negociación habían parecido favorables durante un breve período, hacia finales de 1900, después de que los conservadores históricos promovieran un golpe que depuso al viejo y achacoso Presidente Sanclemente en favor de su

Vicepresidente, José Manuel Marroquín, ligeramente más joven. Una vez en el poder, sin embargo, Marroquín se mostró igualmente intransigente, y la guerra llegó a su fin solamente a fines de 1902. El agotamiento absoluto contribuyó a la conclusión del episodio. El número estimado de bajas por causa del conflicto se eleva a la impresionante cifra de cien mil, que en una población total de alrededor de cuatro millones equivale al 2.5% de los colombianos (y naturalmente, a una proporción mucho más alta de hombres adultos). Esta es una estadística que se repite de texto en texto, sin que nadie sepa de dónde provino, y probablemente sea demasiado alta. De todas maneras, el derramamiento de sangre fue enorme y acentuó las exigencias de paz; los costos económicos de la guerra tuvieron el mismo efecto. No solamente se interrumpieron intermitentemente la producción y el comercio en gran parte del territorio nacional, sino que también tanto liberales como conservadores tuvieron que pagar por el desastre. Los liberales desembolsaron más, pues el gobierno los golpeó con la imposición de préstamos punitivos; sin embargo, los seguidores del régimen no pudieron evitar cargar con parte de la responsabilidad.

Sin duda, nadie pudo escapar al efecto de la incontrolable inflación que resultó del uso cada vez más frecuente de la imprenta por parte del gobierno para cubrir sus gastos militares y de otro tipo. En una ocasión en que se acabó el papel apropiado en las imprentas oficiales, se echó mano de un papel preparado para envoltura de chocolates, y en los billetes recién impresos se podía incluso distinguir el logotipo de la fábrica[6]. El valor del dólar en moneda colombiana, que al inicio de la guerra era aproximadamente de cuatro pesos, subió hasta cien pesos al finalizar el conflicto, en noviembre de 1902[7]. Pero aun con el recurso de un papel moneda sin respaldo, el gobierno era objeto de tantas presiones, que, para citar un solo ejemplo, ya no podía mantener las tres colonias de leprosos del país, cuyos pacientes quedaron en las calles y carreteras, abandonados a su suerte.

Otro incentivo para la paz fue el estado crítico de las negociaciones con los Estados Unidos en torno a la concesión para construir un canal que cruzara el istmo de Panamá. El hecho de que ese departamento fuera uno de los escenarios principales de la etapa final de la guerra era algo más que inconveniente, aunque no afectó en realidad el tránsito; el gobierno de Bogotá no pudo sino estar de acuerdo con que las fuerzas estadounidenses entraran a resguardar la ruta, y de hecho su presencia protegió las ciudades de Panamá y Colón, puntos extremos del trayecto, de suerte que éstas no cayeron en manos de los revolucionarios. La incapacidad del gobierno para prestar cuidadosa atención a las negociaciones del canal mientras el país era desgarrado por la guerra civil fue aún más grave, y esto sin mencionar el debilitamiento de la capacidad negociadora de Colombia con respecto a los atractivos de la posible construcción del canal en Nicaragua. Oportunamente, el acuerdo que puso fin a la guerra fue el llamado Tratado del Wisconsin, firmado en noviembre de 1902 a bordo del navío estadounidense de ese nombre estacionado frente a la costa panameña. Al igual que el tratado de paz preliminar suscrito un mes antes por las fuerzas liberales en la región de la costa caribeña, este tratado ofrecía garantías de protección personal para los ex revolucionarios, pero ninguna promesa explícita de reformas políticas. El recurso liberal a la violencia para lograr sus objetivos había resultado, una vez más, contraproducente.

El desastroso desenlace del asunto del canal llegó un año más tarde, con la exitosa separación de Panamá, aunque las raíces históricas de la secesión se extienden hasta el momento en que Panamá entró a formar parte de Colombia, o más precisamente de la Nueva Granada colonial. Como ya se anotó en un capítulo precedente, las relaciones se iniciaron pobremente porque las autoridades españolas pasaron a Panamá de la jurisdicción peruana a la neogranadina en el preciso instante en que el istmo iniciaba un período de difícil reajuste económico. Después de la Independencia, los líderes panameños consideraban que las normas aduaneras y los disturbios civiles de Colombia eran factores que inhibían lo que ellos consideraban la función natural del istmo: servir como emporio mundial del comercio libre. Más de una vez

Panamá declaró, al menos temporalmente, su independencia de Bogotá. Siempre volvió al rebaño, pero políticamente favorecía el federalismo como medio para maximizar su autonomía regional; y en este sentido el ultracentralismo del período de la Regeneración fue un violento revés para las aspiraciones panameñas.

Entre las quejas de los panameños, era importante la que resaltaba que, a través de los impuestos generados por el tránsito, las cuotas pagadas por la Compañía del Ferrocarril de Panamá y otras fuentes especiales de ingresos, Panamá producía para el tesoro de Bogotá mucho más de lo que recibía en forma de servicios gubernamentales. Sin duda, los panameños habrían tolerado ese tipo de discriminación y su *status* de subordinados, si al menos hubiesen podido continuar disfrutando del negocio del tránsito; y fue precisamente en torno a este asunto que la relación de Panamá con el resto de Colombia se rompió finalmente. El fracaso de los franceses en la construcción de un canal al nivel del mar había dejado a Panamá por lo menos con el tráfico de carga y los pasajeros que utilizaban el ferrocarril existente, incluso mientras continuaban las negociaciones sobre la posible construcción de un nuevo canal por los Estados Unidos. Desde el punto de vista panameño, había que evitar a toda costa que el canal se construyera en otra región. Por esta razón, la sola posibilidad de que los norteamericanos decidieran construir un canal en Nicaragua si las negociaciones con Colombia fracasaban, determinó que los comerciantes y políticos panameños prosiguieran las negociaciones aun en medio de la Guerra de los Mil Días, con un sentido de la urgencia que rara vez mostraban los demás colombianos.

En septiembre de 1902, cuando la guerra estaba por terminar, el emisario colombiano en Washington, Tomás Herrán, finalmente firmó un tratado con el secretario de Estado norteamericano, John Hay, para la construcción del canal a través del istmo. El tratado cedía a los Estados Unidos el control permanente de una estrecha franja de tierra en la cual sería construido el canal; en este respecto, y en otros puntos, se reflejaba claramente la débil capacidad de negociación de Colombia. Mas para las familias prominentes de Panamá y para la variada gama de promotores internacionales interesados en la ruta panameña los términos precisos eran menos importantes que el simple hecho del tratado. Aunque en algunos sectores bogotanos se creía firmemente que los voceros de los Estados Unidos fanfarroneaban cuando sugerían que, de no ratificar Colombia los términos del tratado, su país se volvería hacia Nicaragua para negociar el canal, los panameños no estaban dispuestos a correr el riesgo de que las advertencias se hicieran realidad. El peligro de que Panamá se separara si el tratado no se ratificaba era evidente incluso antes de que el Senado colombiano iniciara deliberaciones al respecto.

También en el resto del país había quienes pensaban que sería mucho mejor tener un canal en términos poco favorables para Colombia que no tener ningún canal —o, mejor dicho, ningún canal en el que hubiera participación colombiana. Estas voces se acallaron, sin embargo, en el debate que sobrevino. Guiados por el ex presidente Miguel Antonio Caro, cuya incapacidad de compromiso en asuntos domésticos había influido en la iniciación de la Guerra de los Mil Días, los opositores del tratado señalaron acertadamente que ceder a los Estados Unidos el permanente y directo control sobre la zona del canal era incompatible con la soberanía colombiana y que, por lo tanto, el tratado era inaceptable. En agosto de 1903 los senadores, verdaderamente convencidos por los argumentos de Caro, o bien políticamente temerosos de mostrar debilidad en la defensa del honor nacional en un momento en que los nacionalistas y los conservadores históricos manipulaban diestramente la escena política de la posguerra, rechazaron unánimemente el tratado Hay-Herrán. Como cosa muy significativa, la unanimidad se logró solamente porque un senador panameño se había retirado del recinto antes de la votación.

Tres meses después, el 3 de noviembre, tuvo lugar la revolución panameña; la evidente complicidad de los Estados Unidos aumentó el escándalo en Colombia, pero dificultó la adopción de medidas efectivas para controlar la rebelión. En algunas ciudades colombianas hubo manifestaciones antinorteamericanas y se llegó a hablar de una subyugación forzosa de Panamá. Pero los Estados Unidos, citando el mismo tratado que habían firmado para la defensa de la soberanía neogranadina sobre el istmo, aclararon que no se permitiría a las tropas colombianas desembarcar en Panamá por temor a que obstruyeran el libre tránsito de mercancías, también garantizado por el tratado. Esa fue realmente toda la «intervención» norteamericana que se necesitó. Por otra parte, los líderes del movimiento (entre quienes se encontraba el promotor francés Philippe Bunau-Varilla, quien esperaba ser generosamente recompensado por sus inversiones en la anterior empresa francesa) lograron obtener, a través de sobornos e influencias de tipo social y personal, la pasividad de la pequeña fuerza colombiana estacionada en Panamá. No contaban con apoyo masivo para la rebelión, pero tampoco hubo signos de oposición fundamental al golpe. El reconocimiento diplomático del nuevo gobierno panameño por parte de los Estados Unidos tardó pocos días y se dio con una prisa evidentemente indecente. Lo mismo hizo la mayoría de los gobiernos, incluidos, para aflicción colombiana, varios latinoamericanos.

Si algo hizo más tolerable la separación de Panamá, fue el hecho de que, así como los panameños nunca habían sentido gran solidaridad hacia el resto de Colombia, los colombianos del interior no tenían lazos culturales ni de ningún tipo que los ataran profundamente a los habitantes del istmo. De hecho, el sentido de la unidad nacional en Colombia seguía siendo débil, y algunas voces esparcidas por el territorio sugirieron que a la larga el ejemplo panameño no era tan deplorable, sino más bien imitable. A largo plazo, sin embargo, la pérdida de Panamá se convirtió en una etapa más del lento y doloroso surgimiento de una identidad nacional colombiana. Contribuyó a que lo que quedó de Colombia fuera un poco más homogéneo y dio a los colombianos un blanco externo contra el cual la mayoría de ellos podía reaccionar. Sobre todo, junto con la Guerra de los Mil Días, a la que siguió inmediatamente, la separación de Panamá funcionó como golpe saludable para la clase política del país, al demostrar la necesidad de trascender la tradicional división entre los partidos y de trabajar conjuntamente por cierto tiempo en la inconclusa labor de construcción de la nación.

NOTAS

1. Acerca de las variadas interpretaciones de Núñez, que reflejan principalmente apreciaciones divergentes sobre sus motivaciones políticas, ver el artículo de Helen Delpar, «Renegade or Regenerator? Rafael Núñez as Seen by Colombian Historians», *Revista interamericana de bibliografía*, 35, No. 1, 1985, pp. 2537.

2. Jesús María Henao y Gerardo Arrubla, *Historia de Colombia*, 8ª edición, Bogotá, 1967, p. 781.

3. José Antonio Ocampo, *Colombia y la economía mundial, 1830-1910*, Bogotá, 1984, pp. 326-334. Discute evidencias a favor y en contra de la tesis.

4. David Lee Sowell, «The 1893 *bogotazo*: Artisans and Public Violence in Late Nineteenth-Century Bogotá», *Journal of Latin American Studies*, 21, Nº 2, noviembre de 1989, pp. 267-282.

5. Charles W. Bergquist, *Café y conflicto en Colombia, 1886-1910; La Guerra de los Mil Días: sus antecedentes y consecuencias*, Medellín, 1981, pp. 59-92.

6. Malcolm Deas, «The Fiscal Problems of Nineteenth-Century Colombia», *Journal of Latin American Studies*, 14, Nº 2, noviembre de 1982, p. 325.

7. Bergquist, *Café y conflicto*, p. 167 (cuadro).

CAPÍTULO 7

LA NUEVA ERA DE PAZ Y CAFÉ (1904-1930)

Desde la pérdida de Panamá hasta la depresión económica mundial, Colombia pasó por el más largo período de estabilidad política interna de su historia como nación independiente. Los dos partidos tradicionales demostraron una capacidad para el debate civilizado y la competencia pacífica que contrasta nítidamente con su anterior comportamiento; hacia 1930, Colombia estaba a punto de ser aclamada como democracia latinoamericana ejemplar. La economía, mientras tanto, batía récords en su ritmo de crecimiento. La expansión de la producción y exportación cafeteras era su rasgo más notable, pero el banano, el petróleo y la industria manufacturera constituían otros polos de desarrollo. No todo iba tan bien bajo la superficie de la sociedad, pero sin lugar a dudas los líderes colombianos tenían muchos motivos de satisfacción dentro del contexto latinoamericano. Sobra decirlo, la tranquilidad política y el crecimiento económico eran fenómenos íntimamente relacionados: uno era principal causa y efecto del otro.

Corrección de los excesos de la Regeneración: Rafael Reyes y su legado

A pesar de haber perdido la Guerra de los Mil Días y por lo tanto fracasado en su intento de borrar los rasgos claves de la Regeneración de Núñez, el liberalismo había demostrado que Colombia no podía ser gobernada en paz cuando uno de los dos partidos era totalmente excluido del poder y estaba sujeto al acoso intermitente. Los conservadores históricos habían mantenido este punto de vista todo el tiempo, y en la pérdida de Panamá encontraron motivos adicionales para buscar la reconciliación nacional. De ninguna manera, ni siquiera ahora, todos los vencedores conservadores mostraban inclinaciones a hacer concesiones significativas. Por un margen estrecho, sin embargo, uno de los defensores acérrimos de la colaboración entre los partidos, el general Rafael Reyes, ganó la primera elección presidencial de la posguerra y se posesionó del cargo en agosto de 1904.

Reyes provenía de la clase alta de provincia y era nativo del departamento de Boyacá. Ganó renombre y fortuna en la región del Cauca, como empresario de éxito durante el *boom* de la quina de los años 70, y perdió parte de su riqueza en esfuerzos consecutivos para colonizar la zona marginal de la amazonia colombiana. En las guerras civiles de 1885 y 1895 fue talentoso oficial y luchó en el lado conservador, pero rechazaba las candentes diferencias entre partidos así como la rigidez ideológica. Por el contrario, Reyes estaba totalmente convencido de que los colombianos necesitaban superar sus vacías luchas partidarias y concentrarse en el progreso material. Como afirmó en un pasaje que se cita automáticamente cada vez que se discuten su programa y sus puntos de vista, «en tiempos pasados fue la Cruz o el Corán, la espada o el libro, los que hicieron las conquistas de la civilización; actualmente es la poderosa locomotora, volando sobre el brillante riel, respirando como un volcán, la que despierta los pueblos al progreso, al bienestar y a la libertad... y a los que sean refractarios al progreso los aplasta bajo sus ruedas»[1].

Reyes pronunció las anteriores palabras actuando como delegado de Colombia ante la Conferencia Panamericana, que se reunió en Ciudad de México en 1901, durante la Guerra de los Mil Días. De hecho, Reyes se ingenió la manera de permanecer fuera del país durante la mayor parte del conflicto; una vez terminado, se convirtió en vocero de la reconciliación entre liberales y conservadores y en defensor del tratado Herrán-Hay, dos requisitos que consideraba indispensables para el acceso de Colombia a la era de la locomotora. Perdió la batalla en lo que al tratado respecta, pero ganó la presidencia al año siguiente con el apoyo de los históricos y otros conservadores moderados, además de los votos de los liberales que participaron en la elección (el Partido Liberal ni siquiera intentó presentar lista de candidatos). De igual manera, Reyes contaba con la ayuda de un jefe local en la península de la Guajira, quien le dio los votos de sus electores mediante ciertas argucias. Finalmente, este acto fraudulento le permitió obtener el margen de victoria, pero fue un fraude beneficioso que aseguró el triunfo del candidato más popular: si los liberales hubiesen estado en posición de votar libremente, Reyes habría vencido en forma aplastante a su principal rival, un conservador menos flexible.

Reyes mostró de inmediato que se proponía hacer lo que decía sobre reconciliación nacional, y nombró a dos liberales en su gabinete de cinco. Designó a miembros de la oposición en cargos de menor importancia y en su momento introdujo el principio de representación garantizada de la minoría en la conformación de los cuerpos deliberativos, desde los concejos municipales hasta el Congreso nacional. Igualmente importante fue el hecho de llevar a cabo una reforma militar diseñada para convertir a las fuerzas armadas en una organización puramente profesional, colocada por encima de los intereses partidistas, que defendería las fronteras nacionales contra ataques extranjeros y mantendría el orden constitucional en el territorio sin restricción alguna. Este programa implicó la reorganización de la educación militar bajo los auspicios de una misión chilena, cuyos miembros transmitieron a los oficiales colombianos las lecciones que habían recibido de una serie de misiones de adiestramiento alemanas. Uno de los efectos secundarios de la presencia chilena y de la influencia alemana que ella conllevó fue la adopción de uniformes de estilo prusiano (uno de cuyos vestigios es el uso de cascos prusianos por la guardia presidencial).

Otro aspecto de la reforma fue el esfuerzo personal del propio Reyes para inducir a las familias liberales a que enviaran a sus hijos a la escuela militar, con miras a lograr un equilibrio entre los partidos en las filas de las fuerzas armadas. Puesto que el reformado estamento militar debía ser rigurosamente no partidario, la afiliación de adeptos de uno u otro bando no debería ser importante, pero Reyes era lo suficientemente realista para entender que las lealtades a los partidos no se podían eliminar de la noche a la mañana. Por esta razón, entre otras, la reforma militar no fue del total agrado del ejército existente, que el mandatario había heredado al posesionarse y que en realidad era el victorioso ejército conservador de la última guerra civil. Muchos oficiales eran simplemente políticos uniformados, no muy interesados en aprender las últimas técnicas chileno-alemanas, y más que recelosos del acercamiento del Presidente al enemigo liberal. Sin embargo, la reforma adquirió peso en los años siguientes. Aunque ciertos oficiales continuaron con las intrigas de partido e ignorando las reglas profesionales, el ejército en general mantuvo un registro de subordinación a la autoridad civil que sólo se rompió en 1953, en medio de la epidemia de choques irregulares entre liberales y conservadores conocida como la *Violencia*.

Los comandantes militares del tipo tradicional no fueron los únicos que dificultaron la labor de Reyes. También tuvo que enfrentarse a los políticos, en el Congreso y en otros lugares, que no compartían el apremio del Presidente sobre lo que era necesario hacer para colocar a Colombia en el camino apropiado. Poco tiempo después de asumir el cargo, empezó a solicitar al Congreso autorizaciones especiales para revisar el sistema tributario, conceder contratos para ferrocarriles y tomar medidas para la reconstrucción y el desarrollo económicos por decreto presidencial. El Congreso no se negó a cooperar, pero, aduciendo diferentes pretextos, no aprobó los poderes solicitados. Reyes, por su parte, decidió prescindir del Congreso y a comienzos de 1905 convocó en su lugar una Asamblea Nacional, cuyos miembros deberían ser nombrados directamente por los administradores departamentales, con el propósito de reformar la Constitución y adoptar otras medidas de emergencia. El método de elección de la Asamblea arrojó un contingente considerable de delegados liberales, de los cuales muy pocos habrían ganado escaños si los jefes conservadores de las regiones alejadas hubiesen tenido libertad para manipular el proceso electoral de la manera habitual.

La Asamblea Nacional adoptó formalmente el principio de representación garantizada de la minoría para las elecciones futuras. Además, a instancias de Reyes, modificó la organización territorial de la nación y creó nuevos departamentos a expensas de los ya existentes (que eran los mismo estados del período federal), con la doble esperanza de disminuir la fuerza de los regionalismos tradicionales y de hacer la administración más eficiente. La Asamblea Nacional, naturalmente, otorgó al Presidente los poderes que pedía en asuntos económicos y fiscales. De hecho, su afán de complacer a Reyes la llevó incluso a votar la extensión de su mandato, de seis a diez años.

Este último punto indicaba el creciente personalismo del gobierno de Reyes, como también su tendencia a ignorar a la obediente Asamblea Nacional o a inducirla a eliminar restricciones legales inconvenientes. Antes de que abandonara el poder, algunos de sus críticos habían sido así mismo víctimas de arrestos u otros tratamientos arbitrarios, de manera que la administración Reyes, que en la práctica duró cinco años y no diez, por lo que se conoció como el *quinquenio*, ha sido generalmente considerada una dictadura moderada. Pero su acto más duro fue la ejecución sumaria, ordenada por un tribunal *ad hoc*, de cuatro hombres involucrados en el intento fallido de asesinarlo en 1906. Este fue el último atentado contra la vida de un Presidente de Colombia, aunque otras figuras, especialmente candidatos presidenciales, no han sido tan afortunadas.

Aunque es verdad que el régimen de Reyes puede parecer a veces despótico, también es cierto que fue bastante constructivo, y no solamente por su exitoso intento de vincular de nuevo a los liberales a la vida política legal. Sobre todo, se recuerda a Reyes por sus esfuerzos para promover la modernización tanto económica como tecnológica, similares a los de la dictadura de Porfirio Díaz en México. Al igual que en México, en Colombia una de las principales preocupaciones del hombre fuerte consistió en estimular la construcción de ferrocarriles. Los resultados, no obstante, fueron disímiles en los dos países. Mientras que México ya disponía de 14.000 km de vías férreas a comienzos del siglo XX, Colombia aumentó su red de operaciones solamente de 565 a 901 kilómetros entre los años 1904 y 1909, que corresponden aproximadamente a la presidencia de Reyes[2]. El costo en subsidios y concesiones a las compañías ferroviarias resultó considerable, pero el logro fue importante. Bogotá se unió al río Magdalena cuando se conectó la vía de Girardot con la ruta que cruzaba la Sabana de Bogotá hasta Facatativá. También se adelantaron otras rutas claves, incluidas el ferrocarril de Antioquia, que uniría a Medellín con el río Magdalena, y el del Pacífico, que cubriría la distancia entre Cali y Buenaventura.

De cualquier modo, los ferrocarriles eran apenas la forma más visible de desarrollo infraestructural. Reyes fue el Presidente que dio a Colombia un Ministerio de Obras Públicas, y luchó tanto por mejorar la navegación por el río Magdalena como por expandir el totalmente inadecuado sistema nacional de carreteras. Cuando llegó a la presidencia, los caminos intermunicipales aptos para vehículos de ruedas eran casi inexistentes, y cuando su período terminó ya era posible llegar a su pueblo natal, situado a unos 200 kilómetros de la capital, en carreta o coche, e incluso en automóvil. Durante su mandato llegó a Bogotá el primero de ellos, y el propio Presidente puso su sello de aprobación al dar un paseo en la nueva atracción.

Reyes también deseaba ansiosamente crear las condiciones necesarias para la recuperación económica y el desarrollo del país, volviendo a fortalecer la moneda nacional, tan depreciada durante la reciente guerra civil. Su medida más importante en este sentido fue la reforma monetaria, que permitió emitir nuevos pesos, cada uno equivalente en valor a cien pesos anteriores. La nueva moneda no sólo contribuyó a aliviar los bolsillos de los colombianos, sino que igualmente simplificó las transacciones comerciales y provocó un importante efecto psicológico, pues el peso regresó a una aproximada paridad con el dólar. Al adherir a políticas fiscales generalmente ortodoxas, Reyes logró mantener el valor de la nueva moneda, aunque no avanzó mucho en la recolección de la antigua, todavía en circulación. De manera similar, estableció acuerdos con los acreedores extranjeros para la reanudación de los pagos de la deuda externa, con lo que restableció, por primera vez desde mucho antes de la Guerra de los Mil Días, el crédito para Colombia en la banca internacional. Para lograr este objetivo lo más pronto posible, aceptó dócilmente la mayoría de las demandas de los prestamistas, pero finalmente llegó al resultado que más le interesaba: un clima más propicio para la inversión extranjera en Colombia, cosa que consideraba indispensable para el desarrollo de la nación.

Otras medidas vinieron en apoyo de las industrias: se concedieron beneficios fiscales y subsidios a la agricultura de exportación, así como a diversas manufacturas, a la vez que la regulación de tarifas de 1905, y otras posteriores, constituyeron un aval protector más efectivo de las «industrias nacientes» (y de otras no tan jóvenes) que el de los aumentos tarifarios de Rafael Núñez. Algunos de los efectos de estos esfuerzos serán analizados más adelante. Se debe subrayar, no obstante, que en la misma medida en que los progresos en la construcción de redes ferroviarias eran considerables únicamente desde el punto de vista colombiano, el activismo de Reyes en otras áreas de la política económica siempre se vio limitado, tanto por la permanente escasez de capital y de infraestructura como por la falta de recursos del propio gobierno.

En 1909, el Estado colombiano funcionaba con ingresos anuales de alrededor de 16 millones de pesos, lo cual equivalía a un poco menos de cuatro dólares *per cápita*[3]. Reyes tenía una visión coherente y de hecho sentó varios precedentes importantes, pero para el crecimiento de la economía la recuperación de la paz era mucho más importante que cualquier cosa que la administración nacional pudiera hacer.

El conocimiento que tenía el Presidente de los límites que imponía el subdesarrollo material, así como de la escasez de personal debidamente preparado, contribuía sin duda a su impaciencia ante todos aquellos que, desde su propio punto de vista, se empeñaban en dificultar aún más su tarea a través de la innecesaria insistencia en tecnicismos legales. Sin embargo, sus programas de desarrollo, si bien tuvieron generalmente buena acogida, expusieron al Presidente a las críticas, por los casos de soborno y favoritismo (algunos innegables, otros simples rumores) en la concesión de contratos y otras prebendas. De esta manera, el nivel de oposición al mandatario aumentaba constantemente a medida que pasaba el tiempo. La gota que rebosó la copa fue su intento de conciliar las diferencias entre Colombia y los Estados Unidos, surgidas de la participación del país del norte en la pérdida de Panamá.

Como mercado creciente para las exportaciones colombianas y fuente potencial de inversiones, los Estados Unidos desempeñaban un papel importante en los planes de Reyes para una Colombia más fuerte y próspera; el paso decisivo era por lo tanto restablecer la normalidad en las relaciones entre ambos países, las cuales no se habían roto, pero sin duda estaban resquebrajadas. Reyes negoció un acuerdo mediante el cual los Estados Unidos otorgaban a Colombia una modesta indemnización y un tratamiento preferencial en el uso del futuro canal, a tiempo que Colombia reconocía formalmente la independencia panameña. Los términos del acuerdo anticipaban el tratado Urrutia-Thompson, finalmente ratificado por ambos países en 1922; pero el momento en que Reyes inició la negociación no era el apropiado. No hay indicaciones de que los campesinos boyacenses o los vaqueros del Llano dieran importancia alguna al asunto, pero los manipuladores de la opinión política, los estudiantes, los intelectuales y en general las personas que se oponían a Reyes en cualquier aspecto, no escatimaron esfuerzos para mostrar el arreglo como una traición a los intereses y el honor nacionales. El resultado fue un fuerte sentimiento antirreyista, como se reflejó claramente en los serios desórdenes públicos que tuvieron lugar en Bogotá en marzo de 1909, que llevaron al gobierno a archivar el arreglo propuesto y, hacia mediados del año, a la silenciosa partida de Reyes del país.

Las dos últimas décadas de hegemonía conservadora

Aunque el asunto panameño aceleró el proceso, una razón más determinante que llevó a la caída de Reyes fue el hecho de que cualquier tipo de dictadura —incluso moderada y constructiva— irritaba a los líderes de la clase política colombiana, tanto liberales como conservadores, pues limitaba sus oportunidades de convertirse en figuras prominentes de la escena política, y además era inherentemente menos predecible que un gobierno debidamente constitucional, lo cual era por lo menos una amenaza potencial a los intereses socioeconómicos que ambos partidos tradicionales representaban, directa o indirectamente. Pero el sistema político ideado por Reyes, en tanto que involucraba un *modus vivendi* pacífico de los partidos, logró sobrevivir. La reforma constitucional de 1910 declaró permanente el principio de representación garantizada de la minoría, tanto en el Congreso como en otros cuerpos deliberativos. Al mismo tiempo, redujo el período presidencial a cuatro años, prohibió la reelección inmediata y abolió la vicepresidencia. Además, aunque los conservadores se mantuvieron a la cabeza del gobierno hasta 1930, continuaron la costumbre de Reyes de compartir los nombramientos administrativos con los liberales (incluso Carlos E. Restrepo, nombrado Presidente por la Asamblea Constituyente de 1910 y nominalmente cabeza de un nuevo tercer partido conocido como Unión Republicana, provenía en realidad de las filas conservadoras). Pero al contrario de Reyes, evitaron las tácticas dictatoriales, y los sucesivos presidentes conservadores abandonaron escrupulosamente el poder al vencimiento de sus períodos, a excepción de uno, que renunció al cargo antes de finalizar su término.

El liberalismo, desde luego, no se sentía satisfecho con su cuota de nombramientos en el ejecutivo y sus posiciones adquiridas por elección. De hecho, a pesar de ser convocadas regularmente, las elecciones casi siempre estaban marcadas por incidentes violentos, sobre todo en regiones remotas, y por denuncias de fraude que muchas veces tenían fundamento. Los votantes liberales podían sufrir intimidación durante los comicios, mientras que las plazas fuertes conservadoras producían un número de votos sospechosamente elevado. En las elecciones presidenciales de 1914, por ejemplo, en la ultraconservadora población cundinamarquesa de Guasca se registró un número de votos equivalente al 20% de los de Bogotá, aunque la población de Guasca no llegaba al 5% de la de la capital[4]; la desproporción habría sido aún mayor en términos de población alfabetizada, en una época en que el requisito de alfabetismo estaba todavía vigente para las elecciones presidenciales. Al igual que en el sur de los Estados Unidos, donde en la misma época se utilizaba a expensas de los negros, la aplicación arbitraria del requisito era un medio práctico para controlar el acceso a las urnas. Por lo menos, en este momento los liberales no estaban totalmente excluidos, como lo habían estado desde Núñez hasta Reyes, y, además, habían dejado de hacer revoluciones.

En realidad, las viejas querellas que habían dividido a los partidos durante el siglo XIX, los sagrados principios de organización constitucional y las relaciones entre Iglesia y Estado, perdían cada vez más importancia. En lo que a relaciones con la Iglesia se refiere, el liberalismo mantenía su descontento frente a los arreglos religiosos de la Regeneración, pero estaba aprendiendo a vivir con ellos. Allí donde podían, los liberales establecían instituciones de educación superior laicas y privadas, para minimizar los efectos del control eclesiástico sobre la educación de sus hijos. Los liberales también habían llegado a reconocer que un cierto fortalecimiento de la autoridad central, tal como el llevado a cabo por Núñez, había sido verdaderamente necesario. En consecuencia, poco a poco perdían interés en el federalismo e intentaban aumentar su poder e influencia a escala nacional. Rafael Uribe Uribe, importante dirigente liberal de la última guerra y posteriormente uno de los más fervientes seguidores de Reyes, llegó incluso al punto de comprometerse con lo que llamaba «socialismo de Estado», aunque en el fondo éste solamente constituía un coqueteo discreto con el reformismo social-democrático. Pero el hecho de que tal posibilidad surgiera era definitivamente prueba de que se había roto, al menos en parte, con la doctrinaria posición del *laissez-faire* del anterior liberalismo radical. Uribe Uribe fue asesinado en 1914 sin haber tenido siquiera la oportunidad de poner en práctica sus ideas, pero otros liberales comenzaron a hablar de reformas sociales y laborales, al menos en la medida en que fueran necesarias para mitigar la amenaza potencial de pequeños núcleos socialistas y radicales que empezaron a surgir, especialmente durante la década de 1920. Inevitablemente, estos grupos habían sido influidos en cierto grado por eventos del exterior, como las revoluciones rusa y mexicana; pero tanto los orígenes como el liderazgo de estas agrupaciones radicales eran colombianos casi en su totalidad y su principal punto de apoyo descansaba en los artesanos urbanos, los trabajadores del transporte y algunos profesionales desencantados.

El incipiente movimiento político y laboral de izquierda tuvo repercusiones en la esfera intelectual, representadas en la aparición de efímeras publicaciones radicales y en la formación de pequeños grupos socialistas de discusión en Bogotá y otras ciudades. Estos desarrollos, sin embargo, fueron opacados por el continuo florecimiento de formas más tradicionales de actividad cultural, que a finales del siglo XIX habían hecho ganar a Bogotá el nombre de «Atenas Suramericana». Los hombres de letras producían notables ensayos, sobresalían en la escritura y la declamación y mantenían conversaciones elegantes sobre casi todos los temas, excepto el de las privaciones que sufrían las masas colombianas. La excepción fue el escritor José Eustasio Rivera, cuya novela *La vorágine* (1924) constituye un relato realista de la explotación de los trabajadores del caucho en las selvas amazónicas. Guillermo Valencia, descendiente de una aristocrática familia de Popayán, es un caso mucho más típico que el de Rivera; su poesía, de estilo «modernista», hace alarde de erudición superficial y está considerablemente alejada de la realidad colombiana. En su tiempo fue alabado como poeta de estatura clásica, pero, al contrario de lo que sucede con la obra maestra de Rivera, la poesía de Valencia se lee poco en la actualidad.

Por lo demás, Valencia fue un activo político conservador y un fracasado candidato presidencial en 1918 y nuevamente en 1930, vencido la primera vez por el candidato de la facción rival de su propio partido y la segunda por el primer liberal que obtuvo la presidencia luego de casi cincuenta años. De haber ganado, Valencia habría ocupado su lugar junto con una serie de presidentes conservadores bien intencionados y concienzudos, adornados con una gama de buenas cualidades, aunque no siempre las requeridas por la época. Como más tarde observara José Vicente Concha (1914-1918) en relación con su propia administración, en palabras que recordaban las del radical Eustorgio Salgar (quien en su discurso de posesión descartó cualquier intención de alcanzar grandes logros), «a mí no se me podría juzgar por los ladrillos nuevos que puse, sino por las ruinas tremendas que evité»[5]. Desde luego, Concha no fue albañil al estilo de Rafael Reyes, pero entre otras cosas logró mantener la neutralidad colombiana durante la Primera Guerra Mundial. El último en la serie de presidentes conservadores, Miguel Abadía Méndez (1926-1930), era profesor de derecho constitucional cuando fue elegido; como Mariano Ospina Rodríguez en los años 50 del siglo pasado, mantuvo su cátedra durante la presidencia, con la variación de que esta vez los estudiantes asistían a clase en el palacio presidencial. La accesibilidad del Presidente era sin duda un rasgo atractivo; sin embargo, cuando el mismo mandatario tuvo que enfrentar la gran huelga de los trabajadores del banano, no pudo encontrar mejor solución que la de enviar el ejército para reprimir a los trabajadores.

El Presidente más interesante desde Reyes hasta Abadía Méndez, si bien no por grandes realizaciones durante su mandato, fue el que renunció antes de terminarlo, Marco Fidel Suárez (1918-1921), notable por su procedencia social, como hijo ilegítimo de una campesina antioqueña. Quienes niegan que una pequeña casta oligárquica ha dominado históricamente la política colombiana han citado su nombre como ejemplo. La choza donde Suárez nació se ha conservado como atracción turística, totalmente encerrada en un monumento de vidrio y cemento construido por la compañía textil Fabricato, cuya planta principal está en Bello, lugar de nacimiento del ex presidente. Sin duda, la empresa pretendía advertir a sus trabajadores que si trabajaban lo suficiente podrían incluso llegar a ser presidentes. Pero en el momento en que accedió a la presidencia, Suárez era un místico, un literato diletante y un funcionario conservador de vieja data, que además hizo muy poco por sus compatriotas campesinos. En realidad, durante la administración Suárez, la clase obrera recibió lo que un historiador dedicado a asuntos laborales llamó «el bautismo de sangre de los trabajadores colombianos»[6]. Una manifestación convocada por los sastres de Bogotá contra el anunciado plan de comprar uniformes militares y otro tipo de equipo en el exterior degeneró en violencia, con la muerte de siete manifestantes y numerosos heridos a manos de la guardia presidencial. Cuando ocurrió el incidente, la propuesta relativa a los uniformes ya había sido cancelada y por lo tanto la manifestación era innecesaria. La respuesta oficial lo era aún más.

Al mismo tiempo, Suárez admiraba con fervor a los Estados Unidos y no es sorprendente que su ídolo fuese Abraham Lincoln, que no era hijo natural pero había nacido en una humilde cabaña de troncos de madera. Por sus propios antecedentes, el mandatario sentía una atracción obvia hacia la tierra que había convertido al «hombre hecho a pulso» en un fetiche y tradujo su admiración en un principio que guiaría la política externa de Colombia y que él llamó la «Doctrina de la Estrella Polar», según la cual Colombia debía mirar hacia el norte, hacia el polo (los Estados Unidos), para encontrar un modelo de democracia social y política, así como un colaborador en asuntos políticos y económicos. De conformidad con su concepción, Suárez estaba totalmente comprometido a conseguir la ratificación del tratado Urrutia-Thompson, que finalmente arregló el asunto de Panamá. El tratado determinaba el pago de una indemnización de 25 millones de dólares por la intervención estadounidense en la pérdida del istmo, y regularizaba las relaciones de Colombia con los Estados Unidos y con la joven República de Panamá. Cuando se convenció de que la oposición del Congreso colombiano hacia él mismo estaba obstruyendo la ratificación del tratado, Suárez renunció a la presidencia y dejó a su sucesor encargado la tarea de conducir el tratado a una conclusión favorable.

Resultó ciertamente apropiado que el Presidente elegido en 1922 para el siguiente período completo, Pedro Nel Ospina, fuera una figura con un entusiasmo similar al de Rafael Reyes en relación con la construcción de la infraestructura económica. Gracias a la indemnización de los Estados Unidos y al hecho de que los banqueros de Wall Street prodigaban préstamos a diestra y siniestra en los prósperos años 20, Ospina dispuso de mucho más recursos, que se utilizaron en un festín de construcción de ferrocarriles y obras públicas de otro tipo. Los gobiernos departamentales, que contrataron también sus préstamos externos, participaron en el frenesí, que tuvo por resultado notables prolongaciones de las líneas férreas de Antioquia y del Pacífico, junto con proyectos tan ostentosos y ambiciosos como la construcción del Palacio de la Gobernación de Antioquia en Medellín, diseñado para semejar una catedral medieval y atiborrado de contrafuertes y otros detalles exóticos. La longitud total de la red ferroviaria aumentó de 1.481 km en 1922 a 2.434 en 1929, y nuevas carreteras llenaban algunos de los espacios vacíos todavía existentes entre los ferrocarriles.

En 1919 Barranquilla entró a la era del aire, con el establecimiento de la Sociedad Colombo-Alemana de Transporte Aéreo (Scadta). A pesar de su nombre, se trataba de una corporación colombiana, fundada por miembros de la comunidad alemana local. Reorganizada durante la Segunda Guerra Mundial bajo el nombre de Avianca, es la más antigua compañía de aviación comercial del continente americano y generalmente reconocida como la segunda en el mundo. La compañía constituyó un éxito inmediato porque, a pesar de los recientes avances, las rutas de transporte terrestre colombianas eran sumamente inadecuadas. Los vapores del río Magdalena constituían todavía el medio básico utilizado para viajar entre la costa del Caribe y el interior cuando Scadta inauguró su servicio aéreo, que ni siquiera esperó a que se construyeran pistas de aterrizaje sino que utilizaba hidroplanos que acuatizaban en el propio lecho del río. El primer aeropuerto de Bogotá fue el río Magdalena, en el puerto de Girardot, donde se tomaba el tren para llegar a la capital.

Pedro Nel Ospina fue el primer Presidente del mundo que viajó en un avión comercial, o al menos así lo afirma la oficina de relaciones públicas de Avianca, y aunque ese es un dato difícil de probar, no se puede negar el gran interés del mandatario por los avances en el campo de los transportes. Ospina puso atención similar a la infraestructura financiera, al recibir a la Misión Kemmerer, compuesta por expertos fiscales de los Estados Unidos, a partir de cuya recomendación se fundó en 1923 el Banco de la República, como moderno banco central con la responsabilidad de regular el suministro de dinero y las tasas de cambio. Uno de los resultados inmediatos de la fundación del banco fue el descenso de las tasas de interés, pues sus operaciones llevaron la oferta y la demanda de dinero a un punto más cercano al equilibrio. Los intereses financieros privados, empero, entraron a desempeñar un papel importante en la elaboración de las políticas bancarias oficiales, de acuerdo con el tenor general de la política económica durante todo ese período: las funciones del Estado aumentaban, pero los conservadores que controlaban el gobierno —así como la mayoría de los liberales— todavía creían que la función principal del Estado era crear las condiciones para que la empresa privada pudiera prosperar. Aunque se hicieron intentos para reglamentar el sector privado de acuerdo con los intereses de los trabajadores, o de la sociedad en su conjunto (en 1915 ya se había promulgado una ley de indemnización por accidentes de trabajo), las medidas eran más bien aisladas y su aplicación tampoco era consistente. Y a pesar de haberse introducido en 1919 un modesto impuesto a la renta personal, los aranceles continuaban representando la mayor parte de los ingresos del erario, cosa que no afectaba ni preocupaba mayormente a los ricos del país.

No había suficiente interés en el empleo de los ingresos en programas de educación y bienestar social destinados a las clases populares. En el campo educativo, la primera médica universitaria se graduó en 1925, pero solamente se hicieron lentos avances en lo que respecta a la eliminación del analfabetismo, que todavía en 1930 cobijaba a la mayoría de los colombianos[7]. En el mismo año, el promedio de expectativa de vida, excelente indicador de las condiciones generales de salud, era de treinta y cuatro años; comparado con 30.5 años en 1910[8], la cifra refleja un modesto mejoramiento, aunque un bajo nivel de compromiso con los programas de salud pública. Ciertamente, el área que captó mayor atención fue la de obras públicas: el ministerio del ramo recibió un presupuesto que, de 3,6% del gasto total en 1911, había aumentado al 20.1% en 1920 y al 35% en 1929[9]. Desde luego, estos eran gastos que traían beneficios económicos más inmediatos que las inversiones en salud o educación, con la ventaja adicional de que sus costos se cubrían en buena parte con los fondos de indemnización o con créditos externos (para no hablar de los cómodos beneficios de los contratistas).

De igual manera, las obras públicas recibieron mucha más atención que el gasto militar. El presupuesto del Ministerio de Guerra, que se había mantenido en el 30% del gasto total en 1911, cayó al 14% en 1920 y a un modesto 8.8% en 1929. Este descenso refleja de manera exacta la lógica inherente a la hegemonía conservadora, totalmente civil en el espíritu y hasta cierto punto recelosa del poder militar. Los conservadores colombianos preferían basar su mandato en la fuerza de la tradición social y religiosa, en la deferencia natural de las clases bajas hacia sus superiores y, sobre todo, en la gran influencia de la Iglesia Católica. En ningún momento desde la era colonial las relaciones entre la Iglesia y el Estado habían sido tan estrechas como las que se presentaron entre los años finales del siglo XIX y los años 20 del presente siglo.

La alianza no estaba planteada entre el Estado y la Iglesia, sino más bien entre esta última y el Partido Conservador, que controlaba el Estado. Durante estos años abundan las expresiones folclóricas de apoyo al Partido Conservador por parte del clero. Como un sacerdote antioqueño aconsejara a sus fieles en 1913: «Hombres y mujeres que me escucháis, tened presente que el parricidio, el infanticidio, el hurto, el crimen, el adulterio, el incesto, etc., etc., son menos malos que ser liberal, especialmente en cuanto a las mujeres se refiere»[10]. Otro caso similar es el del sacerdote que, al rendir informe de los resultados electorales en su localidad, presentó la relación de la siguiente manera: «Católicos, 435; rebeldes contra Dios y su Santa Iglesia, 217»[11]. A los parroquianos que se atrevieran a leer la prensa liberal, les prometían desde el púlpito castigos espirituales. Los párrocos de las regiones remotas no eran los únicos que asumían tales posiciones. Las autoridades diocesanas de Pamplona no solamente lanzaban anatemas contra los periódicos liberales, sino que en una ocasión amenazaron con excomulgar a cualquiera que apoyara a un candidato de la disidencia conservadora.

En la medida en que los fieles tomaban en serio los preceptos del clero —y muchos lo hacían—, su preocupación por la lucha contra los liberales, impíos y librepensadores, hacía que se preocuparan menos por las injusticias sociales y económicas; pero además, el carácter general de las enseñanzas de la Iglesia continuaba estimulando la aceptación automática del orden existente, que Dios, en su inmensa sabiduría, había elegido para los colombianos. Incluso los pocos miembros del clero que en la década de 1920 mostraban interés en problemas laborales y en promover el establecimiento de sindicatos católicos se centraban en la solución de problemas inmediatos y apuntaban hacia metas de mejoramiento individual, muy distantes de la promoción de cambios estructurales.

En algunas regiones del país donde el grado de religiosidad popular era más bajo y menor la proporción entre clero y población, la influencia política y social de la Iglesia era menor. La región de la costa Caribe es el ejemplo más obvio. Pero en las pequeñas poblaciones del interior andino la vida giraba alrededor de la iglesia parroquial, cuyas festividades eran un alivio para el aburrimiento colectivo y cuyo párroco residente era el árbitro del comportamiento ciudadano. Este modelo era perfectamente adecuado para la persistencia del régimen conservador; a cambio los conservadores hicieron todo lo posible para fortalecer la posición de la Iglesia, hasta casi abolir la tolerancia religiosa estipulada por la Constitución. En este sentido, la legislación matrimonial de 1924 (Ley Concha) es sintomática: aparentemente diseñada para regular la institución del matrimonio civil, que técnicamente no se había abolido durante la Regeneración pero que ahora enfrentaba muchas dificultades prácticas, la nueva disposición simplemente codificaba tales dificultades. Según esta legislación, cualquier bautizado podía casarse en ceremonia civil solamente si antes había abjurado públicamente de su fe católica. En Bogotá o en Barranquilla, esta no era tal vez una condición imposible. En ciudades más pequeñas y poblaciones rurales, donde la presión por la conformidad religiosa y los castigos extraoficiales para los que la desafiaban eran enormes, esta condición sí que era de imposible cumplimiento.

Despegue de la industria cafetera

Hasta cierto punto, la relativa tranquilidad que predominó en los años inmediatamente posteriores al mandato de Rafael Reyes resultó del simple hecho de que tanto liberales como conservadores estaban encontrando salidas para canalizar su energía agresiva en empresas económicas, principalmente en la industria cafetera, que al fin hizo valer sus méritos durante la segunda y la tercera décadas de nuestro siglo. Entre 1920 y 1930, el total de las exportaciones colombianas creció a un ritmo de más del 10% anual, y la mayor parte de dicho aumento correspondió al café. Las exportaciones anuales del grano, que en 1913 fueron de un millón de sacos de 60 kilos, alcanzaron dos millones en 1921 y tres en 1930[12]. Colombia se había erguido como el segundo productor mundial, desplazando a Venezuela y siendo superado solamente por Brasil. Es difícil precisar en qué momento alcanzó Colombia tal posición, porque parte del café antes clasificado como venezolano era de origen colombiano, exportado por la vía de Maracaibo. Pero la clasificación se mantendría constante por lo menos hasta 1990, cuando Colombia logró superar al Brasil en valor, si no en volumen de exportaciones de café[13].

La explosión de la producción cafetera fue la culminación de un largo y lento proceso. La primera exportación del grano parece haber ocurrido en 1835; pero el ascenso de la producción y de la exportación fue insignificante durante muchos años, de manera que solamente hasta finales del siglo XIX se convirtió en el principal producto de exportación. En 1898 daba cuenta casi de la mitad del comercio exterior de la nación; pero se trataba de la mitad de una cantidad bastante modesta, y bajo el impacto de la Guerra de los Mil Días y la depresión mundial de los precios del café, sufrió una importante caída. El *quinquenio* de Reyes, sin embargo, puso fin a las interrupciones de tipo político y militar, y en 1909 los precios comenzaron a subir notablemente; volvieron a tambalear durante la Primera Guerra Mundial —con incertidumbre en los embarques y pérdida temporal del mercado alemán—, pero se recuperaron durante la década de 1920. En 1924 el café llegó a representar casi el 80% de las exportaciones colombianas, que a su vez habían multiplicado seis veces el total de 1898.

Las condiciones de la demanda mundial obviamente tuvieron mucho que ver con el aumento de la producción y las ventas de café. Estimulada por innovaciones en el procesamiento y el mercadeo, la costumbre de beber café en Norteamérica y gran parte de Europa se había extendido, a comienzos del siglo XX, de los estratos sociales medio y alto hasta amplios segmentos de la clase trabajadora. En los Estados Unidos, en particular, el café era ahora un artículo de consumo popular. Otra circunstancia positiva proveniente del exterior fue la intermitente campaña brasileña, iniciada en 1906, para mantener el precio internacional por medio de la retención de existencias. Otros productores, como Colombia, lograron aumentar sus ventas a expensas del Brasil.

Los factores domésticos, no obstante, también contribuyeron al creciente éxito en el mercado mundial del grano. Las emisiones inflacionarias de papel moneda, que llevaron a la depreciación de la tasa de cambio, bien pueden haber desempeñado un papel importante en las primeras etapas de la expansión cafetera (según un planteamiento analizado en el capítulo anterior); pero difícilmente pudieron haber sido un factor determinante durante los años de más rápido crecimiento en el presente siglo, que fueron tiempos de relativa estabilidad monetaria. Los avances en los transportes, por otra parte, fueron sin duda importantes, y mucho más a comienzos del siglo XX que a finales del XIX. La extensión del sistema ferroviario redujo considerablemente los fletes internos del café, así como lo hizo el mejoramiento gradual de los caminos de herradura que conducían a las líneas ferroviarias. Hacia 1914 se terminó —con excepción de un corto trayecto en la mitad de la ruta— el ferrocarril de Antioquia, que iba de Medellín a Puerto Berrío, sobre el río Magdalena. En 1915, el ferrocarril del Pacífico logró conectar a Cali y el valle central del río Cauca con la costa Pacífica y Buenaventura, que se convirtió en el primer puerto colombiano comunicado directamente por ferrocarril con el interior y que pronto concentraría la mayor parte de la carga, en especial del café. El ferrocarril no fue la única razón por la cual Buenaventura cobró importancia. El Canal de Panamá, que se había abierto el año anterior (1914), reducía enormemente el costo y el tiempo del transporte desde la costa Pacífica hasta los mercados internacionales. Paradójicamente, Colombia fue tal vez el país latinoamericano que derivó más beneficio económico de la construcción del canal en un territorio que tan recientemente se le había arrebatado.

La importancia decisiva de los ferrocarriles de Antioquia y del Pacífico, así como del Canal de Panamá, para la expansión del cultivo del café estuvo muy relacionada con un movimiento del centro de gravedad de la industria cafetera hacia el oeste. Aunque el grano se cultiva en casi todas las regiones colombianas, la producción para la exportación se centraba originalmente en el actual departamento de Norte de Santander; hacia finales del siglo XIX, el área localizada al sur y al oeste de Bogotá, en dirección del río Magdalena, también comenzaba a cubrirse de cafetos. Sin embargo, en el primer tercio del siglo XX estas regiones fueron eclipsadas por Antioquia y las áreas ubicadas al sur de Antioquia en la cordillera Central y el valle del río Cauca (los actuales departamentos de Caldas, Quindío, Risaralda y parte del Tolima y el Valle del Cauca), las cuales habían estado recibiendo, desde mediados del siglo anterior, considerables caudales de colonización antioqueña. A medida que los colonos tumbaban los bosques y fundaban nuevas poblaciones, sembraban productos para satisfacer sus necesidades básicas, hasta que, con el cambio de siglo, se dedicaron cada vez más al café. Los cafetos se adaptaban fácilmente a la topografía quebrada de toda la región de colonización antioqueña. Más aún, el café era una cosecha apropiada para la producción en pequeñas unidades familiares, otra característica del proceso de migración interna.

El cambio geográfico en la industria cafetera implicó así una transformación social, aunque en ambos casos la diferencia era relativa y no absoluta. Siempre había habido pequeñas propiedades en la industria cafetera de la cordillera Oriental, junto con las grandes plantaciones, especialmente en Norte de Santander, pero también en los distritos cafeteros situados al suroeste de Bogotá; existían, por otra parte, grandes propiedades cafeteras en Antioquia y en las áreas de colonización antioqueña. Pero en estas últimas el patrón predominante fue el representado por el estereotípico Juan Valdez de la campaña publicitaria del café colombiano: el campesino robusto e independiente que atiende sus cafetos con cariño y dedicación, con la ayuda de la familia, recogiendo el café grano a grano en el momento de madurez perfecta —por cuya razón se espera fundadamente que los consumidores van a pagar un precio ligeramente más alto, para asegurarse de que compran café 100% colombiano.

Como es obvio, la propaganda comercial no muestra las condiciones de vida de la familia Valdez. El tipo de producción del pequeño propietario fue mucho más exitoso en Colombia que la modalidad de grandes plantaciones, precisamente porque resolvía el problema de costo y disponibilidad de mano de obra que en un principio desesperó a los propietarios de grandes haciendas. La producción cafetera de todo el país era muy intensiva en el uso de mano de obra, especialmente en las laderas de los Andes. La mano de obra constituía el mayor gasto para los hacendados, que experimentaban con diferentes tipos de arreglos como arriendos y aparcerías, a la vez que contrataban obreros permanentes u ocasionales, pero nunca podían conseguir suficiente ayuda confiable a precios cómodos; de esta manera, estaban en desventaja en relación con los pequeños propietarios. Estos últimos, exceptuando tal vez la época de cosecha, se apoyaban en los miembros de su familia, que no recibían jornales sino que sólo compartían la comida y la vivienda. Afortunadamente, la alimentación, que crecía entre los cafetos, era en términos generales adecuada en cantidad si no en equilibrio nutricional, y la vivienda proveía refugio y protección contra los elementos. Pero las comodidades eran mínimas. Además, el café se cultiva sobre todo en laderas de altura media, entre 1.000 y 2.000 metros, donde los paisajes son magníficos pero el clima templado favorece la proliferación de insectos y parásitos, así como de enfermedades tropicales; hasta hace muy poco tiempo, los gobiernos habían desplegado muy débiles esfuerzos para contrarrestar esa situación con medidas de salud pública y servicios médicos rurales.

No es necesario decir que los proveedores, intermediarios y exportadores de café fueron recompensados mucho más generosamente que los pequeños cultivadores. La creación en 1927 de la Federación Nacional de Cafeteros (Fedecafé) proporcionó a la industria del grano una asociación comercial que ha trabajado con loable eficiencia para regular el precio interno, asegurar el acceso a créditos, controlar la calidad del producto y llevar a cabo muchas otras actividades relacionadas con la industria cafetera; además, invitaba a todos los colombianos involucrados en el cultivo o el comercio del café a pertenecer a ella. En la práctica, la federación estaba dominada por los grandes productores y los comerciantes, quienes naturalmente se beneficiaban en mayor medida de sus servicios. Sin embargo, al mismo tiempo, el simple hecho de que el pequeño productor fuera independiente le daba la sensación de ser parte del sistema, así fuese de manera modesta; ello, además, limitaba el grado de identificación del pequeño productor con el proletariado rural, y naturalmente con el urbano. Más bien, los trabajadores rurales que no poseían tierra buscaban identificarse con el pequeño propietario y aspiraban a convertirse a su vez en dueños con derecho propio. La tendencia de los arrendatarios y aparceros a actuar como propietarios, es decir, a cultivar y vender café por su propia cuenta aunque su contrato se lo prohibiera, condujo a serios conflictos agrarios en las haciendas del valle alto del Magdalena durante las décadas de 1920 y 1930. Estos conflictos llevaron a la formación de un incipiente movimiento rural comunista que lograría posiciones firmes en varios municipios durante los mismos años, paradójicamente en defensa de las aspiraciones pequeñoburguesas de los campesinos.

En el conjunto del país, la industria cafetera tuvo un efecto de conservatización de la sociedad, al tornar a las masas rurales más dóciles a la aceptación no solamente del orden socioeconómico capitalista, sino también del orden político liberal-conservador que lo sustentaba y se apoyaba en él. Además, el solo hecho de que la principal industria del país estuviese casi totalmente en manos colombianas, pues la participación extranjera era importante solamente en lo relativo al mercadeo en el exterior, evitó que se convirtiera en blanco del nacionalismo económico colombiano. Por la misma razón, demoró el surgimiento del nacionalismo en general como fuerza activa.

Textiles, petróleo, banano

Aunque el café sobresalió a comienzos del siglo XX como la actividad económica que ocupaba el mayor número de brazos y generaba la mayor parte de las ganancias externas colombianas, los mismos años también trajeron avances económicos importantes en otras áreas. Una de ellas, la industrialización, presentaba una relación cercana y simbiótica con el café. En los comienzos, la industria manufacturera, al igual que la cafetera, estaba predominantemente en manos colómbianas; el incremento de la producción y las ventas del café aumentó las reservas disponibles de capital de inversión a la vez que permitió el crecimiento del mercado nacional de las manufacturas como bienes de consumo. No fue por azar que Medellín se convirtió en la primera capital industrial del país.

Después de una serie de intentos poco exitosos de montar fábricas en el país, numerosas pequeñas empresas se habían establecido en diferentes ciudades a finales del siglo XIX y elaboraban bienes de consumo ligeros, tales como textiles, junto con alimentos y bebidas procesados. Un modelo de empresa próspera fue la cervecería Bavaria, fundada en 1889 en Bogotá por un inmigrante alemán, que también abrió su propia fábrica de envases y en poco tiempo se convirtió en el mayor empleador de la capital, aparte del gobierno. Sin embargo, los comienzos de la industrialización en regla datan de la época de Rafael Reyes, quien no sólo sentó las bases para un clima político propicio, sino que también extendió la necesaria protección arancelaria para el desarrollo fabril.

Los aranceles de 1905, aunque todavía tenían como objetivo principal la recaudación de recursos fiscales, elevaron en cierta medida los precios de los textiles importados; lo que era más importante aún, representaron una reducción de los derechos que pagaban las fibras e hilos importados. La diferencia entre la tarifa a pagar por productos terminados y productos semiterminados fue la que a la larga dio paso al incentivo para la creación de una industria manufacturera moderna. En otras palabras, los colombianos recibieron estímulos para importar textiles no terminados con el fin de trabajarlos, a partir de materiales importados, en las etapas finales del proceso industrial, todo gracias a la diferencia en los aranceles. El algodón del Misisipí cruzaría el Atlántico hasta Inglaterra para convertirse en hilos, que a su vez vendrían a Colombia, donde se fabricaba la tela. Esta era tal vez una forma curiosa de proceder, y de hecho los textileros buscaron estimular los cultivos locales de algodón. Pero en un comienzo la producción no alcanzaba para satisfacer las demandas de la industria. Por esta razón, el método escogido para importar incluso los hilos necesarios fue la manera más rápida de iniciar la industrialización.

Las fábricas de tejidos empezaron a surgir especialmente en Medellín y sus alrededores y, en menor escala, en otras ciudades. Coltejer, hoy la más importante firma textil del país, cuyo rascacielos domina el centro de Medellín, fue fundada en 1907. La producción total creció constantemente, a expensas tanto de la producción artesanal como de las importaciones de textiles. La mayoría de la fuerza laboral estaba constituida por mujeres jóvenes de poblaciones cercanas o provenientes de familias de la clase obrera local, quienes ganaban treinta centavos de dólar por día. Además, recibían de sus patronos un tratamiento especial que incluía dormitorios cuidadosamente vigilados para las muchachas que venían de poblaciones lejanas y por lo tanto estaban separadas de sus familias, capillas para que no descuidaran las obligaciones religiosas y cursos para la superación personal durante las horas libres. Una firma llevó su paternalismo hasta el extremo de requerir que las muchachas que manejaban sus telares trabajaran descalzas, para eliminar las ignominiosas diferencias entre aquellas que podían darse el lujo de tener zapatos y aquellas impedidas para hacerlo. Como ocurrió cuando se iniciaron las industrias textiles en otros países, donde las mujeres también fueron fundamentales para esa labor, los puestos que requerían más preparación y habilidad, y por tanto los mejor remunerados, quedaron en manos de hombres, los cuales poco a poco aumentaron su participación en la fuerza laboral textil. Aun así, las trabajadoras de la rama encontraron en la escasa remuneración una atractiva alternativa a las más tradicionales opciones abiertas para las mujeres de la clase trabajadora, como el oficio doméstico, la prostitución o sencillamente la ausencia de ingresos.

Los aranceles no fueron la única forma de protección oficial de las nuevas industrias. Las concesiones en lo relativo a impuestos y la preferencia en las compras estatales también constituyeron prácticas proteccionistas. Por otra parte, la política de protección gubernamental no sólo se dirigía a la industria textil; para promover los molinos de harina, por ejemplo, la misma tarifa de 1905 que establecía las diferencias arancelarias entre hilos importados y telas terminadas, imponía igualmente altos gravámenes a la harina mientras aplicaba una tarifa con valor meramente nominal a las importaciones de grano de trigo. Esta medida fue diseñada para apoyar la industria molinera en la costa del Caribe y realmente no afectó negativamente a los cultivadores de trigo del interior andino, cuyo mercado era esencialmente regional; se dirigía únicamente a la harina importada. Pero el hecho es que la industria textil fue la que presentó los más altos índices de crecimiento. En 1915 absorbía casi un cuarto del total del capital invertido en la manufactura, y un 70% de tales recursos estaba concentrado en el área de Medellín.

El papel predominante de los textiles en un país recién industrializado es natural, a causa de la tecnología relativamente simple que tal actividad requiere, y también de la presencia de un gran potencial de mercado interno para el producto final. Las razones que justifican el liderazgo antioqueño son, sin embargo, menos obvias. Antioquia no ofrecía ventajas evidentes en cuanto al acceso a las materias primas y estaba aislada de otros centros de población por terrenos difíciles y transportes totalmente inadecuados, por lo menos hasta el momento en que se logró terminar el tramo del ferrocarril de Antioquia que conectó a Medellín con el río Magdalena. Pero Antioquia tenía acceso fácil y rápido a capitales comerciales disponibles para inversiones en nuevas empresas, la mayoría de ellos proveniente de la destacada posición de la región en la minería del oro y, más recientemente, en las exportaciones de café. La industria cafetera antioqueña también aportaba nuevas fuentes de ingreso a las familias campesinas, que podían así adquirir productos de la industria textil; por otra parte, en el valle del río Medellín había potencial hidroeléctrico. Finalmente, los antioqueños mostraban un espíritu empresarial que, por razones de difícil comprensión, los diferenció de sus compatriotas de otras regiones del país.

Este rasgo se pretendía a veces dilucidar a partir de una tesis que empezó a circular a mediados del siglo pasado, según la cual el número desproporcionado de judíos conversos españoles que arribó a la región legó a sus descendientes colombianos su proverbial pericia comercial. El hecho de que Antioquia también fuera notable por su acendrada religiosidad católica a nivel popular nunca desconcertó a los defensores de la tesis anterior para su justificación del carácter antioqueño, pues insistían en que los conversos a menudo exhibían altos niveles de fervor precisamente para desviar sospechas sobre la sinceridad de su conversión. Desde luego, no existe evidencia que sustente esta peculiar explicación de la habilidad empresarial de los antioqueños[14]. Otras interpretaciones más realistas se han centrado en la tradicional figura del aventurero antioqueño que busca encontrar una mina de oro; en el muy activo papel que protagonizaron los comerciantes e intermediarios antioqueños en la misma industria minera, que contribuyó a la vez a su acumulación de capital; y finalmente en la distribución ligeramente más pareja de la propiedad raíz, que a su vez repercutió en el desarrollo de lo que podría llamarse una clase media rural. Sea cual sea la razón precisa, los antioqueños demostraron una energía poco habitual y una agudeza notoria en sus negocios, no sólo en las manufacturas sino también en el comercio y las finanzas.

Otras dos áreas de crecimiento económico notables durante el primer tercio del siglo XX fueron el petróleo y el banano, que, a diferencia del café y los textiles, se convirtieron en enclaves de la penetración de capitales extranjeros. La exploración de reservas petrolíferas se inició con el cambio de siglo, con logros insignificantes en sus comienzos. Pero intereses tanto extranjeros como colombianos se involucraron en la búsqueda y se acepta de manera generalizada que tanto los intereses de las firmas norteamericanas que operaban en Colombia como el deseo del propio gobierno de impulsar la inversión en el campo petrolero influyeron en la ratificación final, por parte de ambos países, del tratado Urrutia-Thompson. Hacia los años veinte, la Tropical Oil Company, subsidiaria de la Standard Oil de Nueva Jersey, producía cantidades cada vez mayores en los campos que controlaba en el Magdalena Medio. Esta compañía desarrolló un complejo de refinación en Barrancabermeja para abastecer el mercado nacional colombiano y, luego de la terminación en 1926 del oleoducto que llegó hasta Cartagena, comenzó a exportar cantidades que, en comparación con la producción venezolana, eran modestas, pero que pronto llegaron a constituir el 17% del total de las exportaciones del país. La otra firma importante en la industria petrolera fue la Colombian Petroleum, que a pesar de su nombre era subsidiaria de Gulf y Socony. Esta firma había adquirido la llamada Concesión Barco, en Norte de Santander, que en realidad era una extensión de los campos petrolíferos venezolanos de la región del golfo de Maracaibo. Sin embargo, la Colombian Petroleum tuvo que enfrentar ataques legales a sus derechos concesionales y solamente en la década de 1930 logró iniciar una producción significativa.

Los problemas de la Colombian Petroleum no eran exclusivos de esa empresa. Por una parte, la legislación sobre el subsuelo colombiano era inusualmente compleja, lo cual hacía que las rondas de demandas y contrademandas se tornaran interminables. Durante el auge liberal del tercer cuarto del siglo XIX, Colombia había abandonado, durante un breve lapso, la doctrina jurídica española que separaba la propiedad de la superficie de la del subsuelo (que entonces era propiedad pública, a menos que fuera expresamente enajenada). Una medida posterior, de 1873, restauraba el antiguo sistema, pero los tribunales determinaron que no podía aplicarse retrospectivamente. Por lo tanto, si una determinada propiedad se había legalizado como tal antes de 1873, el dueño actual tenía derecho tanto sobre el suelo como sobre el subsuelo. En vista del estado a menudo caótico de los registros de propiedad, surgió el afán de encontrar o, si era necesario, inventar títulos de propiedad anteriores a 1873 que incluyeran tierras en las que se sospechaba que había petróleo. Los abogados entraron en acalorada competencia, al tratar de legitimar los títulos de sus clientes o de impugnar los de terceros. Como un ingeniero de petróleos anotara más tarde, con una mirada de soslayo que dejaba entrever celos por la actividad petrolera del vecino país, «mientras en Colombia se litiga, en Venezuela se perfora»[15].

El número de pleitos también estaba relacionado con prácticas reguladoras. Bajo la severa dictadura de Juan Vicente Gómez, Venezuela había llegado a una relación mutuamente satisfactoria con las compañías petroleras internacionales, y deseaba evitar cualquier interferencia mezquina en sus actividades. En Colombia, el régimen conservador buscaba estimular la producción de petróleo, pero en un sistema político más abierto y competitivo como en efecto era el colombiano, los funcionarios gubernamentales querían evitar a toda costa que se los tachara de negligentes en la defensa de los intereses nacionales. Por esta razón las ordenanzas eran más cautelosas y también, aparentemente, cambiaban de manera constante.

Aparte de los abogados y los reglamentos gubernamentales, las empresas petroleras tuvieron que enfrentar serios conflictos laborales, otro de los inconvenientes de hacer negocios en Colombia, especialmente si la situación se comparaba con la de Venezuela. Los salarios que pagaban las compañías eran más altos que el promedio nacional, debido a que operaban en lugares apartados, poco habitados y con escasas comodidades, por lo cual tenían que atraer a trabajadores de diferentes partes del país. Con todo, los trabajadores nativos tenían que soportar condiciones de vida generalmente muy deficientes, en contraste irritante con las primas y beneficios adicionales que recibían los extranjeros. Más aún, el simple hecho de que el patrono fuera una compañía extranjera facilitaba la labor de los agitadores para movilizar la opinión de los trabajadores contra las empresas y despertar la solidaridad e la población en general. Por eso la Tropical Oil enfrentó huelgas masivas en 1924 y 1927, en las cuales participaron algunos de los primeros comunistas y líderes de izquierda de la nación. En ambas instancias, frente a la violencia real o a la amenaza de violencia, el gobierno intervino con la fuerza para neutralizar a los huelguistas. Los trabajadores, a pesar de todo, obtuvieron algunas mejoras, mientras el gobierno perdió prestigio por su manejo de la situación.

Todavía mayor desprestigio gubernamental causó la gran huelga bananera de 1928. La exportación comercial de banano había comenzado en Colombia al inicio del siglo, y para los años 20 era una industria importante, que al final de la década contribuía ya con el 6% de la totalidad de las exportaciones del país. La United Fruit Company, de Boston, Massachusetts, cuyas propiedades en América Central y el Caribe la habían llevado a ser modelo de integración horizontal y vertical, controlaba totalmente la industria. En Colombia, la compañía por lo general no era dueña de las plantaciones de banano, pues prefería comprar la fruta a los productores nativos. Pero controlaba también el ferrocarril de Santa Marta, que llevaba el banano a puerto, administraba la distribución del agua de riego en la zona bananera y contaba en su nómina con una serie de políticos locales y nacionales como «representantes legales» o algo similar. Los niveles salariales de la industria bananera eran superiores a los que normalmente regían para empleos relacionados con la agricultura, puesto que, tal como ocurría en el petróleo, había que atraer trabajadores de otras regiones del país a un área relativamente poco poblada. Sin embargo, y una vez más como en el caso del petróleo, las condiciones de vida de los trabajadores locales eran deficientes y muy inferiores a las de los extranjeros. Otra razón de queja de los trabajadores era que la United Fruit se negaba a pagar prestaciones sociales que la ley colombiana exigía, tales como el seguro de accidentes, aduciendo que los empleados de las plantaciones no eran directamente contratados por ella sino por los proveedores colombianos o por unos contratistas privados, cuyos servicios utilizaba la compañía.

La huelga bananera de 1928 constituyó la explosión de años de creciente tensión laboral. Unos pocos anarquistas extranjeros, cuya influencia en Colombia fue mínima en la mayoría de los casos, habían permanecido activos en la zona bananera, así como también el Partido Socialista Revolucionario (PSR), fundado a mediados de la década del 20 y que en 1930 se convertiría en el Partido Comunista Colombiano. El PSR envió a la zona bananera a varias de sus figuras importantes —inclusive a María Cano, la «Flor del trabajo», pionera de la lucha por los derechos de las mujeres y las demandas de los trabajadores—, para ayudar en la organización de los obreros, quienes además contaban con el apoyo de elementos ajenos a la actividad revolucionaria, como los comerciantes independientes que sufrían la competencia de los comisariatos de la United Fruit Company.

Cuando se inició la huelga, en octubre de 1928, las exigencias de los trabajadores cubrían desde el aumento salarial y las mejoras en las condiciones de vida hasta el reconocimiento formal del sindicato que habían creado. La compañía fue inflexible y el gobierno de Abadía Méndez la respaldó, en parte debido a una exagerada preocupación por la presencia de agitadores radicales. Las cosas subieron de punto cuando el 6 de diciembre, en la población de Ciénaga, los soldados dispararon contra una multitud de huelguistas, con el saldo oficial de trece muertos. Este fue sólo el comienzo de una operación represiva total que provocó un número indeterminado de bajas y el arresto de los principales líderes del movimiento. El destino de los huelguistas de las bananeras fue inmortalizado en uno de los capítulos de *Cien años de soledad*, de Gabriel García Márquez, donde se narra que hubo miles de víctimas y que los cadáveres fueron apilados en vagones de plataforma, para ser posteriormente arrojados al mar para borrar la evidencia de tan atroz masacre. El relato del novelista no debe ser tomado como verdad absoluta: entre 60 y 75 víctimas es una aproximación aceptable como saldo del episodio[16]. Definitivamente, la cifra habla por sí sola.

Incluso sin considerar la exactitud estadística del total aproximado, el incidente de la zona bananera causó una reacción violenta contra la administración conservadora, teniendo en cuenta que la compañía también había descuidado sus relaciones con los liberales de la oposición. El joven líder liberal Jorge Eliécer Gaitán, uno de los que atacaron incansablemente al gobierno por su nefasto manejo de la huelga bananera, ganó renombre nacional por su explotación del suceso en el hemiciclo de la Cámara de Representantes. La masacre de las bananeras fue de ese modo uno de los factores que contribuyeron al colapso final de la hegemonía conservadora. Pero no fue el único: más importante incluso que la huelga de las bananeras o el agotamiento natural resultante de tanto tiempo en el poder fue el impacto de la depresión económica mundial, cuyos primeros efectos se empezaron a sentir en Colombia incluso antes del desastre de Wall Street de octubre de 1929. El dramático desplome de las exportaciones colombianas produjo una caída general de la economía y una reducción en los ingresos del gobierno, y las condiciones de los mercados financieros internacionales impidieron que se lograran nuevos créditos destinados a apaciguar la crisis o a continuar los ambiciosos programas de los años anteriores. No sorprende que el empeño de los conservadores de mantenerse en el poder fuese perceptiblemente menor a medida que se acercaban las elecciones de 1930. Si un declive económico medio siglo antes había sido crucial en el ascenso conservador al poder, era hasta cierto punto lógico que una depresión aún más grave anunciara el fin de su hegemonía.

Notas

1. Tal como lo cita Charles Bergquist, *Café y conflicto en Colombia, 1886-1910,* Medellín,1981, pp. 257-258.

2. William Paul McGreevey, *Historia económica de Colombia, 1845-1930,* Bogotá, 1975, p. 262 (cuadro).

3. Bergquist, *Café y conflicto,* p. 283.

4. David Bushnell, *Política y sociedad en el siglo XIX,* Tunja, 1975, pp. 35-36.

5. Citado en Darío Mesa, «La vida política después de Panamá», *Manual de historia de Colombia,* 2ª edición, 3 vols., Bogotá, 1982, t. 3, p. 148.

6. Mauricio Archila Neira, «La formación de la clase obrera colombiana (1910-1945)», trabajo presentado en el congreso de la Latin American Studies Association (LASA), Nueva Orleans, marzo de 1988, 1; ver también Miguel Urrutia, *The Development of the Colombian Labor Movement,* New Haven, Conn., 1969, pp. 63-64.

7. Lucy Cohen, *Las colombianas ante la renovación universitaria,* Bogotá, 1971, p. 51, nota 40; entrevista con Lucy Cohen, mayo de 1991; Jaime Jaramillo Uribe, «El proceso de la educación del virreinato a la época contemporánea», *Manual de historia de Colombia,* t. 3, p. 288.

8. Miguel Urrutia, *Historia del sindicalismo en Colombia,* Bogotá, 1969, pp. 92-93.

9. Bernardo Tovar Zambrano, *La intervención económica del Estado en Colombia, 1914-1936,* Bogotá, 1984, pp. 79, 167 (cuadros).

10. Christopher Abel, *Política, Iglesia y partidos en Colombia,* Bogotá, 1987, p. 83.

11. *Ibíd.*

12. McGreevey, *Historia económica,* p. 204 (cuadros); José Chalarca y Héctor H. Hernández Salazar, *El café,* Bogotá, 1974, pp. 210, 257 (cuadros). Charles W. Bergquist, *Labor in Latin America: Comparative Essays on Chile, Argentina, Venezuela, and Colombia,* Stanford, California, 1986, cap. 5, discute el ascenso del café principalmente desde el punto de vista de los productores campesinos.

13. José Antonio Ocampo, ed., *Historia económica de Colombia*, Bogotá, 1987, p. 187.

14. Acerca del «mito judío», ver el estudio sobre Antioquia de Ann Twinam, *Miners, Merchants and Farmers in Colonial Colombia*, Austin, Texas, 1982, pp. 8-13.

15. Embajador Lane al Secretario de Estado de los Estados Unidos, Bogotá, septiembre 3 de 1943, U.S. National Archives, State Dept., decimal files, 821.6363/1498.

16. Roberto Herrera Soto y Rafael Romero Castañeda, *La zona bananera del Magdalena: historia y léxico*, Bogotá, 1979, p. 79.

Capítulo 8
La república liberal (1930-1946)

Colombia es una de las pocas naciones latinoamericanas que no sufrieron un cambio revolucionario de gobierno durante los años de la depresión mundial. Por el contrario, el gobierno conservador cayó en elecciones libres y transfirió pacíficamente el mando al nuevo Presidente liberal. De esta manera se inició un período marcado por un rápido cambio social y una controversia política que durarían hasta 1946, cuando los conservadores volvieron a asumir el control del país.

La causa inmediata del relevo de partido en el poder en 1930 fue que los conservadores habían dividido sus votos entre dos candidatos diferentes, de suerte que el liberal Enrique Olaya Herrera logró ganar, si bien por mayoría simple. En el pasado, cuando los conservadores se habían escindido de manera similar, habían solicitado al arzobispo de Bogotá que sirviera de árbitro y procedido a apoyar la decisión del prelado. En 1930, sin embargo, el arzobispo tuvo dificultades para decidirse y respaldó primero a uno de los candidatos y luego al otro, con el resultado de que los liberales retornaron al poder después de permanecer casi cincuenta años en la oposición. La creciente crisis económica y la reacción contra el gobierno conservador por su terca inflexibilidad ante la huelga bananera de 1928, así como otros errores y omisiones acumulados, animaron a los enemigos del gobierno y destruyeron la moral de sus seguidores. Pero el propio Olaya Herrera era definitivamente un liberal moderado, que había servido recientemente, bajo la administración conservadora, como ministro de Colombia en Washington; por lo tanto, a corto plazo se esperaban pocos cambios de fondo en las políticas oficiales.

El cambio más inmediato y notorio fue el deterioro repentino del orden público en la mayor parte del país. Este brote de violencia ofrecía un tajante contraste con la aparente tranquilidad que predominó en la vida política de Colombia durante el último período de la hegemonía conservadora (aparte de las huelgas y la agitación laboral). En dicho lapso, aparentemente, el gobierno funcionaba sin tropiezos y de acuerdo con la Constitución, prevalecía una atmósfera cordial entre los altos mandos de los partidos, la prensa y la expresión libres eran respetadas y Colombia parecía surgir como una democracia modelo en América Latina. No obstante, las apariencias eran engañosas en algunos sentidos. Ni el liberal ni el conservador medio habían entendido verdaderamente a qué se referían las consignas y principios que proclamaban los líderes de sus respectivos partidos y tal vez por esta misma razón nunca captaron el hecho de que los temas que otrora habían dividido a los partidos, como por ejemplo el federalismo, la cuestión religiosa y otros, ya no eran primordiales en los programas políticos. En efecto, la existencia de un sistema bipartidista, aunque superficialmente se podía considerar como prueba de la estabilidad política del país, era una buena manera de mantener vivas las viejas rencillas, que pasaban de padres a hijos; como lo dijo un estadista conservador, los partidos colombianos eran en realidad dos «odios heredados»[1]. Y aunque el asunto religioso había perdido intensidad en Bogotá, no ocurría lo mismo en las regiones apartadas, donde el párroco podía incluso negarse a dar la comunión a alguien que reconocidamente votase por los liberales. No es aventurado afirmar que estos últimos se habían tornado más dóciles frente a la Iglesia que ésta hacia ellos; el clero, en especial en el más bajo estrato, todavía no había perdonado los daños que los liberales le habían causado con las reformas anticlericales de mediados del siglo anterior.

En 1930, uno de los problemas era simplemente que el liberalismo había estado lejos del poder por casi medio siglo. Lo máximo que había logrado había sido ocupar los puestos reservados a la oposición en los cuerpos colegiados y la cuota menor de prebendas que los conservadores habían tenido a bien darle. Éstos se habían acostumbrado a considerar la nómina del Estado casi como de su propiedad privada, mientras muchos liberales bien preparados habían estado esperando durante todo este tiempo una oportunidad. Además de ver insatisfechas sus ambiciones burocráticas, los liberales guardaban viejos rencores, resultantes de agravios del otro partido durante la larga hegemonía conservadora. La transición necesariamente habría de despertar resquemores, y Olaya Herrera buscó facilitar el proceso al instalar un gobierno de coalición, con miembros del Partido Conservador en el gabinete y en otros puestos del gobierno. En lo que respecta a las relaciones entre las cúpulas de los partidos, la coalición se sostuvo. Pero en varios departamentos se registraron episodios violentos. En algunos casos, éstos se iniciaron cuando liberales jubilosos empezaron a saldar viejas cuentas, a vengarse por injusticias reales o imaginarias causadas durante el mandato de sus adversarios; en otros casos, los conservadores locales sencillamente no estaban preparados para entregar el poder pacíficamente. El saldo de muertos y heridos parece relativamente insignificante si se lo compara con el que se produjo entre finales de los años 40 y mediados de los 50, el período de la *Violencia* propiamente dicha, y de hecho el fenómeno no mereció mucha atención fuera de Colombia. Se trataba sólo de unos pocos campesinos asesinados y estas rústicas tragedias fueron opacadas por el espectacular cambio de mando pacífico que se escenificó en Bogotá.

La ola de violencia fue finalmente controlada y, por lo demás, el único incidente verdaderamente dramático durante la administración Olaya Herrera fue el conflicto fronterizo en la región amazónica, que se inició cuando una banda de aventureros peruanos se tomó la estrecha extensión de territorio colombiano que toca el río Amazonas en la población de Leticia. Aunque los individuos no traían instrucciones expresas del gobierno de Lima, el entusiasmo popular que provocó la recuperación de un territorio que la mayoría de peruanos consideraban como suyo —a pesar de un tratado fronterizo de 1922 que asignaba el territorio en cuestión a Colombia— determinó que para el gobierno peruano fuera políticamente imposible repudiar la acción. La conclusión fue un breve conflicto armado. Con el fin de hacer frente a los peruanos y vencerlos finalmente, Colombia, que no tenía comunicación terrestre viable con Leticia, se apoderó de una embarcación bananera de la United Fruit Company, en la que se transportó un ejército desde la costa caribeña hasta el extremo oriental de Suramérica, para remontar luego al río Amazonas hasta Leticia, cubriendo una distancia de alrededor de 3.000 km a través de la selva brasileña. Mientras tanto, la Liga de las Naciones había intervenido para mediar en la contienda. El asunto fue finalmente resuelto por medio de un tratado entre Colombia y el Perú en el que se confirmaba la posesión colombiana de Leticia. La confrontación tuvo un efecto positivo, en cuanto despertó una ola de sentimiento patriótico entre los colombianos en protesta por la violación del territorio nacional por parte de los peruanos; esta fue una de las razones por las cuales el estallido de las luchas partidistas que siguió al regreso del liberalismo al poder se apaciguó rápidamente.

Otra consecuencia positiva del asunto de Leticia fue el auge del gasto militar, cuyo efecto fomentó la actividad económica y ayudó a Colombia en su recuperación de la crisis económica mundial más rápidamente de lo previsto. Desde luego, el gasto militar no fue impuesto como medida de recuperación económica, ni los efectos de la depresión mundial fueron tan traumáticos en el caso colombiano. La población rural todavía combinaba la agricultura de subsistencia con la producción para el mercado y así pudo reabsorber gran número de trabajadores que habían perdido su trabajo en las ciudades o en las obras públicas. En la industria cafetera, la baja de los precios fue compensada en parte por el aumento en el volumen de café vendido. En lo que respecta a las medidas que fueron adoptadas conscientemente para manejar la crisis económica, éstas se impusieron desde dos puntos de vista lógicamente contradictorios. De un lado, al igual que la mayor parte de América Latina durante el período en cuestión, Colombia devaluó su moneda, impuso controles cambiarios y reajustó los aranceles, con el fin de hacer más competitivas sus exportaciones en los mercados mundiales y más escasas y caras las importaciones. Tales medidas defensivas tendían a estimular una industrialización que sustituyera las importaciones y estaban obviamente comprometidas con el nacionalismo económico. De otro lado, sin embargo, Olaya Herrera se desvivía por complacer al gobierno y a los empresarios de los Estados Unidos, con la vana esperanza de que, con sus vastos recursos, el país norteamericano ayudara a Colombia a resistir la depresión.

Para demostrar la responsabilidad fiscal de Colombia, y cuando ya casi todos los países latinoamericanos lo habían descuidado, Olaya Herrera mantuvo el servicio de la deuda externa, incluso a expensas de los programas domésticos y los salarios de los empleados del gobierno. De igual manera, se afanó por resolver las controversias sobre el status de las compañías norteamericanas en Colombia, y lo hizo esencialmente bajo las condiciones que ellas imponían. Lo más chocante —aunque no se conoció públicamente en su momento— fue que, cuando llegó el momento de designar un nuevo ministro de Industrias, posición que tenía que ver tanto con el petróleo como con el banano, el Presidente colombiano consultó con el embajador de los Estados Unidos para cerciorarse de que el nombramiento le resultara aceptable. El funcionario norteamericano respondió que la candidatura sugerida le parecía bien, pero anotó que la United Fruit Company había tenido problemas con el candidato, razón por la cual el mandatario solicitó al ministro que consultara con el gerente local de la frutera, quien a su vez elevó la consulta a su casa matriz de Boston; Olaya nombró formalmente al miembro de su gabinete solamente después de conocer la aprobación de Boston[2]. Todo esto reflejaba en parte el simple hecho de que Olaya realmente confiaba en los Estados Unidos; pero el Presidente también se inspiraba en la idea de que si se inclinaba en favor de los intereses norteamericanos, los banqueros de Wall Street sacarían a Colombia de las dificultades de la gran depresión con nuevos préstamos, lo cual, sin embargo, se negaron a hacer.

Atareado por la depresión, Leticia y la ola inicial de violencia entre los partidos que se desató en las áreas rurales, Olaya no tuvo mucho tiempo para dedicarse a reformas fundamentales, aunque así lo hubiera querido. Durante su administración los liberales adoptaron, sin embargo, algunas medidas con miras al futuro. Para los trabajadores se impuso la jornada laboral de ocho horas, así como una reforma que daba explícito reconocimiento legal al derecho a organizar sindicatos. Otro logro, notable únicamente porque no había ocurrido antes, fue un decreto que garantizaba a los colegios femeninos el derecho a conferir grados de bachiller, requisito indispensable para el ingreso a la universidad. Como resultado, en 1938, alrededor de seis de los 284 estudiantes graduados de todas las universidades de Colombia fueron mujeres[3]. Otro adelanto fue la revisión del Código Civil para otorgar a las mujeres casadas el derecho legal de poseer y disponer de propiedades, de la misma manera que lo hacían sus maridos; esta corrección, necesaria desde hacía ya mucho tiempo, despertó una tormenta de protestas por parte de aquellos que consideraban que amenazaba la estabilidad y los valores tradicionales de la familia. Empero, la controversia sobre estas medidas fue menor en comparación con las que desataron las innovaciones de Alfonso López Pumarejo, sucesor de Olaya Herrera elegido sin oposición en 1934. El conservatismo, que todavía no había resuelto sus disensiones internas e insistía en que sus rivales no garantizarían unas elecciones justas, no presentó candidato.

La «revolución en marcha»

Alfonso López Pumarejo desempeñó en Colombia un papel similar al de su contemporáneo Franklin D. Roosevelt en los Estados Unidos, y en algunos asuntos sin duda estuvo influenciado por el *New Deal* del jefe de Estado norteamericano. López Pumarejo fue el primero que centró el debate político alrededor de los temas laborales y sociales, y en este proceso desató la oposición de los líderes políticos y empresariales tradicionales; pero Colombia cambió muchísimo bajo su mandato. Como Roosevelt, López era un hombre rico; de hecho, era banquero. Sabía de sobra que Colombia no podía continuar ignorando los problemas que alguna vez describió como «esa vasta clase económica miserable que no lee, que no escribe, que no se viste, que no se calza, que apenas come, que permanece… al margen de la vida nacional»[4]. En su opinión, tal abandono no solamente era erróneo, sino también peligroso, pues tarde o temprano las masas exigirían una mayor participación en las comodidades de la vida. López creía que su partido debía tomar la iniciativa y canalizar tales demandas hacia una solución pacífica.

Ya se habían presentado algunos signos de descontento popular en torno a reclamos socioeconómicos, que eran muy diferentes a los convencionales estallidos de violencia política entre liberales y conservadores. El ejemplo más obvio había sido la huelga de la zona bananera de 1928. En otras regiones del país se presentaban signos adicionales de agitación agraria, perceptibles para aquellos que se molestaban en observarlos; el descontento se manifestaba en forma de disputas sobre títulos de propiedad, conflictos entre propietarios y arrendatarios y movimientos de campesinos que invadían porciones no utilizadas o subutilizadas de grandes haciendas. Los disturbios agrarios serios no ocurrían en todo el país sino en áreas específicas, pero reflejaban la presión que ejercía la creciente población rural, cuyas necesidades no eran satisfechas por los patrones de tenencia de la tierra existentes: en un extremo, grandes latifundios que no siempre se cultivaban totalmente o que estaban dedicados a la ganadería cuando serían más productivos si se cultivaran, y en el otro extremo una enorme cantidad de pequeñas parcelas campesinas cuya propiedad estaba planteada en términos legales precarios o que simplemente eran demasiado pequeñas para suministrar un sustento apropiado.

El descontento urbano también empezaba a manifestarse a medida que las ciudades crecían. Bogotá, que a comienzos de siglo escasamente superaba los cien mil habitantes, a mediados de la década de 1930 contaba con un cuarto de millón. Este aumento reflejaba un ritmo acelerado de urbanización que también era apreciable en Medellín, que en cifras seguía de cerca a la capital, y en Barranquilla. El crecimiento urbano se basaba en la expansión de los servicios y la construcción, así como de la industria manufacturera, especialmente en la capital antioqueña. Sólo entre 1929 y 1945, la actividad industrial duplicó su porcentaje dentro de la producción total del país[5]. El crecimiento derivaba buena parte de su estímulo del impacto de la depresión, que había causado un descenso de los precios de los productos de exportación colombianos y por lo tanto había hecho que los precios de las importaciones fueran absolutamente inaccesibles para muchos consumidores, a la vez que había desencadenado la reacción defensiva de nacionalismo económico ya descrita. Durante los años 30 la producción textil en particular creció a un ritmo anual mayor al registrado en Gran Bretaña durante la fase de «despegue» de la Revolución Industrial. Desafortunadamente, la industria de tejidos no provocó un proceso duradero ni autosuficiente de crecimiento económico en Colombia como sí lo hizo en la Inglaterra del siglo XVIII. Puesto que la tecnología y la maquinaria eran en su mayoría importadas, la expansión no tuvo la misma amplitud en sus efectos secundarios sobre el resto de la economía, y la falta de poder adquisitivo de las masas colombianas impuso ciertas limitaciones que eran mucho menos perceptibles en Inglaterra (especialmente porque allí la industria textil era también, a diferencia del caso colombiano, fuente de productos de exportación). Las fábricas colombianas no constituyeron el principal escenario para la militancia laboral, que era mucho más pronunciada entre los trabajadores de los transportes. Sin embargo, el progreso de la industrialización puso en evidencia que tarde o temprano habría que enfrentar los problemas laborales.

Como Presidente, entonces, López Pumarejo fue testigo del comienzo de problemas sociales potencialmente graves. Intentó hacer algo al respecto antes de que la situación se volviera realmente crítica y adoptó un programa que, con cierta grandilocuencia, denominó la «revolución en marcha». A pesar de su uso del término «revolución» —que en América Latina tiende a ser un cliché que significa cualquier cantidad de cosas—, López no tenía en mente ningún tipo de violencia y sin duda ningún deseo de desmontar el sistema social y político existente. Solamente quería ayudar a los colombianos más pobres para que alcanzaran una mayor participación en los beneficios del sistema, tal como Roosevelt lo estaba haciendo en los Estados Unidos y Lázaro Cárdenas en México. La revolución mexicana, que estaba mucho más en concordancia con el espíritu revolucionario que el programa de López, a pesar de no ser estrictamente marxista en su orientación ideológica, pasaba por su momento más radical como movimiento por el cambio socioeconómico; y el caso mexicano sirvió como modelo para algunas de las reformas que se implantarían en Colombia.

La reforma agraria, por ejemplo, tenía antecedentes en México, mas no en los Estados Unidos. Con la esperanza de calmar el descontento campesino, López patrocinó la primera ley colombiana de reforma agraria, adoptada en 1936. Se trataba de una medida moderada que no determinó que los terratenientes perdieran tierras que estuvieran explotando activamente, pero estableció la posesión para los campesinos desposeídos que hubieran invadido porciones ociosas de las grandes haciendas. En algunos casos esta disposición habría sido contraproducente, pues podría estimular a los terratenientes a remplazar arrendatarios por ganado con el fin de evitar que aquéllos solicitaran la propiedad de la tierra que ocupaban. Pero el gobierno también impuso tributos más altos a la tenencia de tierras que no fueran eficientemente utilizadas para fines productivos, y en algunas regiones pasó a comprar propiedades privadas que luego dividiría y distribuiría entre campesinos agricultores. En realidad, esta táctica no se originó con López sino con Olaya Herrera, quien la había utilizado para suavizar tensiones en puntos neurálgicos. Como era una medida cara, no se podía aplicar muy ampliamente, pero sin duda fue el método más efectivo para superar el descontento rural. Cualesquiera que hubiesen podido ser las razones precisas —y la recuperación económica sin duda fue una de ellas—, el descontento agrario disminuyó visiblemente en los años posteriores a la expedición de la ley de reforma agraria de 1936.

En general, la administración López sobresalió como protectora de la clase trabajadora, no tanto por haber impuesto una legislación específica en el campo social, como por haber decidido *abandonar* una práctica que los gobiernos conservadores habían sostenido de manera consistente: colocar tanto al Estado como a sus dependencias al servicio de los patronos en las disputas laborales, rurales o urbanas. Si los patronos no podían contar con los mecanismos estatales de coerción, creía López, serían mucho más receptivos a las justas exigencias de los trabajadores. Y en las instancias en las que participó personalmente en la solución de disputas laborales, el mandatario siempre tomó partido por los trabajadores[6]. Al mismo tiempo, la formación de sindicatos recibió protección y estímulo oficiales, y al final del período de López se había duplicado el número de estas organizaciones en el país. En 1936 se creó la primera confederación nacional de trabajadores, la Confederación de Trabajadores de Colombia (CTC). En gran medida, se trataba del brazo laboral del Partido Liberal, o al menos el ala más activista del partido, aunque los comunistas también participaron de manera destacada. No había demasiados comunistas en Colombia, en parte debido a la propia naturaleza del sistema de partidos políticos del país, cuyas dos fidelidades hereditarias cobijaban a la mayoría de la población y dejaban poco espacio para que se establecieran otros grupos. Pero existía un pequeño partido comunista, y aunque López obviamente no pertenecía a sus filas, tampoco rechazaba el apoyo de esa agrupación. De hecho, en el mismo año 36, un líder comunista se dirigió a la comunidad bogotana desde el balcón de la casa presidencial, para consternación tanto de los conservadores como de no pocos liberales.

López aumentó un tanto el gasto público en escuelas y construcción de caminos rurales y para solventar estas y otras iniciativas buscó reformar el sistema fiscal. Colombia ya contaba con un moderado impuesto a las rentas, establecido durante la última parte de la prolongada hegemonía conservadora, pero López elevó los porcentajes, a la vez que reforzó el sistema de recaudación fiscal, aunque nunca logró erradicar la evasión por parte de los ciudadanos más pudientes. Elevó las tasas y mejoró los recaudos especialmente respecto a grandes firmas extranjeras, tales como la norteamericana Tropical Oil Company, la cual pagó en un año una cantidad casi equivalente a lo que había pagado en impuestos durante los ocho anteriores a la posesión de López (a pesar de lo cual, logró mantener sus ganancias). La United Fruit Company recibió otros golpes además del ajuste fiscal, toda vez que los liberales nunca le perdonaron su estrecha relación con el régimen conservador ni olvidaron la gran huelga bananera. Utilizaron su control del gobierno para favorecer a los trabajadores en sus conflictos con la compañía y acosaron intermitentemente a su gerente local; llegaron a ponerlo en prisión unos pocos días por cargos que posteriormente las cortes colombianas declararon infundados.

Finalmente, López remató su programa con una serie de reformas constitucionales adoptadas en 1936 y que involucraron tres puntos principales. Primero que todo, aumentaron explícitamente los poderes del Estado en asuntos económicos, dejando entrever, en términos que inevitablemente evocan los de la Constitución mexicana de 1917, la doctrina de que los derechos de propiedad deben ser limitados por los derechos y obligaciones sociales. Esta provisión dio bases constitucionales expresas para todas las innovaciones que el liberalismo ya había adoptado en asuntos socioeconómicos, y a la vez abrió el camino para otras en los años siguientes. En segundo lugar, la reforma constitucional de 1936 eliminó el artículo según el cual la educación pública debía conducirse de acuerdo con la religión católica. López no tenía ningún interés en eliminar la educación religiosa de los colegios, pero quería establecer claramente que el Estado, y no la Iglesia, era la máxima autoridad en el campo educativo. El clero, sin embargo, al igual que muchos laicos devotos, temió lo peor, especialmente teniendo en cuenta que el ministro de Educación de López había estimulado de manera muy discreta la instrucción mixta (que aún era un desafío en Colombia) en instituciones oficiales, y había invitado a varios académicos europeos de inclinaciones humanísticas liberales para trabajar en Colombia como especialistas docentes. Así, parecía que la administración liberal pretendía revivir el conflicto decimonónico entre la Iglesia y el Estado con nuevos ataques contra las posiciones de la Iglesia y los valores morales y religiosos.

Finalmente, la reforma constitucional suprimió el requisito del alfabetismo para votar. El sufragio universal masculino, que se había impuesto en la década de 1850 y posteriormente había sido eliminado, volvió bajo López, y esta vez para quedarse. La medida no debe sobrevalorarse. Aunque cobijaba a un gran número de ciudadanos, pues la mitad del país era todavía analfabeta a mediados de la década de 1930, no afectó considerablemente la situación de los partidos, simplemente porque éstos no eran partidos de clase y había tantos conservadores —más o menos— como liberales analfabetos. Proporcionalmente, tal vez se beneficiaron más conservadores que liberales, pues estos últimos tendían a fortalecerse en las ciudades, donde el acceso a la educación pública era mayor que en las áreas rurales. Esta vez la reforma tampoco extendió el derecho de voto a la población femenina. En los sectores políticos más inclinados a la izquierda había cierto apoyo al voto femenino, mayor que entre los liberales y conservadores tradicionales. En general, sin embargo, los liberales temían la influencia que el clero ejercía sobre las mujeres, la cual podría llevarlas a votar por los conservadores, y a su vez los conservadores, que presumiblemente serían los beneficiarios si tal fuera de verdad el caso, con honorables excepciones estaban todavía muy comprometidos con el punto de vista de que las mujeres habían sido creadas por Dios para cultivar las virtudes domésticas y no para inmiscuirse en el desenfreno de la actividad política.

La extensión del sufragio era importante principalmente por su contenido simbólico, como evidencia del compromiso de que las clases bajas participaran en el sistema político, de la misma manera que las demás reformas de López habían sido diseñadas para hacerlas partícipes de los beneficios del sistema económico y social. Hasta cierto punto, no obstante, las reformas de López sirvieron incluso para aumentar la desigualdad, puesto que mejoraron la situación de un ambicioso segmento superior de la población campesina y de los trabajadores urbanos organizados, pero en términos generales no alcanzaron a tocar a las grandes mayorías. Un símbolo claro de la persistencia de marcadas diferencias sociales fue la desaparición de los vagones de segunda clase de la mayoría de los trenes colombianos y el mantenimiento de una primera y una tercera clases, sin nada en el medio, situación que se presentó a mediados de la década del 30. Un funcionario explicó que los ferrocarriles estaban intentando «adaptar mejor el servicio a las modalidades del público... y simplificar la formación de trenes»[7]. En otras palabras, la mayoría popular solamente podía pagar los duros asientos de madera de los coches de tercera clase, mientras los miembros de los sectores medios, que poco a poco ascendían, no querían ser vistos viajando sino en primera clase; por lo tanto, la segunda clase fue eliminada por falta de clientela suficiente.

En último análisis, la principal contribución de López Pumarejo no consistió en haber entregado unos beneficios concretos a las masas, sino más bien en haber hecho que Colombia se enfrentara por primera vez a sus problemas sociales. Incluso aquellos que rechazaban las políticas y métodos de López ya no podrían ignorar tales problemas. Por esta razón, López puede considerarse, en palabras de un jefe conservador, como «el personaje más importante que hemos tenido en este siglo»[8]. Como parte de la misma contribución, hizo que amplios segmentos de la población trabajadora tomaran conciencia por vez primera del hecho de que no tenían que continuar ganándose la vida a duras penas, sino que podían mejorar su situación. Al hacerlo, López evidentemente amplió el número de votantes liberales. El problema fue, sin embargo, que había despertado esperanzas mucho más rápidamente de lo que él o su partido habían calculado. Por eso las frustraciones empezaron a acumularse. Al mismo tiempo, al aplicar con éxito su razonable y moderado programa, provocaba también la amarga oposición de la mayor parte del conservatismo y de los más inflexibles de sus copartidarios.

Una circunstancia política agravante fue la creciente influencia de lo que puede llamarse la «derecha radical», principalmente en las filas del Partido Conservador. Hasta los años 30, aunque ni los conservadores ni los liberales practicaban siempre lo que predicaban, ambos partidos compartían al menos una creencia teórica en la democracia política. Por algún tiempo, que comenzó a mediados de la década de 1930, comenzaron a apreciarse diferencias a este respecto entre los partidos, aunque es discutible hasta qué punto. Los liberales no cambiaron su credo político, ni tampoco la mayoría de los conservadores; pero algunos de estos últimos empezaron a cuestionar los principios básicos del gobierno democrático. Sin duda había una influencia foránea, como los liberales afirmaban, porque algunos conservadores colombianos, al igual que los miembros de la derecha de otros países de América Latina, mostraban tolerancia hacia Hitler y Mussolini, y todos eran fanáticos seguidores de Franco y sus nacionalistas de la guerra civil española de 1936-1939. Pero el asunto era mucho más complejo, y uno de los casos más complicados —y más importantes— fue el del doctor Laureano Gómez, quien había surgido como el líder incuestionable del partido conservador.

Ingeniero que se había hecho político, con una buena hoja de servicios como ministro de Obras Públicas durante la última década de la hegemonía conservadora, Gómez había sido crítico de las dictaduras nazifascistas a comienzos de los años 30. Aunque sus críticas se habían tornado menos vehementes a medida que pasaba el tiempo, no hay bases para sustentar las acusaciones de algunos liberales colombianos y de escritores extranjeros en el sentido de que Gómez se había pasado al bando de los que antes censuraba. No obstante, estaba de acuerdo con los fascistas en algunos puntos y sin duda había recibido su influencia: compartía su odio hacia los bolcheviques, les agradecía que hubiesen apoyado a Franco, era abiertamente antisemita y, finalmente, estaba de acuerdo en que la democracia liberal de estilo occidental era decadente. Desde luego, algunos conservadores de la más lunática y extrema derecha llegaron a reclamar una dictadura totalitaria de corte alemán o italiano, así como también hubo liberales de izquierda que eran virtualmente compañeros de ruta de los comunistas. Gómez no tenía tal cosa en mente; tan sólo, de manera realista, se daba cuenta de que la democracia liberal, tal como se había practicado en el país, tenía sus defectos, especialmente cuando los liberales estaban en el poder, y comenzaba a cuestionar si el vacío existente entre la práctica colombiana y la teoría democrática convencional podía e incluso debía llenarse. Aparentemente, Gómez no había definido la manera como cambiaría las reglas del juego si se le diera la oportunidad, pero ciertamente consideraba la posibilidad. Mientras tanto, había perfeccionado un estilo político de confrontación mediante el cual él y su periódico, *El Siglo,* automáticamente denunciaban toda política liberal como indignante y agrandaban cualquier paso en falso del gobierno para armar un escándalo nacional. Por su mordaz negativismo, Gómez llegó a ser conocido entre los liberales como «El Monstruo».

Pausa en casa y guerra en el exterior

El período presidencial de López Pumarejo llegó a su fin en medio de la creciente polarización del debate político. En la lucha por la nominación liberal para el período siguiente, el candidato del mandatario saliente perdió ante el favorito de los liberales más moderados. Este último era el doctor Eduardo Santos, dueño del principal periódico de la nación, *El Tiempo*, y quien en 1938 ganó la Presidencia sin oposición, pues los conservadores, una vez más, no presentaron candidato propio. Alegaban que todavía no podían contar con una elección justa y suponían que la ausencia de candidato conservador estimularía las luchas intestinas de los liberales; por otra parte, en un principio mostraron buena disposición hacia Santos, quien pretendía francamente dar al país una tregua de cuatro años. No eliminó ninguna de las medidas de López y de hecho aumentó el papel del Estado en la promoción del desarrollo nacional a través de la creación del Instituto de Fomento Industrial (IFI), cuya misión era colaborar en el establecimiento de nuevas industrias por medio de créditos subsidiados y otras formas de ayuda. Pero Santos no mostró tanto interés por los problemas laborales y campesinos como por ayudar a los industriales, y su estilo fue definitivamente menos combativo que el de López. Bien consideradas las cosas, su administración fue más bien pasiva en asuntos domésticos; fue «la gran pausa de Eduardo Santos», en palabras de un historiador de izquierda[9]. Paradójicamente, casi lo mismo puede decirse del gobierno de su sucesor inmediato, Alfonso López Pumarejo, quien volvía al mando por segunda vez.

López retornó a la Presidencia en 1942, luego de una reñida elección en la que los conservadores sí participaron, hasta el punto de que apoyaron abiertamente a un liberal disidente; muchos colombianos esperaban o temían que López reasumiera la labor reformista que no había terminado al finalizar su primer mandato. Desafortunadamente, en 1942 el mundo estaba sumido en la guerra y las repercusiones del conflicto en Colombia absorberían la atención del Presidente y crearían condiciones menos favorables para la resurrección de la «revolución en marcha». Una revisión de la reforma agraria de 1936, que data de 1944, en realidad hizo más complicado para los campesinos el proceso de reclamación de terrenos de haciendas, y una nueva ley laboral de 1945, a la vez que aumentó algunos beneficios para los trabajadores, amplió la definición de empresas de «servicio público», en las cuales las huelgas estaban prohibidas. Esta provisión se utilizó antes de finalizar el año para reprimir una huelga que había declarado el sindicato de braceros del río Magdalena, que pasaba por ser una plaza fuerte de los comunistas; en el proceso fue aplastada la organización obrera.

Los años inmediatamente anteriores a la guerra, así como los que ésta duró, constituyeron un período de considerable importancia desde el punto de vista de las relaciones internacionales de Colombia. Durante la primera administración de López Pumarejo, los asuntos externos habían sido en gran medida opacados por las preocupaciones domésticas y el propio López nunca desplegó la íntima cordialidad hacia los Estados Unidos de su predecesor Olaya Herrera. López había permitido que se retrasaran los pagos de la deuda externa (principalmente proveniente de bancos estadounidenses), mientras concentraba recursos en programas domésticos, aunque firmó un tratado comercial que el Departamento de Estado venía buscando con vehemencia. Pero cuando Santos lo sucedió, las relaciones con los Estados Unidos volvieron a ser estrechas. Santos trajo las primeras misiones militares estadounidenses a Colombia y reanudó el servicio pleno de la deuda externa, con lo que permitió que el país recibiera nuevos créditos del gobierno del Norte, a través del Export-Import Bank. El inicio de los programas norteamericanos de asistencia técnica data, así mismo, de la administración Santos; desde entonces, todos los gobiernos colombianos, no obstante sus diferencias en algunos respectos, han mantenido una variedad de programas bilaterales con Washington, bien por honesta convicción o bien por la sensación de que el interés del país requiere mantenerse en buenos términos con la principal potencia económica y política del hemisferio.

Santos era menos ferviente admirador de los Estados Unidos que Olaya. Inclusive, alguna vez había sido señalado como antinorteamericano; en cambio era un francófilo fanático y había pasado buena parte de su vida adulta en París. Llegó a la Presidencia en vísperas de la Segunda Guerra Mundial, estaba totalmente del lado de las democracias contra el Eje e intentó buscar en los Estados Unidos el apoyo para Francia, Colombia y el resto del mundo contra Adolfo Hitler. Por su parte, los Estados Unidos, durante las etapas preparatorias y una vez involucrados en el conflicto, buscaban aliados confiables en el sur. Por lo tanto, a la vez que reflejaba el fortalecimiento de los lazos económicos y culturales e incluso cierta afinidad ideológica entre los liberales colombianos y los demócratas norteamericanos, el notable acercamiento diplomático de las dos naciones también tenía mucho que ver con los eventos mundiales. Una vez iniciada la guerra, Colombia cooperó sin restricciones con los Estados Unidos, tanto antes como después de que el gobierno norteamericano se volviera beligerante del todo. La administración Santos nunca declaró la guerra, pero aceleró el suministro de materiales estratégicos y apoyó todas las propuestas presentadas en reuniones interamericanas para la colaboración en la defensa del hemisferio.

Un buen ejemplo de cooperación durante el conflicto bélico fue la manera como Santos ayudó a eliminar la influencia alemana en la aviación civil colombiana. Scadta, la aerolínea doméstica fundada poco tiempo después de finalizada la Primera Guerra Mundial por miembros de la comunidad colombo-alemana de Barranquilla, tenía en su haber un buen registro de servicios. Tan exitosa había sido su gestión, que empezó a mostrarse interesada en rutas internacionales hacia otras repúblicas latinoamericanas. En ese momento se despertó el interés de la Pan American Airways, que procedió a comprar discretamente la mayoría de las acciones de Scadta. Pan Am mantuvo la administración colombo-alemana, en vista de su ya comprobada eficiencia, y no pareció preocuparse cuando ésta continuó trayendo pilotos de Alemania, algunos de los cuales se entrenaban en Colombia para su posterior servicio en la Luftwaffe. Todo lo que importaba a la firma norteamericana era que su reciente adquisición colombiana no entrara a la competencia internacional. Sin embargo, mientras aumentaban las tensiones mundiales, tanto el gobierno de los Estados Unidos como la prensa veían con alarma el hecho de que pilotos alemanes estuvieran volando tan cerca al Canal de Panamá. Por esta razón se presionó a Pan Am para que se librara de sus colaboradores alemanes y al gobierno colombiano para que acelerara la transformación de Scadta en algo menos peligroso para la seguridad del hemisferio. El resultado fue la creación de Avianca, la actual aerolínea nacional colombiana, que conservó los aviones y los activos de Scadta pero no los pilotos y que fue puesta bajo el control de una segura administración colombiana, aunque Pan Am continuó siendo por algún tiempo uno de sus mayores accionistas.

La guerra también trajo a Colombia trastornos como la escasez de bienes que antes se importaban, la merma del transporte para los productos de exportación y la estrechez fiscal del gobierno, puesto que había menos comercio gravable. Los nuevos créditos que los Estados Unidos extendieron al país se dirigieron en buena parte a reducir el impacto de los problemas anteriormente descritos. Como en otras naciones latinoamericanas, se desplegaron enormes esfuerzos para estimular la producción local de los bienes que ahora eran escasos. Así, por ejemplo, se estableció la primera planta colombiana productora de llantas por parte de una destacada firma de los Estados Unidos en colaboración con el IFI. Al mismo tiempo, la guerra produjo un virtual colapso de la importante industria bananera. La causa inmediata fue la diseminación de la sigatoka en las plantaciones de la zona bananera que alimentaban el mercado de la United Fruit. La plaga en cuestión habría podido ser eliminada, pero solamente mediante grandes inversiones en sistemas de control. La empresa frutera se negó rotundamente a asumir la inversión, a pesar de las peticiones del gobierno colombiano y la embajada de los Estados Unidos en Bogotá, en parte porque sabía que el banano no sería producto prioritario para los embarques durante la guerra y porque tenía serias dudas sobre sus perspectivas a largo plazo en Colombia. La compañía no había olvidado la huelga de 1928 ni el continuo rechazo por parte de muchos colombianos, especialmente liberales. Por lo tanto, consideró apropiado concentrar sus esfuerzos en otros lugares; y cuando el banano volvió a ocupar una posición importante entre los productos colombianos de exportación, en las décadas de 1960 y 1970, la industria estaba principalmente en manos colombianas y tenía sus plantaciones en otra región del país.

La colaboración con los Estados Unidos durante la contienda mundial condujo finalmente a la declaración de guerra contra el Eje durante la segunda presidencia de Alfonso López Pumarejo, como retaliación por ataques alemanes a barcos colombianos en el Caribe. La decisión contó con el apoyo de todos los sectores del partido de gobierno, además de muchos conservadores. Sin embargo, causó dificultades con la «derecha radical» del país y en particular con los conservadores que seguían fielmente el liderazgo de Laureano Gómez. Una vez terminada una corta luna de miel con el Presidente Santos (a causa de un incidente en el que la policía liberal disparó contra un grupo de campesinos conservadores), Gómez había reanudado sus tácticas de obstrucción; en asuntos internacionales, llegó a rechazar todas las acciones de Santos y las posteriores de López, aduciendo que Colombia se había reducido a ser un abyecto satélite de los Estados Unidos. Los voceros liberales, así como algunos comentaristas del exterior, atribuían la actitud de Gómez y sus seguidores a su presunta simpatía por las potencias del Eje durante la guerra. Pero solamente una pequeña porción de la población colombiana apoyaba realmente al Eje y, aunque sus enemigos afirmaran lo contrario, Gómez no formaba parte de esa minoría. Sea cual fuere la opinión que podía haber tenido acerca de Hitler (y en su mayor parte no era favorable), Laureano Gómez no perdonaba a Alemania el hecho de haber producido también a Martín Lutero. Su preferencia habría sido que Colombia adhiriera a la política de la neutralidad, o «no alineación», como se llamaría hoy en día. Pero la consecuencia práctica del neutralismo de Gómez era inevitablemente antinorteamericana y, desde luego, antiliberal en el contexto colombiano. Lo único que mantenía a raya el antagonismo de Gómez hacia los Estados

Unidos era la dependencia de su diario *El Siglo* del suministro de papel periódico y de ingresos por publicidad de las empresas norteamericanas. En un momento dado, el retiro de la publicidad de tales firmas, concertado por la embajada norteamericana, produjo un cambio abrupto en la política editorial de *El Siglo*, que se tornó más amistosa, aunque el efecto de tales presiones finalmente se desgastaría y habría de ser complementado por otro.

Fin de la república liberal

La receptividad a las presiones de los Estados Unidos ilustra el evidente oportunismo táctico de Gómez, que formaba parte de su actividad política, junto con la proverbial rigidez ideológica que tanto llamó la atención de sus contemporáneos. La combinación de ambas características hizo de Gómez un brillante opositor y la segunda administración López —marcada por expectativas frustradas, problemas económicos causados por la guerra y no pocos ejemplos de mala conducta de negligentes funcionarios públicos liberales— parecía hecha a la medida para el florecimiento de sus talentos. Entre otras cosas, Gómez atizó el descontento de los militares, la mayoría de los cuales apenas ocultaba su simpatía hacia los conservadores bajo su posición oficial de neutralidad política. Conociendo tales simpatías, el presidente López tendía a vigorizar las fuerzas de la Policía a expensas del Ejército. En julio de 1944 tuvo lugar un fracasado intento de golpe de Estado, en el curso del cual el Presidente estuvo preso por breve tiempo. El movimiento fue fácilmente reprimido, pero era en todo caso un signo preocupante: Colombia no había presenciado nada similar en mucho tiempo. Algunos meses después López, totalmente desanimado, renunció a su cargo y permitió que su hombre de confianza, Alberto Lleras Camargo, terminara su período.

La mayor amenaza para la supervivencia del régimen liberal fue la creciente discordia dentro de sus filas, que no provenía de las diferencias entre lopistas y liberales moderados, sino entre la jerarquía oficial del partido y un movimiento de rebeldes populistas que crecía rápidamente y estaba encabezado por Jorge Eliécer

Gaitán. Para él y sus seguidores, Alfonso López aparecía tan sólo como un representante del establecimiento opresivo. Gaitán era sin duda un personaje muy diferente de Alfonso López: mientras que éste era un elegante y educado caballero, con preferencias como los trajes ingleses y el whisky escocés (afición que contribuyó a propagar en los altos círculos de la sociedad), Gaitán provenía de un sector económico medio-bajo. A mediados de la década del 30 había sido descrito por el embajador de la Gran Bretaña como un «mulato de origen humilde» que no tenía probabilidades de ir muy lejos en la política colombiana[10]. En ambos sentidos la apreciación era errónea, pues Gaitán era mestizo y no mulato, pero ella revela el desdén con el cual lo miraban la élite social colombiana y los extranjeros asociados a ella. Su padre había sido un liberal poco prominente, dueño de una librería de segunda en Bogotá; había sido también un padre dominante y algunos sicoanalistas aficionados se han dado trazas para explicar la carrera política de Gaitán a partir de sus complejos de infancia. Mucho más importante era el hecho de que la familia había tenido que luchar para mantenerse a flote. El joven dirigente se había formado a pulso, algo que, aunque no desconocido en la vida pública colombiana, resultaba poco común en su tiempo. Gaitán era de todas maneras un hombre de talento, que emprendió el estudio del derecho, recibió una beca para estudiar en Italia y se convirtió en un brillante criminalista. Luego de iniciarse en la política, ganó notoriedad a nivel nacional, como ya se anotó en el capítulo anterior, a través de sus denuncias sobre el manejo que el régimen conservador diera a la huelga bananera de 1928.

Como dotado orador, Gaitán fue quien hizo de la palabra *oligarquía* un término común en Colombia, que no significaba nada bueno. Designaba a la reducida, rica y educada élite que supuestamente manejaba el gobierno, la Iglesia, el Ejército, los negocios, todo, incluidos los dos partidos tradicionales. Según él, los oligarcas liberales y conservadores competían por el botín y el prestigio del poder, mientras ignoraban las necesidades de las masas y, en última instancia, estaban unidos por una alianza tácita y *non sancta* para impedir cambios significativos. En cierto modo, Gaitán usaba una retórica similar a la de su contemporáneo argentino Juan Domingo Perón, y en algunos sentidos llegaba a parecerse a Benito Mussolini, cuyo estilo oratorio parece haber influenciado al joven estudiante colombiano durante sus años de permanencia en Italia. Determinar hasta qué punto compartía los ideales de Perón o de Mussolini es cosa muy diferente; es difícil precisarlo porque, a diferencia de ambos personajes, Gaitán nunca obtuvo el control del gobierno.

En realidad, Gaitán jamás llegó a articular un programa político definido. Hablaba vagamente de socialismo, pero no era marxista, si bien algunos planteamientos del marxismo habían influido su pensamiento. Sin duda proponía ir más allá que López Pumarejo en lo referente a la intervención estatal en la economía y la promoción de la reforma laboral y el bienestar social, pero las diferencias eran solamente de grado, no de esencia. La principal disparidad entre López y Gaitán residía en el estilo: López, el aristócrata con espíritu público, pretendía hablar *por* las masas, pero se mantenía distante de ellas; Gaitán, quien se identificaba con la gente común, apelaba explícitamente a los resentimientos de clase con su continua diatriba contra la «oligarquía». Según Herbert Braun, el más perceptivo de los estudiosos de la carrera de Gaitán, en el fondo el líder era un reformista «*petitbourgeois*»[11]. Ninguno de los puntos que agitaba amenazaba realmente el orden socioeconómico existente o el sistema político; pero la manera como los expresaba, buscando establecer una relación directa con las clases no privilegiadas, a expensas de los líderes de los partidos tradicionales, provocó amargos resentimientos contra él. Su estilo también lo marcó como ejemplo de «populista» latinoamericano del siglo XX.

Desde el final de la hegemonía conservadora, Gaitán había oscilado entre la posibilidad de crear su propio movimiento independiente de izquierda y los intentos por lograr sus objetivos a través de la colaboración con la dirección del Partido Liberal. Había sido alcalde de Bogotá y ministro de Educación bajo la administración decididamente centrista de Santos, pero no duró mucho en ninguno de los dos cargos. Demostró ser capaz como administrador, pero como alcalde provocó un brote de protesta de los taxistas cuando intentó uniformarlos; como ministro de Educación despertó resentimientos por su empeño de aumentar el control nacional sobre las autoridades escolares municipales y departamentales. La que le dio su gran oportunidad fue la segunda administración López, cuyas deficiencias, reales y supuestas, sacudieron el prestigio de la rama liberal de la clase dominante colombiana.

En consecuencia, Gaitán se presentó como candidato liberal a las elecciones de 1946. La maquinaria del partido no aceptó la iniciativa y nominó en su lugar al capaz pero poco carismático Gabriel Turbay, un liberal moderado. Los conservadores decidieron no candidatizar a su jefe máximo, Laureano Gómez, temerosos de que el odio liberal hacia éste lograra poner fin a las disputas internas del partido; escogieron entonces a Mariano Ospina Pérez, apacible millonario, activo desde mucho tiempo antes en la industria cafetera, así como en otros negocios, y poseedor de un título de ingeniero de la Louisiana State University. Ospina era nieto de un ex presidente conservador y sobrino de otro; por el entrelazamiento de sus distinciones económicas, sociales y políticas, era un oligarca como nunca lo hubo.

Los dos candidatos liberales obtuvieron en conjunto más de la mitad de la votación total, en concordancia con el hecho indudable de que desde 1930 aquéllos habían desplazado a los conservadores como partido mayoritario. En vista de la tradicional naturaleza hereditaria de la lealtad partidista, el cambio suscitado a partir de 1930 (que los conservadores se negaban a aceptar) podría implicar problemas interpretativos. No hay manera de probar que los liberales se estuvieran reproduciendo más rápidamente que los conservadores; pero siempre había excepciones en los patrones de afiliación partidaria, y en los últimos años las excepciones habían favorecido, por lo general, a los liberales, en parte como consecuencia natural de su éxito al identificarse con la causa de la reforma socioeconómica. Los liberales también se vieron favorecidos por el continuo proceso de urbanización, que concentraba cada vez más población en las grandes ciudades, donde el Partido Liberal tendía a predominar. Sin duda, también se dieron instancias de fraude, a expensas de los conservadores, aunque demasiado reducidas para afectar los resultados finales.

De los dos candidatos liberales, Turbay salió ganador, pues era el candidato oficial y en la mayoría de pequeñas ciudades y poblaciones rurales la maquinaria del partido orientaba los votos hacia él. El alto comando comunista también respaldó a Turbay, así como lo hiciera la mayoría de los líderes sindicales, cuyos intereses, fueran ellos liberales o comunistas, se habían ligado estrechamente a las administraciones liberales. Pero los jefes sindicales fueron menos efectivos que los caciques políticos en su reclutamiento de votos, de manera que Gaitán no solamente ganó en Bogotá sino también en otras ciudades importantes. Logró un considerable número de sufragios también por fuera de las ciudades grandes de la costa del Caribe, donde captó apoyo significativo incluso dentro de la maquinaria oficialista del partido. Sin embargo, por la división del Partido Liberal, Ospina Pérez fue quien triunfó, con una porción minoritaria del total de votos registrados. Las elecciones de 1946 resultaron ser una réplica casi idéntica de las de 1930, que habían puesto punto final a la hegemonía conservadora, con la diferencia de que ahora se habían invertido los nombres de los partidos.

NOTAS

1. Robert H. Dix, *Colombia: The Political Dimensions of Change,* New Haven, Conn., 1967, p. 211, quien cita a Miguel Antonio Caro.

2. David Bushnell, *Eduardo Santos and the Good Neighbor,* Gainesville, Florida, 1967, p. 3.

3. Lucy Cohen, *Las colombianas ante la renovación universitaria,* Bogotá, 1971, p. 43. El requisito del bachillerato no fue obstáculo para la primera doctora en medicina mencionada en el capítulo anterior, puesto que ella había obtenido un grado diferente (e incluso superior) en el extranjero.

4. *La política oficial: mensajes, cartas y discursos del Presidente López,* 4 vols., Bogotá, 1936-1938, t. 1, p. 141.

5. José Antonio Ocampo, ed., *Historia económica de Colombia,* Bogotá, 1987, pp. 239, 244 (cuadro).

6. Mi descripción de las políticas económicas de López debe mucho a Richard J. Stoller, «Alfonso López Pumarejo and Liberal Radicalism in 1930's Colombia», trabajo inédito presentado a la Latin American Studies Association LASA, Miami, diciembre de 1989.

7. *Revista del Consejo Administrativo de los FF. CC. Nacionales,* 55 (febrero de 1937), p. 74, haciendo referencia explícita al cambio que se llevó a cabo en el ferrocarril del Norte, entre Bogotá y Barbosa.

8. Eduardo Zuleta Ángel, en *El Espectador,* Bogotá, 24 de mayo de 1964.

9. *La gran pausa de Eduardo Santos,* fascículo 16 de *Historia de Colombia,* Editorial Oveja Negra, Bogotá, 1985.

10. «A mulatto of humble origins». Carta de Spencer S. Dickson a Anthony Eden, 4 de marzo de 1936, en Public Record Office, Londres, FO 3712-1977/280.

11. Herbert Braun, *The Assassination of Gaitán: Public Life and Urban Violence in Colombia,* Madison, Wisconsin, 1985, pp. 54-55 y ss.

Capítulo 9

La era de la *Violencia* (1946-1957)

Mariano Ospina Pérez, que tomó posesión de la presidencia en agosto de 1946, fue llamado por un investigador social de su país el «Eisenhower colombiano»[1], por comparación con su prominente contemporáneo estadounidense. Eso quiere decir que no era un hombre de ingenio, ni mucho menos un intelectual, pero tenía instintos respetables, era moderado y bien intencionado, un conciliador nato. Por esa razón pareció ser la persona adecuada para presidir la transición en el mando de un partido a otro; y, al igual que el liberal Enrique Olaya Herrera, último colombiano que había desempeñado un papel similar, inició su gestión formando un gobierno de coalición, en el cual los liberales estuvieron representados en todos los niveles. Como en 1930, esta conformación del nuevo gobierno suavizó la transición política. Sin embargo, después del cambio de mando en Bogotá se iniciaron los mismos eventos que siguieron a la posesión de Olaya en muchas pequeñas poblaciones y zonas rurales. Hubo estallidos de violencia por las mismas razones; solamente que esta vez se trataba de conservadores quienes salían a cobrar las viejas deudas y ofensas que habían acumulado durante los años de predominio liberal, y de liberales, algunas veces poco dispuestos a reconocer su derrota y pasar el mando a los vencedores. A diferencia de lo ocurrido en 1930, sin embargo, la ola de violencia de 1946 no se disipó pronto. Al contrario, se extendió hasta abarcar la mayoría del país.

El 9 de abril

Bajo el impacto de la derrota electoral, el liberalismo empezó finalmente a conciliar sus diferencias y apretar filas, y no tuvo más alternativa que aglutinarse alrededor de Jorge Eliécer Gaitán. Aunque a disgusto de la mayor parte del oficialismo liberal, Gaitán era sin duda la personalidad más carismática del partido y también el menos afectado por la erosión general del prestigio del liderazgo liberal. Ya en 1947 era evidente que la próxima vez, Gaitán sería el candidato único del ahora unido Partido Liberal. Pero no era el más indicado para orientar al partido en el ínterin, pues se trataba de compartir el poder con el adversario y Gaitán desconfiaba de la mayoría de los líderes de ambos partidos; ya fuera por principio o por terquedad, no era muy propenso a establecer compromisos. A su debido tiempo, sacó a los liberales de la coalición con Ospina. Gaitán y otros copartidarios no carecían de argumentos para justificar su ruptura con el régimen conservador, pero la consecuencia inevitable sería abandonar a las masas liberales a merced del oficialismo conservador. Los incidentes violentos continuaron y las tensiones aumentaron en tanto que Colombia preparaba la Conferencia Panamericana de abril de 1948, en la cual se gestaría la actual Organización de Estados Americanos (OEA). El infierno se desató el 9 de abril, cuando Gaitán fue asesinado en las calles de Bogotá al salir de su oficina.

Lo que siguió fue el estallido de motines masivos de protesta, conocido fuera de Colombia como el *bogotazo*, al que los colombianos simplemente se refieren como *el 9 de abril*. El último término es preferible, porque *bogotazo* se refiere específicamente a los disturbios ocurridos en la capital, cuando en realidad lo que se presentó fue un estallido que abarcó a casi toda la nación, con manifestaciones de violencia no solamente en las grandes ciudades sino también en muchas poblaciones de mayoría liberal. El *puerto tejadazo* es ilustrativo. En la población vallecaucana de Puerto Tejada, sobre el río Cauca, furibundos liberales asesinaron a algunos conservadores notables, los decapitaron y posteriormente jugaron fútbol con sus cabezas en la plaza del pueblo[2].

Sin embargo, el mayor desastre ocurrió en Bogotá, donde buena parte del centro quedó destruido. Hubo asaltos a numerosos almacenes, pues muchos de los que engrosaron las multitudes no tenían el interés específico de vengar la muerte de Gaitán sino de aumentar sus posesiones materiales, algo similar a lo ocurrido en el *washingtonazo* de 1968, luego del asesinato de Martin Luther King Jr. Incluso los que se consideraban vengadores políticos estaban dispuestos a apoderarse de los «mal habidos» bienes de los oligarcas. Por otra parte, también parece que el elemento de la destrucción por sí misma cumplió un papel en los hechos, por parte de personas que no estaban comprometidas con el orden social existente sino que, por el contrario, se sentían alienadas por él y por lo tanto se levantaron furiosas en su contra. El gobierno de Ospina parecía a punto de ser derrocado. Se mantuvo porque el Ejército conservó su lealtad, y tal vez también porque los dirigentes liberales tuvieron muchas dudas o escrúpulos legales para aprovechar la oportunidad. Los saqueadores y manifestantes liberales que permanecían en la calle quedaron sin liderazgo y poco a poco los militares restauraron el orden, aunque después de que varios cientos de personas perdieran la vida en la capital y otras regiones del país.

El incidente fue especialmente embarazoso, pues en Bogotá transcurría entonces la Conferencia Panamericana, con la presencia de dignatarios extranjeros, incluido el secretario de Estado norteamericano George Marshall. Por eso los voceros oficiales y semioficiales colombianos, para guardar las apariencias ante la opinión mundial, entre otras cosas, declararon que los incidentes habían sido causados por instigación comunista proveniente del exterior. Se suponía que los comunistas, posiblemente aliados con liberales de izquierda y otros conspiradores (incluso se llegó a mencionar al partido socialdemócrata venezolano Acción Democrática)[3], habían asesinado a Gaitán con la intención de que el levantamiento que posteriormente provocara la muerte del líder sirviese para encubrir un golpe de Estado de la izquierda. La teoría de la conspiración comunista se fortaleció años después cuando se dio a conocer que Fidel Castro había estado en Bogotá el 9 de abril de 1948. En realidad, el viaje de Castro a Bogotá no había sido financiado desde Moscú por Stalin, sino por Juan Domingo Perón desde Buenos Aires, de manera que pudiera asistir a una conferencia estudiantil que tendría lugar en la capital colombiana. No hay evidencia de que Castro (quien en 1948 todavía no era comunista) hubiese desempeñado un papel significativo en los sucesos de abril. En lo que respecta a los comunistas colombianos, éstos intentaron, junto con otros activistas de izquierda, influir en el curso de la protesta una vez iniciada, aunque con poco éxito. Tampoco existe evidencia alguna que vincule al comunismo con el asesinato, el hecho que desencadenó la protesta. Sin embargo, la noción de la responsabilidad comunista sigue siendo, hasta el día de hoy, artículo de fe para muchos miembros de la derecha colombiana.

Una idea todavía más extendida es la de que la administración conservadora estuvo detrás del asesinato para librarse de un potencial y peligroso rival. Los manifestantes lo creían firmemente, y esta teoría se repite rutinariamente por parte de la izquierda colombiana y muchos liberales. Es absolutamente improbable. Si el Presidente Ospina o el alto mando conservador hubieran decidido asesinar a la cabeza del Partido Liberal, no lo habrían hecho, por ningún motivo, en medio de una conferencia internacional.

En realidad, hay pocas dudas de que Gaitán fuera ultimado por un homicida «independiente» y ligeramente desequilibrado, y también de que las manifestaciones que siguieron al asesinato fueron espontáneas y no planeadas. Sin embargo, las diferentes teorías que explicaron la muerte de Gaitán como parte de una conspiración son importantes, puesto que estas creencias, correctas o incorrectas —y generalmente no eran correctas— influyeron considerablemente en el curso de los eventos del 9 de abril y los que siguieron. El hecho de que no pocos liberales pensaran que los conservadores habían asesinado a su líder, así como de que muchos conservadores creyeran honestamente que Colombia estaba amenazada por una conspiración de izquierda de carácter internacional, ayuda a explicar el comportamiento aparentemente irracional, incluso patológico, que los colombianos exhibirían en los años siguientes. Vale la pena repetir, sin embargo, que la ola de violencia que azotara al territorio colombiano, conocida como la *Violencia*, no se inició el 9 de abril de 1948. Ya había comenzado inmediatamente después del cambio de administración en 1946. En realidad, la consecuencia inmediata del *bogotazo* fue una disminución de la violencia, una cierta pausa temporal, porque en el mediodía del 10 de abril el Partido Liberal aceptó volver a participar en el gobierno, sobre la base de una coalición. Pero dicha coalición duró sólo un año, pasado el cual aumentó el número de incidentes violentos, hasta el punto de que grandes porciones del país se vieron atrapadas en una guerra civil no declarada entre los seguidores de ambos partidos, que duraría hasta comienzos de la década de 1960.

Pandemónium político y crecimiento económico

El progresivo deterioro del orden público estuvo íntimamente relacionado con el inicio de una nueva serie de campañas políticas con miras a la elección del Congreso y Presidente. Los comicios legislativos de 1949 llevaron a otra victoria liberal, aunque con una mayoría reducida. Pero en los presidenciales, que se realizaron en noviembre del mismo año, ganó sin oposición Laureano Gómez, candidato conservador; los liberales se retiraron de la contienda poco tiempo antes de las elecciones, aduciendo que, en el clima violento reinante en el país, no había seguridad para sus vidas al presentarse a las mesas de votación. El argumento no era del todo infundado, pues los conservadores, que habían padecido el mayor susto de su vida en los hechos del 9 de abril, estaban dispuestos a hacer todo lo necesario para mantener el control del gobierno. Cuando Gómez se posesionó al año siguiente, la mayoría del liberalismo se negó a reconocerlo como gobernante legítimo, hecho que pasó a ser una justificación de cualquier acto de violencia emprendido contra la nueva administración; a la vez, para el conservatismo bastaba como argumento para considerar desleal a cualquier liberal.

La violencia política entre los dos bandos, que había crecido a medida que se acercaban las elecciones presidenciales, se intensificó una vez finalizado el proceso de elección del Presidente y se mantuvo sin tregua durante toda la administración de Gómez, desde 1950 hasta 1953. Ninguna región del país estuvo ajena a la confrontación, aunque el fenómeno fue principalmente rural y no urbano, con excepción del propio 9 de abril. Algunas regiones, como las planicies costeras del norte y el departamento de Nariño, sufrieron menos que el resto del país, donde incidentes aislados que venían ocurriendo desde 1946 provocaron reacciones en cadena de represalias y contrarrepresalias, mientras en los Llanos Orientales y en algunos otros lugares surgieron bandas organizadas de guerrilleros liberales que acosaban a los agentes del gobierno y a sus simpatizantes y protegían a los sitiados liberales. En el bando opuesto, grupos de vigilantes gobiernistas con nombres pintorescos como «chulavitas» y «pájaros» perpetraban asesinatos y asaltos en serie con aparente impunidad. En conjunto, se trata de una historia horripilante, en la cual murieron entre 100.000 y 200.000 colombianos. El esfuerzo por explicar la ola de violencia ha generado una vasta y creciente cantidad de estudios históricos y sociológicos[4], que se suman a un impresionante número de obras literarias que recrean la era de la *Violencia*.

Las explicaciones que han surgido oscilan entre versiones simplistas del conflicto de clases y abstrusas interpretaciones sicológicas del impacto cultural de la «modernización». Desde luego, algunos de los hechos violentos no fueron más que actos de bandidaje puro, llevados a cabo por delincuentes profesionales o por liberales y conservadores que previamente habían sido expulsados de sus fincas por adherentes del partido contrario y que adoptaron la vida criminal como la manera más práctica de supervivencia en las circunstancias del país. En algunos casos, los motivos políticos fueron utilizados como mampara para ocultar groseras motivaciones económicas. Un terrateniente codicioso o una banda de campesinos atropellados bien podía acosar a otros campesinos miembros del partido opuesto con el fin ostensible de vengar alguna atrocidad, pero en realidad para usurpar las tierras de las víctimas. Hubo otras formas de motivación económica disfrazada, pero el hecho es que muchas de las áreas más afectadas habían sido anteriormente escenarios de descontento agrario, o tierras recientemente colonizadas donde existía competencia por buenos terrenos para cultivo de café, o donde los títulos de propiedad no estaban claramente definidos. Sin embargo, casi nunca se escuchó hablar de campesinos liberales en conflicto con terratenientes liberales (ni de conservadores contra conservadores de clase social distinta). Generalmente, la violencia enfrentó a campesinos de un partido contra campesinos del otro, mientras los grandes propietarios, para no mencionar a los profesionales y hombres de negocios de los dos partidos, permanecían en la relativa seguridad de las ciudades.

Existen, por lo tanto, buenas razones para considerar la hereditaria rivalidad partidista entre liberales y conservadores como la causa principal de la *Violencia*. Los sucesos políticos habían desencadenado el proceso y las rivalidades políticas lo mantenían vigente. Pero la dramática intensidad de la competencia entre los partidos colombianos habría sido impensable si el nivel de desarrollo rural en términos sociales y económicos hubiera sido más alto. Solamente un campesinado semianalfabeto y con las más imprecisas ideas sobre lo que ocurría en el país se habría dejado convencer de que los miembros del partido contrario estaban aliados con el diablo; y es poco creíble que el control de un gobierno local con un presupuesto anual de menos del 1.000 dólares fuera motivo suficiente para salir a matar gente en pequeñas poblaciones donde predominaba una terrible pobreza, aunque es reconocido que las dependencias municipales podían influir también en las disputas sobre la posesión de la tierra u ofrecer diferentes tipos de protección. El hecho es que la *Violencia* fue, como ya se anotó, un fenómeno predominantemente rural. Las ciudades, donde los niveles educacionales eran más altos y donde había mayor variedad de medios de subsistencia, quedaron en gran medida a cubierto.

El asesinato político no fue lo único que ocurrió en Colombia durante los años finales de la década de 1940 y el comienzo de la de 1950. También hubo, por ejemplo, muchas denuncias sobre una supuesta persecución de protestantes. Éstos se habían establecido en Colombia en el siglo XIX y no habían propiciado una conversión a su credo en gran escala. Hacia 1950 constituían todavía menos del 1% de la población. Pero a medida que la *Violencia* se expandía, aumentaban los incidentes que afectaban a la comunidad protestante, como en casos de iglesias apedreadas y pastores golpeados. No hay evidencias de que tales ataques fueran perpetrados por orden directa del gobierno de Bogotá, ni mucho menos del Vaticano; pero a menudo aparecían funcionarios locales conservadores y sacerdotes católicos implicados en los ataques. Desde el punto de vista de los protestantes, incluidos los del extranjero, se trataba de una verdadera ola de persecución religiosa[5].

La respuesta oficial a tales reclamos fue doble. En primer término, los voceros del gobierno señalaron correctamente que todos los protestantes colombianos eran liberales (como reacción natural a la histórica asociación entre la Iglesia Católica Romana y los conservadores); por lo tanto, supuestamente, cualquier ataque del que fueran víctimas era sólo consecuencia desafortunada de la lucha política que devastaba a la nación; los protestantes eran atacados no precisamente por ser protestantes, sino por ser liberales. En segundo lugar, el gobierno alegaba que algunos protestantes, por la vehemencia de sus ataques a las creencias y prácticas católicas, habían provocado tanta hostilidad entre los católicos locales, que éstos no podían controlarse ni contener su indignación. Una vez más, había un elemento de veracidad en el argumento, pues no todos los misioneros y conversos procedían con tacto en sus actividades proselitistas. Por lo general los miembros de las denominaciones establecidas desde hacía mucho tiempo, como los presbiterianos (los primeros en comenzar sus trabajos en Colombia), no eran los que recibían los golpes; la mayor parte de la hostilidad recaía sobre grupos abiertamente anticatólicos, a menudo del tipo pentecostal, que habían iniciado sus actividades en años recientes. La Segunda Guerra Mundial, que había llevado al cierre temporal de las misiones de protestantes estadounidenses en el este de Asia, provocó un aumento de sus actividades en países como Colombia.

Sin embargo, por lo general los conservadores creían que las actividades de los protestantes debían ser restringidas. No intentaban abolir las garantías constitucionales en lo relativo a tolerancia religiosa, pero las interpretaban de manera muy estrecha, aceptando la libertad de conciencia y el derecho a practicar ritos no católicos, pero de ninguna manera el proselitismo entre la población católica. La administración Ospina Pérez no aplicó de manera seria la anterior interpretación de la libertad religiosa, pero cuando Laureano Gómez llegó al poder las autoridades comenzaron a tomar medidas para limitar la actividad protestante. Negaban el uso de la radio para programas religiosos protestantes y en muchos lugares prohibieron la distribución callejera de literatura. También culparon a los mismos protestantes por los continuos incidentes de violencia contra miembros de sus comunidades.

Otro fenómeno de estos años, en cierto modo paradójico, fue el crecimiento económico. El número de muertos aumentó, pero también lo hizo el índice del producto interno bruto, a una tasa de 5% anual entre 1945 y 1955. La producción industrial creció aún más notoriamente durante el período, al 9% anual. Hubo cierto incremento de las inversiones extranjeras en las manufacturas, aunque el sector industrial continuó siendo predominantemente de propiedad colombiana. Mientras tanto la proporción de habitantes urbanos, que en 1938 había sido del 31%, se elevó al 39% en el censo de 1951 y alcanzó el 52% en 1964[6]. El avance de la urbanización recibió sin duda el estímulo —como se ha afirmado comúnmente— del flujo de desplazados rurales de la *Violencia* hacia las ciudades, pero este factor se ha exagerado. El aumento de la urbanización fue en verdad una tendencia general en toda América Latina y obedeció tanto a la extrema pobreza y falta de oportunidades del campo como a la existencia de puestos de trabajo del sector manufacturero y similares disponibles en las ciudades; o también, como era el caso colombiano, a la mayor seguridad que ofrecía el entorno urbano.

La tasa de crecimiento económico, si bien puede haberse aproximado a un récord para Colombia, fue mucho menos espectacular si se observa en una perspectiva mundial, puesto que las economías desarrolladas mostraban aumentos todavía más notables durante los mismos años. El crecimiento colombiano equivalía al promedio de América Latina y estaba claramente influenciado por circunstancias externas. En la era de la posguerra las condiciones para el comercio colombiano fueron generalmente favorables. Los precios de los productos de exportación nacionales se elevaron más rápidamente que los de importación, incluidos los bienes de capital indispensables para la industrialización. El proceso llegó a su culminación a comienzos de la década de 1950, durante la guerra de Corea, cuando, entre otras cosas, el precio del café alcanzó una nueva marca al superar la barrera del dólar por libra. Las políticas del gobierno colombiano, sin embargo, eran generalmente favorables al crecimiento económico, aunque no siempre lo fueran a la tranquilidad política o a la distribución equitativa de los beneficios de dicho crecimiento. El presidente Ospina Pérez, como opulento hombre de negocios educado en los Estados Unidos, podía inspirar confianza a la comunidad empresarial, tanto extranjera como doméstica; y Laureano Gómez, aunque tenía menos vínculos personales con tal comunidad, no era ciertamente un peligroso izquierdista. Gómez era además impecablemente ortodoxo en el manejo de las finanzas del Estado, mantenía un estrecho control de los gastos e incluso había conseguido una ligera reducción en la deuda pública. La venta a bancos privados de las acciones que el gobierno poseía en el Banco de la República, ocurrida en 1953, es un buen ejemplo del compromiso del régimen de respetar y trabajar estrechamente con la empresa privada (a tiempo que mantenía a raya la agitación laboral y de izquierda). En tal clima de negocios, los inversionistas se preocuparon por la violencia rural tal vez menos de lo que se podría haber esperado.

Al mismo tiempo, la política económica conservadora era por lo menos ligeramente más nacionalista que la del anterior régimen liberal, incluso teniendo en cuenta el ímpetu que recibió la sustitución de importaciones durante la depresión mundial. Desde entonces había habido un deterioro gradual en el nivel de efectividad de los aranceles, porque las tasas no se habían reajustado apropiadamente para seguir al mismo ritmo de los cambios de los precios o de otras condiciones; pero durante la administración Ospina Pérez esta tendencia fue finalmente corregida mediante un nuevo aumento en los aranceles. Inicialmente el Presidente se opuso a la medida; su larga asociación con los intereses de los exportadores de café, como directivo de la Federación Nacional de Cafeteros, lo había vuelto receloso de las medidas que pudieran afectar el libre curso del comercio. Gaitán también había rechazado la disposición, pues temía que los industriales se aprovecharan del proteccionismo oficial para estafar al público consumidor. Pero las presiones políticas que ejerciera la Asociación Nacional de Industriales (ANDI) resultaron finalmente efectivas. El hecho de que un desproporcionado número de grandes empresarios fueran conservadores antioqueños naturalmente influyó, de la misma manera que también lo hizo la habilidad de la ANDI para organizar una intensa campaña de propaganda y cabildeo. En todo caso, como ha mostrado Eduardo Sáenz Rovner en su innovador estudio de las políticas industriales, fueron en realidad los conservadores, a finales de los años 40 y a comienzos de los 50, y no los liberales en los años 30, como se había sostenido convencionalmente, quienes comprometieron definitivamente a Colombia con la opción de la sustitución de importaciones[7].

Otro signo del compromiso oficial con la industrialización fue la creación de una industria siderúrgica nacional, más específicamente el complejo de Paz del Río, en el departamento de Boyacá. Los primeros pasos hacia este objetivo fueron dados en los años 40, en el gobierno de Eduardo Santos, pero el proyecto fue finalmente llevado a cabo por los conservadores. La empresa privada, doméstica o foránea, no estaba interesada en establecer una industria colombiana del acero, con el argumento de que el mercado local no era adecuado para apoyar ese proyecto. Convencido de que si Colombia intentaba ubicarse correctamente entre las naciones del mundo necesitaba una industria siderúrgica, el gobierno tomó la iniciativa. La financiación incluyó una medida de ahorro forzado por parte del público en general, por medio del cual el 2.5% de las obligaciones fiscales sobre los ingresos de los colombianos se satisfacía con la compra de acciones de Paz del Río. Muchos años después la industria del metal se convirtió en una operación viable, intermitentemente rentable, ahora bajo control privado.

En la política petrolera también se reflejaba un cierto elemento nacionalista. La concesión otorgada a la más importante de las compañías petroleras, la Tropical Oil, debía expirar en 1951. La empresa estaba preparada para negociar la renovación, pero Colombia dejó que la concesión —junto con la refinería construida en Barrancabermeja para manejar su producción— quedara en manos del gobierno, que procedió a crear su propia empresa petrolera, Ecopetrol. La Tropical Oil continuó cumpliendo un papel en la comercialización del petróleo de sus antiguos pozos, pero Colombia, como México y Argentina y antes que Venezuela, poseía ahora su propia firma petrolera, que asumiría una función directriz en la industria.

Sin lugar a dudas, no había ninguna hostilidad oficial hacia las inversiones privadas extranjeras. Por el contrario, el régimen conservador hizo lo imposible por conseguir que los inversionistas extranjeros se sintieran en casa. Incluso en la industria del petróleo, con excepción de la reversión de la concesión de la

Tropical Oil, las firmas extranjeras recibían estímulos para continuar buscando depósitos del mineral y explotarlos; la entrada de capitales y tecnología al sector manufacturero, independientes o en asociación con la empresa privada nacional, era considerada como signo positivo de desarrollo tanto por el gobierno como por la opinión pública en general, con excepción de ciertos reductos de la debilitada izquierda colombiana. El impulso del nacionalismo económico continuó siendo más moderado y menos explícitamente antiextranjero de lo que era usual en América Latina.

Un crecimiento económico como el que tuvo lugar en el período hizo poco por corregir la mala distribución de la riqueza en Colombia, y no sorprende que los más conspicuos beneficios fueran a manos de los dueños de los medios de producción; pero no fue así con todos lo beneficios y por esta razón la política laboral conservadora merece algunas palabras. Las huelgas no recibieron aprobación alguna y la CTC fue prácticamente liquidada como fuerza efectiva bajo el impacto de la represión gubernamental. La organización se había debilitado también por efecto de la Guerra Fría, que condujo a la ruptura final entre sus sectores liberal y comunista. Llevados por su propio anticomunismo y por el evidente deseo de ser bien vistos por la embajada de los Estados Unidos, los líderes del Partido Liberal insistieron en la purga de elementos comunistas de la confederación, que se llevó a cabo en 1950, sin que por ello disminuyera la hostilidad de la administración conservadora. Mientras tanto, una nueva organización laboral nacional, la Unión de Trabajadores de Colombia (UTC), fundada en 1946 y favorecida por el gobierno, se expandía rápidamente. Contaba con consejeros espirituales jesuitas y sus primeros líderes tendían a ser conservadores y no liberales (mucho menos comunistas), pero la UTC no tenía conexiones formales ni con la Iglesia ni con el Partido Conservador; adoptó una política que se centraba en asuntos de subsistencia, mientras criticaba a la CTC por sus compromisos con la política partidaria. Su núcleo estaba en Antioquia y en la industria manufacturera, mientras que la CTC, que en cierta forma había descuidado a los trabajadores de las fábricas, tenía sus bastiones en el transporte y los servicios. Ni el gobierno conservador ni los patronos se preocupaban de si la UTC conquistaba beneficios para sus afiliados; sólo les interesaba demostrar que la nueva entidad, y no la CTC, había encontrado el enfoque correcto de los problemas laborales.

Aunque los conservadores desconfiaban de cualquier tipo de militancia laboral, practicaban cierto paternalismo condescendiente hacia la clase trabajadora. Bajo Ospina Pérez, Colombia adquirió un sistema de participación en las ganancias de la industria, a través de bonificaciones anuales para los asalariados. La medida fue adoptada en 1948, luego del 9 de abril, por una temerosa clase dirigente, pero inevitablemente recordaba las prestaciones sociales introducidas entonces en Argentina por Juan Domingo Perón. Un sistema rudimentario de seguridad social, inicialmente limitado a brindar prestaciones por maternidad y enfermedad a grupos reducidos de trabajadores, también entró en vigencia a finales de la década. Hay desacuerdo en lo que a la tendencia de los salarios reales se refiere. Probablemente, el punto de vista más común es aquel según el cual la inflación de posguerra, aunque relativamente moderada en Colombia, todavía superaba los incrementos salariales. El arribo a las ciudades de refugiados rurales de la *Violencia* tuvo que ser un agravante, puesto que creó nueva competencia en los trabajos no calificados, que para empezar eran muy mal retribuidos. Los indicadores estadísticos, sin embargo, no muestran ningún declive general en los niveles de los salarios reales. Además, los asalariados del moderno sector industrial, especialmente aquellos cubiertos por la negociación colectiva de la UTC, estaban en condiciones evidentemente superiores a las del resto de la población laboriosa[8].

Si el crecimiento económico constituyó un rasgo paradójico de los años de la *Violencia*, otro fue la participación de fuerzas militares colombianas en un conflicto librado en el otro lado del mundo, en Corea. Colombia fue el único país latinoamericano que intervino en ese conflicto, y lo hizo por decisión del presidente Laureano Gómez. La participación colombiana consistió en un batallón, además de los servicios de un barco de guerra en aguas coreanas; el gobierno reconoció que su importancia radicaba ante todo en la expresión de solidaridad. Sin embargo, el destacamento tuvo un desempeño excelente entre todas las unidades que participaron, puso su cuota de bajas en combate y obtuvo sinceros elogios de los jefes militares de las Naciones Unidas. No había, desde luego, ninguna razón para dudar de las cualidades de los combatientes colombianos. Lo que parecía extraño, no obstante, era que justamente cuando el país estaba atrapado en una virtual guerra civil, sus hombres estuvieran combatiendo en Corea, teniendo en cuenta que ningún otro país latinoamericano hacía lo mismo. Otras naciones habían ofrecido enviar contingentes puramente simbólicos, pero sólo Colombia había ofrecido una fuerza lo suficientemente grande para incorporarla a los destacamentos coreanos, estadounidenses y de otros Estados[9].

Los críticos de Gómez se preguntaban por qué razón este hombre, al parecer tan opuesto a los Estados Unidos durante la Segunda Guerra Mundial, habría de movilizar fuerzas para luchar junto con aquel país en Corea. Surgieron varias y complicadas explicaciones. Una tesis, que logró amplia aceptación en su tiempo, sostenía que Gómez quería sacar del país a oficiales sospechosos de simpatizar con los liberales, enviándolos a luchar y tal vez a morir en el este de Asia. Pero esta idea, aparte de carecer de evidencias concretas, es en cierto modo improbable. Los oficiales liberales podían cubrirse de gloria en campos de batalla extranjeros y luego regresar al país para intentar derrocar a Gómez. Más aún, el destacamento colombiano enviado a Corea era en su mayor parte una fuerza de voluntarios; entre otros motivos, porque recibirían un suplemento salarial, un número muy superior al necesario se había inscrito para partir y las cualidades profesionales fueron el criterio principal para decidir quién podría hacerlo.

También se ha planteado —y esta ha sido la explicación favorita de la izquierda colombiana— que los Estados Unidos habían ejercido presiones sobre las autoridades colombianas para enviar a jóvenes soldados a luchar y morir en el extranjero.

Los Estados Unidos no ocultaban su profundo deseo de contar con participación latinoamericana en la lucha en Corea; pero una vez más, no hay evidencias concretas para apoyar esta tesis. Incluso si se pudiera demostrar que hubo presión directa, todavía habría que investigar por qué Colombia, de todas las naciones latinoamericanas supuestamente expuestas a tácticas similares, fue la única en responder favorablemente. Más probablemente, se sugirió entonces y se ha repetido siempre, Laureano Gómez quería borrar cualquier rastro de la mala impresión que su anterior actitud hubiera podido causar en los medios oficiales estadounidenses y asegurarse así un flujo continuo de ayuda económica y militar. Esta explicación parece perfectamente razonable y acentúa la manera como, incluso sin aplicar presiones de manera abierta sobre un gobierno latinoamericano, los Estados Unidos siempre ejercen cierta dosis de coacción indirecta simplemente con sus decisiones en materia de ayuda y comercio, que afectan necesariamente el bienestar de América Latina. Así, pues, cualquier gobernante latinoamericano bien podría esperar que su país recibiera un tratamiento más favorable en otros asuntos si hacía algo que manifiestamente satisficiera a los Estados Unidos, como por ejemplo enviar tropas a Corea. En este caso, independientemente de los intereses personales de Gómez, existen indicaciones de que los jefes de las Fuerzas Armadas de Colombia, descontentos con las prioridades presupuestales y de otra índole a que estaban sujetos, y con la esperanza de obtener mejoras en entrenamiento y equipos con ayuda de los Estados Unidos, apoyaron con estusiasmo la participación en Corea.

No se debe olvidar tampoco que, por encima de lo que Laureano Gómez hubiera podido pensar sobre los Estados Unidos, sus credenciales como militante anticomunista eran irreprochables. Esto también influyó en la decisión colombiana. De igual manera, ésta tenía mucho que ver con el continuo interés de Gómez por modificar las instituciones colombianas de modo que pudiera limitar los excesos de la democracia liberal, que para él abrían las puertas a influencias marxistas, entre otros males. Desde 1949, con la expansión de la *Violencia* como pretexto, el país había funcionado bajo el estado de sitio, que otorgaba al gobierno el derecho de suspender un amplio espectro de garantías. La prensa era generalmente censurada, a pesar de que todavía existían periódicos de oposición, y los individuos estaban expuestos a violaciones de sus derechos civiles. No hubo en Colombia una supresión sistemática de toda disidencia y las restricciones inherentes al estado de sitio fueron a menudo aplicadas de manera errática; pero no es del todo injusto decir que, desde la última etapa de la administración Ospina Pérez, y luego de manera continua bajo Gómez, Colombia fue gobernada por una especie de dictadura civil. Sin embargo, se trataba, en principio, de una situación transitoria. A largo plazo, Gómez tenía otras cosas en mente, que describió ante una convención nacional especial que convocó con el propósito de reformar la Constitución.

A pesar de que se ha sostenido lo contrario, Laureano Gómez no era un adepto del totalitarismo absoluto, aunque proponía fortalecer los poderes del Ejecutivo y debilitar los del Congreso. Toleraba que el Presidente continuara siendo elegido en elecciones populares y por la mayoría de los votos, a pesar de sus anteriores críticas al principio de la mayoría. También aceptaba la elección popular de la Cámara de Representantes, pero pedía que el Senado fuera escogido por gremios organizados, como los sindicatos, la asociación de industriales y la misma Iglesia, la cual nombraría un Senador que la representara exclusivamente. Esta fue la más sorprendente innovación de todas las que propuso y en ella se reflejaba claramente la influencia del así llamado «Estado corporativo» del fascismo europeo. Otro cambio propuesto por Gómez establecía que en las elecciones municipales solamente votaran las cabezas de familia; tal cláusula provenía de las instituciones de la dictadura de Franco en España, donde Gómez había pasado una temporada en exilio semivoluntario luego del 9 de abril.

Las proposiciones de Gómez, aunque no representaban la adopción absoluta del fascismo europeo —ni siquiera en la versión española bajo Franco—, provocaron amplia oposición en

Colombia, no sólo de los liberales, sino también de sectores de su propio partido. Entre los más importantes disidentes se contaban aquellos aglutinados alrededor del expresidente Ospina Pérez. Los conservadores ospinistas no compartían el rechazo doctrinario de Gómez a los procedimientos democráticos convencionales, aunque el propio Ospina había impuesto el estado de sitio, mediante el cual había sido suspendida la mayor parte de las garantías civiles. Estos conservadores también creían que la rigidez partidaria de Gómez era en gran medida responsable de la continuación de la *Violencia*. En fin, consideraban que la insistencia de Gómez en una impopular reforma constitucional era un signo de que el jefe conservador y sus partidarios intentaban monopolizar el poder a expensas del conservatismo.

Enfrentado a la vehemente hostilidad de la mayoría liberal, Gómez no pudo sostenerse luego de que los ospinistas se unieran con la oposición, especialmente en razón de que éstos tenían estrechos vínculos con muchos jefes del estamento militar, entre ellos el comandante de las Fuerzas Armadas, general Gustavo Rojas Pinilla. Convencido, al parecer incorrectamente, de que Rojas conspiraba contra él con el beneplácito de sus opositores civiles, Gómez intentó enviarlo al exilio diplomático, y posteriormente, el 13 de junio de 1953, lo destituyó. Pero, al contrario, fue Rojas quien destituyó a Gómez. El general estaba preparado para ceder la presidencia a otro conservador civil, pero en vista de que la oferta no fue aceptada, decidió asumir el cargo.

De esta manera, Laureano Gómez fue el primer Presidente colombiano depuesto por medio de un golpe de Estado desde 1900, cuando se derrocó a Manuel Antonio Sanclemente. Se trataba por cierto de un evento singular, pero ambos casos presentan ciertos rasgos comunes: tanto en 1900 como en 1953 existía una profunda división en el partido de gobierno así como una situación de orden público aparentemente intolerable —la Guerra de los Mil Días en el primer caso y la *Violencia* en el segundo— que el mandatario depuesto había sido incapaz de controlar. Como resultado, Rojas Pinilla asumió el poder con apoyo casi total, aclamado por la oposición liberal y por todos los conservadores —con excepción de los seguidores a ultranza de Gómez—, como el único que podría poner fin al derramamiento de sangre y reconstruir el país.

Rojas Pinilla y el fracaso del populismo militar

El general Rojas Pinilla podría haber sido un mejor Presidente si, tal como lo creía Gómez, se hubiera apoderado del gobierno como consecuencia de una conspiración cuidadosamente madurada, en vez de recibir el poder de manera imprevista. Estaba poco preparado para el cargo y de hecho parece no haber tenido un verdadero programa de gobierno, si se exceptúan generalidades sobre la necesidad de adelantar la regeneración moral del país y la estricta adhesión a los ideales de Jesucristo y Simón Bolívar. La creación de un «Estado Cristiano y Bolivariano»[10], en palabras del propio general, pronto emergió como su filosofía política básica, pero su significado preciso estaba lejos de ser claro.

Sin lugar a dudas, en lo que concierne a la parte «cristiana» Rojas Pinilla era un católico bastante convencional, que creía sinceramente que la colaboración estrecha de Estado e Iglesia era esencial para la regeneración moral que proponía. De esta manera, la pequeña minoría de protestantes colombianos fue tal vez el primer sector que descubrió que el cambio de Gómez a Rojas no era una bendición. La prohibición de actividades proselitistas, cubierta por una estrecha interpretación de la garantía constitucional de tolerancia religiosa, fue quizás más severa durante el mandato de Rojas Pinilla. Las escuelas protestantes también sufrieron restricciones, pero al mismo tiempo se redujeron los casos de agresión, en gran medida porque el clima general de violencia, si bien no desapareció, declinó bajo el nuevo régimen.

La parte «bolivariana» de la fórmula rojaspinillista era mucho más vaga. «Bolivariano» significaba patriota, valiente, leal y sincero, a lo cual nadie se podía oponer. También significaba, para el mandatario, la subordinación de los estrechos intereses de los partidos a los más elevados ideales de unión y reconciliación nacional, otra meta que contó con la aprobación de casi todo el país. El nuevo Presidente expresó este espíritu de concordia al ofrecer la amnistía a grupos liberales guerrilleros a cambio de la entrega de las armas. Muchos aceptaron la oferta, con el resultado de que Rojas logró pacificar la mayor parte del oriente colombiano. La estrategia de la amnistía fue efectiva precisamente porque el jefe del Estado era un hombre de milicia, y como tal, por lo menos técnicamente imparcial. Los guerrilleros liberales, que nunca habrían confiado en una amnistía ofrecida por un conservador civil como Laureano Gómez, estaban dispuestos a conceder a Rojas Pinilla el beneficio de la duda.

Sin embargo, el Presidente no estableció un gobierno de coalición, como muchos esperaban que lo hiciera. Aunque la participación de los militares fue mucho mayor que en gobiernos anteriores, la nueva administración fue esencialmente civil y en un 100% conservadora en las altas esferas del poder. Unos pocos liberales recibieron cargos diplomáticos y similares, pero no hubo gobernadores ni miembros del gabinete ministerial que pertenecieran al Partido Liberal. El cambio principal quizá consistió en que los laureanistas fueron remplazados por miembros de otras facciones conservadoras. Rojas tampoco levantó el estado de sitio, vigente sin interrupción desde 1949. No obstante, la gran mayoría de los colombianos lo apoyó generosamente, al menos en los inicios de su mandato; además, casi todas las figuras políticas del bipartidismo, excepción hecha de los laureanistas intransigentes, respaldaron al general cuando una Asamblea Nacional Constituyente, instalada por mecanismos poco democráticos pero que incluía a unos cuantos liberales, lo eligió para un período de cuatro años que comenzaría en 1954.

Se suponía que la Asamblea debía terminar la labor de revisar la Constitución, inconclusa desde la caída de Gómez. La revisión de la Carta no culminó, pero la Asamblea logró dar un barniz de legalidad a la permanencia de Rojas Pinilla en el poder. Igualmente se adelantó una serie de reformas heterogéneas, que incluyeron el establecimiento del voto femenino, medida necesaria desde hacía mucho tiempo y que no provocó mayor oposición. La trampa consistió en que Rojas Pinilla nunca convocó elecciones populares de modo que las mujeres colombianas pudieran ejercer su nuevo derecho, y la aplicación práctica de la medida solamente se cumplió después de la caída del general; de esta manera, Colombia apenas evitó el deshonor —que recayó sobre Paraguay— de ser la última nación latinoamericana en extender el derecho de voto a la población femenina.

En cualquier caso, la etapa inicial o de luna de miel del régimen no duró mucho tiempo después de que Rojas fuera ratificado como Presidente para el nuevo período. Bien pronto la historia se descompone en varios tópicos contrastantes: la naturaleza cada vez más fuerte del régimen, la creciente oposición de los dos partidos, la revelación por parte de Rojas de su programa de reforma social y económica y el recrudecimiento de la *Violencia*. Todos estos temas aparecen íntimamente ligados, pero la relación exacta entre ellos ha sido fuente de controversia. Según los críticos del general —contemporáneos y posteriores—, fueron precisamente sus arbitrarias medidas las que provocaron la oposición y demoraron el proceso de pacificación, mientras sus reformas no pasaron de ser intentos poco sinceros de captar apoyo popular contra el liderazgo político tradicional del país. Por su parte, para los admiradores de Rojas Pinilla de todas las épocas, se trata de lo contrario: fue la adopción de un programa de reformas a largo plazo lo que provocó la amarga oposición de los políticos y las acciones del general, que fueron juzgadas como arbitrarias, respondieron a una desafortunada necesidad orientada a refrenar el irresponsable comportamiento de los opositores del régimen, especialmente peligroso por la continuación de la violencia en buena parte del territorio nacional. Sin duda, lo más prudente es pensar que todos estos acontecimientos ocurrieron más o menos simultáneamente. No es necesario añadir que éstos se reforzaron mutuamente[11].

Bajo el rubro de acciones arbitrarias del gobierno de Rojas Pinilla (y sin que el hecho de que se discutan primero implique que sean las primeras en la cadena de causas y efectos), las más obvias tienen que ver con el deterioro de la libertad de prensa, que culminó en agosto de 1955 cuando se suspendió la publicación del principal periódico del país, *El Tiempo*. Curiosamente, se le permitió reaparecer pronto, utilizando el mismo equipo y los mismos periodistas, pero con el nombre más bien ingenioso de *Intermedio*. En sí mismo, el nuevo título sugería que la situación era transitoria y que una vez superada las cosas deberían y en efecto iban a regresar a la normalidad. De esa manera, el tratamiento de Rojas a la prensa fue el mismo que le diera Gómez: más caprichoso que dirigido hacia la supresión total de la disidencia. Otras acciones del gobierno fueron casos de tácticas de mano dura hacia los miembros de la oposición, no solamente en áreas rurales sino también en las ciudades. El ejemplo clásico de este tipo de acciones fue la «masacre de la Plaza de Toros», que tuvo lugar en Bogotá en febrero de 1956, cuando piquetes de prosélitos rojistas, ofendidos por la negativa de la multitud a gritar «vivas» al gobierno, tomaron venganza agrediendo a los asistentes. Por lo menos ocho personas murieron en el incidente. Este fue, sin embargo, un caso extremo y no existen razones para suponer que las cosas ocurrieron por orden presidencial. Considerándola en términos generales, la dictadura de Rojas Pinilla fue moderada y demostró una vez más que Colombia es poco acogedora para las dictaduras, por más sangre que se haya derramado en batallas políticas a lo largo de su historia.

Respecto al crecimiento de la oposición política, es difícil determinar exactamente en qué momento los grupos que apoyaban a Rojas Pinilla decidieron volverse contra su gobierno. Lo que ocurrió fue un desencanto gradual y los liberales fueron los primeros en sentirlo. Como principales víctimas de la violencia política en años recientes, vieron con gusto la disminución de la *Violencia* durante los primeros meses de la nueva administración. Pero como partido excluido del gobierno y además mayoritario, el liberalismo estaba ansioso por restaurar los procedimientos normales promulgados en la Constitución, a través de los cuales podría eventualmente recuperar el poder. Por eso fue el más afectado cuando se hizo evidente que el general no estaba apurado por restablecer la normalidad política. Aunque tenía la excusa de que el país no se había calmado realmente, también es cierto que Rojas Pinilla disfrutaba el poder una vez que lo pudo saborear.

En cuanto a los conservadores, algunos se mantuvieron al lado del dictador hasta el final, quizás para no perder sus cargos, pues, como ya se ha anotado, los empleados civiles eran predominantemente conservadores. Pero en la práctica, con pocas excepciones, los miembros importantes del conservatismo terminaron deponiendo sus simpatías por el régimen. Sus motivos (exceptuados los de los laureanistas) eran menos obvios que los del liberalismo, puesto que, en casi todo sentido, Rojas Pinilla también era un conservador. Pero desde el punto de vista de las jerarquías civiles del partido, el general era un aparecido. Se trataba de alguien que, en lugar de abrirse camino mediante el trabajo por la colectividad, se había iniciado en el más alto puesto del país por el simple hecho de ser un general de la República. Un general como punto de transición entre presidentes civiles habría sido aceptable, pero únicamente si en efecto hubiese mostrado un claro compromiso con la pronta restauración del orden civil; porque los conservadores también hubieran deseado un regreso más expedito a la normalidad constitucional, con elecciones y todo lo que dicho orden implica. Este era el tipo de juego que conocían y en el querían participar.

Además de sus reclamos políticos contra Rojas, los dirigentes de las dos colectividades tradicionales desconfiaban de su política socioeconómica, mediante la cual el general buscaba aparecer (casi de la misma manera que Gaitán) como el verdadero defensor de las masas populares frente a los egoístas oligarcas. De todas las características de su mandato, ésta es la más difícil de evaluar. Por una parte, esta política implicaba el aumento de impuestos para los ciudadanos más pudientes (establecía, por primera vez, gravámenes sobre los dividendos de los accionistas), así como la destinación de parte de los beneficios para inversión en programas de bienestar social. El sufrimiento y la dislocación resultantes de la *Violencia* ofrecían grandes oportunidades para llevar a cabo tales programas, que Rojas ubicó bajo la supervisión general del recién creado Secretariado Nacional de Asistencia Social (Sendas). El gobierno emprendió, así mismo, varios proyectos ambiciosos de obras públicas, que incluyeron la construcción de carreteras, trabajos en el ferrocarril del Atlántico (que finalmente unió a Bogotá con Santa Marta, aunque sólo se terminó en 1961, cuatro años después de la caída de Rojas), la construcción de hoteles turísticos y del aeropuerto Eldorado, de Bogotá. El alto precio que alcanzó el café durante la primera parte del régimen ayudó a financiar estos proyectos. Por otra parte, Rojas Pinilla no tenía reformas estructurales que proponer ni promover y sin duda no fue un abanderado de la reforma agraria, idea que la pasada república liberal había abandonado rápidamente. De hecho, el propio Rojas, procedente de una clase media provinciana, estaba en el proceso de adquirir grandes propiedades, bien fuera como inversión segura, bien como fuente de mayor prestigio social.

Finalmente, tal vez el aspecto más controvertido de la política socioeconómica de Rojas Pinilla fue su franco intento de convertir las organizaciones de trabajadores en uno de los dos principales puntales de su régimen, junto con las Fuerzas Armadas. Tal política era muy similar a la de Perón, otro militar que pretendió apelar al favor del pueblo por sobre las cabezas de los líderes civiles de los partidos. Perón había proclamado también un ambicioso programa de reformas económicas y sociales y, con su peculiar versión del populismo autoritario, todavía estaba en el poder cuando Rojas Pinilla asumió el gobierno. El paralelo con Perón también se refleja en la creación de Sendas, que inevitablemente evoca la Fundación Eva Perón en Argentina, sobre todo cuando Rojas nombró a su hija para dirigir ese organismo. María Eugenia Rojas no era una beldad como la famosa Evita Perón, pero se convirtió en una eficiente abogada de las políticas de su padre. En constraste, la esposa del mandatario se mantuvo totalmente alejada de la esfera pública y la vida personal del general no provocó las mismas murmuraciones ni escándalos que la del dictador argentino, especialmente después de la muerte de Evita.

La *modalidad* del movimiento laboral auspiciado por Rojas fue aún más sorprendente. Cuando accedió al poder, la más grande organización sindical del país era la católica UTC, que formalmente había rechazado el compromiso político. La más antigua, la CTC, muy debilitada entonces, había sido el brazo laboral del liberalismo, aunque inicialmente contó con cierta participación comunista. Ninguna de las dos organizaciones parecía estar en capacidad de convertirse en aliada del régimen, de manera que Rojas Pinilla se apoyó en otra organización, la pequeña Confederación Nacional de Trabajadores (CNT), que consideró más fácil de controlar. La CNT estaba afiliada a una confederación latinoamericana de trabajadores que operaba bajo la sigla ATLAS y que a su vez era patrocinada por el régimen peronista. En la medida en que contaba con una ideología oficial, la CNT adoptó una versión del «justicialismo» peronista, autodefinida como una tercera posición que eludía los extremismos del comunismo y el capitalismo.

Evidentemente, Rojas Pinilla no intentaba crear en Colombia una copia del régimen de Perón, pero existían semejanzas, y hasta cierto punto el dictador argentino había ejercido influencia en el colombiano. No sorprende, sin embargo, que todo este programa funcionara menos en Colombia que en Argentina, por las diferencias obvias entre ambos países. Para entonces Argentina era un país mucho más rico y la bonanza de posguerra, que excedía en mucho el aumento del precio del café colombiano, había permitido a Perón llevar beneficios a los pobres sin tener que quitárselos a otros sectores de la sociedad. Más aún, aunque la población urbana de Colombia había aumentado considerablemente en los años 50, la fuerza de trabajo urbana no era tan grande como la argentina, ni estaba tan bien organizada. Por su parte, la fuerza laboral del campo, aparte del enclave bananero y otros casos especiales, nunca había estado dispuesta a organizarse en sindicatos. La muy importante industria cafetera se había construido en torno a una masa de pequeños productores (propietarios, arrendatarios o aparceros), que trabajaban de modo independiente y no se consideraban simples asalariados.

Otro problema para Rojas Pinilla fue el papel que desempeño la Iglesia. En un principio había sido una amable aliada de Rojas y de Perón, pero finalmente había abandonado a este último. A partir de ese momento, cualquier lazo aparente entre Rojas y el dictador argentino era motivo suficiente para despertar la desconfianza de la Iglesia colombiana. En el campo laboral, además, la Iglesia protegía a la UTC en oposición a la CNT, apoyada por el gobierno; una carta pastoral de los obispos colombianos, en la cual se condenaba a la confederación sindical oficialista, constituyó un claro signo de desagrado por la manera como se conducían los asuntos del gobierno. En consecuencia, puesto que la voz de la jerarquía eclesiástica todavía era importante para él, Rojas retiró gradualmente su apoyo a la CNT.

Si bien las políticas socioeconómicas rojaspinillistas llegaron a alarmar a las directivas eclesiásticas tanto como a los líderes políticos y económicos tradicionales, sin lugar a dudas el mandatario tenía cierta razón en su enfoque general de los problemas nacionales. Si el sistema político del país había traído tanto conflicto y derramamiento de sangre, ¿por qué no ponerlo a un lado y volver a empezar, olvidar los odios heredados entre liberales y conservadores y ponerse a trabajar para resolver los problemas básicos del país a través de una estrecha alianza entre el pueblo, el gobierno y las Fuerzas Armadas? Esta era, en el fondo, la forma final de la ideología de Rojas Pinilla, que sin duda atraía a un buen número de personas. Desafortunadamente, las medidas que tomó no siempre estuvieron bien concebidas ni fueron aplicadas sistemáticamente. El Presidente fue, así mismo, objeto de varios cargos de corrupción, sin duda bastante exagerados. Pero quizás mostró algunas veces excesiva complacencia a la hora de aceptar regalos de partidarios y admiradores, y se vio comprometido en diferentes transacciones y negocios, especialmente de ganado y bienes raíces, que reñían con sus obligaciones como jefe del

Estado. Rojas pudo no haber estado envuelto en ningún asunto ilícito, pero sus actividades incitaban la sospecha de que explotaba su posición para beneficio personal. En este sentido, su conducta ofrecía un penoso contraste con la de su predecesor, Laureano Gómez, quien era fanáticamente honesto (y también fanático en todo lo demás). Aunque siempre había existido corrupción administrativa en Colombia, el descarado enriquecimiento ilícito de las altas esferas, al estilo mexicano, simplemente no se conocía. Por eso incluso la mínima insinuación de mala conducta pecuniaria era inusual en la presidencia de Colombia, y ello sin duda afectó la posición de Rojas Pinilla. El tráfico de influencias y el dar o recibir favores especiales por parte de otros miembros del régimen contribuyeron a imprimirle a éste un tono ligeramente sombrío.

Entre los puntos débiles del mandato rojista se debe mencionar su máximo fracaso, a pesar de un comienzo promisorio: la promesa de poner fin a la *Violencia*. El porqué o el dónde de la falla en el manejo de este problema es otro motivo de desacuerdo. Sin embargo, está claro que siempre hubo un núcleo pertinaz de guerrilleros que no aceptó la amnistía de Rojas Pinilla. Algunos de los que ofrecieron resistencia eran miembros de los reductos rurales comunistas del Alto Magdalena, que habían conformado destacamentos de autodefensa; el régimen, por su parte, nunca mostró tanto interés en conciliar con los comunistas como lo había intentado con los liberales. Incluso llegó a declarar ilegal al partido comunista, la primera y única vez que tal cosa ha ocurrido en Colombia. Otros grupos armados estaban compuestos por hombres que ya habían sufrido un proceso de evolución hacia la criminalidad y el bandidaje, y un tercer contingente prefería esperar un poco para ver qué ocurría antes de comprometerse a deponer las armas. En cualquier caso, el hecho de que un número considerable de guerrilleros rechazaran los ofrecimientos de paz y reconciliación parece haber sorprendido y finalmente enfurecido al general Rojas, hasta el punto de llevarlo a desatar una campaña de represión militar contra algunas de las plazas fuertes de la guerrilla. La operación afectó a muchos inocentes y resultó contraproducente.

La ineficacia de Rojas Pinilla para aplacar la *Violencia* debilitó inevitablemente el apoyo que había recibido cuando llegó al poder. Una nueva caída del precio del café a mediados de la década se sumó al clima de insatisfacción. Rojas habría podido completar el período de cuatro años para el cual había sido elegido por la Asamblea Constituyente que él mismo había convocado, pero cuando inició los preparativos para ser elegido por segunda vez, sus enemigos decidieron no dar más largas al asunto. Como medida preliminar, los partidos tradicionales acordaron, por medio de un pacto negociado entre los ex presidentes Alberto Lleras Camargo y Laureano Gómez en España —donde Gómez vivía en exilio—, trabajar conjuntamente para derrocar la dictadura y campartir el poder de manera pacífica a partir del momento del triunfo. Los sectores empresariales y profesionales colaboraron llamando a la huelga general en mayo de 1957. No se trató de una huelga de trabajadores, sino de un paro forzoso durante el cual las oficinas y las fábricas cerraron sus puertas. Sin duda, una parte de la base popular continuaba simpatizando con Rojas, pero nadie montó barricadas ni luchó para apoyar al régimen. En cambio, las masas trabajadores acordaron permanecer en calma, y cuando el alto mando militar sugirió a Rojas Pinilla que se retirara discretamente del poder para bien del país, el dictador se dispuso a marchar al exilio.

Notas

1. Miguel Urrutia Montoya, conversación personal, alrededor de 1970.

2. Germán Guzmán Campos, Orlando Fals Borda y Eduardo Umaña Luna, *La violencia en Colombia*, 2ª edición, 2 vols., Bogotá, 1962-1964, t. 2, p. 370.

3. Vernon Lee Fluharty, *Dance of the Millions: Military Rule and the Social Revolution in Colombia, 1930-1956*, Pittsburgh, 1957, pp. 96-98, 100-106. Sin duda el mejor recuento es el de Herbert Braun, *The Assassination of Gaitán: Public Life and Urban Violence in Colombia*, Madison, Wisconsin, 1985, caps. 6 y 7. Sobre eventos fuera de Bogotá, ver Gonzalo Sánchez, *Los días de la revolución: gaitanismo y el 9 de abril en provincia*, Bogotá, 1983.

4. Ver, por ejemplo, Russell W. Ramsey, «Critical Bibliography on La Violencia in Colombia», *Latin American Research Review*, vol. 8, No. 1, Spring 1973, pp. 344, cuya lista anotada de 250 títulos consiste principalmente en publicaciones de los años 60. La proliferación de trabajos continúa desde entonces.

5. Eduardo Ospina, S.J., *Las sectas protestantes en Colombia; breve reseña histórica con un estudio especial de la llamada «persecución religiosa»*, 2ª ed., «Bogotá, 1955, presenta la respuesta oficial a los reclamos, incluyendo las fuentes de dichos reclamos.

6. José Antonio Ocampo, editor, *Historia económica de Colombia*, Bogotá, 1987, p. 259 (cuadro).

7. Eduardo Sáenz Rovner, «Industriales, proteccionismo y política en Colombia: intereses, conflictos y violencia», *Historia crítica*, 3, enero-junio de 1990, pp. 85-105.

8. Un buen ejemplo del punto de vista pesimista en lo referente a salarios y niveles de vida es el de Fluharty, *Dance of Millions*, 91-93, 127, 193-194. Por el contrario, Miguel Urrutia sugiere que es precisamente durante la *Violencia* cuando «la situación del proletariado comienza a mejorar» ver por ejemplo «El desarrollo del movimiento sindical y la situación de la clase obrera» en: *Manual de historia de Colombia*, 2º edición, 3 vols., Bogotá, 1982, t. 3, p. 199. Para algunas series sobre

salarios reales, ver los datos compilados por Urrutia y Albert Berry para el *Compendio de estadísticas históricas de Colombia,* Bogotá, 1970, pp. 76-82.

9. Russell W. Ramsey, «The Colombian Batallion in Korea and Suez», *Journal of Inter-American Studies,* vol. 9, No. 4, octubre de 1967, pp. 541-560. Este artículo cubre los rasgos salientes de la participación colombiana pero no presenta un análisis completo sobre interpretaciones enfrentadas.

10. Para una recopilación de la ideología de Rojas Pinilla, ver Gonzalo Canal Ramírez, *El Estado cristiano y bolivariano del 13 de junio,* Bogotá, 1955.

11. La defensa de Rojas Pinilla con reconocida autoridad en inglés es el volumen de Fluharty citado anteriormente. Una evaluación más crítica es la de John Martz, *Colombia: A Contemporary Political Survey,* Chapel Hill, N.C., 1962. Ver también el más reciente y poco elogioso recuento de dos periodistas, Silvia Galvis y Alberto Donadío, *El jefe supremo: Rojas Pinilla en la violencia y en el poder,* Bogotá, 1988.

Capítulo 10

El Frente Nacional: logros y fracasos (1958-1978)

El derrocamiento de Rojas Pinilla dio paso a una nueva era de reconciliación política y paz doméstica, que favorecería el rápido desarrollo social y económico de Colombia. Estos objetivos se lograron en gran medida, aunque, a juzgar por los resultados, cuanto más progreso se conseguía en un área, más problemas se evidenciaban en otras. Las fuerzas que terminaron con la dictadura permanecieron unidas, con tal éxito, que la política colombiana llegó a ser casi aburrida; con todo, los dirigentes liberales y conservadores no tuvieron tan buen resultado en el manejo del nuevo problema de la insurgencia guerrillera de izquierda. Se operó un crecimiento económico significativo y se dieron notables mejoras en la educación pública, pero no hubo grandes cambios en los patrones generales de la desigualdad social. Mientras tanto, los avances en los transportes y la infraestructura de las comunicaciones, lo mismo que el desarrollo de los medios de comunicación masivos, sirvieron para reducir las diferencias entre las regiones —que alcanzaron un sentido de cultura nacional sin precedentes— e hicieron más difícil ignorar los problemas todavía no resueltos.

Institucionalización del mandato bipartidista

La Junta Militar que remplazó a Gustavo Rojas Pinilla en mayo de 1957 nunca aspiró a ser más que transitoria y permaneció en el poder el tiempo suficiente para que, bajo un nuevo conjunto de disposiciones diseñado especialmente para evitar el regreso de la violencia entre los partidos que había afectado tan gravemente al país, se eligiera un nuevo gobierno civil. Estas reglas, concebidas por las cabezas de los dos partidos tradicionales y posteriormente aprobadas por los ciudadanos en un plebiscito popular, sentaron las bases para el peculiar régimen de coalición bipartidista conocido como Frente Nacional, que perduró hasta los años 70. En cierta medida, evocaba otras coaliciones que habían surgido en tiempos de crisis nacional (más recientemente en 1946, por ejemplo). Pero esta coalición, a diferencia de las otras, seguía una serie de pautas matemáticas añadidas a la Constitución, de manera que todo el mundo pudiera conocer exactamente las reglas del juego y estar consciente de que dichas reglas no podrían ser cambiadas de un día para otro. En ellas se especificaban dos puntos principales: los partidos Conservador y Liberal compartirían igualitariamente, y por obligación, todos los cargos (por elección y por nombramiento) y se alternarían en la presidencia. Un corolario natural fue la exclusión formal de terceros partidos del poder político.

Para algunos observadores externos, así como para una minoría desafecta de colombianos, las nuevas reglas representaban, por su propia naturaleza, una negación de los principios democráticos. Sin duda alguna, se restringía la política democrática, pero menos de lo que en principio podría pensarse. Para empezar, aunque para la época el Partido Liberal superaba claramente al Conservador en respaldo popular, no era tan poderoso como para que la obligada igualdad con el Partido Conservador violentara seriamente la voluntad de los habitantes, por lo menos en lo que respecta a la nación como un todo. En algunos municipios, sin duda, un partido podría tener tal predominio, que sería difícil encontrar suficientes miembros del otro para ocupar el 50% de los cargos locales garantizados. El sistema del Frente Nacional tampoco puso término a la competencia electoral. Aunque cada partido contaba de antemano con la mitad de los escaños del Congreso, las Asambleas Departamentales y los Concejos Municipales, todavía realizaban elecciones para todas las corporaciones y la competencia a menudo era aguda; se trataba apenas de la rivalidad entre diferentes listas de candidatos liberales o conservadores por la participación garantizada en el poder para cada partido. Incluso se podría decir que la exclusión de terceros partidos era menos importante de lo que parecía. Aparte de la insignificancia general de tales agrupaciones en la política colombiana, no había ningún reglamento que determinara los requisitos para pertenecer a los partidos. De esta manera, cualquier persona, hombre o mujer, podía hacerse llamar liberal o conservador el día de las elecciones y competir por un lugar en la cuota de tal o cual partido. Los comunistas, por ejemplo, presentaron candidatos como miembros de una facción disidente del Partido Liberal, improvisada para este propósito, y los resultados que obtuvieron fueron tan pobres como habrían sido si se hubieran presentado con sus propios colores.

Los mecanismos institucionales del Frente Nacional fueron concebidos para permanecer vigentes durante 16 años, correspondientes a dos períodos presidenciales para cada partido. Pero una nueva reforma constitucional, adoptada en 1968, determinó que el sistema fuera gradualmente eliminado; la competencia electoral sin restricciones sería restablecida en su totalidad en 1974, y el requisito de compartir los puestos públicos de nombramiento del Ejecutivo terminaría en 1978. Sin embargo, la reforma constitucional estipulaba que el partido perdedor en la elección presidencial debía recibir una cuota «adecuada y equitativa» de poder, aunque esta fórmula no se definió claramente. En consecuencia, el mandato de coalición se prolongó en la práctica hasta 1986, cuando el Presidente liberal Virgilio Barco, habiendo ofrecido a los conservadores una participación que éstos desdeñaron por considerarla insatisfactoria, volvió a una administración unipartidaria.

El primero de los presidentes del Frente Nacional fue un liberal, Alberto Lleras Camargo, quien había ocupado el mismo cargo entre 1945 y 1946, luego de la renuncia de Alfonso López Pumarejo. Lleras había permanecido fuera del país durante la *Violencia*, tiempo en el cual acrecentó su prestigio personal y político como Secretario General de la Organización de Estados Americanos (OEA), y posteriormente fue uno de los arquitectos de la alianza entre liberales y conservadores que depuso a Rojas Pinilla. Conocido como gran conciliador y altamente estimado en los Estados Unidos —de los cuales Colombia esperaba recibir ayuda para la rehabilitación nacional—, era la persona indicada para inaugurar el nuevo sistema. Su sucesor conservador, de 1962 a 1966, fue Guillermo León Valencia, político de vieja escuela, recordado por pintorescos pasos en falso como saludar a Charles de Gaulle a su llegada a Bogotá con un estruendoso «¡Viva España!». Por lo menos, era un hombre tolerante y de buena voluntad, que administró en concordancia con el espíritu del Frente Nacional hasta pasar el poder al tercer Presidente, el liberal Carlos Lleras Restrepo, primo lejano de Lleras Camargo.

Entre todos los presidentes del Frente Nacional, el segundo Lleras fue con creces el más vigoroso administrador y el responsable de importantes innovaciones programáticas, que adelantó con la ayuda de un círculo de jóvenes tecnócratas, entrenados, muchos de ellos, en universidades extranjeras. Entregó el poder en 1970 al conservador Misael Pastrana, quien había sido su ministro de Gobierno pero no se había contagiado del hiperactivismo característico de Lleras. Luego de presidir una administración en la que no se hizo casi nada de trascendencia, Pastrana transmitió en mando al liberal Alfonso López Michelsen, hijo de López Pumarejo, cuyos oponentes en la elección de 1974 fueron los hijos de otros dos ex presidentes: el conservador Álvaro Gómez Hurtado y María Eugenia Rojas, candidata ésta de un nuevo tercer partido. Parecía que en esta elección se disputaran la presidencia los fantasmas de los padres y los votantes colombianos, que conservaban los más favorables recuerdos de López Pumarejo, concedieron a su hijo la mayoría de los votos. Sin embargo, cualquiera que esperara repetir el regocijo de la «revolución en marcha» estaba condenado a la desilusión. El segundo López innovó principalmente en asuntos exteriores y no en políticas domésticas. En especial, buscó seguir una línea más independiente frente a los Estados Unidos; por ejemplo, restauró las relaciones diplomáticas con la Cuba revolucionaria, que Colombia, al igual que todas las naciones latinoamericanas con excepción de México, había roto en la década de los sesenta.

Si bien no colmó las expectativas que había despertado en sus inicios, el Frente Nacional logró la meta principal para la que había sido diseñado: poner fin a la *Violencia*. Para ello empleó la misma combinación de tácticas usada por Rojas Pinilla: ofrecimientos de amnistía y aplicación selectiva de la fuerza militar contra aquellos que aún se resistieran. También desarrolló ambiciosos programas de «acción cívicomilitar», por medio de la cual fueron movilizados varios destacamentos del Ejército para construir carreteras, escuelas y clínicas en áreas afectadas por la violencia y prestar servicios médicos castrenses con el fin de ganar la confianza de la población rural, sin la cual la verdadera pacificación era imposible. El Frente Nacional se vio beneficiado por la sensación de agotamiento y repulsión nacionales, surgida a causa de la violencia. Sin embargo, el principal factor en la pacificación fue la estructura del Frente Nacional, debido a su efecto morigerador de las rivalidades políticas tradicionales, que habían sido los detonantes de la *Violencia*. Mucho más efectivo que los mensajes de fraternidad que ahora proclamaban las directivas de ambos partidos en la capital y en las principales ciudades, el Frente Nacional redujo inmensamente los incentivos que llevaban al estallido de acciones violentas. Después de todo, ¿qué razones tendrían los miembros de un partido para disparar contra sus opositores ahora, cuando a cada colectividad se le garantizaba el 50% de los cargos públicos, sin necesidad de asumir riesgos?

La pacificación no llegó de la noche a la mañana, pero la tasa de muertes por razones políticas se redujo notablemente; y hacia mediados de la segunda administración frentenacionalista el número total de víctimas anuales no pasaba de tres dígitos[1]. En términos prácticos, la *Violencia* había tocado a su fin. O, para ser más precisos, la *Violencia* como conflicto entre liberales y conservadores, con el vórtice del bandidaje por añadidura, había terminado. Nuevas formas de violencia tomarían gradualmente su lugar, pero nunca alcanzarían los niveles de ferocidad observados entre finales de la década de 1940 y principios de la de 1950.

Hasta cierto punto, como consecuencia de este logro, la cuestión religiosa desapareció en Colombia aún más rápida y completamente que la *Violencia*. Cesó el maltrato, por razones políticas o religiosas, a los protestantes, y las numerosas restricciones que habían sido impuestas a sus actividades fueron levantadas. Todavía más impresionante fue la generalizada tolerancia entre católicos y protestantes, hasta el punto de que ministros protestantes y sacerdotes católicos llegaron a compartir las mesas directivas en certámenes públicos. Naturalmente, los vientos de renovación que conmovían a la Iglesia, como las reformas de Juan XXIII y el Segundo Concilio Vaticano, también influyeron en la nueva situación religiosa del país. En efecto, la Iglesia colombiana inició una rápida evolución que la alejaba de su anterior rigidez doctrinal y de su estrecha alianza con el Partido Conservador. Y a la vez que la jerarquía católica asumía una posición de progresismo moderado en asuntos políticos y sociales, una creciente minoría de sacerdotes profundamente influenciados por los nuevos movimientos de la Teología de la Liberación y el activismo tercermundista, que cobraban fuerza entre el clero de otros países de América Latina, comenzaron a interesarse por la causa de la izquierda y a alentar a los revolucionarios marxistas, quienes se convirtieron en una de las nuevas expresiones de la violencia en el escenario colombiano.

El regreso de la libertad religiosa fue uno de los aspectos de una restauración más general de la otrora orgullosa trayectoria de Colombia como país de prensa y expresión libres y otras libertades básicas. Incluso después de la caída de Rojas Pinilla, el país permaneció durante mucho tiempo bajo el estado de sitio, que algunos observadores extranjeros interpretaron vagamente como un tipo de ley marcial. Pero en la práctica, el estado de sitio se hizo sentir en menor escala: permitía a las autoridades impedir asambleas públicas, censurar a la prensa y restringir otras libertades, pero en la mayoría de los casos estos poderes no fueron utilizados. Varios pequeños periódicos semanales o mensuales asociados con la izquierda y que abiertamente simpatizaban con las guerrillas que intentaban derrocar el régimen existente hicieron su aparición bajo el estado de sitio y nadie se molestó en impedirlo. Desde luego, si tales publicaciones hubieran gozado de distribución masiva —lo cual no ocurrió—, la respuesta habría sido muy diferente. Más tarde, a comienzos de la década de 1970, un grupo de liberales disidentes lanzó en Bogotá con éxito inmediato *El Periódico*, publicación que, si bien no era revolucionaria, revelaba abiertamente su carácter antiestablecimiento; por la negativa sistemática a darle publicidad, el impreso no pudo sostenerse, pero ello fue esencialmente obra del sector privado y no de la censura oficial[2]. El único procedimiento de emergencia que se utilizó con relativa regularidad bajo el estado de sitio fue el de juicios sumarios o tribunales militares para acusados de crímenes contra el orden público. Hubo denuncias de tratamiento arbitrario e incluso de tortura de individuos juzgados bajo este sistema, pero por lo menos tales cargos se ventilaron públicamente y solamente se convirtieron en prácticas permanentes a comienzos de los años 80, cuando se agravó el problema de la guerrilla y el terrorismo.

Un ejemplo revelador es el tratamiento que recibió Rojas Pinilla cuando, en octubre de 1958 y para disgusto de liberales y conservadores, regresó del exilio. Si el general esperaba una expresión masiva de apoyo en el momento de su llegada, se llevó una gran desilusión. Por el contrario, fue presentado al Senado de la República, que actuaba como tribunal especial para ex presidentes, a fin de ser juzgado por una serie de malos manejos durante su administración. Rojas salió relativamente bien librado, pues solamente perdió sus derechos políticos, es decir, su derecho al voto, a ser empleado del Estado y a comprometerse en actividades partidistas; la sentencia fue posteriormente revocada por la Corte Suprema de Justicia, que demostró una vez más su independencia frente a otras ramas del poder. La acción de la Corte parecería un tanto extraña ante las truculentas acusaciones de corrupción (y otras peores) que se habían presentado contra el general; pero aparte de la evidente exageración de los cargos, parece haber existido muy poco interés por profundizar en el caso Rojas Pinilla, pues muchas personas que ahora tenían cargos importantes en los organismos del Frente Nacional habían sido sus colaboradores en las primeras etapas de su gobierno y bien podrían verse involucradas. Sea como fuere, el depuesto dictador, a diferencia de otros autócratas latinoamericanos que tuvieron igual suerte durante la década de 1950, regresó pacíficamente a casa e hizo todo lo que pudo, hasta su muerte en 1974, para complicarles la vida a los políticos responsables de su caída. Vale la pena preguntarse qué habría ocurrido si Fulgencio Batista hubiera aparecido de repente en La Habana. Perón, por su parte, no regresó a la Argentina hasta cuando recibió garantías absolutas de que no sería juzgado.

Rojas Pinilla procedió a organizar un nuevo movimiento político de tenor definitivamente populista, similar al que había tratado de poner en marcha cuando todavía era dictador, pero esta vez con mucho más éxito. Tomó el nombre de Alianza Nacional Popular (Anapo) y fue creado con el fin de oponerse al régimen del Frente Nacional. La Anapo compartía con el Frente Nacional el hecho de estar compuesto por miembros de ambos partidos, con sectores liberales y conservadores, los cuales apoyaban a los candidatos de sus respectivos partidos en las elecciones, de la misma manera como lo hiciera cualquier facción de los partidos tradicionales. Los colores de la Anapo eran azul, blanco y rojo, no como imitación del simbolismo «gringo» sino como muestra de la pacífica convivencia de los «rojos» y los «azules» de Colombia. De esta manera el ex dictador presionaba una vez más a los colombianos a pasar por alto las diferencias y odios entre los partidos, pero no al estilo del Frente Nacional, al cual descartaba como alianza de oligarcas que pretendían mantener sus privilegios egoístas contra el común de la gente. Apelaba a las clases populares de una manera que recordaba a Gaitán, aunque su programa específico fuese aún más difícil de describir. Por una parte, Rojas Pinilla asumió una línea nacionalista y acusó a los oligarcas de estar demasiado comprometidos con los Estados Unidos; pero este nacionalismo era del tipo que hace énfasis en los valores tradicionales de patria, familia, religión y comunidad, tal como era de esperar por parte de alguien de su formación y procedencia personal. Por otra parte, su condena total de los oligarcas y su sistema de privilegios socioeconómicos y políticos presentaba un cierto matiz de izquierda. Un agudo comentario que cobró gran aceptación en la época sostenía que el programa de la Anapo era en último análisis una mezcla de «vodka y agua bendita».

Rápidamente, la Anapo se convirtió en una fuerza política que necesariamente había que tener en cuenta. En algunas pequeñas poblaciones, el jefe de una de las dos colectividades tradicionales bien podría decidir aliarse con la Anapo y posteriormente, el día de las elecciones, ceder sus votos seguros a los candidatos de la Alianza. Pero la Anapo tuvo mayor respuesta en las clases bajas y medias bajas urbanas, cuyas lealtades heredadas hacia los dos partidos eran más débiles. Estos sectores encontraron en Rojas, tal como lo habían experimentado con Gaitán, una figura que parecía comprender los problemas de desempleo y carestía que los afligían y que estaba preparada para enfrentar las oscuras fuerzas que eran históricamente responsables de estos males. En las elecciones para Congreso de 1966, las dos facciones de la Anapo obtuvieron casi un 20% del total de los escaños. El clímax del movimiento llegó en 1970, cuando el propio ex mandatario se presentó como candidato presidencial. Lo hizo a título de conservador, porque el período de 1970-1974 estaba reservado para los conservadores en virtud del acuerdo bipartidista. La elección fue complicada, debido a la presencia de otros dos candidatos disidentes del conservatismo, que no se enfrentaban de manera tan tajante al Frente Nacional como Rojas Pinilla. Ninguno recibió una cabal mayoría, y el candidato de la Anapo obtuvo una votación inferior en un 1.6% a la del candidato oficial del Frente Nacional, Misael Pastrana.

Para ser precisos, Rojas Pinilla captó el 39.0% de la votación, contra el 40.6% de Pastrana. Puesto que las reglas electorales vigentes no preveían segunda vuelta, la diferencia en favor de Pastrana era suficiente para llegar a la presidencia. Los seguidores de la Anapo, sin embargo, estaban convencidos de que su candidato era el verdadero ganador y que un fraude oficial era evidente en los resultados de las elecciones. Señalaban que en los primeros boletines electorales era claro que Rojas Pinilla llevaba una ventaja considerable sobre Pastrana, y que, tan pronto decidieron salir a las calles a celebrar la victoria, el gobierno del Presidente Lleras Restrepo había impuesto el toque de queda e interrumpido los informes sobre los resultados electorales. Cuando a la mañana siguiente se reiniciaron los informes sobre los escrutinios, Pastrana sospechosamente había tomado la delantera. El ambiente de la noche de elecciones convenció inclusive a muchos no anapistas y a observadores extranjeros de que la elección debió haber sido robada. Pero los informes finales no revelaron cifras totales claramente sospechosas y los patrones generales de comportamiento del electorado fueron exactamente los que se podría haber previsto: en las ciudades la votación favorecía principalmente a Rojas Pinilla, mientras las poblaciones y las áreas rurales, donde los partidos tradicionales eran todavía fuertes y cuyos resultados electorales tardaban en llegar al público por dificultades de transporte y comunicación, respaldaban en términos generales a Pastrana. En resumen, si las elecciones fueron «robadas», lo fueron solamente en el sentido de que cualquier elección colombiana podría verse viciada por diversas irregularidades cometidas de un lado y de otro: unas falsas credenciales por acá, un poco de intimidación por allá, con la ventaja obvia para los agentes del gobierno a la hora de los abusos. El balance neto de fraudes bien puede haber aportado el estrecho margen que dio la victoria a Pastrana, pero verificarlo sería imposible. De cualquier manera, la disputada contienda electoral de 1970 no cambia el hecho de que, a pesar de todo, las elecciones durante el Frente Nacional presentaron mucho menos irregularidades que las que hasta entonces había conocido Colombia.

Programa de desarrollo de los años sesenta

La puesta en práctica de una singular forma de democracia constitucional en Colombia iba de la mano de una serie de programas sociales y económicos diseñados para rehabilitar las zonas del país golpeadas por la *Violencia* y acelerar el ritmo de crecimiento, con el propósito general de prevenir la recurrencia de desastres similares. En el contexto hemisférico, estos programas concuerdan admirablemente con los que se conocieron con el nombre de Alianza para el Progreso, esfuerzo patrocinado por los Estados Unidos para reducir el atractivo de la revolución cubana y demostrar que el medio más efectivo para mejorar las condiciones materiales de vida en América Latina era el capitalismo progresista y no el comunismo. De hecho, Colombia se convertiría, junto con Chile, en uno de los dos más promovidos modelos de la Alianza. A diferencia de Chile, Colombia no retribuyó a los Estados Unidos la ayuda recibida con la elección de un Presidente marxista (Salvador Allende, en 1970), aunque la cuasivictoria de Rojas Pinilla en el mismo año, con base en un programa populista y antiestablecimiento, levantó dudas sobre las fórmulas adoptadas para Colombia.

Los esfuerzos por estimular el desarrollo socioeconómico inevitablemente implicaban una mayor expansión de la actividad del Estado o, más precisamente, del Ejecutivo y de diversas dependencias administrativas semiautónomas. El uso de especialistas tecnócratas en los cargos oficiales (tendencia que recibió especial ímpetu bajo la administración Lleras Restrepo) llevó a un cierto aumento de la eficiencia gubernamental y de esta manera contribuyó a reducir un tanto el inevitable carácter engorroso de un régimen de coalición, con su requisito de búsqueda del consenso entre partidos y facciones. Más aún, la reforma constitucional de 1968, además de definir pautas para el desmantelamiento gradual de los mecanismos políticos del Frente Nacional, proporcionó al ejecutivo nuevas herramientas para poner en práctica las políticas económicas, especialmente la capacidad de declarar el estado de emergencia nacional económica y social como medio para pasar por encima del Congreso en la adopción de medidas o ajustes necesarios. El Congreso también perdió su derecho de iniciativa en Legislación social y económica, excepto en lo que respecta a las partidas presupuestales locales destinadas a premiar a los electores. Mientras que el Legislativo cedió terreno, las asociaciones de empresarios privadas mantuvieron su papel fundamental en todos los asuntos convenientes a sus intereses. El principal ejemplo siempre ha sido la Federación Nacional de Cafeteros a la cual el Estado había delegado la mayor parte de la responsabilidad en la administración de la más importante industria nacional. Pero la Asociación Nacional de Industriales tenía un papel importante en la determinación de las políticas industriales (y de la política económica en general); así mismo, la Sociedad de Agricultores de Colombia, que representaba principalmente a los grandes empresarios del campo, logró mantener a raya los programas de la reforma agraria frentenacionalista.

La reforma agraria languidecía desde su incierto comienzo durante la primera administración López Pumarejo, en los años 30. Cuando se inició el Frente Nacional no había ningún movimiento poderoso en favor de una reforma y el campesinado colombiano no contaba con el apoyo de organizaciones nacionales eficaces que le permitieran presionar al gobierno. Los comunistas y otros grupos de izquierda que hablaban de la necesidad de redistribuir la tierra eran débiles, para no decir que bajo las normas del Frente Nacional habían sido virtualmente excluidos de la participación política. Sin embargo, la *Violencia* había revelado en gran medida la patología de la vida rural del país, incluidos los conflictos que existían en ciertas áreas a propósito de la posesión de tierras y el estado general de privación y falta de educación de las masas rurales, que además las hacía víctimas de una cruel manipulación política. Por eso la reforma agraria parecía ser el medio para reparar, al menos en parte, los daños causados durante los años anteriores, y también para crear una fuerte y próspera clase campesina que se resistiera a eventuales llamados a participar en actividades violentas. La posibilidad de que esta clase se convirtiera en un mercado más atractivo para los empresarios colombianos entusiasmó a algunos industriales, mientras los encargados de la planeación social, de diferentes filiaciones, esperaban que la reforma agraria redujera el flujo de migraciones del ámbito rural hacia el urbano, donde estaba presentando exigencias de servicios públicos imposibles de satisfacer.

Al parecer, la iniciativa de la reforma agraria contaba con suficiente apoyo y se convirtió en prioridad para la primera administración frentenacionalista, la de Alberto Lleras Camargo. Pero la SAC, en nombre de los terratenientes, junto con la asociación de ganaderos y algunos jefes políticos poco perceptivos, montó una campaña de obstrucción que retrasó hasta 1961 la aprobación y sanción de la medida; además se cercioró de que la reforma tuviera alcances limitados. La ley de 1961 creó una agencia para la reforma, el Instituto Colombiano de Reforma Agraria (Incora), y autorizó la directa expropiación de dominios privados, cuando fuera necesaria, para su redistribución a los que poseían tierras insuficientes o no poseían ninguna. Pero los términos de la ley aclaraban que la expropiación sería el último recurso. El mayor énfasis se ponía en la reubicación de campesinos en terrenos recuperados para la agricultura a través de obras de irrigación y similares o en otros fundos de propiedad pública.

La mayoría de los propulsores de la ley no veían la necesidad de lograr una total restructuración de la tenencia de la tierra. Las pequeñas parcelas campesinas ya constituían la mayoría de las propiedades. En 1960, aproximadamente el 86% de las fincas tenía menos de 20 hectáreas. Aunque estas tierras constituían tan sólo el 15% del área total de propiedades agrícolas, los pequeños propietarios suministraban la mayor parte de los alimentos de amplio consumo, como el plátano y la papa. Las grandes haciendas se dedicaban principalmente al cultivo de algodón, arroz y caña de azúcar. En cuanto al café, la finca familiar era la unidad básica de producción; pero propiedades mayores, que ahora introducían nuevas variedades de café y contaban con mayor cantidad de innovaciones técnicas, comenzaban una vez más a aumentar su participación en la producción total[3]. De todas maneras, la legislación buscaba ayudar a los campesinos cuyas fincas ya no eran suficientes para garantizar un nivel de vida decente, por causa de las subsecuentes reparticiones entre los diferentes miembros de la familia; también se pretendía dar tierra a un número indeterminado de campesinos desprovistos de ella, a condición de que no se afectaran los patrones de producción agraria existentes. El propósito de la reforma era tanto social y político —en la medida en que diluiría el potencial descontento rural—, como económico.

Durante algunos años, la reforma fue aplicada a paso de tortuga. El proceso se aceleró después de posesionarse Lleras Restrepo, que entre los jefes de las dos colectividades dominantes era el más interesado y comprometido con la reforma agraria. Las razones del Presidente no eran exclusivamente agrarias: Lleras Restrepo esperaba así mismo controlar, desde su fuente principal en el ámbito rural, el aumento del desempleo urbano, problema del cual la nueva agrupación de Rojas Pinilla podría aprovecharse para reclutar adeptos. Pero el resultado fue un brusco aumento de las tasas de distribución de tierras por parte del Incora. Aún más interesante, quizás, es el hecho de que Lleras Restrepo patrocinó la creación de la Asociación Nacional de Usuarios Campesinos (ANUC), organización que abarcaba todo el territorio nacional. Los miembros de la ANUC eran «usuarios» de servicios agrarios estatales, no solamente de los beneficios de la reforma agraria sino también de otros programas gubernamentales de crédito y extensión agrícola; incluso podían participar en la administración de los servicios en cuestión. Se suponía que darían valioso apoyo político a los objetivos de la reforma y que de esta manera ayudarían a contrarrestar la permanente resistencia y oposición de los intereses de los terratenientes y los jefes políticos asociados a ellos.

Con el apoyo activo del gobierno, pronto se organizaron filiales de la ANUC en todo el país. Para comienzos de la década de 1970 estaban inscritos como miembros más de tres cuartos de millón de campesinos (cifra que casi alcanzaba el número de trabajadores que los sindicatos habían logrado enrolar en medio siglo de lucha). Alentadas por el compromiso del gobierno con la reforma, las filiales de la Asociación comenzaron a exigir que la distribución se hiciera todavía más rápidamente y no dudaron en ejercer presión por medio de «invasiones» a grandes predios privados.

En abril de 1970, el voto campesino, en gran parte movilizado por la ANUC, influyó en el sutil margen que concedió la victoria a Misael Pastrana Borrero, candidato del Frente Nacional, sobre el desafío populista de Rojas Pinilla, que contaba con masivo apoyo en las ciudades. Pero Pastrana no compartía el interés de Lleras Restrepo en la reforma agraria. Si bien la redistribución de tierras no se suspendió, el progreso logrado durante su administración fue en gran medida resultado del ímpetu que había cobrado en la de su predecesor y de la continuación de la ola de invasiones que una y otra vez influía sobre los funcionarios. Pero las ocupaciones de predios endurecieron la actitud de los opositores a la reforma, en un momento en el que muchos industriales empezaban a tener dudas al respecto, entre otras razones por las ventajas que sacaban de la migración del campo a la ciudad en forma de mano de obra barata. La pausa en la reforma agraria se hizo más evidente durante la administración de López Michelsen, quien nunca había sido promotor resuelto de la redistribución de tierras, a pesar de haber introducido otras medidas para ayudar a los pequeños propietarios a modernizar su producción. En la mayor parte del territorio nacional, mientras tanto, la ANUC había sido tomada por ultraizquierdistas cuyo primordial interés era promover la revolución. Este cambio alejó a muchos campesinos, más interesados en el incremento concreto de sus ingresos, y a la vez provocó mayor represión estatal.

A pesar de todo lo anterior, la reforma se mantuvo en la legislación, y si bien sus progresos no fueron espectaculares, tampoco son despreciables. Entre 1962 y 1979, más de 250.000 familias obtuvieron tierras bajo los auspicios del Incora. Siete octavos de estas familias se beneficiaron con la asignación de títulos sobre terrenos públicos, que en muchos casos ya habían ocupado ilegalmente, aunque en otras instancias se trataba de tierras privadas cuyos títulos se declararon caducos. Pero al final de período, el patrón general de la tenencia de tierras era virtualmente el mismo del comienzo, de manera que la creación de nuevas propiedades campesinas era casi equivalente al número de pequeñas fincas que habían desaparecido por efecto de la expansión de la agricultura a gran escala, la migración hacia las ciudades o cualquier otra razón[4]. En último análisis, tal vez el mérito fundamental de la Reforma Agraria colombiana consistió en haber limitado hasta cierto punto la disolución del campesinado independiente que Marx ya había previsto y que algunos promotores de un severo capitalismo agrario favorecían abiertamente. Con certeza, la continuada vitalidad de los pequeños productores agrarios fue lo que les garantizó la supervivencia.

Los programas del Frente Nacional en el área industrial fueron mucho menos controvertidos y novedosos. La tendencia a la sustitución de importaciones se intensificó mediante el uso de tarifas y cuotas de importación, incentivos fiscales y otras formas más directas de participación oficial, entre las cuales se incluye la ayuda financiera procedente de la entidad gubernamental para el desarrollo industrial, el Instituto de Fomento Industrial (IFI). Un hito notable fue el lanzamiento definitivo de la producción de automóviles en Colombia. Luego de varias salidas en falso y algunas operaciones limitadas de ensamblaje, en 1969 se firmó un contrato entre el IFI y la Renault francesa para establecer cerca de Medellín una planta productora de automóviles en gran escala. Como parte del acuerdo, se creó otra planta en Boyacá, cerca del complejo siderúrgico de Paz del Río, para la producción de motores. El inconveniente de este último fue que su comunicación con la planta principal era complicada, debido a la topografía y el estado de las carreteras. El hecho de ser Boyacá un departamento con gran potencial electoral pero económicamente deprimido influyó claramente en la localización de la planta de motores; pero la estrategia colombiana fue más racional que la de otros países del área, como el Perú y Venezuela, que permitieron el prematuro establecimiento y la proliferación de un número excesivo de plantas independientes de ensamblaje de automóviles. Colombia esperó mucho más tiempo para iniciar el proceso e intentó conscientemente moldear el tamaño de la industria en relación con el mercado nacional. En el futuro habría algunos cambios en la lista de productores de vehículos en Colombia, pero inclusive hasta 1992 existían solamente tres; además, a pesar de que su participación en el mercado se ha reducido, el Renault siguió siendo por varios lustros «el carro colombiano».

Tanto las manufacturas de bienes de consumo durables como las de bienes de capital aumentaron su participación en el total de la producción industrial, y ambos sectores representaron la sustitución de importaciones. Sin embargo, continuaron dependiendo en gran medida de capital y tecnología extranjeros. En 1970 las compañías foráneas daban cuenta de una proporción de los empleos industriales aproximadamente tres veces mayor que en 1955; y naturalmente, las remesas de ganancias y las transferencias de pagos por el uso de tecnologías limitaron las ventajas en lo que se refiere a balanza de pagos y otros beneficios para el país, provenientes de su expansión industrial. Obviamente, también, cuanto más capitalizada estaba una industria (y en términos generales las industrias que más rápidamente crecían eran las más capitalizadas), menos empleos generaba, para una población que crecía rápidamente. Por todas estas razones, el gobierno colombiano, sin abandonar la causa de la sustitución de importaciones, comenzó a mostrar renovado interés por promover las exportaciones. Como en muchos otros aspectos de política económica, la administración Lleras Restrepo fue la que dio los pasos decisivos, mediante la creación de una agencia especial para conceder créditos, información de mercados y otro tipo de asistencia a los exportadores, así como a través de exenciones fiscales para los exportadores de productos no tradicionales. El programa fue muy exitoso, pues el valor de las exportaciones no tradicionales se duplicó entre 1967 y 1971. Sin duda, el éxito más notable fue el de las exportaciones de flores, que hoy en día ocupan el segundo lugar a escala mundial después de las holandesas. Ubicadas principalmente en los alrededores de Bogotá, las empresas de floricultura aprovecharon el suelo fértil, el clima propicio durante todo el año y el intenso tráfico aéreo de la capital para enviar flores frescas a los mercados internacionales. Pero el impulso inicial provino de los incentivos oficiales descritos anteriormente.

Un caso relativamente especial fue el de la recuperación de las exportaciones de banano, que habían desaparecido virtualmente durante la Segunda Guerra Mundial, mostrado un breve renacimiento en los años 50 y decaído nuevamente hasta comienzos del decenio de 1960. La nueva área de las plantaciones de la fruta se abrió en cercanías del puerto de Turbo y pronto eclipsó a la zona bananera de Santa Marta. La United Fruit Company se vio involucrada en el desarrollo de esta área, pero solamente como exportadora, no como productora, y en asociación con inversionistas privados colombianos y organismos gubernamentales. La nueva región bananera atrajo un flujo permanente de futuros trabajadores, así como de especuladores; se hizo notoria por su atmósfera fronteriza —con Panamá— y por el cúmulo de problemas sociales, que en los años 80 la hicieron terreno propicio para agitadores y guerrillas izquierdistas. También se convirtió en una nueva e importante fuente de riqueza para la economía colombiana.

Lleras Restrepo tenía en mente una vez más el estímulo a las exportaciones cuando, el 1969, suscribió el Pacto Andino, el cual creó un mercado común limitado entre los países occidentales de América del Sur, desde Colombia hasta Chile. Chile se retiró posteriormente, y aunque Venezuela vino a ocupar su lugar, el convenio nunca llenó las expectativas que había creado. Pero el comercio de Colombia con sus más cercanos vecinos aumentó en cierta medida. Mucho más importante, tanto a corto como a largo plazo, fue el nuevo rumbo que emprendió Lleras Restrepo en el manejo de la tasa de cambio. A partir de los años 50, Colombia había sufrido una serie de crisis cambiarias, causadas principalmente por la persistente debilidad de las ganancias provenientes de las exportaciones y en especial del café. Desde la bonanza del período de la guerra de Corea, cuando el café se había vendido a más de un dólar por libra, el precio decayó hasta menos de los 50 centavos a comienzos de los 60; el esquema de apoyo a los precios al estilo de la OPEC, adoptado bajo los auspicios del Pacto Internacional del Café de 1962 (con cuotas de mercado asignadas a los países productores), ayudó a la industria cafetera a recuperar una parte del terreno perdido, aunque de manera muy gradual. El resultado fue una serie de crisis en la balanza de pagos, que condujo a abruptas devaluaciones del peso. Lleras Restrepo enfrentó una de estas crisis luego de asumir la presidencia: las agencias internacionales de préstamos insistían, como era habitual, en la necesidad de una nueva devaluación. El mandatario colombiano no siguió el consejo y amablemente rechazó la intervención extranjera en el asunto. Luego procedió a devaluar el peso, pero de una manera mucho menos dolorosa y más efectiva a largo plazo que los cambios previos en el valor de la moneda nacional, tan repentinos y bruscos.

Para ser exactos, en 1967 Lleras Restrepo instituyó un sistema de minidevaluaciones continuas, orientadas al mantenimiento del valor de cambio del peso, siempre de acuerdo con su valor intrínseco en los mercados mundiales. El sistema se mantuvo desde entonces hasta la virtual liberación del cambio que trajo consigo la «apertura económica» de los años 90, y aunque en algunas instancias el ritmo de devaluación se rezagaba levemente en relación con la diferencia entre inflación interna y niveles de precios mundiales, lo que provocaba una ligera sobrevaloración del peso, el mecanismo cambiario básico facilitaba la corrección de tales problemas. Desde 1967, Colombia no ha sufrido las devaluaciones masivas que han afectado a las economías de otros países latinoamericanos. Además, el mantenimiento de una tasa de cambio realista constituyó una condición indispensable para el éxito de la campaña de promoción de exportaciones.

En relación con la política social también tuvieron lugar varios adelantos. El sistema de cajas de compensación familiar, introducido en 1962, suministró un amplio rango de beneficios suplementarios, que cubren desde los subsidios educacionales y de salud hasta vacaciones baratas para los empleados de las organizaciones afiliadas. Este programa benefició principalmente a oficinistas y obreros de mejores salarios, pero su cubrimiento se ha expandido gradualmente. Los servicios del Seguro Social también crecieron, aunque solamente llegaban a aproximadamente un tercio de los empleados del sector privado.

En el campo de la educación, considerado ingrediente fundamental para el desarrollo económico y una mayor igualdad social, el progreso es todavía más notorio. En el momento de la caída de Rojas Pinilla, entre el 60% y el 65% de los niños asistía a la escuela primaria, y alrededor de un 15%, en su mayoría rural, no tenía ningún acceso a la educación. El nivel de alfabetismo alcanzó el 63% en 1960. Estas cifras, que se acercan a la norma en toda la América Latina, reflejan el hecho de que la educación popular raramente había constituido una prioridad de los gobernantes de la nación. Sin embargo, el mismo plebiscito que creara el Frente Nacional en 1957 había determinado que la educación ocuparía un puesto importante en los programas del gobierno, pues especificaba que a partir de ese momento se invertiría en ese renglón un mínimo del 10% del presupuesto nacional. La meta no era mucho mayor que el promedio del gasto educativo en años recientes, pero fue ampliamente superada en la práctica, ya que se utilizaron —entre otras cosas— fondos provenientes de la Alianza para el Progreso. En 1964, el presupuesto asignaba un 14% a la educación, y para 1978 el porcentaje había llegado a casi el 20%, lo cual reflejaba el hecho de que el gobierno nacional había asumido ciertas responsabilidades que antes recaían sobre los departamentos. El resultado fue un incremento significativo de la población escolar. En 1975, el total de estudiantes de entre siete y trece años de edad matriculados en las escuelas constituía más del 77%. Hacia 1981, el analfabetismo entre los adultos era menor del 15%[5].

Estos y otros indicadores estadísticos dan fe del énfasis puesto en la educación pública (primaria), que aunque todavía no tenía cubrimiento universal, estaba cerca de lograrlo. A nivel de secundaria, la tasa de crecimiento fue mayor: el número de estudiantes registrados se había duplicado durante la década de 1960. En la siguiente, aunque la educación secundaria todavía llegaba a menos de la mitad de los adolescentes colombianos, el número de estudiantes en las instituciones públicas sobrepasaba el de los colegios privados. El cambio fue significativo, porque Colombia, como la mayoría de las naciones latinoamericanas, había mostrado por mucho tiempo la tendencia a apoyarse en las entidades privadas en lo referente a educación secundaria, y, en vista de que éstas cobraban matrículas, la gran mayoría de la población quedaba excluida. Este cuello de botella educacional, que impedía la movilidad social hacia arriba, estaba ahora en proceso de desaparición.

El progreso en la superación de las deficiencias de la educación nacional podría haber sido mucho más rápido si el sistema docente no se hubiera visto saturado por el veloz crecimiento demográfico. Cuando el Frente Nacional llegó al poder, Colombia enfrentaba el fenómeno comúnmente denominado «explosión demográfica», que se produce cuando los adelantos en la medicina y la salud pública logran reducir de manera significativa las tasas de mortalidad, en tanto que las de natalidad, gobernadas por fuerzas sociales y culturales que cambian con mayor lentitud, permanecen altas. En el decenio de 1960, Colombia experimentó un aumento demográfico del 3.2% anual. Este porcentaje hubiera sido mucho más alto de no haber sido por el aumento en la emigración legal e ilegal de colombianos hacia el vecino y próspero país de Venezuela. La velocidad del crecimiento demográfico creó otros desafíos, además de la sobrecarga para las escuelas públicas, desde la prestación de todo tipo de servicios hasta la creación de oportunidades laborales.

Los gobernantes del país eran conscientes del problema y procedieron a enfrentarlo a través del apoyo oficial y sistemático a instituciones de planeación familiar. En realidad, éstas promovían un uso más amplio de métodos anticonceptivos artificiales, aunque no se destacaran su importancia y necesidad debido a la oposición abierta a dichas prácticas por parte de la Iglesia. Gracias a la discreción con que se discutió el programa y al hecho de que en otros asuntos la Iglesia apoyaba ampliamente el régimen del Frente Nacional, la impugnación eclesiástica no constituyó un impedimento. La Anapo también se opuso, y de igual manera lo hizo la izquierda, por considerar que el control poblacional era algo que los Estados Unidos imponían a los países latinoamericanos por temor a que la superioridad numérica de los latinoamericanos sobre los norteamericanos hiciera peligrar la dominación imperialista. Pero estas críticas de la izquierda fueron aún más fácilmente ignoradas que las de la Iglesia y la Anapo.

Las estadísticas nacionales muestran que los colombianos fueron receptivos a la idea de limitar el tamaño de sus familias. Hacia 1980 la tasa de crecimiento poblacional había declinado al 2% anual, en uno de los más rápidos descensos que se hayan operado en el mundo contemporáneo. Con toda seguridad, la reducción no se puede atribuir exclusivamente a la accesibilidad de las clínicas y píldoras para el control de la natalidad; refleja también el proceso global de desarrollo social y económico. Una población que poco a poco se convertía en urbana y dejaba de ser rural ya no necesitaba de más niños para trabajar en la finca, como era el caso de la tradicional familia campesina. El crecimiento económico en sí también ofreció más oportunidades laborales fuera del hogar para las mujeres, quienes comenzaban a expresar su preferencia por tener menos hijos.

La declinación en la tasa de natalidad no fue la única circunstancia que afectó la situación de las mujeres —y viceversa—. Colombia había sido uno de los últimos países del continente en otorgar a las mujeres derechos como el voto, pero las colombianas pronto empezaron a elegir y a ser elegidas. La proporción femenina en el Congreso, aunque oscilaba alrededor del 3%, no era muy diferente a la del Congreso norteamericano, con la diferencia de que allí se había concedido derechos políticos a las mujeres con mucha anterioridad. Las mujeres también estaban alcanzando altos cargos ejecutivos, tendencia que se había iniciado bajo Rojas Pinilla, cuando a la vez se proclamó el voto femenino (aunque no fue puesto en práctica inmediatamente, como ya se ha visto). Además de encargar a su hija María Eugenia de la administración de programas de bienestar social, Rojas había nombrado a la primera gobernadora y a la primera ministra en los anales de la historia colombiana. Como a menudo ocurría en América Latina, el de educación fue el primer ministerio que se confió a una mujer; pero, una vez cayó la dictadura, las mujeres mejoraron rápidamente la posición que habían conquistado, si bien no se les adjudicaban cargos tan importantes como los ministerios de Gobierno o de Hacienda, ni las gobernaciones de los departamentos más importantes, como Cundinamarca y Antioquia. Sólo en 1984 el Presidente Virgilio Barco nombró finalmente a una mujer para que administrara Antioquia, en medio de enérgicas medidas contra el tráfico ilegal de drogas, concentrado en Medellín.

Las colombianas recibieron mucho más que una mayor participación en los empleos oficiales. También ganaron una batalla por la igualdad legal formal, que en los años 30 se había iniciado, con violenta oposición, bajo la presidencia de Enrique Olaya Herrera. En aquella época las casadas habían obtenido el control sobre sus propiedades; ahora, bajo el Frente Nacional, se igualaron a los hombres en el ejercicio de la patria potestad sobre los hijos menores; y en general, casadas o solteras, las mujeres habían obtenido los mismos derechos que los ciudadanos varones ante la ley civil. Esta reforma legal afectó a las mujeres en su vida cotidiana en menor medida que la aparición de mejores oportunidades económicas, pero ilustra adecuadamente el esfuerzo por promover la modernización tanto social y cultural como económica e infraestructural.

Límites del progreso y desafíos de la izquierda

A finales de los años 60, con Carlos Lleras Restrepo y su equipo de tecnócratas profesionales que guiaron al país por una ruta totalmente moderada y supuestamente científica de desarrollo económico y social, se llegó a hablar del «milagro colombiano», reminiscencia del *Wirtschaftswunder* alemán del período de la posguerra. La economía crecía al 6% anual y la nación estaba en paz, con excepción de algunas zonas infestadas de guerrilla, marginadas e ignoradas. Pero luego, en abril de 1970, con base en un mensaje populista en apariencia incoherente, Gustavo Rojas Pinilla casi derrota —o derrotó, para muchos— al candidato presidencial del Frente Nacional. ¿Cómo conciliar este virtual desastre con la imagen de un desarrollo parejo y firme?

En buena medida, la respuesta es que el crecimiento económico neto había superado el avance hacia la reducción de la injusticia social. La distribución del ingreso, altamente desigual desde mucho tiempo antes, se tornó todavía más inequitativa durante los años 60, sobre todo en el sector rural. En dicho sector, una serie de fenómenos —tales como el desplazamiento de campesinos aparceros o arrendatarios debido a los avances en la producción comercial a gran escala, las migraciones forzadas resultantes de la *Violencia* y la continua concentración de la mejor tierra en pocas manos— tendieron a aumentar la oferta de mano de obra en relación con la demanda y por tanto a mantener los salarios en un nivel bajo. La depresión en los precios del café constituyó un agravante. Bien pudo haber mejoras en la participación de ciertos grupos obreros en los ingresos urbanos, pero no las suficientes para contrarrestar la tendencia contraria en el ámbito rural, ni tampoco para satisfacer las aspiraciones que despertara la euforia inicial del período del Frente Nacional. Cuando los colombianos acudieron a las urnas en 1970, la mitad más pobre de la población urbana no recibía ni un 16% del total de los ingresos urbanos, mientras el 10% acaparaba más del 43%. La disparidad en el campo era mucho mayor; casi dos tercios de los campesinos colombianos vivían en lo que se ha definido como la «pobreza absoluta»[6].

En algunos casos, los mismos logros del régimen llevaron al aumento de la insatisfacción. Los avances en la instrucción secundaria produjeron más solicitudes de empleo de las que la economía podía ofrecer, tanto en el área de oficinas como en la de servicios; y el veloz crecimiento del número de maestros —muchos de ellos con adiestramiento y preparación mínimos y la mayoría muy mal retribuidos— creó un foco de descontento adicional. Por otra parte, el aislamiento físico de los valles andinos y las planicies bajas había disminuido gracias a la gradual mejora de la red vial y de otro tipo de infraestructura (una vez más, con considerable ayuda de la Alianza para el Progreso), mientras que el aislamiento intelectual declinó con el aumento del alfabetismo y la mayor toma de conciencia general que lo acompañó.

La mayor integración nacional y el aumento de expectativas de difícil satisfacción constituyeron dos fenómenos ligados uno al otro. En este sentido, la expansión de la televisión es un buen ejemplo. Cuando se introdujo por primera vez, en 1954 y bajo Rojas Pinilla, había en el país sólo mil receptores, de manera que el impacto fue mínimo[7]. Pero a mediados de la década de 1970 la mayoría de los colombianos estaban expuestos a tan penetrante moldeador de opiniones y actitudes, sea porque eran propietarios de aparatos o porque aprovechaban los de sus vecinos o los de almacenes y bares de la localidad. Nadie manejaba todavía el arte de explotar ese medio para fines políticos, pero éste ya ampliaba los horizontes de muchos y mostraba claramente las comodidades de un estilo de vida que estaban lejos de gozar. Otro número cada vez mayor de colombianos estaban experimentando en forma directa una sociedad más próspera al emigrar hacia Venezuela, cuya bonanza petrolera alcanzaba su punto máximo —justo antes de su colapso de los años 80—, e incluso hacia los Estados Unidos. Los giros que sus familiares enviaban desde los dos países mejoraban la calidad de vida de los que habían permanecido en Colombia, pero inevitablemente los llevaba a preguntarse por qué razón su país, a pesar del progreso del que se vanagloriaban sus líderes, aparecía tan atrasado.

Fue justamente esta insistente insatisfacción con el desempeño general de la sociedad, combinada con incontables penurias y desilusiones individuales, la que casi llevó a Rojas Pinilla a la victoria. La Anapo, con todo, no logró canalizar el descontento de manera permanente. Algunos anapistas se desilusionaron cuando el ex dictador aceptó sumisamente su derrota. Otros se alejaron cuando, al prepararse para el regreso de la competencia electoral sin restricciones, el movimiento se construyó a sí mismo como partido independiente, ahora sin la pretensión de ser una simple coalición de disidentes de los dos partidos tradicionales. La enfermedad y muerte de Rojas Pinilla completó el ocaso de la Anapo. María Eugenia, su candidata presidencial en 1974, recibió un 9.4% de la votación total, cifra notable por ser la primera mujer en presentarse seriamente a esa contienda electoral, pero que definitivamente representaba un retroceso en comparación con la marca de su padre cuatro años atrás.

No apareció ningún partido populista nuevo que ocupara el lugar de la Anapo. La sucedieron, en cambio, una creciente apatía y un progresivo cinismo en relación con los procesos políticos, aunque el nivel real de abstención en las elecciones no cambió demasiado. Afortunadamente para la gobernante alianza bipartidista, la misma apatía limitó el atractivo de los diferentes movimientos de izquierda que la combatían por medios legales o ilegales —o por la combinación de ambos—. Sin embargo, este desafío de la izquierda, que se había encendido a mediados de los años 60 y aparentemente había retrocedido por el simple hecho de haber sido opacado por el de Rojas Pinilla, volvería a causar problemas una década más tarde.

Históricamente, la izquierda siempre había sido más débil en Colombia que en otras naciones de América Latina en etapas de desarrollo comparables. A tal debilidad habían contribuido tanto la estructura de la economía cafetera (expuesta en el capítulo 7) como el fenómeno general de una profunda identificación emocional con uno u otro partido tradicional. El éxito de los partidos tradicionales al manipular el movimiento laboral, al convertir a la CTC en un virtual apéndice del liberalismo, mientras la UTC, inicialmente ligada a la Iglesia, a su vez se alineaba con el Partido Conservador, evitó que los sindicatos se convirtieran en focos de militancia de izquierda. Estas circunstancias, sin embargo, cambiaban rápidamente en el período que nos ocupa. La industrialización y la urbanización disminuyeron la importancia relativa de los cafeteros y de las circunstancias rurales, al tiempo que debilitaron el atractivo simplista de las antiguas lealtades políticas. La influencia de tales lealtades se redujo todavía más por el éxito del Frente Nacional en su intento de forjar un consenso bipartidista, lo cual a su vez comenzó a afectar a la CTC y a la UTC, así como sus vínculos con el establecimiento político y sus acercamientos moderados al tema del desarrollo socioeconómico.

La aparición del Frente Nacional fue en primera instancia favorable para las organizaciones sindicales, pues concedía mayor autonomía a la actividad sindical. El porcentaje de trabajadores inscritos en sindicatos se duplicó entre 1959 y 1965. Aunque en 1965 el número de obreros sindicalizados llegaba apenas a un 13.4%, este fue probablemente el nivel máximo de sindicalización alcanzado en Colombia; incluso si el número de afiliaciones continuó creciendo durante cierto tiempo, la proporción de trabajadores sindicalizados tendía a disminuir. Además, las antiguas confederaciones perdieron terreno ante la nueva Confederación Sindical de Trabajadores de Colombia (CSTC), creada en 1964 bajo auspicios primordialmente comunistas, y también ante otras organizaciones «independientes» que generalmente no se afiliaban a ninguna central pero cuyo liderazgo era predominantemente marxista[8]. Por lo general los diferentes sectores de la clase obrera organizada no trabajaban unitariamente, aunque hubo excepciones. La más notable ocurrió en 1977, cuando la UTC y la CTC se unieron con la CSTC y otros sindicatos de todo el país para ordenar un «paro cívico nacional», por motivos económicos y de otra índole, en momentos en que la inflación aumentaba y, para muchos trabajadores, los salarios no marchaban al mismo ritmo. La protesta paralizó brevemente muchas actividades económicas y provocó encuentros violentos con la fuerza pública en algunos lugares del país. Es difícil precisar los efectos que el paro pudo haber tenido en las políticas gubernamentales.

Aunque el Partido Comunista como organización estrictamente política continuó teniendo poca importancia, amplió su influencia en el frente laboral a través de la CSTC. Los comunistas contaban así mismo con otra voz y con otro brazo, las Fuerzas Armadas Revolucionarias de Colombia (FARC). El más antiguo de los grupos guerrilleros de izquierda, las FARC, había surgido a partir de destacamentos de autodefensa establecidos en época de la *Violencia* por los comunistas en regiones del Alto Magdalena; su jefe supremo era el legendario «Tirofijo», hombre que más de una vez fue declarado muerto pero siempre reaparecía. A partir de sus plazas fuertes originales, las FARC extendieron sus operaciones hacia otras zonas del país, en especial hacia regiones de poblamiento reciente del sur de la cordillera Oriental, donde actuaba como protector de invasores de terrenos privados y colonos de la frontera agrícola. El vehemente deseo de poseer sus propias tierras que estos individuos demostraban era lógicamente incompatible con el colectivismo teórico de los guerrilleros, pero a corto plazo estos últimos les resultaron mejores colaboradores que los distantes o venales funcionarios del gobierno. Las FARC, cuya cúpula estaba muy bien preparada, no funcionaban como el simple brazo armado del Partido Comunista. Ambas organizaciones cooperaban, sin embargo, cuando se presentaba la ocasión y en principio compartían objetivos similares.

Un frente guerrillero distinto fue el que constituyó el Ejército de Liberación Nacional (ELN), cuyas bases iniciales se ubicaron en franjas escasamente pobladas del valle medio del río Magdalena, en el departamento de Santander. Su inspiración era la revolución cubana de Fidel Castro, quien les ayudó con entrenamiento y apoyo material. Puesto que carecía de las raíces que tenían las FARC en un genuino movimiento campesino, el ELN se construyó a partir de un modelo de guerrilla terrorista de izquierda, generalizado en América Latina, que tenía la peculiaridad de reclutar a sus combatientes entre jóvenes descontentos de clase media. Su más famoso militante fue el sacerdote Camilo Torres, miembro de una distinguida familia y educado en Europa, quien desarrolló una conciencia social y se comprometió con la política estudiantil cuando era capellán universitario en Bogotá, a comienzos de los años 60. Con un grupo de estudiantes adeptos, Camilo Torres creó en las ciudades su propio movimiento político, llamado Frente Unido del Pueblo, pero pronto se convenció de que la protesta pacífica era inútil contra la arraigada oligarquía y los partidos tradicionales que servían a sus intereses. Por lo tanto, decidió lanzarse a la acción con el ELN y murió en combate a comienzos de 1966, pocas semanas después de haber ingresado a las filas guerrilleras.

Camilo Torres ejemplificaba la convergencia de nuevas corrientes de la Iglesia Católica (que habían encontrando inspiración en las reformas del Segundo Concilio Vaticano y en lo que vagamente se había definido como Teología de la Liberación) con la acción revolucionaria de orientación marxista. Aunque se desligó del sacerdocio activo, Camilo no abandonó su fe, lo cual significaba para él que como cristiano debería luchar por lograr la justicia para los pobres y los rechazados de la sociedad, hacia los cuales se había orientado el ministerio de Jesús, concepción ésta que escandalizó a la oligarquía de la época. Es difícil imaginar a Jesús empuñando el fusil con que vencería a fariseos y saduceos, pero Torres no fue el único sacerdote colombiano o latinoamericano que se unió activamente a la guerrilla; el propio ELN, después de haber sido casi eliminado por la represión militar de comienzos del decenio de 1970, finalmente volvió a alcanzar prominencia bajo el mando supremo de un sacerdote español, Manuel Pérez. Una práctica mucho más generalizada consistió en que los sacerdotes que sentían un profundo compromiso de transformar la sociedad participaran en simposios sobre problemas sociales, a la vez que trabajaban en «despertar la conciencia» social de sus parroquianos; tal activismo no violento era menos difundido entre el clero colombiano que en el de otros países como Brasil, Perú o El Salvador. Inevitablemente, sin embargo, estimulaba una revaluación crítica del orden existente que impulsaba a otros a abrazar la causa revolucionaria, o al menos a simpatizar con ella desde una distancia que garantizara seguridad.

La presencia de curas radicales y la afinidad con Fidel Castro alejaron al ELN de las FARC y del ortodoxo y promoscovita Partido Comunista Colombiano, cercano a las FARC. Se trataba sin embargo de una organización rígidamente doctrinaria, si se la compara con una tercera fuerza revolucionaria importante, el M-19, que irrumpió en la escena en 1973. Su nombre completo era Movimiento 19 de Abril, alusivo a la fecha de las elecciones de 1970 en las que Rojas Pinilla perdiera la presidencia por un estrecho margen. Entre los fundadores del M-19 se contaban anapistas convencidos no solamente de que las elecciones habían sido «robadas», sino también de que la lección que de ellas se desprendía era la imposibilidad de realizar los cambios que necesitaba Colombia por medios diferentes a la acción revolucionaria violenta. Al igual que ocurrió con la Anapo, los cambios precisos que buscaba el M-19 nunca fueron muy claros. Era un movimiento fuertemente nacionalista, hostil a las inversiones y a la influencia general proveniente de los Estado Unidos; abrazaba la causa de una mayor igualdad social y criticaba la falta de participación popular genuina en el sistema político. Si el programa de la Anapo era una mezcla de «vodka y agua bendita», el M-19 ponía más vodka, pero nunca clamó por la socialización de los medios de producción. Sus objetivos permanecían en un nivel pragmático y eran un tanto vagos.

En todo caso, el M-19 dejó huella por su estilo de liderazgo y sus métodos, que evocaban la famosa guerrilla urbana del Uruguay, los *Tupamaros*. Como éstos, los miembros del M-19 cultivaban una imagen de Robin Hood, y robaban alimentos y otro tipo de mercancías para distribuir en barrios pobres. También sentían apego por lo espectacular. En el primero de muchos golpes publicitarios, por ejemplo, robaron la espada de Bolívar de un museo y se comprometieron a devolverla solamente cuando las ideas del Libertador se hicieran realidad. De esta manera, el M-19 se asoció con un nuevo culto a Bolívar por parte de la izquierda, que destacaba el apoyo dado por el héroe caraqueño a causas como la emancipación de los esclavos y achacó el fracaso de su intento por liberar a las masas de la opresión socioeconómica a la egoísta oposición de las elites locales apoyadas por los Estados Unidos.

No menos importante fue el uso de la violencia armada por parte del M-19. El movimiento tardó mucho tiempo en desarrollar una presencia guerrillera rural y cuando finalmente lo hizo no tuvo éxito. En su lugar, se especializó en el terrorismo urbano, que culminaría desastrosamente en 1985, cuando un destacamento del M-19 se tomó el Palacio de Justicia de Bogotá y fue exterminado por el Ejército durante la recuperación del edificio. Esta tendencia hacia el terrorismo urbano fue clara desde el comienzo de las actividades del movimiento y asumió la forma de secuestros (para obtener rescates o concesiones políticas), asaltos a bancos e incluso el asesinato simbólico. Una de sus víctimas fue José Raquel Mercado, quien de estibador en los muelles de Cartagena se había abierto camino hasta llegar a la posición de presidente de la CTC, y como tal, figura clave en las políticas del Partido Liberal. Fue el individuo de raza negra que ocupó el cargo más alto en la vida pública colombiana, pero para los líderes del M-19, todos provenientes de medios sociales más altos que el de Mercado, se había vendido al establecimiento y lo había hecho por razones crasamente materiales y en procura de otro tipo de beneficios personales. Por lo tanto, fue «ejecutado» en 1976.

La anterior enumeración de grupos guerrilleros de izquierda no agota la lista de los movimientos que proliferaron en el escenario político. Varios de ellos se dedicaron abiertamente a la tarea de derribar el orden existente por medios violentos; algunos, como el M-19, defendían la acción violenta como medio de ejercer presión para que el ritmo de las reformas se acelerara;

otros se dedicaban únicamente a la agitación no violenta, a pesar de recurrir a la retórica revolucionaria. Al menos otro grupo, el Ejército Popular de Liberación (EPL), que alegaba inspirarse en la variante maoísta del comunismo, logró constituir una fuerza guerrillera de cierta importancia, concentrada en la región de las tierras bajas del norte de Antioquia. El Movimiento Quintín Lame (bautizado así en recuerdo de un jefe indígena de la primera mitad del siglo), que surgió en las comunidades indígenas del sur de la cordillera Central, era una autodefensa rural muy similar a las FARC de los primeros tiempos. Sus objetivos inmediatos fueron los usurpadores de tierras indígenas y los agentes del gobierno que practicaban la represión, pero de vez en cuando se enfrentaba a bandas de guerrilleros de izquierda que intentaban aprovecharse de la militancia de los indígenas para causas que nada tenían que ver con sus comunidades. Se daban casos de cooperación entre las diferentes agrupaciones revolucionarias, pero también hubo disputas sobre doctrinas o tácticas. Disensiones similares a menudo dividían y debilitaban internamente a los grupos, hasta el punto de precipitar purgas sangrientas.

La fragmentada izquierda colombiana estaba en lo cierto cuando argumentaba que las reglas del juego político —que hacían referencia no solamente a la mécanica del Frente Nacional, sino a las ventajas, inherentes al sistema, de que gozaban tanto el gobierno en el poder como los dueños de los medios de producción— se dirigían contra los proponentes de transformaciones radicales de la estructura del país. También tenían razón al anotar que los gobernantes se tomaban el trabajo de consultar a los sindicatos y otras organizaciones populares sobre asuntos públicos, pero en última instancia prestaban mucho más atención a los poderosos intereses creados de los industriales (ANDI) y de los terratenientes (SAC), para no mencionar a Fedecafé. Al concluir que la protesta pacífica no valía la pena, estos grupos no entendieron que la violencia tampoco sería más efectiva a largo plazo que el lento y duro trabajo de movilización de la opinión pública hacia la competencia legal dentro del sistema. Más aún, la tendencia de la izquierda a disipar sus fuerzas en disputas de facciones hizo que la estrategia revolucionaria en Colombia fuera aún más problemática.

La izquierda revolucionaria logró establecer una serie de zonas rurales, en su mayoría aisladas aunque de enorme extensión, en las que el control estaba en manos de diferentes organizaciones guerrilleras, o al menos éstas impedían que el Estado estableciera allí su total autoridad. A menudo, desde luego, estas eran zonas donde la autoridad estatal había sido nominal. El M-19, por su parte, demostró que podía montar acciones urbanas directas con relativa impunidad. Esta situación, aunque tuvo poco impacto en la vida diaria de la mayoría de los colombianos, representaba un desgaste de relativa importancia para la economía del país. Por una parte, estaban, entre otras cosas, los gastos que demandaban las medidas de réplica del gobierno, que se ceñían básicamente a una política de contención; un esfuerzo completo por desmantelar a la izquierda revolucionaria habría implicado costos fiscales y políticos que ningún gobierno colombiano estaba en condiciones de asumir. Estaba, igualmente, el costo agregado de los negocios que se llevaban a cabo en zonas de guerrilla, en las cuales los propietarios tenían que pagar cuotas a los insurgentes o correr el riesgo de ser secuestrados o algo peor; y naturalmente, éstos trataban de hacer que el público consumidor asumiera tales gastos, a través de precios más altos de los productos.

Finalmente —y en realidad esto era todavía más grave—, estaba el costo político: primero, la gradual erosión de la legitimidad del gobierno por su incapacidad de aplastar por la fuerza la amenaza revolucionaria o de eliminar las fuentes del descontento social que habían dado origen a tal amenaza; segundo, la creciente polarización política, a medida que los causantes de la ira de la izquierda endurecían sus posiciones y a menudo llegaban a considerar la protesta pacífica y legítima como expresión de terrorismo guerrillero. A mediados de la década de los 70 todo esto fue eclipsado por un nuevo período de rápido crecimiento económico, alimentado por una combinación del alza de los precios mundiales del café y los comienzos de la bonanza del narcotráfico. Pero el desafío de la izquierda violenta y la correspondiente reacción de los sectores de la derecha, se convertirían pronto en una fuente de gran preocupación, precisamente en el momento en que la economía entraba en una fase de menor crecimiento.

NOTAS

1. Paul Oquist, *Violencia, conflicto y política en Colombia,* Bogotá, 1978, p. 322 (cuadro).

2. Cuando una nueva administración cambió las políticas editoriales de la publicación, la publicidad aumentó de inmediato pero la circulación cayó abruptamente. *El Periódico* desapareció poco tiempo después.

3. Leon Zamosc, *The Agrarian Question and the Peasant Movement in Colombia: Struggles of the National Peasant Association, 1967-1981,* Cambridge, Inglaterra, 1986, pp. 21-30.

4. *Ibíd.,* pp. 146-149.

5. Hernán Peñaloza Castro, *Educación y población en Colombia,* Bogotá, 1974, p. 17; *Statistical Abstract of Latin America,* 21, 1981, pp. 7, 32, y 28, 1990, p. 196.

6. Nola Reinhardt, *Our Daily Bread: The Peasant Question and Family Farming in the Colombian Andes,* Berkeley y Los Ángeles, 1988, p. 130. Ver también tablas en José Antonio Ocampo, ed., *Historia económica de Colombia,* Bogotá, 1987, p. 331.

7. *El Tiempo,* Bogotá, 14 de junio de 1954.

8. Ocampo, *Historia económica de Colombia,* pp. 322-323.

Capítulo 11

Una economía que va bien, el país no tanto (1978-1990)

Las aparentes contradicciones del modelo de desarrollo colombiano de los últimos tiempos del Frente Nacional no desaparecieron en los años inmediatamente posteriores. Quizás se hicieron más severas. El notorio aumento de la violencia política se vio complementado por la violencia resultante de un masivo tráfico de drogas. Mientras tanto, los partidos tradicionales continuaban practicando su habitual juego electoral, mostrando más interés en controlar la votación rural mediante el clientelismo que en ofrecer nuevas políticas y programas. Durante los años 80 Colombia, como el conjunto de América Latina, se vio afectada por la crisis económica generada por el deterioro de las relaciones económicas con el exterior y por diferentes grados de mala administración interna. En repetidas ocasiones, voces sensacionalistas predijeron todo tipo de sucesos para Colombia, desde un golpe de Estado militar hasta el estallido de una guerra civil generalizada. El «tejido social», anotaban algunos, se estaba deshaciendo. Felizmente, ninguna de las funestas predicciones se hizo realidad. Colombia continuó demostrando una notable capacidad para adaptarse a niveles de violencia desconcertantes a todas luces, aunque todavía no llegaban a igualar a los de la *Violencia*, a pesar de las exageradas afirmaciones de que el costo en vidas de esta última se había superado. Entre tanto, el desempeño global de la economía colombiana era, de manera consistente, uno de los más satisfactorios de América Latina. O sea, tal como rezaba el aforismo que acuñó un líder gremial y que hizo carrera durante los años 80, «La economía va bien, pero el país va mal». Parecía paradójico, mas no lo era del todo, pues de dinero se alimentaban diversas clases de violencia y de mal comportamiento político.

La desaparición del Frente Nacional como sistema político fue en realidad un proceso gradual. Las elecciones de 1978 llevaron a la presidencia al liberal Julio César Turbay Ayala, corpulento político profesional cuyo proverbial corbatín no era meno anacrónico que su estilo político, el del habilidoso manipulador cuyas lealtades estaban con la organización del partido más que con cualquier conjunto de principios teóricos. Turbay interpretó de tal manera el requisito constitucional de dar al partido derrotado un número «equitativo» de cargos gubernamentales que los conservadores recibieron una cuota de influencia política equivalente a la proporción de congresistas conservadores elegidos, es decir, aproximadamente el 40%. Al mismo tiempo, Turbay tuvo la mala suerte de verse enfrentado al recrudecimiento de la actividad guerrillera y el comienzo de las dificultades económicas, para evitar las cuales hizo muy poco. El consecuente deterioro de su imagen jugó a favor del disidente liberal Luis Carlos Galán Sarmiento, quien a la vez que condenaba la maquinaria política que con gran maestría había manejado Turbay, articulaba un programa que sonaba vagamente reformista aunque no ofrecía innovaciones radicales. Pero el beneficiario de la pérdida de prestigio de la administración fue un rebelde conservador, Belisario Betancur, quien por estrecho margen de votos llegó a la presidencia en 1982.

El tema de la campaña de Betancur, «Sí se puede», buscó capitalizar su reputación de antioqueño trabajador y práctico; en realidad, Betancur encarnaba muchos de los rasgos estereotípicos asociados tradicionalmente con su nativa Antioquia. Nacido en una familia de clase media baja con más de veinte hijos, la mayoría de los cuales murió de corta edad, se había enriquecido exclusivamente por su propio esfuerzo. Betancur había sido en otra época furibundo seguidor de Laureano Gómez, pero cuando llegó a la presidencia era ya conocido como un progresista que cultivaba contactos con un vasto espectro de personalidades culturales e intelectuales, en parte a través de su labor en el negocio editorial. Por la condición minoritaria de su propio partido, Betancur apeló a muchos liberales descontentos para ganar las elecciones, y una vez en el poder volvió al sistema del 50% de miembros de cada partido en los cargos públicos, con lo que repitió el esquema clásico del Frente Nacional. Cuando terminó su mandato, los liberales reafirmaron su mayoría en todo el país al resultar elegido su candidato, Virgilio Barco, para el período 1986-1990. Una vez que los conservadores decidieron rechazar los cargos que Barco había decidido otorgarles, el Presidente liberal montó la primera administración estrictamente unipartidista desde la deposición de Laureano Gómez en 1953.

Barco, ingeniero formado en el célebre Massachusetts Institute of Technology (MIT) y consumado político tecnócrata, había llegado a la conclusión de que el poder compartido del Frente Nacional, al diluir la responsabilidad de las acciones gubernamentales, había contribuido a la reducción de la confianza pública en el sistema político; además, por su aparente consagración del monopolio liberal-conservador, el Frente Nacional había llevado a muchos miembros de la izquierda al convencimiento de que la participación pacífica en la política era un ejercicio estéril. Por estas razones, Barco no hizo mayores esfuerzos para conseguir la colaboración conservadora. Pero el regreso a la responsabilidad única del partido de gobierno, con la consecuente reducción de la otra colectividad al papel de opositor leal, no produjo los efectos esperados. En consecuencia, el sucesor inmediato de Barco, César Gaviria, otro liberal, abandonó la práctica de su predecesor. Al ensamblar un gobierno de unidad nacional, Gaviria incluso no se limitó a miembros de los dos partidos tradicionales —o a los militares para el Ministerio de Defensa— a la hora de designar a sus colaboradores.

Todavía más notable fue el patrocinio que Gaviria dio a la redacción de una nueva Constitución para remplazar la de 1886. Con raras excepciones no sería justo achacar los problemas que recientemente habían afectado al país al texto de la Carta anterior; sin embargo, se había difundido una percepción según la cual las instituciones nacionales se mostraban cada vez más inadecuadas para los desafíos que enfrentaban. Si una nueva Constitución podía contribuir a eliminar tal percepción y por lo mismo a propiciar un renacimiento de la confianza nacional, el presidente Gaviria estaba dispuesto a complacer esa opinión. En ese orden de ideas, el nuevo mandatario había pedido a su antecesor Virgilio Barco (en cuyo ministerio él mismo desempeñaba el papel de ministro de Gobierno) que llevara a cabo un referéndum para autorizar la elección de una Asamblea Constituyente. Era bastante dudosa la legalidad de semejante referéndum, pero tuvo lugar el mismo día de la elección de Gaviria como presidente y con resultado abrumadoramente favorable. Una vez posesionado, Gaviria redactó las pautas que había que seguir y dirigió unas nuevas elecciones para Constituyente. El último presidente bajo la Constitución de 1886, iba a ser el primero de la de 1991.

Violencia en medio de la normalidad

El clamor por la reforma constitucional fue primordialmente una consecuencia de los severos problemas de orden público que Colombia venía enfrentando. Si bien los presidentes y los congresistas se rotaban regularmente por la vía electoral y la mayoría de los servicios públicos continuaba funcionando de manera más o menos normal, cada vez más frecuentemente los comentaristas lamentaban la expansión de la «inseguridad», término que cubría tanto la criminalidad extendida como el resurgimiento de la violencia política. Los datos más alarmantes tenían que ver con la incidencia del homicidio, respecto del cual Colombia ocupaba uno de los primeros lugares del mundo a mediados de los años

80. En 1986 el homicidio fue la principal causa de mortalidad, mientras en 1973 había ocupado el séptimo lugar[1]. La tasa de homicidios se había incrementado por factores políticos y por el florecimiento del tráfico ilegal de drogas; pero también había habido un aumento de casi todas las formas de actividad criminal, lo cual reflejaba, entre otras cosas, la rápida expansión de las ciudades y la creciente complejidad y frustración de la vida moderna, para no mencionar la incapacidad del Estado colombiano de hacer algo al respecto. Uno de los resultados de la ineficacia en la prevención del crimen por parte del gobierno fue la proliferación de servicios de seguridad privados o, como algunas veces llegó a calificarse, la cuasiprivatización de la Policía y del sistema criminológico. Pese al creciente entusiasmo que había despertado la «privatización» como política económica en toda la América Latina, resultaba ser una solución pobre en el terreno del orden público.

Aunque la distinción entre violencia «criminal» y «política» a menudo resultaba complicada en la práctica, fue el segundo apelativo el que absorbió la atención de los profesionales de la naciente subdisciplina de la ciencia social colombiana llamada «violentología». En mesas redondas, simposios y publicaciones, estos especialistas se unieron para condenar el fenómeno que estudiaban, si bien tendían a sostener que, en términos colombianos, la violencia política era algo históricamente «normal»[2]. Todo análisis de ese tipo, desde luego, encontraba serias dificultades para explicar la evidente tranquilidad de la era de hegemonía conservadora anterior a 1930, y tal vez tomaba demasiado en serio la mayoría de los conflictos civiles del siglo XIX. Más aún, ahora el asunto constituía, al menos en parte, otro problema de percepción, toda vez que el incremento más agudo se daba en el terrorismo urbano, problema relativamente nuevo con el que los colombianos no habían aprendido a convivir, como sí lo habían hecho con las luchas guerrilleras que desde los años 40 tenían lugar en regiones remotas. Por lo tanto, el aumento de las tasas generales de violencia política fue, en realidad, un poco menor de lo que mucha gente pensó. Sin embargo, de todas maneras

357

había más violencia política —y también no política— de la que se había conocido a mediados de la década de 1970.

No todas las razones de este rápido ascenso saltaban a la vista. No existe ninguna indicación de que todo se estuviera orquestando desde Moscú o La Habana, como insistían algunos enfurecidos ciudadanos de clase media hasta que el colapso del comunismo a escala mundial se hizo demasiado obvio. Tampoco es razonable atribuir el deterioro del orden público al creciente empobrecimiento de las masas, porque éstas tuvieron poca o ninguna participación en la mayoría de los grupos que perpetraban los actos violentos, y también porque la economía colombiana (como se verá más adelante) no sufrió la crisis que marcó la década de 1980 de la misma manera como la padecieron otras economías latinoamericanas. Incluso existía en Colombia alguna correlación entre las tasas regionales de violencia y las de crecimiento económico. Pero en los años 80 sí se presentó un aumento en el desempleo urbano, junto con la persistente inflación y otras dificultades sociales y económicas que el régimen parecía incapaz de resolver, lo cual alimentó el descontento. La camisa de fuerza constitucional que representaba el sistema del Frente Nacional ya no existía, pero su espíritu persistía; el presidente Turbay, en particular, parecía ejemplificar sus peores rasgos. A partir de 1978 los partidos dominantes estuvieron en condiciones de introducir verdaderos cambios en la manera como tradicionalmente se conducía la política; pero al menos hasta la adopción de la nueva Constitución no lo hicieron, con lo cual reafirmaron inevitablemente el criterio de todos los que insistían en que sólo la acción armada podría conseguir algo diferente.

Una de las principales causas del terrorismo urbano consistió en que el M-19 había consolidado tanto su organización como sus tácticas, siempre orientadas preferentemente hacia la acción urbana. En varias ocasiones el grupo organizó frentes guerrilleros rurales, pero sus operaciones más espectaculares quedaron reservadas para los escenarios de las ciudades. A comienzos de 1979, el M-19 les causó una profunda humillación a las Fuerzas Armadas colombianas, en el atrevido robo de armas de una instalación militar de la capital. El Ejército logró recuperar el armamento y atrapar a gran número de activistas del movimiento, así como a simpatizantes de la izquierda, muchos de los cuales sufrieron maltratos. Sin embargo, el M-19 procedió a realizar un golpe aún más espectacular el año siguiente, cuando se tomó la sede de la embajada dominicana en Bogotá en momentos en que transcurría allí una recepción diplomática y capturó como rehenes a unos catorce embajadores, incluido el norteamericano. La toma de la delegación terminó finalmente con la liberación de todos los rehenes, a cambio de salvoconductos para que los guerrilleros que habían participado en la operación pudieran salir del país y de un millonario rescate que se supuso provino de fuentes ajenas al gobierno colombiano.

La más sorprendente operación del M-19, y en muchos sentidos la que determinó el desmembramiento del grupo, fue la toma del Palacio de Justicia, ubicado en el costado norte de la Plaza de Bolívar, al frente del Capitolio Nacional. Se trataba de la sede de la Corte Suprema de Justicia y de otras oficinas judiciales, ninguna de las cuales era el objetivo real de la acción guerrillera. Más bien, el propósito era forzar al Presidente Betancur a responder a una lista de cargos y a reanudar las negociaciones de paz con el movimiento, interrumpidas meses atrás. Fue una atolondrada empresa condenada al fracaso, aunque seguramente dirigida a conseguir para el M-19 el tipo de publicidad de alto relieve que siempre formó parte de su estrategia.

Un comando del movimiento se tomó el Palacio sin mayor dificultad; sólo fue necesario eliminar a dos guardias. Casi inmediatamente, sin embargo, y al parecer sin esperar órdenes del Presidente, el Ejército lanzó un ataque contra el edificio. El momento más dramático del asalto fue cuando un tanque ligero de fabricación brasileña entró al edificio por la puerta principal. Aunque algunos de los ocupantes del inmueble lograron escapar o fueron rescatados por las tropas, la mitad de los magistrados de la Corte murió en la toma, junto con todos los terroristas del

M-19. El grupo de izquierda perdió allí muchos cuadros valiosos; disminuyeron así mismo su prestigio y buena parte de la simpatía popular que había logrado adquirir. El gobierno también perdió mucho, y no sólo en términos de las vidas de los magistrados. Numerosas personas que habían reprobado las tácticas del movimiento guerrillero no estaban tan seguras de que una respuesta estrictamente militar había sido la correcta; de hecho, la operación dejó la impresión —justificada o injustificada— de que en asuntos de seguridad pública el Presidente recibía órdenes de los militares, en vez de dárselas a ellos[3] (por otra parte, el incidente no interrumpió el Concurso Nacional de la Belleza, que tenía lugar al mismo tiempo en Cartagena, aunque las noticias que llegaban de Bogotá en cierto modo ensombrecieron el acto).

Si bien el M-19 recibió más atención fuera de Colombia, las FARC siguieron siendo la más grande organización revolucionaria de Colombia. Sus principales plazas fuertes eran el alto valle del Magdalena y las áreas adyacentes de los Llanos Orientales, pero en el curso de los años 80 abrieron nuevos «frentes» en otras regiones. En estas áreas la presencia del Estado era generalmente débil, de manera que las FARC podían ofrecer a los campesinos protección y cierto tipo de justicia rudimentaria en las fronteras de colonización, al tiempo que exprimían a los grandes terratenientes a través de contribuciones forzadas. A mediados de los años 80 sus fuerzas ascendían a unos 4.000 hombres, cifra cercana a la mitad de las fuerzas guerrilleras en pie de lucha[4].

El ELN, de filiación castrista, nunca compitió con las FARC en fuerza pero a su manera desafió también a las autoridades. Muy golpeado por el Ejército a comienzos de los años 70, nunca perdió totalmente su influencia en el noreste colombiano, y corrió con suerte, pues esta ubicación lo llevó a convertirse en el más opulento de los grupos guerrilleros. En la década siguiente se abrieron nuevos pozos de petróleo en Arauca, conectados con la costa del Caribe por un oleoducto que pasaba precisamente por la región donde estaba asentado el ELN. Las compañías petroleras y la firma alemana que tendía el conducto eran vulnerables a la extorsión y se mostraron dispuestas a pagar sumas mucho más grandes de las que se podría pedir a un hacendado. Los alemanes colaboraron especialmente porque su único interés era terminar la construcción de la obra y proseguir sus proyectos en otros lugares. Luego de recolectar millones de dólares a cambio de permitir la conclusión del oleoducto, el ELN adoptó la política de volar periódicamente tramos del mismo, a manera de protesta contra la extremada «generosidad» de los contratos suscritos entre el gobierno colombiano y las multinacionales que compartían la explotación de los pozos con Ecopetrol. Esta táctica contaminó campos y ríos con derrames de crudo y produjo recortes en los fondos que la empresa estatal cedía a las comunidades que habitaban sus áreas de operación para contribuir en proyectos sociales. De esta manera, el ex sacerdote español que comandaba el ELN logró manifestarse en nombre del nacionalismo colombiano.

Otras organizaciones guerrilleras permanecían activas, incluidas algunas que databan del período anterior a 1978, como el EPL y algunas de formación más reciente. Varias de ellas realizaban hazañas al estilo del M-19 —aunque nunca con la misma «elegancia»—, pero la mayoría de sus operaciones se efectuaba en zonas rurales. Los grupos atacaban una estación de policía de cualquier pueblo, robaban dinero en la oficina local de la Caja Agraria y obligaban a la población a escuchar una perorata sobre la justicia de la causa revolucionaria antes de desaparecer rumbo a su base de operaciones. Las guerrillas casi nunca actuaban en regiones donde predominaba la agricultura familiar campesina, como Boyacá y el «eje cafetero» de la cordillera Central, sino más bien en zonas de reciente colonización o de concentración relativa de la propiedad de la tierra.

Ni siquiera si los grupos guerrilleros hubieran colaborado estrechamente entre sí (lo que algunas veces hacían pero que no era una práctica habitual), habrían logrado amenazar seriamente al gobierno. Las FARC, que en algún momento se consideraron la vanguardia del proletariado, en términos leninistas, se estaban convirtiendo simplemente, en palabras de un analista liberal colombiano, en «la retaguardia del *colono*»[5]. El ELN todavía hablaba de tomar el poder pero en la práctica terminó comprometido esencialmente en el cabildeo armado en pro de sus motivaciones favoritas, como un cambio en las políticas petroleras. Y el M-19 era, en fin de cuentas… el M-19. Sin embargo, a pesar de la carencia de un proyecto coherente para presentar al país, la izquierda revolucionaria logró ganar grandes simpatías, no sólo entre desencantados intelectuales de clase media, sino también entre los pobres urbanos, los campesinos sin tierra y los habitantes de muchas poblaciones que habían quedado olvidadas en la expansión de los servicios básicos (carreteras, agua potable, etc.). Un rasgo notable de la década de los 80 fue la cantidad de manifestaciones cívicas de protesta, justamente a propósito de las deficiencias en los servicios públicos. Algunas de estas protestas fueron orquestadas o estaban infiltradas por grupos subversivos, pero la indignación de quienes se rebelaban era genuina. Un signo similar de radicalización en algunos sectores de la clase obrera lo constituyó la formación, en 1986, de la Central Unitaria de Trabajadores (CUT), que representaba una amalgama de la CSTC, de tendencia comunista, la otrora católica UTC y varios sindicatos independientes. La CUT se empeñaba en presionar las demandas laborales de manera más vigorosa, a través de la acción conjunta, sobre un sistema considerado indiferente a las peticiones e intereses de los trabajadores. No logró satisfacer sus expectativas (la fragmentación del movimiento laboral muy pronto se hizo sentir de nuevo), pero el descontento y la pérdida de la confianza en las instituciones formales de la nación dieron al menos un barniz de legitimidad a aquellos que luchaban contra el orden establecido.

La aparente incapacidad de las fuerzas gubernamentales para expulsar a las guerrillas de sus plazas fuertes provocó inevitablemente sentimientos de frustración entre los jefes militares y quienes apoyaban el régimen, a la vez que un permanente debate sobre la adecuada solución del problema. La percepción del fenómeno en sí se había modificado totalmente por la aparición del componente urbano paralelo al ya conocido fenómeno de la actividad guerrillera en los campos. Este nuevo agregado constituía una amenaza mayor, porque sus actos eran menos predecibles y porque los miembros del establecimiento colombiano —tanto socioeconómico como político— vivían en las ciudades. Con excepción de los hechos del 9 de abril, las ciudades se habían salvaguardado a lo largo de toda la *Violencia*, pero, aparentemente, su seguridad había terminado. No sorprende, por lo tanto, que se comenzara a oír hablar del uso de torturas contra detenidos por razones políticas y de inexplicables «desapariciones» de supuestos activistas o simpatizantes de la guerrilla. Bajo la administración Turbay, especialmente después del robo de las armas por el M -19, se aceptó al menos tácitamente el uso de métodos ilegales para combatir la violencia de la izquierda. Las siguientes administraciones fueron más francas al condenar los abusos contra los derechos humanos, pero no siempre controlaron a los agentes de rango medio y bajo del Ejército y la Policía. Incluso durante la administración Turbay los abusos nunca llegaron a los niveles que se alcanzaron bajo los gobiernos militares de Argentina y Chile en los años 70; además, en Colombia fueron abiertamente denunciados ante el Congreso, en la prensa y en foros públicos (aunque no sin riesgos para los denunciantes). Sin embargo, hacia comienzos de la década de 1980 Colombia recibió concepto muy desfavorable por parte de organizaciones internacionales para la defensa de los derechos humanos, tales como Amnistía Internacional.

Además de haber maltratado a los detenidos por desacato al orden público, la administración Turbay obtuvo cierto éxito en las acciones militares contra los frentes guerrilleros rurales. Su enfoque de línea dura se reflejó aún más claramente en la decisión de suspender las relaciones diplomáticas con Cuba (que habían sido restablecidas recientemente por López Michelsen) por la continua ayuda de La Habana a los revolucionarios de izquierda, decisión que recibió calurosa aprobación de Washington. Pero la izquierda violenta no había sido derrotada todavía y algunos de los métodos usados contra ella —especialmente las torturas a los sospechosos— resultaron contraproducentes, pues generaron nuevas simpatías hacia la causa de las víctimas.

Belisario Betancur optó, en consecuencia, por un enfoque radicalmente distinto. Intentó buscar una solución pacífica del problema a través de negociaciones. La tarea se dificultó porque algunos líderes influyentes, tanto de los partidos como de las Fuerzas Armadas, no mostraban entusiasmo hacia las políticas del Presidente, y porque las guerrillas estaban divididas en cuanto a la respuesta a las iniciativas del mandatario. Pero Betancur era decidido y recursivo. Consiguió los buenos oficios del escritor Gabriel García Márquez y en un momento dado se reunió personalmente con representantes del M-19 en España. Finalmente no sólo logró acuerdos con este grupo, sino también con las FARC y el EPL.

En cada caso el acuerdo determinó una tregua entre las guerrillas y las fuerzas del gobierno, durante la cual ambas partes suspenderían las hostilidades y se emprendería un proceso de «diálogo» para determinar los pasos a seguir antes de que el cese al fuego se convirtiera en una paz permanente, con la entrega de armas por parte de los grupos revolucionarios. Además, Betancur ofreció una generosa amnistía. Sin embargo, las guerrillas no sólo pedían mayores garantías de seguridad personal, sino también una serie de reformas estructurales, para comenzar, pobremente definidas y que no estaba en manos del Presidente conceder; lo máximo que éste podía hacer era presionar al Congreso. Mientras tanto, la tregua fue violada por todos los bandos, puesto que ni Betancur ni los jefes revolucionarios tenían control absoluto sobre sus respectivos subordinados. No mucho tiempo después, el M-19 dio por terminado su compromiso alegando traición y volvió a embarcarse en las hostilidades abiertas que finalmente lo llevarían al ataque del Palacio de Justicia.

Las FARC nunca se retiraron formalmente de la tregua, a pesar de la ola de violaciones, y más bien colaboraron en la formación de un nuevo partido político que agrupaba a los ex guerrilleros, miembros del Partido Comunista y otros militantes de la izquierda dispuestos a comprometerse en la actividad política legal. Bajo la denominación de Unión Patriótica (UP), el partido se creó en 1985, a tiempo para inscribir a su candidato para las elecciones presidenciales del año siguiente. Aunque el candidato, Jaime Pardo Leal, obtuvo apenas el 4.5% de los votos, el intento constituyó un resultado respetable dentro de los registros de votación de la izquierda colombiana. Hacia finales de 1985 se produjo un cambio estructural importante. Se trataba de una reforma constitucional (más tarde incorporada a la nueva Constitución de 1991) que determinaba la elección popular de los alcaldes y suprimía su nombramiento por parte de los gobernadores, que hasta entonces había sido el proceso regular. La reforma en cuestión se había discutido durante cierto tiempo y no carecía de apoyo por parte de los dos partidos tradicionales. No obstante, casi con seguridad no habría sido aprobada, como lo fue, si no se hubiese presentado la urgente necesidad de producir alguna evidencia tangible de «apertura democrática», tal como la izquierda revolucionaria lo venía exigiendo vaga pero insistentemente. Y podía aceptarse sin problemas, ya que no amenazaba realmente el dominio de liberales y conservadores. En realidad los conservadores, que habían quedado excluidos del poder a escala nacional con el regreso al gobierno unipartidista de Virgilio Barco, eran los más beneficiados por la reforma. En las primeras elecciones de alcaldes, en 1988, la UP logró obtener 16 alcaldías (de un total de 1.009); pero los conservadores ganaron casi la mitad del total de administraciones municipales y, gracias a las divisiones liberales, se llevaron los mejores trofeos: Medellín y Bogotá[6].

En razón de que las treguas no funcionaron como se había previsto, muchos colombianos calificaron la política de negociación del presidente Betancur como un fracaso total. Sin embargo, era necesario intentarla. Casi nadie cuestionó seriamente la buena fe del mandatario e incluso la mayoría de las personas que culpaban a ambos bandos por las violaciones concluyó que los esfuerzos de la guerrilla para hacer que la política funcionara no habían sido tan serios como los del Presidente. En ese sentido, los guerrilleros habían desperdiciado su mejor oportunidad para ganar aceptación como protagonistas legítimos. El M-19, por lo menos, llegó a la conclusión de que la izquierda en general había perdido terreno y empezó a buscar una salida para recuperarse de su desastroso asalto al Palacio de Justicia. A comienzos de 1990, casi al final de la administración Barco, entregó las armas y acordó probar suerte en la contienda política legal. Pronto resultó mucho más exitoso en las urnas que la UP, más de lo que hubiera podido serlo de haber continuado con el uso de los métodos violentos. El arreglo con el M-19 fue, sin embargo, el único logro de Barco en su manejo de la izquierda revolucionaria. Por lo demás, durante su gobierno, en mayor medida que en los anteriores, el orden público se complicó enormemente con nuevos tipos de violencia, generados por la industria ilegal de la droga.

Droga: de la bonanza a la guerra

Durante el decenio de 1980, Colombia cobró renombre mundial debido a la producción y exportación de drogas prohibidas. El fenómeno dio origen a numerosos informes exagerados sobre la importancia de la droga para la economía colombiana y sus ramificaciones políticas y sociales. En todas partes se oía o se leía que la cocaína había desplazado al café como primer rubro de exportación y que los narcotraficantes «controlaban» todo el país. El sentido común bien podría haber indicado que los narcotraficantes no estaban interesados en «controlar» el país (¿por qué habrían de preocuparse por presupuestos escolares o por el salario mínimo?), sino en hacer dinero y mantenerse fuera de las cárceles; pero a menudo en las discusiones el sentido común fue el gran ausente.

La verdadera importancia económica del narcotráfico, así como muchos de sus efectos secundarios no económicos, es difícil de medir precisamente porque, por su propia naturaleza, el desenvolvimiento de esta nueva industria es ilegal. Los académicos tuvieron que aprender a calcular la producción con base en el consumo (estimado) en el exterior y a estudiar la balanza de pagos de Colombia de nuevas maneras para detectar el influjo de los narcodólares bajo la apariencia de «gastos de turismo» excesivamente altos o de otros rubros semejantes. Y posiblemente la tarea de distinguir y sopesar los efectos positivos y negativos del narcotráfico sobre la economía en general era aún más difícil que la de estimar la magnitud del negocio.

La dificultad para analizar la bonanza de la droga y controlar por lo menos sus consecuencias negativas se vio aumentada por el simple hecho de que en sus etapas iniciales la mayoría de los colombianos no le dio mayor importancia al narcotráfico. De hecho, cualquiera que haya sido su importancia relativa como generador de ingresos por exportaciones, el negocio nunca se acercó al café como empleador directo, a la vez que su ilegitimidad lo hacía menos visible. Comenzó, además, en un área escasamente poblada y hasta cierto punto aislada —la Sierra Nevada de Santa Marta y las zonas adyacentes a la costa Atlántica—, en la cual los pequeños agricultores descubrieron que cultivar marihuana para exportarla a los Estados Unidos era mucho más lucrativo que producir otras cosechas. Santa Marta y otras ciudades de la costa se convirtieron en centros de comercialización del producto, con distribuidores nuevosricos y sus ostentosos escuadrones de guardaespaldas. El impacto económico fue principalmente regional, pero a mediados de la década el flujo de dólares ilegales (en combinación con otras transacciones cambiarias ilícitas) fue suficiente para colocar el valor del dólar «negro» ligeramente por debajo del oficial.

El *boom* de la marihuana fue corto. A instancias de los Estados Unidos, la administración Turbay emprendió operaciones de erradicación del cultivo en las principales zonas productoras. La efectividad de tales procedimientos no se ha comprobado totalmente, pero el golpe más certero a las exportaciones colombianas lo constituyó la expansión de cultivos de marihuana de alta calidad en el propio territorio estadounidense, la cual, si bien no eliminó la demanda, la redujo considerablemente. Los productores habrían podido, entonces, regresar a los cultivos de subsistencia. Pero los guardaespaldas y demás elementos criminales que habían estado ganándose la vida gracias al negocio de la marihuana no pudieron encontrar tan fácilmente (si es que lo intentaron) alternativas legítimas. En consecuencia, las ciudades costeras sufrieron una ola de asaltos, atracos y robos de automóviles a manos de estos individuos. Pero estos delitos también desaparecieron gradualmente. Al mismo tiempo, el centro de gravedad del comercio ilegal de drogas y sus actividades afines pasó a ser Medellín, a tiempo que la cocaína desplazaba a la marihuana como principal mercancía.

Con el tiempo, la nueva industria de narcóticos se convirtió en algo muy diferente de la antigua, tanto en su estructura como en su escala. La marihuana se cultivaba en Colombia y luego se exportaba; la distribución en los Estados Unidos estaba principalmente en manos de norteamericanos. Pero Colombia no era gran productor de hoja de coca, de la cual se extrae la cocaína. Los principales productores eran Bolivia y Perú, desde donde se transportaba la pasta de coca semiprocesada hacia laboratorios localizados en la capital antioqueña y sus alrededores (y más adelante en otros lugares) para su procesamiento final. Los colombianos se encargaban de enviar el producto terminado a los mercados extranjeros e incluso llegaron a controlar gran parte de la distribución dentro de dichos mercados, de los cuales el estadounidense era el más importante. Como procesadores y distribuidores, los productores colombianos de cocaína recibían una participación mucho mayor del precio final que los productores de materia prima bolivianos o peruanos, o los cultivadores de marihuana. El mercado, en fin de cuentas, tiende a recompensar el valor agregado de las manufacturas y la habilidad comercializadora de manera mucho más generosa que la producción primaria.

La industria de la cocaína tampoco llamó mucho la atención en sus inicios. Sin embargo, creció rápidamente hasta que a mediados de los años 80 se escuchaba que el alcaloide tenía un significado mayor que el del café para la economía colombiana. Esta afirmación nunca fue acertada en sentido estricto, a pesar de que pudo haber años en los que las ganancias netas del comercio de la cocaína en el exterior —para las cuales las mejores aproximaciones oscilaban entre 2% y 3% del producto interno bruto[7]— fueron mayores que el total de los ingresos por exportaciones de café. Pero la industria cafetera empleaba a más gente, tanto en los cultivos como en el procesamiento inicial y el transporte. Más aún, siempre existía una apreciable producción cafetera para consumo interno, mientras que en un principio virtualmente toda la cocaína producida estaba destinada a consumidores foráneos. Aunque el uso doméstico del *bazuco*, en términos generales comparable al *crack*, creció lo suficiente como para preocupar a las autoridades colombianas, nunca fue tan extendido como el consumo de cocaína en los principales mercados extranjeros.

Sin considerar su peso específico preciso en la economía nacional en relación con el café, el negocio de la droga tuvo un impacto social y económico considerable. En términos macroeconómicos, el indicador más evidente de su importancia para Colombia fue el hecho de que los dólares continuaron estando disponibles en el mercado negro, a menudo a precios menores de los establecidos para transacciones cambiarias legales; y la disponibilidad de dólares ilegales ayudó a amortiguar la tasa oficial ante las crisis que producían drásticas devaluaciones monetarias ejecutadas en los años 80 en casi todos los países de América Latina. Durante algunos años el peso estuvo sobrevaluado por el hecho de que la epreciación oficial de la tasa de cambio resultaba menor que la diferencia entre los niveles de inflación colombianos y estadounidenses. A finales de la década de 1970, el alto precio del café —al igual que el auge de la marihuana— había provocado este fenómeno, pero la cocaína lo prolongó hasta que la administración Betancur dio pasos para acelerar la devaluación.

Incluso una vez corregida la sobrevaluación, el peso disfrutó de cotizaciones más elevadas que las que habrían existido en ausencia del flujo masivo de ganancias de la cocaína. Esta valoración relativamente alta contribuyó a que Colombia mantuviera los pagos de su deuda externa y pudiera adquirir insumos y equipos. También hizo más accesibles las vacaciones en Disney World para la clase media colombiana. Por otra parte, los exportadores legales encontraron trabas para competir con productores de los países vecinos que habían sufrido devaluaciones masivas, y los empresarios resultaron afectados porque los bienes de consumo importados (incluido el contrabando) resultaban más baratos en pesos. La industria textil de Medellín fue una de las más perjudicadas, tanto por la pérdida de los mercados de exportación que había cultivado con relativo éxito desde comienzos de los 70, como por la afluencia de textiles y confecciones extranjeros.

Entre las consecuencias sociales, la más obvia fue el surgimiento de un contingente de traficantes nuevos-ricos, a cuyas principales figuras se les denominó vagamente «cartel de Medellín», a pesar de que no todos provenían de la capital antioqueña. El más poderoso de ellos, Pablo Escobar, fue señalado por *Forbes*, como el hombre más rico de América Latina y como un multimillonario de rango mundial[8]. Como la mayoría de los empresarios de la droga, Escobar provenía de un medio social modesto y de esta manera era un buen ejemplo de lo que los colombianos denominaban *clase emergente*, compuesta por individuos que habían escalado rápidamente una alta posición económica, no necesariamente a través de medios legítimos. Mediante la construcción de vivienda barata y la generosidad con causas benéficas, Escobar se ganó la sincera admiración de muchos en la capital antioqueña, hasta el punto de que fue elegido miembro suplente de la Cámara de Representantes en una lista del Partido Liberal. Escobar adquirió propiedades urbanas y rurales, así como un parque zoológico lleno de animales importados de África. No fue el único narcotraficante que montó un zoológico, pero la mayoría de ellos se conformaba con menos. Por ejemplo, con la compra de obras de arte originales para colgar en las paredes de sus residencias y contribuir así a una pequeña bonanza de precios de la pintura colombiana.

Si bien los artistas colombianos no tenían quejas contra el cartel de Medellín, no se podía afirmar lo mismo de jueces, oficiales de la Policía y otras personas comprometidas con el cumplimiento de la ley —a menos, desde luego, que estuvieran entre los muchos empleados medios y bajos que aceptaban gustosamente los sobornos para hacer la vista gorda ante las actividades ilegales que

370

se llevaban a cabo. Mientras las autoridades de alto rango no se preocuparon por el problema, el crecimiento de la industria de la droga estuvo acompañado de una extendida corrupción, aunque sin mucha violencia abierta. En últimas, sin embargo, no se podía seguir ignorando el fenómeno, tanto por la corrupción de funcionarios oficiales como por la desfavorable atención que el asunto recibía en el extranjero, principalmente en los Estados Unidos, cuyo gobierno urgía acciones decididas contra el narcotráfico. En Colombia, el movimiento liberal disidente encabezado por Luis Carlos Galán, a quien le gustaba utilizar un tono moralista cuando denunciaba las tácticas de los jefes de los partidos, se mostraba muy inconforme con la próspera economía de la droga. El ministro de Justicia, Rodrigo Lara Bonilla, que representaba el sector galanista en el gobierno de Belisario Betancur, endureció la política oficial a comienzos de 1984. Lara continuó presionando la industria de la droga y logró desmantelar el mayor laboratorio de procesamiento conocido hasta la fecha; poco después fue asesinado por un sicario aparentemente contratado por el cartel de Medellín.

A la muerte de Lara Bonilla siguió una aparatosa ofensiva contra el narcotráfico, con el decomiso de equipos y vehículos y el arresto de algunos cabecillas de poca monta. Algunos de éstos, junto con un jefe importante, fueron extraditados a los Estados Unidos bajo cargos de narcotráfico. El procedimiento de la extradición provocó indignadas protestas de los narcotraficantes y otros sectores, apoyados en el nacionalismo, pero se mantuvo gracias al argumento de que el sistema de justicia colombiano estaba demasiado expuesto a los sobornos y a la intimidación para emitir sentencias. En efecto, los asesinatos a sangre fría de los jueces y funcionarios de la ley que se tomaban muy en serio sus funciones se convirtieron en sucesos de común ocurrencia.

En la segunda mitad de 1989 la «guerra de la droga» (como fue conocida) se avivó brutalmente por el asesinato de Galán, quien parecía haberse asegurado la nominación liberal como sucesor de Virgilio Barco y a quien solamente una catástrofe imprevista podía impedirle llegar a la presidencia. El cartel de Medellín se encargó de que dicha catástrofe ocurriera y de esa manera obligó a Barco a lanzar la arremetida más espectacular de todas. En esta ocasión, el segundo hombre del cartel, Gonzalo Rodríguez Gacha (conocido como «El Mexicano» debido a su fascinación por la cultura popular de México), fue acribillado por la Policía. Poco antes, Rodríguez Gacha y sus asociados habían volado un avión de Avianca en pleno vuelo entre Bogotá y Cali, con el fin de eliminar a algunos informantes de la Policía que supuestamente iban a bordo. El hecho de que la tragedia causara la muerte de más de cien civiles ilustra la determinación obsesiva de los traficantes para alcanzar sus fines.

Funcionarios públicos y pasajeros inocentes no fueron las únicas víctimas de la violencia asociada con el narcotráfico. Las acciones oficiales, así como las querellas entre los mismos narcotraficantes y sus bandas de sicarios también cobraron gran número de vidas. Fue especialmente notorio el conflicto entre los mafiosos de Medellín y lo que llegó a conocerse como el «cartel de Cali». El grupo de Cali había logrado acaparar una buena parte del mercado, al tiempo que se abstenía de emprender ataques violentos contra los agentes del gobierno y más bien recurría al soborno y al empleo de influencias políticas. Por estos medios desvió el impacto de la ofensiva estatal hacia el cartel de Medellín, pero no permaneció inmune a la retaliación armada que lanzaron los antioqueños cuando se percataron de que su rival invadía mercados que les pertenecían. Por otra parte, miembros de los dos carteles se involucraron en campañas para «limpiar» sus respectivos espacios de ladrones, prostitutas, homosexuales y otros «indeseables». Tales individuos eran asesinados durante la noche, a manos de escuadrones de la muerte aparentemente apoyados por policías fuera de servicio y «vigilantes» de derecha. Barridas similares ocurrieron en varias ciudades, entre ellas la propia capital, aunque allí con menor intensidad.

El primer escuadrón de la muerte que obtuvo notoriedad fue Muerte A Secuestradores (MAS), grupo que nació en Medellín luego de que algunos terroristas del M-19 secuestraran a la hija de una familia importante del cartel de esa ciudad e intentaran retenerla para obtener un rescate. El secuestro, crimen muy común en Colombia, era practicado por bandas profesionales y grupos de izquierda que pretendían manifestarse políticamente o llenar sus arcas. Las familias de las víctimas normalmente aceptaban pagar los rescates. No obstante, las de narcotraficantes preferían no hacerlo, y por la amenaza de tomar represalias extremas ganaron virtual inmunidad. Poco después, sin embargo, los enfrentamientos entre narcotraficantes y la izquierda revolucionaria —dos elementos que en un principio parecían dispuestos a cooperar mutuamente, dada su común ilegalidad— se hicieron cada vez más violentos.

Por un tiempo, los productores y distribuidores de cocaína, así como los cultivadores de la hoja de coca en áreas del país en las que venían expandiéndose las siembras, pagaban rutinariamente por la seguridad que les era ofrecida por las organizaciones guerrilleras. En las zonas de cultivos ubicadas en las llanuras del oriente, las FARC desempeñaban generalmente esa protección, pero, por razones que nunca fueron completamente claras, esta relación comercial terminó por agriarse. En otros casos, primordialmente en áreas infestadas de guerrilla como el Magdalena Medio y en las planicies costeras del noroccidente, los motivos que provocaron las confrontaciones fueron mucho más precisos. Las personas que se habían enriquecido con el narcotráfico empezaron a comprar grandes propiedades que sus antiguos dueños, cansados ya de la extorsión de la guerrilla, estaban ansiosos por vender. Los nuevos compradores, sin embargo, se mostraban reacios a tolerar exigencias relacionadas con «impuestos revolucionarios»; por otra parte, ya contaban con armas modernas y organizaciones para resistir a la guerrilla. Los nuevos propietarios empezaron a trabajar con finqueros y ganaderos legítimos, así como con la policía regional y el Ejército, para crear fuerzas de autodefensa rurales. En poco tiempo, grandes extensiones de tierra volvieron a ser seguras para el pastoreo y la agricultura; pero también se hacían cada vez más peligrosas para cualquier persona sobre la que recayera la mínima sospecha de simpatía, colaboración o pertenencia a la guerrilla. Un caso notorio fue el de Fidel Castaño («Rambo»), quien había adquirido propiedades rurales con dineros provenientes del tráfico de drogas; Rambo declaró la guerra a muerte a los guerrilleros poco después de que su padre fuera secuestrado y posteriormente asesinado por ellos en una zona rural del noreste de Antioquia. El hijo —quien, así como Rodríguez Gacha sentía fascinación por lo mexicano, se sentía atraído por el Rambo de las películas norteamericanas— emprendió una violenta cruzada anticomunista en la cual sus hombres masacraron a grupos enteros de campesinos que les parecían sospechosos, generalmente después de torturarlos con la esperanza de obtener información sobre la odiada guerrilla[9].

La *vendetta* contra la izquierda, emprendida por los narcotraficantes ahora convertidos en hacendados, cobró numerosas vidas en las filas de la UP. La agrupación había sido fundada con el fin de experimentar en el campo de la competencia política legal, pero para los irreductibles opositores de la izquierda, los miembros de la UP estaban todavía comprometidos en el derrocamiento del régimen por medios violentos y habían creado el partido para debilitar el sistema desde adentro, estrategia mediante la cual los miembros de la UP elegidos para cargos públicos estarían trabajando por los intereses de quienes todavía estaban levantados en armas. En un período de cinco años, más de mil militantes de la Unión Patriótica fueron asesinados, entre ellos Jaime Pardo, candidato presidencial en 1986, y Bernardo Jaramillo, nominado para las elecciones de 1990 y ultimado antes de los comicios. Numerosos candidatos de la UP a alcaldías y concejos municipales fueron eliminados violentamente, lo cual contribuyó sin duda a los pobres resultados que alcanzó este partido en las primeras elecciones populares de alcaldes.

Otro candidato presidencial asesinado en 1990 fue Carlos Pizarro, ex comandante de la guerrilla del M-19. Como el movimiento había entregado las armas en el marco de un acuerdo de paz con el gobierno de Virgilio Barco, con lo cual demostró que realmente abandonaba la acción violenta (algo que nunca hicieron las FARC), los miembros del M-19 eran menos vulnerables a la acusación de estar comprometidos en un doble juego. Sin embargo, Pizarro cayó en medio del fuego cruzado de una batalla que libraban narcotraficantes, terroristas de derecha e izquierda y las instituciones políticas de la nación. Mientras que la UP no presentó un nuevo candidato a las elecciones, el M-19 sí lo hizo, en cabeza de otro ex jefe guerrillero, Antonio Navarro Wolff, quien tomó el estandarte de Pizarro y, en una campaña de unas pocas semanas, alcanzó el 13% de la votación. Más exactamente, superó al candidato oficial del conservatismo (Partido Social Conservador, como oficialmente se llamó entonces), aunque sólo en razón de que la figura más prominente entre los conservadores, Álvaro Gómez Hurtado, hijo del ex presidente Laureano Gómez y en dos ocasiones anteriores jefe del partido, rompió con su maquinaria y se presentó a las elecciones como independiente, bajo los auspicios del llamado Movimiento de Salvación Nacional. Aun así, la actuación de Navarro demostró el potencial que desde mucho tiempo atrás existía para el movimiento de izquierda que estuviera dispuesto a abandonar la violencia revolucionaria.

El ganador de la contienda electoral fue César Gaviria, ministro de Hacienda durante la administración Barco y de quien se pensaba que adoptaría la línea más dura contra la industria del narcotráfico. Dado el cansancio de la ciudadanía frente a esta lucha, es probable que lo anterior le quitara más votos de los que le concedió. Pero no todos los colombianos basaron sus preferencias exclusivamente en el asunto de las drogas. Es más: una vez posesionado, Gaviria dio a conocer un programa de negociaciones para manejar el problema de la droga que bien puede ser comparado con las aperturas de Betancur hacia la izquierda guerrillera, pero que produjo resultados más concretos. El nuevo Presidente propuso que todo narcotraficante que se entregara a la justicia y se declarara culpable de uno o más cargos, no sería extraditado a los Estados Unidos sino que permanecería en Colombia, donde las sentencias eran más ligeras y predecibles. Una tras otra, las principales figuras del cartel de Medellín se acogieron a la oferta del gobierno, y en junio de 1991 se les unió el propio Pablo Escobar. El jefe del cartel había decidido esperar a que la extradición de ciudadanos colombianos quedara explícitamente prohibida en la nueva Constitución. Con el más buscado criminal de Colombia tras las rejas, la «guerra de las drogas» parecía haber llegado a su término. Pero en realidad, la contienda no había terminado, pues un año más tarde Escobar y un grupo de sus colaboradores se escaparon de la suntuosa cárcel construida especialmente para ellos. La «guerra» se reanudó entonces, al tiempo que el gobierno organizaba nuevas operaciones de búsqueda y persecución contra Escobar, que en diciembre de 1993 culminaron exitosamente. El lugar donde se escondía el capo fue revelado por la interceptación de una llamada telefónica hecha a su esposa y su familia; Escobar fue entonces rastreado y hallado en un barrio de Medellín, donde fue abatido por las autoridades.

Los críticos de la solución planteada por Gaviria (incluidos el gobierno y la prensa de los Estados Unidos, así como los familiares y amigos de las víctimas colombianas de Pablo Escobar y sus seguidores) tuvieron la impresión de que el gobierno, en efecto, se había rendido a sus adversarios. Los había colocado en centros de detención equipados con comodidades que no estaban permitidas a los presos comunes y bajo extraordinarios dispositivos de seguridad, diseñados más para proteger a los reclusos que para prevenir una posible evasión. Ciertamente, la producción y exportación de cocaína no cesaron ni siquiera con la eliminación física de Escobar. En Medellín y en otros lugares, los laboratorios clandestinos continuaron operando y resultó cada vez más evidente que los traficantes colombianos comenzaban a incursionar también en el negocio de la heroína. No obstante, la violencia relacionada con los estupefacientes se redujo drásticamente y se limitó más que todo a conflictos entre los dueños de la industria; cesaron los asesinatos de funcionarios del gobierno y personas inocentes. Para el ciudadano promedio, esta consideración superaba ampliamente todas las demás. El negocio de la cocaína, suponían los colombianos, continuaría mientras existiera el consumo en los Estados Unidos. Entonces, ¿por qué razón tendrían ellos que hacerse matar para tratar de detenerlo? Pero, en realidad, el tráfico había experimentado también algunos cambios. En parte gracias a los esfuerzos y a la represión por parte del gobierno, la participación relativa de Colombia en la industria del narcotráfico se había reducido en favor de otros países latinoamericanos (en los que, desde luego, los ya expertos colombianos tenían participación importante). Dentro de Colombia, además, Cali había desplazado finalmente a Medellín, y por un amplio margen, como centro principal de las ventas de cocaína. En último análisis, así como la transformación del M-19 había demostrado que la competencia pacífica en la política era más efectiva que la confrontación armada, el hecho de que Cali hubiese eclipsado a Medellín ratificaba la misma lección en el caso del tráfico de narcóticos.

El ritmo de crecimiento económico

La violencia desencadenada por la nueva industria de la droga y por motivos políticos entrañó tanto la destrucción de riqueza y de propiedades, como una lamentable desviación de recursos para combatirla. De igual manera, la persistente ola de violencia que agitó a Colombia no contribuyó a la creación de un clima de confianza propicio para la inversión interna y externa. Sin embargo, de la misma manera como ocurriera durante la *Violencia*, el comportamiento general de la economía fue notablemente superior al del sistema político. Aunque la tasa de crecimiento económico no resultó espectacular, Colombia fue el único país latinoamericano que no padeció tasas negativas en ningún momento de los años 80, período nefasto para la economía latinoamericana en general. Y si bien la nación no podía escapar a los efectos de la inflación y los problemas de la deuda que agobiaban a sus vecinos, su situación era algo diferente debido a que los mismos problemas la afectaban en menor medida.

En 1978 Colombia logró su registro máximo en la tasa de aumento anual del producto interno bruto: 8.8% (ver cuadro). Esta cifra reflejaba sobre todo la naturaleza lucrativa del mercado mundial del café durante el último lustro de los años 70, cuando los precios alcanzaron nuevas alturas. La bonanza cafetera distribuyó sus beneficios más ampliamente y con menos efectos secundarios negativos que la subsecuente bonanza de la cocaína. La cafetera se podría comparar hasta cierto punto con las simultáneas bonanzas petroleras de México y Venezuela (justo antes de la caída de los precios del crudo). En el año cimero, 1978, el producto interno bruto de Colombia creció el doble que el promedio latinoamericano. Al año siguiente cayó por debajo del mismo promedio, pero en 1983, por ejemplo, su mediocre aumento del 1.9% contrastaba violentamente con el descenso del 2.5% registrado en el resto de América Latina. En 1982 y 1983 Colombia también mostró índices de crecimiento negativos en términos *per cápita*, pero las cifras para la totalidad de la región fueron aún más pobres.

Desde luego, hubo diferencias en el comportamiento de los sectores, aunque los cambios en la participación relativa de los más importantes fueron graduales. La agricultura y la industria manufacturera contribuían cada una con una quinta a una cuarta parte de la producción total nacional de bienes y servicios, por encima de las demás actividades. En el sector agrícola, el café mantuvo su primacía, incluso luego de que se diluyera la bonanza de finales de la década de los 70. Más aún, la industria del café se modernizaba permanentemente, a medida que la Federación Nacional de Cafeteros promovía el uso de técnicas avanzadas para los cultivos y nuevas variedades de café, en especial el llamado *caturra*, de mayor rendimiento y que se prestaba para plantaciones más intensivas. La creciente «tecnificación» de los cafetales estuvo acompañada de un aumento en la participación en la producción total proveniente de grandes haciendas que empleaban mano de obra asalariada, en oposición a la tradicional y típica familia cafetera de Juan Valdez. Aun así, esta última forma de producción no resultó excluida del escenario y las extensiones de tierra que en la zona cafetera eran consideradas grandes haciendas no lo serían necesariamente en áreas dedicadas a la producción comercial de arroz, algodón o caña de azúcar.

Independientemente del tamaño de sus propiedades, los caficultores eran vulnerables a las fluctuaciones del mercado mundial, pero los efectos de éstas eran mitigados hasta cierto punto por un sistema de apoyo a los precios y por la política oficial que consistía en consignar en un fondo parte de las ganancias de los buenos años para ayudar a los cafeteros en los años «flacos». Cuando en 1989 se desmoronó repentinamente el Pacto Internacional del Café (tanto por desacuerdos entre las naciones productoras como por la falta de interés de los Estados Unidos en la reglamentación de cuotas en el mercado), sobrevino una calamitosa caída de los precios. Sin embargo, los cultivadores colombianos lograron, al menos por cierto tiempo, continuar recibiendo pagos por su café, que excedían el precio internacional del producto.

Con excepción de la industria cafetera en los años de precios internacionales favorables, el conjunto del sector agrícola ostentó un desempeño más bien flojo. La violencia guerrillera continuaba desanimando a los inversionistas en algunas regiones, aunque sin causar efectos de consideración ni en las zonas cafeteras ni en los minifundios campesinos tradicionales. La manufactura, entre tanto, no había resultado afectada tan directamente por el problema de la violencia, pero enfrentaba otros. Su comportamiento fue incluso más pobre, y durante los últimos años 70 y los inicios de los 80 se redujo su participación en el PIB.

Los empresarios fabriles continuaban gozando, al menos de acuerdo con la ley escrita, de un alto nivel de protección arancelaria, complementado por un sistema de licencias de importación que desanimaba aún más el ingreso de productos industriales que compitieran con los nacionales. No obstante, en el curso de la década de 1970 el grado de protección había disminuido, como parte de las políticas gubernamentales. En vista de que ya se habían agotado los logros en la sustitución de importaciones y de que la excesiva protección no estimulaba la eficiencia industrial,

Colombia adoptó un enfoque ligeramente más liberal para su manejo de las licencias de importación, a tiempo que redujo los aranceles. Esta medida estaba lejos de constituir una «apertura» radical de la economía a los mercados mundiales, como sí lo fue la que Augusto Pinochet aplicó en Chile a raíz del golpe de Estado de 1973; pero en conjunción con el flujo de dólares producto del aumento de los precios del café (mientras duró la bonanza) y de las ventas cada vez mayores de narcóticos —que contribuyeron, como ya se vio, a fortalecer el valor cambiario del peso—, la disposición creó serias dificultades para los industriales nacionales.

Por varias razones, entonces, el crecimiento del sector industrial se retardaba en relación con la economía en general. En efecto, durante los primeros años de la década de 1980, cuando la economía mundial entró en un período de recesión, el sector manufacturero colombiano se contrajo. Entre 1979 y 1983, por primera vez en cincuenta años, el número de empleos industriales decayó notablemente, de 517.000 a 472.000, o sea, aproximadamente en un 6%[10]. Con toda certeza, el descenso se produjo básicamente en el sector manufacturero «formal», compuesto por firmas cuyas operaciones se incluían en las estadísticas gubernamentales y cuyos empleados recibían, en su mayoría, los beneficios suplementarios previstos por la ley. A medida que tales empresas recortaban sus actividades, el sector «informal» —conformado por pequeños negocios no registrados y por personas que trabajan a destajo en el hogar—, se expandía de manera correspondiente. A menudo las grandes empresas recortaban costos al subcontratar partes del proceso de producción con trabajadores independientes (en su mayoría mujeres), quienes no recibían prestaciones sociales y laboraban durante largas jornadas por sueldos iguales o inferiores al salario mínimo, que entonces se acercaba a tres dólares diarios.

La recesión industrial comenzó a ceder en 1984, cuando la administración Betancur ajustó la tasa de cambio con el fin de corregir la sobrevaluación del peso y de nuevo dio énfasis al proteccionismo. Sin embargo, la industria colombiana continuó operando bajo severas restricciones, la más seria de las cuales era un mercado interno limitado por los bajos niveles de ingreso personal que prevalecían en la mayoría de la población. El problema se agravó por la inclinación de algunos industriales a mantener altos márgenes de ganancia sobre un bajo volumen de ventas, en lugar de rebajar los precios para llegar a un mayor número de consumidores. Algunos fabricantes, así como ciertos asesores económicos del gobierno, propusieron en varias instancias soslayar las deficiencias del mercado interno mediante la adopción de una estrategia de exportación industrial; algunos esfuerzos en esta dirección tuvieron éxito. Los fabricantes de prendas de vestir, por ejemplo, incursionaron en los mercados de los Estados Unidos con varias líneas del producto, incluida ropa confeccionada en Colombia a partir de piezas cortadas en Miami[11]. Sorpresivamente, Colombia surgió como líder latinoamericano en la exportación de libros, aunque el énfasis estuvo en la producción masiva de textos y publicaciones especializadas y no en la edición de obras literarias colombianas o latinoamericanas. Un éxito notable, por parte de la firma impresora y editora Carvajal, con sede en la ciudad de Cali, fue la exportación de libros infantiles animados (o *pop-up*), en cualquier idioma y para el mercado mundial, encuadernados manualmente por trabajadoras de admirable habilidad manual; en este renglón Colombia alcanzó liderazgo mundial.

Como ocurrió con las exportaciones de vestuario, las ventas internacionales de libros animados fueron posibles, en parte, por los costos salariales relativamente bajos, aunque la mano de obra barata no bastaba, evidentemente, para que Colombia se convirtiera en gran exportador industrial. Carvajal era además una de las empresas más avanzadas en términos tecnológicos; y en última instancia era necesario mejorar los niveles de productividad incluso para abastecer los mercados nacionales sin recargar indebidamente a los consumidores. Por esto, hacia finales del decenio de 1980, en Colombia, como en la mayoría de las naciones latinoamericanas, se hablaba más que nunca de «abrir» la economía al mercado mundial como el mejor método para obligar a los industriales a aumentar la eficiencia, en tanto que aquéllos que no se pudieran adaptar tendrían que ser eliminados. En principio, esta política fue adoptada durante la administración Barco, a tiempo que se luchaba contra los carteles de la droga. La aplicación de la política quedó en manos del sucesor de Barco, César Gaviria, quien estaba todavía más comprometido con la iniciativa. Gaviria comenzó lentamente, pero pronto aceleró los pasos de la reforma, de manera que al final de su administración los aranceles se acercaban al 10% y otras barreras diferentes a las arancelarias se habían eliminado; nuevas medidas levantaban las restricciones al capital extranjero. Inevitablemente, muchos productores domésticos, tanto del sector agrícola como del manufacturero, se vieron afectados. La fortaleza de la moneda colombiana continuó siendo un obstáculo para los exportadores. No obstante, los resultados iniciales de la «apertura» fueron generalmente positivos. El nivel de empleo se mantuvo, sustentado especialmente en el comercio y la construcción, y la totalidad de la economía continuó creciendo.

En años recientes, el petrolero resultó ser otro de los sectores prósperos. Aunque anteriormente ya había ocupado el segundo lugar en las exportaciones colombianas, la producción no había logrado mantenerse al ritmo del crecimiento de la demanda nacional, por lo cual hacia 1976 el país se convirtió en importador de crudo. Sin embargo, casi simultáneamente, el gobierno adoptó una agresiva política de exploración y ofreció términos de contratación más atractivos para las compañías multinacionales que firmaran contratos «de asociación» con Ecopetrol. Los resultados excedieron las expectativas, principalmente por los descubrimientos de grandes pozos en los Llanos Orientales. En el curso de unos cuantos años, Colombia no sólo había dejado de ser importadora neta de petróleo sino que, además, estaba nuevamente exportando el producto. El precio mundial del crudo estuvo deprimido durante este período, pero las divisas que se generaban (más de 700 millones de dólares en 1988)[12], para no mencionar la participación en las ganancias de Ecopetrol, que fueron a cubrir otros gastos del gobierno, constituyeron un factor poco conocido pero muy significativo para que el país lograra sobrellevar los problemas económicos que afectaban a toda América Latina. Los prospectos para la industria petrolera eran suficientemente favorables para que las firmas multinacionales continuaran sus actividades en Colombia, así los actos de sabotaje del ELN se dirigiesen contra ellas.

El desarrollo petrolero fue sólo una de las razones —aunque se la considera la más importante— por las cuales el sector minero de la economía se expandió de un escaso 1% del PIB en 1975 a un 3.88% en 1988[13]. También se inició la explotación de depósitos de gas natural en aguas del Caribe y grandes empresas de participación estatal colombiana y privada extranjera emprendieron proyectos importantes con carbón y níquel. La minería del carbón no constituía ninguna novedad en Colombia, pues los Muiscas lo habían utilizado como combustible, pero los numerosos depósitos esparcidos por la zona montañosa del interior del país habían sido tradicionalmente explotados por pequeñas empresas, generalmente con métodos artesanales. Los más grandes yacimientos eran, definitivamente, los del Cerrejón, en la península de la Guajira. Gracias a ellos Colombia contaba tal vez con las mayores reservas carboníferas de América Latina. Sin embargo, estaban localizadas lejos de centros urbanos e industriales y a mediados de los años 70 todavía no se habían explotado. Entonces, en colaboración con la Exxon y otras firmas internacionales, el gobierno emprendió la creación de una enorme operación de mina abierta para la extracción de carbón de alta calidad (es decir, bajo en sulfuros), que sería exportado desde un puerto construido exclusivamente para ese fin. El proyecto fue inaugurado oficialmente en 1985 y el carbón cobró rápidamente importancia como producto de exportación, aunque en una época en la que los precios eran bajos, en parte a causa de la depresión del mercado petrolero. Los ingresos cubrieron ampliamente los costos de operación, pero Colombia soportaba una pesada carga de intereses sobre fondos que el gobierno había solicitado en calidad de préstamo para financiar su participación en el proyecto; esta obligación provocó dudas sobre las utilidades a largo plazo del complejo del Cerrejón en caso de que los precios internacionales no mejoraran.

Finalmente, la explotación del níquel era nueva para la economía colombiana y se hizo posible gracias al desarrollo de una extensa operación de explotación a cielo abierto en el departamento de Córdoba. Fue también una empresa de colaboración entre el gobierno colombiano y un consorcio internacional. Entró en funcionamiento en 1982 y, aunque tuvo que enfrentar fluctuaciones en las condiciones del mercado mundial, el níquel llegó a ser una de las más importantes «exportaciones menores» colombianas.

Desde luego, es más fácil señalar el desarrollo de nuevas exportaciones y los cambios en el volumen y la composición del producto interno bruto que precisar quién se estaba beneficiando de estos progresos. Las ganancias de las compañías petroleras eran inmensas, como las de los carteles de la droga. Los niveles de beneficio en otros campos no eran despreciables, tanto para las empresas foráneas como para las domésticas. Si el país recibió poca inversión extranjera en campos diferentes al de la minería, ello obedeció más que todo a la sensación de inseguridad física y no a factores estrictamente económicos. Sin embargo, la gran mayoría de los colombianos no vivía de las ganancias de sus inversiones sino de salarios y jornales o del rendimiento de microempresas urbanas o rurales. Al respecto, los estimativos sobre las tendencias de los ingresos reales en diferentes segmentos de la población, un ejercicio azaroso en cualquier parte, se vuelven especialmente complicados en países latinoamericanos como Colombia, donde existen serios vacíos de cubrimiento estadístico. Es cierto que en los últimos años de la década del 70 mejoró la situación relativa de la población rural, principalmente gracias a la bonanza cafetera. Por otra parte, los primeros años 80, cuando las tasas de desempleo en las principales ciudades alcanzaron el 15%, fueron sin duda una etapa difícil para los trabajadores urbanos. En términos generales, se mantuvo vigente una distribución de ingresos muy desigual, tanto en las áreas rurales como en las urbanas, y si hubo alguna mejoría en este sentido (lo cual parece indudable)[14], no fue espectacular. Pero, por lo menos, los colombianos se evitaron las repentinas caídas de los ingresos reales que padecieron los habitantes de otros países de América Latina. Si bien la distribución del ingreso no se había tornado más equitativa, el total a distribuir aumentaba año tras año.

Un factor que influyó negativamente en el aumento del ingreso real o en la distribución del ingreso nacional fue la tasa de inflación, que llegó a promediar alrededor del 25% anual. A pesar de explosiones inflacionarias ocasionales ocurridas en años anteriores, la inflación no había sido un asunto crítico para la economía colombiana hasta mediados de la década de 1970; pero cuando empezó a desarrollarse, parecía imposible erradicarlo. La inflación no resultó simplemente de la falta de control del gasto público, aunque los déficit fiscales cargaron con parte de la responsabilidad. La principal razón «estructural» de la inflación en Colombia era la incapacidad de la producción nacional para satisfacer una demanda de consumo creciente y estimulada por el aumento de las exportaciones, legales e ilegales. Los sueldos y salarios se ajustaban de acuerdo con el costo de la vida, pero generalmente con cierto retraso, lo cual colocaba a los asalariados en desventaja en relación con aquellas personas cuyos ingresos provenían de bienes de capital o de la especulación financiera. Al menos, el país no sufrió la hiperinflación que azotaba periódicamente a Argentina, el Brasil y otras naciones latinoamericanas.

De igual modo, Colombia sobresalió en América Latina por su relativo éxito en el manejo de la deuda externa (que incluía préstamos privados respaldados por el gobierno). Ésta creció de 3.500 millones de dólares en 1974 a casi 7.000 millones en 1980, y para 1987 había llegado a más del doble (16.000 millones). A mediados de los años 80 sus intereses equivalían aproximadamente a una quinta parte del total de las exportaciones legales, lo cual constituía una carga obvia para la economía colombiana[15]. En comparación con sus vecinos, sin embargo, la situación del país era buena. Fue el único que pudo mantener los pagos del servicio de la deuda, sin moratorias, sin omitir pagos y sin restructuraciones especiales. Venezuela y el Perú, países con población equivalente a dos tercios de la colombiana, tenían deudas aún mayores (la venezolana era más del doble). Venezuela contaba con un producto interno bruto que duplicaba el colombiano, pero el Perú, que en los años 70 tenía un producto *per cápita* superior al colombiano, fue superado por Colombia en los 80. La ventaja relativa del país en cuanto al endeudamiento consistía, además, en el hecho de que una porción inusualmente alta del total de la deuda estaba compuesta por financiación a largo plazo proveniente de agencias internacionales más que de bancos comerciales. Y a pesar de que parte de los créditos se utilizaron de manera poco prudente, ciertas inversiones cuestionables desde el punto de vista económico dieron resultados tangibles en el sector productivo y la infraestructura. Dos casos significativos son el del Cerrejón (justificado inicialmente con base en la suposición de que los precios del carbón serían más favorables de lo que fueron en realidad) y una serie de gigantescas plantas hidroeléctricas que costaron demasiado y cuya construcción se vio retrasada en repetidas ocasiones (lo cual estimuló, además, el descuido de otras plantas generadoras, más antiguas). Pero, gradualmente, aquéllas fueron terminadas.

En conclusión, no es arriesgado afirmar que las sucesivas administraciones colombianas dirigieron la política económica con relativa moderación y habilidad técnica. Sería más arriesgado concluir que lo hicieron porque los colombianos son más inteligentes que otros latinoamericanos, dado el conspicuo fracaso colombiano en la solución de los problemas de orden público. Sin embargo, la naturaleza misma del sistema político, con todas sus deficiencias, ejerció una clara influencia en el manejo económico. Precisamente porque el sistema está formado por dos partidos centristas establecidos desde hace tanto tiempo, la política económica fue consistente a lo largo de los años, sin ninguno de los cambios radicales que enfrentaron otros países. En efecto, muy pocas veces se puede hacer algo en Colombia sin dilatadas consultas con las facciones de los partidos y con los grupos del sector privado, generalmente cercanos al estamento político. Este modelo implicó necesariamente un engorroso proceso de toma de decisiones, pero ayudó a prevenir graves errores. Se ha llegado a sugerir que el país no se hundió en el endeudamiento porque los colombianos tardaron tanto en diseñar los proyectos relacionados con la deuda, que cuando hubieran podido hacer algo insensato, los prestamistas internacionales ya se habían vuelto más cautos.

Un factor que debe considerarse es la debilidad del populismo en la vida política colombiana. Pensar hasta qué punto habrían sido diferentes las cosas si Jorge Eliécer Gaitán hubiese vivido más tiempo, o si Rojas Pinilla hubiese ganado las elecciones de 1970 es mera especulación, pero tal vez se puede suponer que un régimen «populista» en Colombia (como en cualquier lugar) habría buscado recompensar a sus seguidores con grandes aumentos salariales y aumentado en gran medida el gasto social del Estado. Tal política habría producido beneficios inmediatos, aunque a riesgo de desencadenar presiones inflacionarias que finalmente los eliminarían. Por el contrario, en Colombia, todos los gobiernos han refrenado los reajustes salariales por temor a sus efectos inflacionarios y han sido un poco tacaños con el gasto social, incluso en los casos en que las mejoras sociales habrían incrementado la productividad económica a largo plazo. La administración Barco, por ejemplo, proclamó como una de sus metas fundamentales la erradicación de la «pobreza absoluta», pero en la práctica redujo la proporción del gasto gubernamental en programas sociales.

Como resultado de tal negligencia, ha habido notorios vacíos en algunos rubros del bienestar social, entre ellos el de la salud. La expectativa de vida se elevó a un respetable indicador de 69 años, pero la tasa de mortalidad infantil era todavía el doble de la de Costa Rica. Actualmente, alrededor del 80% de los hogares colombianos tiene servicio de electricidad, pero menos de dos tercios cuentan con agua potable. Y en la educación, campo en el cual el acceso a la escuela primaria ha llegado a ser casi universal, en el nivel de secundaria se mantiene un penoso contraste entre las áreas rural y urbana: solamente el 7% de la población rural llega a ese nivel[16]. Por estas razones, la moneda se mantiene estable y la economía sigue creciendo, pero no ha sido fácil convencer a los más pobres de que están recibiendo una participación justa. Las mismas virtudes del sistema colombiano, a través de las cuales ha promovido una administración económica seria, ayudaron a crear un ambiente de descontento latente que, si bien nunca llegó a amenazar la estabilidad básica del régimen, socavó su legitimidad.

Notas

1. «Indicadores sociales», *Coyuntura social,* No. 1, diciembre de 1989, p. 51.

2. Ver, por ejemplo, Gonzalo Sánchez, «La violencia in Colombia: New Research, New Questions», *Hispanic American Historical Review,* vol. 65, No. 4, noviembre de 1985, p. 789. Sánchez describe a Colombia como «un país de *permanente y endémico conflicto armado*».

3. Luego de la toma del Palacio, se inició una controversia sobre si el Ejército había tomado prisioneros al recuperar el Palacio; el Ejército negó la acusación, pero otros sostienen haber presenciado los hechos. Lo que es seguro es que ninguno de los atacantes sobrevivió. Hay mucha literatura al respecto, a menudo polémica, pero los sucesos principales están presentados con claridad en el reportaje de la revista *Semana* «28 horas de terror», noviembre 18 de 1985, pp. 26-41.

4. Jorge P. Osterling, *Democracy in Colombia: Clientelist Politics and Guerrilla Warfare,* New Brunswick, New Jersey, 1989, en especial p. 266.

5. Citado por Malcolm Deas en «Homicide in Colombia», *London Review of Books,* vol. 12, No. 6, marzo 22 de 1990, p. 6.

6. Jonathan Hartlyn, *The Politics of Coalition Rule in Colombia,* Cambridge, Inglaterra, 1988, pp. 226-227; Pilar Gaitán, «Primera elección popular de alcaldes: expectativas y frustraciones», *Análisis Político,* No. 4, mayo-agosto de 1988, pp. 63-83.

7. Ver *La cuestión de las drogas: una problemática, tres perspectivas,* Serie Documentos Ocasionales, No. 3, Universidad de los Andes, Bogotá, 1988, en especial p. 32.

8. «The World's Billionaires», *Forbes,* octubre 5 de 1987, p. 153.

9. «Rambo», *Semana,* abril 24 de 1990, pp. 26-32.

10. José Antonio Ocampo, ed., *Historia económica de Colombia,* Bogotá, 1987, p. 278.

11. Kathleen Ann Gladden, «Hanging by a Thread: Industrial Restructuring and Social Reproduction in a Colombian City», Tesis doctoral, University of Florida, 1991, especialmente capítulos 3 y 4.

12. «Petroleum Discoveries in Colombia», *Colombia Today,* vol. 24, No. 3, 1989.

13. *Colombia Today,* vol. 12, No. 2, 1977, y vol. 24, No. 5, 1989.

14. Juan Luis Londoño de la C., «Distribución nacional del ingreso en 1988: una mirada en perspectiva», *Coyuntura social,* No. 1, diciembre de 1989, pp. 103-111.

15. José Antonio Ocampo y Eduardo Lora, *Colombia y la deuda externa: de la moratoria de los treinta a la encrucijada de los ochenta,* Bogotá, 1989, en especial pp. 13 y 68; «Had Kuznets visited Colombia», en *The Colombian Economy: Issues of Trade and Development,* Boulder, Colorado, 1992, pp. 47-92.

16. John W. Sloan, «The Policy Capabilities of Democratic Regimes in Latin America», *Latin American Research Review,* vol. 24, No. 2, 1989, p. 120 (cuadro); «La nueva Colombia», *Semana,* 27 de septiembre de 1988, pp. 27-28; «Indicadores sociales», *Coyuntura social,* No. 1, diciembre de 1989, pp. 31-32.

17. «Colombian Census of 1985», *Colombia Today,* vol. 21, No. 8, 1986.

18. «Sólo para ellas», *Semana,* 24 de abril de 1990, p. 108.

19. *Latin American Art,* No. 1, primavera de 1989.

Capítulo 12

La etapa más reciente: Constitución, apertura, conflictos (1991-)

Durante el último decenio del siglo XX y primeros años del XXI, Colombia seguía siendo un país de paradojas y contradicciones y experimentó una serie de altibajos tanto en materia política como en el comportamiento de la economía nacional. A la euforia que acompañó la expedición de una nueva Carta constitucional en 1991, siguió la profunda crisis política desatada por la filtración de dineros del narcotráfico en el proceso electoral de 1994. Poco después, un intento al parecer prometedor de llegar a una paz negociada con la guerrilla terminó en frustraciones y recriminaciones —mas para dar lugar a un nuevo brote de optimismo inspirado en la política de «seguridad democrática» de Álvaro Uribe, el primer presidente en más de cien años favorecido con reelección inmediata. Mientras tanto, la economía sintió los efectos positivos de una mayor apertura al mercado mundial y de la disminución de trabas oficiales, para caer primero en la peor recesión desde los años 30 y luego una nueva recuperación, entendiéndose por supuesto que la apertura tuvo también sus efectos negativos y que la recuperación dejaba muchos problemas sin resolver.

Quizás con mayor notoriedad que antes, el contorno internacional pesaba sobre el desarrollo interno. La obsesión norteamericana con la «guerra contra las drogas» no disminuía y propiciaba una injerencia en asuntos colombianos aún más sistemática que la que ya se había vuelto normal por el tejido tan denso de relaciones económicas, sociales y culturales entre los dos países. Es más, llegó a complementarse con una obsesión con el «terrorismo» cuyos blancos primordiales, por lo menos a partir del ataque a las Torres Gemelas en Nueva York en septiembre de 2001, eran grupos extremistas del fundamentalismo musulmán pero que llegó a cobijar también la lucha contra guerrilleros y paramilitares en Colombia. Por otra parte, en el campo de las relaciones económicas las instituciones norteamericanas e internacionales buscaban imponer el llamado Consenso de Washington, consistente en medidas de mayor libertad para la empresa privada y mayor inserción en el mercado mundial (o sea «globalización», como ahora se daba en llamarla). Sin embargo, el marco institucional de la respuesta colombiana a todos estos desafíos y presiones iba a ser la Constitución de 1991, cuya promulgación fue el desenlace de un movimiento autóctono.

El nuevo orden constitucional

Los miembros de la Asamblea Nacional Constituyente, autores de la nueva Carta, se escogieron en una elección especial en que la tasa de abstención alcanzó el 75%, lo que era atribuible quizás en parte a una falta de entusiasmo entre políticos de los partidos tradicionales. El Partido Liberal obtuvo no obstante el mayor número de delegados, pero divididos en facciones regionales y personalistas. Lo seguía en orden el partido Acción Democrática/M-19, conformado por ex miembros del M-19, cuya relativa unidad bajo el liderazgo de Antonio Navarro Wolff (que había sido su reciente candidato presidencial) lo convirtió en primera fuerza de la reunión. En tercer lugar estaba el llamado Movimiento de Salvación Nacional, que se decía independiente pero con aureola de derecha, ya que era liderado por Enrique Gómez Hurtado, hijo del máximo caudillo conservador del siglo XX, Laureano Gómez —a pesar de lo cual, llegó a un acuerdo informal de estrecha colaboración con los del M-19. Lo que quedaba del antiguo Partido Conservador fue uno más de la miscelánea de pequeños partidos y agrupaciones, incluso representantes del protestantismo evangélico y de unas pequeñas guerrillas recién desmovilizadas a las que el presidente César Gaviria otorgó voz sin voto, que formaban el resto de la asamblea. Nunca se había visto en Colombia un cuerpo deliberante de composición tan heterogénea. Tampoco faltaron unas figuras de renombre intelectual, como el sociólogo Orlando Fals Borda, elegido por cuenta de AD/M-19.

Los constituyentes de 1991 no se contentaron con modificar la Carta anterior sino que expidieron una totalmente novedosa. Las innovaciones en materia de organización política y electoral fueron las que más llamaron la atención, aun cuando no todas iban a tener el efecto deseado. El sistema político seguía siendo fuertemente presidencialista, pero el ejecutivo nacional ya no tenía la facultad de nombrar a los gobernadores departamentales, que serían de elección popular. Desde una perspectiva histórica fue de veras impactante esta reimplantación de la elección de gobernadores, aun cuando la nueva Constitución no fuese realmente federalista; en este aspecto se asemejaba no tanto a la ultrafederalista Carta de 1863 sino a la de 1853, en su versión original, según la cual los gobernadores provinciales elegidos popularmente servían todavía como agentes del ejecutivo nacional. Mas el gobierno central asumía también la perentoria obligación de hacer ciertas transferencias financieras («situados») a las autoridades regionales, tanto municipales como departamentales, lo que constituyó otro impulso a la descentralización y a la vez crearía serios problemas para el presupuesto nacional.

Uno de los cambios en lo electoral fue la institución de una segunda ronda para las elecciones presidenciales si ningún candidato obtenía mayoría absoluta en la primera vuelta. Otro fue una disposición para que la cámara alta del Congreso fuese elegida mediante representación proporcional a escala nacional, un sistema diseñado para disminuir la influencia de los caciques partidistas —cuya base de poder era esencialmente regional— y facilitar así la conquista de al menos una mínima representación por parte de nuevos movimientos sociales y políticos; con el mismo objetivo de hacer más representativo el Congreso, se autorizó la creación de cupos especiales para minorías étnicas en la Cámara de Representantes. Estas disposiciones en su conjunto contribuirían a una mayor fragmentación del escenario político, que benefició a movimientos nuevos pero no logró eliminar a los jefes regionales.

Los constituyentes aprobaron unas innovaciones tan o quizás más ambiciosas en política social y económica, de manera que la Constitución de 1991 resultó una combinación un poco contradictoria de garantías de nuevos servicios y beneficios con la devolución de funciones (y recursos) estatales a organismos de orden local o hasta no gubernamentales. Entre los muchos derechos consagrados, cuyo listado antecede en el texto a los artículos sobre organización del Estado, figuraron no sólo el derecho fundamental a la vida sino el «derecho a un trabajo en condiciones dignas y justas», y hasta unos derechos particulares de los niños y adolescentes. Los constituyentes adoptaron también el derecho a no ser extraditado, satisfaciendo así la demanda de los acusados de narcotráfico de no ser extraditados a Estados Unidos (a cambio de lo cual supuestamente iban a comportarse mejor). Y en materia religiosa, completaron el proceso de abrogación de la condición de la Iglesia Católica como oficial del Estado, garantizando la plena igualdad de todas las denominaciones.

Un aspecto final de la nueva Carta que merece destacarse, aunque en un principio muchos no se dieron cabal cuenta de su importancia, es la serie de innovaciones en el orden jurídico. Una de éstas fue la creación de la Fiscalía General de la Nación, con vistas a reemplazar el tradicional sistema inquisitivo por el acusatorio, lo que conllevaría supuestamente un mayor uso de procedimientos verbales en vez de interminables papeleos y por ende una justicia más ágil; pero la implementación de este cambio fue una cosa complicada y se demoraron los efectos deseados. De impacto más rápido y sin duda aún más relevante fue la introducción de la «acción de tutela» para la protección de ciudadanos contra los abusos cometidos por autoridades públicas y también, en ciertas circunstancias, por actores particulares. De acuerdo con la nueva Constitución, el mecanismo de la tutela sería de fácil acceso para todos y los juicios sumarios, una vez entablados, deberían terminarse dentro de un plazo de diez días. Bien pronto se multiplicaban las denuncias, tanto por arbitrariedades oficiales comunes y corrientes como por quejas y agravios, individuales y colectivos, de toda clase. Los juicios tuvieron que ver con deficiencias del servicio de buses, el reglamento interno de colegios, integridad de los resguardos indígenas —y protección de sus costumbres tradicionales aun en casos de conflicto con normas de aplicación general— y así por el estilo. Las decisiones no siempre favorecían a los demandantes, pero en su conjunto significaron una ampliación interpretativa de los derechos ya consagrados en la Carta. Es más, mediante el uso de la tutela grupos sociales antes marginados (como los mismos indígenas) llamaron la atención de los medios y de los poderes públicos sobre sus problemas concretos y sus aspiraciones, y aunque no necesariamente lograron la satisfacción de sus anhelos, ya no podían ignorarse éstos con la facilidad de antes. Unas cuestiones que por espinosas no habían querido tocar ni ejecutivo ni legisladores, como la posible legalización del aborto y los derechos de homosexuales, emergieron de la oscuridad para ser temas de discusión y debate gracias, en gran parte, a las acciones de tutela de sus partidarios.

Huelga decir que el mecanismo de la tutela suscitó variadas críticas. A veces parecían frívolas las demandas y arbitrarias algunas decisiones (como las que mandaron pagar pensiones irregulares más costos e intereses a solicitantes que no habían satisfecho las condiciones legales). Aun cuando una decisión implicaba importantes gastos por parte del gobierno, la Corte Constitucional no creía necesario tener en cuenta la posible disponibilidad de fondos en el fisco nacional. Y la tutela, indudablemente, causó mayor congestión de causas y procedimientos en un poder judicial desde hace muchos años abrumado de tareas. Así y todo, contribuyó a incrementar la participación activa y consciente de la ciudadanía en distintos aspectos de la vida nacional, que había sido objetivo fundamental de la reforma de 1991.

El mecanismo de la tutela llegó a tener una relación estrecha con otra de las innovaciones jurídicas de la Carta, o sea la creación de la Corte Constitucional como tribunal de última instancia en todo lo que tuviera que ver con la constitucionalidad de actos legislativos, acciones administrativas y hasta de particulares. Colombia se unió así al grupo reducido de países (Costa Rica es quizás el otro ejemplo latinoamericano más importante) en que existe una Corte especial o sala específica de la Corte Suprema para tratar cuestiones de este tipo. En el caso colombiano, ya existía una tradición de independencia judicial incluso para derogar leyes del Congreso y actos ejecutivos reñidos con la letra de la Constitución, pero el establecer un órgano cuya única razón de ser es velar por la observancia estricta de la Carta subrayó evidentemente la importancia de esta función jurídica. No es nada sorprendente, por lo tanto, que los casos de anulación de esto o aquello por inconstitucional hayan resultado más numerosos después de creada la nueva Corte. Se trataba muchas veces de confirmar los veredictos de cortes inferiores en casos de tutela, de modo que la jurisprudencia de la Corte Constitucional avalaba el uso que de ella se venía haciendo. Por otra parte, sus decisiones con frecuencia aparecían en primera plana de los diarios, por ejemplo al derogar en 1994 la mayor parte del concordato existente con la Santa Sede o en 2005 al dar su visto bueno cuando el gobierno nacional presentó su proyecto controvertido de permitir de nuevo la reelección inmediata. Como bien lo demuestra esta última decisión, la Corte no se dedicaba sencillamente a estorbar los planes del alto gobierno, pero su independencia resultaba a veces incómoda, mientras que otros órganos judiciales —en especial la Corte Suprema, ya desprovista de su papel en materias de constitucionalidad— se metían en unas querellas jurisdiccionales con ella.

A mediados de los años 90 acaparó los titulares otra cuestión político-jurídica, que fue un resultado imprevisto de la primera elección presidencial realizada al amparo de la nueva Carta. Los candidatos principales fueron Ernesto Samper por el Partido Liberal y Andrés Pastrana por una llamada Nueva Fuerza Democrática, cuyos integrantes en su gran mayoría provenían del Partido Conservador; es más, el mismo candidato era hijo del último presidente conservador del Frente Nacional (pero se eludía el lema del Conservatismo, que ya no convenía electoralmente). También compitieron Antonio Navarro Wolff, otra vez por Acción Democrática/M-19, y algunos candidatos menores, de modo que nadie alcanzó una mayoría absoluta y tuvo que estrenarse el nuevo mecanismo de la segunda vuelta. Ganó Samper por un margen estrecho y Pastrana había ya reconocido su derrota cuando recibió información, en unos casetes que contenían conversaciones interceptadas, del masivo aporte de dineros de narcotraficantes a la campaña samperista. Los había recibido sobre todo de los hermanos Gilberto y Miguel Rodríguez Orejuela, líderes del cartel de Cali, grupo que había remplazado al de Medellín en la cúspide de la industria. Al parecer, agentes de la estadounidense Drug Enforcement Administration (DEA) tuvieron algo que ver con el descubrimiento de los hechos y con el informe a Pastrana, ni cabía una duda seria de que semejantes fondos efectivamente se habían recibido. Tampoco se dudaba de que la campaña de Pastrana hubiera recibido alguna ayuda financiera de narcotraficantes, aunque en menor escala. La cuestión candente vino a ser si el mismo Samper había tenido conocimiento de los hechos, lo que él llanamente negaba, sin que la opinión pública en general se diera por convencida: más bien hizo carrera en caricaturas y comentarios el chiste, acuñado por el mismísimo arzobispo de Bogotá, del elefante cuya presencia en la sala el ahora presidente de los colombianos decía ni siquiera haber notado.

El escándalo desembocó en una larga investigación judicial conocida como «Proceso 8.000» por un azar de nomenclatura (o de contabilidad) burocrática. El fiscal general de la nación, cuyo puesto y relativa independencia eran otra innovación de los constituyentes de 1991, montó la que Samper y los suyos consideraban una persecución arbitraria sin piedad, aun cuando él también pertenecía al Partido Liberal. Se hizo en el Congreso una acusación formal en contra del presidente, para quien un veredicto condenatorio habría significado la destitución. Pero una mayoría de los congresistas, fuera por una solidaridad de culpa compartida o porque realmente no había sido posible probar contundentemente la de Samper, rechazó la acusación. Unos colaboradores suyos —figuras menores del escándalo— resultaron condenados, pero el blanco principal de los cargos quedó libre.

Sin embargo, él no salió incólume y durante todo su mandato le tocó gobernar rodeado de sospechas e insultos. El gobierno estadounidense hasta canceló su visa para entrar al país, lo que no fue obstáculo para visitar la sede de las Naciones Unidas en Nueva York y tampoco afectó de manera fundamental las relaciones bilaterales con Estados Unidos, pero constituyó un ultraje bastante inusual —e impregnado de una indebida soberbia—, ya que mucha parte de los fondos calientes provenía precisamente de consumidores norteamericanos. En la misma Colombia, el cuestionamiento de la idoneidad de Samper para la primera magistratura se tradujo en una debilidad política y consiguiente falta de importantes éxitos administrativos. Buscando marcar alguna diferencia con el gobierno de César Gaviria, quien aparte de haber patrocinado la nueva Constitución se destacó (como se verá más adelante) por la promoción de una mayor apertura económica, Samper proclamó la intención de poner énfasis en la resolución de problemas sociales —bautizó como «Salto social» su programa de gobierno— pero los logros concretos fueron poco impresionantes. Es que no sólo se vio precisado el presidente a destinar recursos importantes a gastos que le ganaban apoyo político a corto plazo, pero muy poco contribuían al sostenido desarrollo social sino que se tornaba menos favorable la coyuntura general de la economía. Así las cosas, Ernesto Samper llegó al final de su período con una bajísima aceptación en las encuestas, y el candidato de su Partido Liberal, Horacio Serpa —al no haberse podido distanciarse lo suficiente del presidente saliente—, perdió la elección frente a una nueva candidatura de Andrés Pastrana, aunque a éste también le tocó ir a segunda vuelta para obtener su revancha. Así como el narcotráfico le ayudó a Samper a ganar la elección y después casi le destrozó la presidencia, las FARC le ayudaron a Pastrana a derrotar a Serpa para atraparlo luego en una política al parecer absurda y contraproducente. Sin endosarlo francamente, habían dado a entender que con él habría mayor posibilidad de llegar a la paz negociada que casi todo el mundo anhelaba. Mas cuando él aceptó entregar a manos de las FARC una zona de «despeje» de más de 40.000 kilómetros cuadrados como sitio de negociaciones, la guerrilla la utilizó como base para acciones subversivas y lugar de retención de secuestrados. Antes del fin de su período, él reaccionó y acabó como veremos con el «despeje», pero el daño a su prestigio ya era insuperable. Así las cosas, en las elecciones de 2002 ganó la presidencia Álvaro Uribe Vélez, quien prometió tanto una gestión de alto sentido moral, ajeno a la politiquería, como mano dura contra la insurgencia. Después de lograr la necesaria enmienda constitucional resultó elegido para un segundo período cuatro años después, nuevamente con una plataforma que le daba prioridad a la seguridad.

Los dos triunfos electorales de Uribe Vélez fueron notables también por el hecho de que por primera vez desde la promulgación de la nueva Carta él pudo ganar sin necesidad de ir a segunda vuelta. Y aunque era un político de antecedentes liberales, derrotó las dos veces al candidato del Partido Liberal, encabezando coaliciones improvisadas en que participaron tanto corrientes del liberalismo como el grueso del Partido Conservador y una miscelánea de independientes verdaderos. Uribe llegó así a la presidencia (y se quedó) básicamente a título personal, lo que ejemplificaba el deterioro y la fragmentación de los partidos tradicionales, que a veces se atribuían a tecnicismos electorales en la Constitución de 1991 pero en realidad se remontaban a la época del Frente Nacional, cuando obtuvieron un monopolio virtual a cambio de convertirse en meros repartidores de burocracia. Tanto el liberalismo como el conservatismo conservaban una mayor fuerza electoral en los ámbitos departamental y municipal, donde a diferencia de lo propuesto por los constituyentes no habían desaparecido los barones clientelistas. Pero en las grandes ciudades el llamado «voto de opinión», centrado en los estratos sociales altos y medios, rechazaba el partidismo de antaño y daba su apoyo a quienes parecían ofrecer eficiencia, honradez y soluciones reales a los problemas de la comunidad. Un caso obvio era el de Bogotá, donde una serie de alcaldes emprendedores en la década de los 90 —entre ellos el matemático ex rector de la Universidad Nacional, Antanas Mockus— hicieron de la ciudad un modelo internacional con sus mejoras de transporte, embellecimiento y ampliación de otros servicios.

Fuerzas políticas de izquierda registraron avances también a expensas de los partidos tradicionales. Un primer ejemplo fue el papel fundamental que desempeñó en la Asamblea Constituyente el partido Acción Democrática/M-19. El auge del grupo referido resultó en parte, sin embargo, de la abstención masiva de adherentes de los partidos tradicionales cuando se produjo la elección de delegados. Algunos de sus líderes participaron con éxito en elecciones posteriores, pero el AD/M-19 no logró consolidarse como un nuevo partido y ya en los comicios de 1994 casi desapareció. Su colapso parecía confirmar la debilidad congénita de la izquierda colombiana, debida en otra época al arraigo del liberalismo y el conservatismo entre todas las regiones y capas sociales, y en el período contemporáneo en gran parte al fenómeno guerrillero, que causaba una división de la izquierda nacional entre partidarios y enemigos de la violencia y a la vez alentaba un viraje hacia la derecha por parte del público en general. Mas a la larga la falta de un partido importante de izquierda tenía que superarse, habida cuenta del desprestigio de los demás partidos y la persistencia de graves problemas sociales. También hacía falta dejar atrás rencillas doctrinarias y personales dentro de la misma izquierda. Todo esto lo lograron finalmente quienes concibieron y organizaron el Polo

Democrático Alternativo (PDA), una amalgama de ex miembros de AD/M-19, antiguos comunistas y seguidores de toda una serie de corrientes izquierdistas. Aun antes de la conformación definitiva del nuevo partido, algunos de sus dirigentes habían ganado elecciones importantes a nivel local, incluso en 2003 la alcaldía de Bogotá, que vino a ocupar el sindicalista Luis Eduardo («Lucho») Garzón. Y en la elección presidencial de 2006, el abanderado del Polo obtuvo el segundo puesto, por encima del candidato oficial del liberalismo. Se reeligió fácilmente al presidente Uribe, pero el candidato del PDA, Carlos Gaviria, hasta le aventajó en dos departamentos, Nariño y Guajira. Era Gaviria un jurista ampliamente respetado, de larga trayectoria de izquierda pero que había rechazado siempre el recurso de la violencia, de manera que no se le podía tildar, como a los militantes de la Unión Patriótica en los años 80, de involucrado en un doble juego de la izquierda armada. Quedaba por verse si el Polo podría convertirse en miembro duradero del espectro de partidos colombianos, pero en adelante la izquierda legal tendría que tomarse más en serio que antes.

Apertura económica globalizante

Algo que favoreció el intento de reelección de Uribe fue un clima económico no de bonanza, pero sí mucho mejor que en el pasado reciente: durante 2006 la economía creció a una tasa de más de 6%, lo que no se había visto desde hacía largo tiempo. Tal crecimiento fue menor que el pronosticado por los más entusiastas promotores de la «apertura» económica, que había comenzado aun antes de la adopción de la nueva Constitución. Pero no era nada desdeñable, dado el enorme despilfarro de recursos que representaban los conflictos internos del país.

La llamada apertura consistió tanto en la eliminación de trabas al comercio exterior e inversión foránea, como en la liberación de la empresa privada colombiana de controles estatales excesivos y de la competencia de entidades gubernamentales. Claro está que no fue una cosa excepcional dentro de América Latina —o en gran parte del mundo— sino la expresión colombiana de una moda generalizada, que contaba con el firme apoyo de bancos e instituciones multilaterales y del gobierno norteamericano, y que se había dado en llamar el «neoliberalismo». Para el historiador, el fenómeno recordaba necesariamente el «paleoliberalismo» de los Gólgotas y aliados suyos de mediados del siglo XIX, y la diferencia más obvia era el hecho de que no venía envuelto en el mismo ropaje de anticlericalismo. Su implementación sistemática en la Colombia del siglo XX comenzó, como ya se dijo, durante el gobierno de Virgilio Barco. Sin embargo, el gobernante más estrechamente identificado con el programa aperturista fue César Gaviria, quien había llegado a la primera magistratura mediante una habilidosa coalición de partidarios reformistas del sacrificado Luis Carlos Galán y recios jefes políticos de la vieja guardia. Rodeado de jóvenes colaboradores —su «kínder», se decía—, él ostentaba una juvenil vitalidad, incluso con barniz de la cultura de rock, pero en el fondo era un tecnócrata en busca de la eficiencia, al estilo del mismo Barco o de Carlos Lleras Restrepo. Su sucesor inmediato, Ernesto Samper, estaba algo menos enamorado de las nuevas políticas económicas, pero no revirtió la tendencia fundamental que Gaviria había fijado, así como tampoco lo hicieron las administraciones que le siguieron a Samper.

En el área de comercio exterior, la administración Gaviria casi eliminó el requisito de licencias de importación y redujo el nivel promedio de derechos de cerca de 34% en 1990 a 12% el año siguiente. Se suprimieron igualmente casi todos los controles sobre la inversión de capitales extranjeros y sobre el cambio de divisas. La competencia de productos y capitales del exterior supuestamente impulsaría la eficiencia entre firmas nacionales, pero éstas también se liberaron de ciertas reglamentaciones molestas. Una medida pequeña pero bastante típica fue permitir que las instituciones financieras ampliaran la gama de servicios ofrecidos en vez de tener que aferrarse a una estricta especialización. Se desmanteló, por otro lado, mucha parte del sistema complicado que reglamentaba el despido de trabajadores, que tenía por objeto impedir despidos arbitrarios pero inhibía la contratación de nuevos empleados formales; se retocó además el régimen de cesantías, o sea de fondos mantenidos en reserva para el eventual retiro del trabajador o su compra de vivienda, haciéndolo menos oneroso desde el punto de vista de los empleadores. Aun cuando no desaparecieron de ninguna manera todas las protecciones obreras, esta «reforma laboral» despertó una férrea oposición de los sindicatos. Éstos, sin embargo, que en Colombia nunca habían tenido una fuerza aplastante, estaban perdiendo afiliados e influencia (por lo menos dentro del sector privado) y no lograron sino modificar un poco los propósitos del gobierno.

Otra faceta de la apertura, o del neoliberalismo, fue la privatización de empresas estatales. No hubo, como en la Argentina, una racha inmediata de grandes privatizaciones, acompañadas en ese país de no pocos escándalos. Aunque en Colombia no faltaba el afán de privatizar, una notable diferencia fue la relativa escasez de compañías estatales, de las cuales la empresa privada anhelaba apoderarse. Ecopetrol, la mayor de todas las empresas del Estado, sí habría atraído el interés de petroleras multinacionales; mas por motivos políticos era tan poco enajenable como PEMEX en México o PDVSA de Venezuela. En el sector de telecomunicaciones, donde la estatal TELECOM había tenido el monopolio del servicio de larga distancia, la mera posibilidad de su privatización desató la ruidosa protesta de los empleados sindicalizados, por lo que lo único que se hizo fue acabar con el monopolio, permitiendo la competencia de firmas particulares. Algo similar sucedió con el Seguro Social, donde sin abolir el sistema gubernamental se introdujo (de acuerdo con el modelo chileno) la opción de cuentas individuales de administración privada. En el sector de servicios portuarios se eliminó también el monopolio estatal, bajo cuya égida habían reinado notoriamente la corrupción y la ineficiencia, y la entrada de empresas privadas (siempre al amparo de una superintendencia oficial) trajo unas mejoras igualmente notorias en provecho de la infraestructura nacional. De la misma manera, la privatización total o parcial de servicios públicos como el suministro de agua y energía, aunque causó unas tarifas más altas, conllevó una notable mejoría de calidad; era ya casi universal la cobertura en las grandes ciudades.

Todas estas medidas en su conjunto —y otras que no caben en una breve reseña— tuvieron algunos efectos impredecibles y hasta contradictorios. La rebaja de derechos de aduana, por ejemplo, dio un impulso importante a las importaciones y a la demanda por divisas extranjeras, la cual habría lógicamente debilitado el peso colombiano, contribuyendo a una devaluación. Mas sucedió lo contrario. Para el control de la inflación, que en Colombia no se había disparado desde la Guerra de los Mil Días pero había llegado en 1990 al 32%, las autoridades monetarias restringieron el crédito manteniendo altas tasas de interés, lo que hacía más rentable tanto para nacionales como para extranjeros invertir dinero en el país; en el caso de la inversión extranjera, unas expectativas de bonanza petrolera constituían un motivo adicional. La liberación del cambio les permitió a empresas colombianas tomar dinero prestado en el extranjero, a intereses más cómodos, y traer así aún más divisas hacia Colombia. Esto sin decir nada del flujo continuo de dineros calientes del narcotráfico. Así las cosas, durante la década de los 90 hubo una tendencia de revaluación del peso, creando serias dificultades para los exportadores legales y complicando más todavía la situación de productores nacionales frente a la competencia de bienes importados. Los consumidores, por supuesto, se aprovecharon y hasta cierto punto las empresas eficientes se volvieron más eficientes para enfrentar la situación creada. La revaluación también hizo más manejable la deuda externa del gobierno colombiano, denominada en dólares que perdían terreno frente al peso; incluso se pudieron pagar algunas obligaciones antes del tiempo fijado. Sin embargo, y sobre todo por sus efectos sobre la producción nacional, la revaluación llegó a preocupar al gobierno, que al fin pudo frenarla aunque no la paró por completo. Por lo menos sí se controló la inflación, que llegó en el año 2006 al nivel inaudito de sólo 4.5% anual.

Hubo menos éxito en la lucha contra el déficit fiscal. El costo de las transferencias a departamentos y municipios teóricamente debía compensarse al encargarse éstos de funciones antes desempeñadas por el gobierno central, pero la transferencia de fondos resultó más rápida que la de funciones. Además, la de Samper no fue la única administración que sintió la necesidad de gastar dinero en proyectos sociales o de otra índole, como demostración de compromiso con el espíritu democrático e incluyente del nuevo régimen constitucional, y crecían monótonamente a la vez los gastos en seguridad. Con similar monotonía se emitían reformas fiscales que afectaban sobre todo el consumo, mediante alzas del impuesto al valor agregado (sustituto moderno de la alcabala colonial), con lo cual se contrarrestaba buena parte del gasto social, que en comparación con el de otros países de nivel de desarrollo semejante seguía siendo relativamente bajo. Mientras tanto, la escalada del déficit no se contuvo y llegó en 1998 a 36% del producto bruto.

Aunque el fisco naturalmente habría compartido la esperada bonanza, los pronósticos de un auge notable de producción del petróleo, basados en el descubrimiento de nuevos yacimientos en los llanos orientales, lamentablemente no se cumplieron. Más bien se impuso una tendencia a la baja en cuanto a reservas comprobadas, con la posibilidad de que en un futuro previsible Colombia se convirtiera nuevamente en importador neto de petróleo. Pero mientras tanto el petróleo siguió liderando las exportaciones, gracias a precios internacionales generalmente favorables. El carbón, que ocupaba ya el segundo lugar, gozaba también de un buen mercado mundial, mientras que el café, que había perdido su primer puesto en el listado de exportaciones, continuaba su triste declinación a pesar de ocasionales alzas temporales; incluso Vietnam ahora le disputaba a Colombia su tradicional segundo puesto —después del Brasil— como productor del grano. No obstante, como generador de empleo el café todavía superaba holgadamente al petróleo, el carbón y cualquier otra exportación, incluso las ilegales. Colombia sí mantuvo su segundo puesto —después de Holanda— en el mercado mundial de flores, y conquistaba nuevos mercados para producciones como el aceite de palma. Pero la agricultura nacional en su totalidad distaba mucho de estar floreciente. En ciertos renglones se echaba la culpa con más o menos razón a las importaciones, pero los agricultores además sufrieron embates climáticos que nada tenían que ver con la apertura económica. Ellos eran, por otra parte, las víctimas más inmediatas de los conflictos internos que sufría el país.

La combinación de la rebaja de derechos y la revaluación del peso eran dos factores teóricamente adversos a la suerte de la industria manufacturera; pero en términos generales, ésta pudo aguantar bastante bien la nueva situación económica. La favorecieron los insumos importados más baratos y la disminución de trabas burocráticas, al igual que una serie de acuerdos binacionales y regionales, como los de los países andinos con Estados Unidos y con la Unión Europea, concediendo preferencias a cambio de su dedicación a la lucha contra el narcotráfico. Habrían peligrado sin estas preferencias las exportaciones de ropa a Estados Unidos. Otro factor positivo fue la profundización del Pacto Andino, revisado en 1992 para crear un sistema casi de comercio libre entre los estados miembros. Tanto Ecuador como Venezuela se situaron como principales socios comerciales después de Estados Unidos, comprando incluso automóviles y otros bienes industriales. Es más, el intercambio bilateral con Venezuela era de suficiente importancia mutua como para resistir un deterioro de las relaciones políticas debido a las incursiones de guerrilleros y paramilitares colombianos a través de la frontera y la presunta simpatía del militar populista Hugo Chávez, presidente de Venezuela desde 1999, por la izquierda armada —FARC y ELN— con la cual compartía una retórica de revolución «bolivariana». Enojado por el propósito de los otros países miembros de negociar tratados de libre comercio con Estados Unidos, Chávez en 2006 abandonó el Pacto, provocando temores de un trastorno de relaciones económicas, pero con Colombia de hecho todo siguió más o menos igual.

Con las diferencias sectoriales entre estratos sociales y de un año a otro, no era fácil precisar el saldo general de las reformas

INCREMENTO ANUAL DEL PIB 1991-2006

Año	América Latina	Colombia
1991	3.5	1.6
1992	2.9	4.0
1993	3.9	5.8
1994	5.4	6.0
1995	1.1	4.9
1996	3.8	1.9
1997	5.2	3.3
1998	2.2	0.8
1999	0.5	−3.8
2000	3.8	2.2
2001	0.3	1.4
2002	-0.8	1.9
2003	1.9	3.9
2004	6.0	4.9
2005	4.5	5.2
2006	5.3	6.2

Fuentes: Cepal, *Anuario estadístico de América Latina y el Caribe*, 1997, p. 70; 2004, p. 468; 2006, p. 85; *Latin America Monitor* (Londres), julio de 2007, p. 6.

económicas. El crecimiento del producto bruto nacional durante la mayor parte del período desde comienzos de la «apertura» era tan mediocre como durante años anteriores. En 1999 se registró un crecimiento negativo, por primera vez desde la Segunda Guerra Mundial, al igual que en 1998 en términos por habitante. El país experimentó una recesión general económica, con alza del desempleo, cuya tasa llegó casi al 20%, y demás indicadores incómodos. Aun cuando hubo una recuperación poco después, los numerosos opositores de la nueva política económica naturalmente la declararon culpable del comportamiento poco estelar de la economía nacional, mientras que sus partidarios echaban la culpa a vaivenes de la economía mundial y al hecho de que por motivos políticos las medidas denominadas neoliberales no se aplicaron nunca a ultranza: no faltaron las excepciones y contradicciones, en especial a favor de la agricultura.

Hubo consenso, en todo caso, en el hecho de que se había agravado la de por sí grave desigualdad económica, fuera como un fenómeno transitorio o como característica intrínseca de la nueva política (según el analista, era partidario o no de ella). Un promedio de diferentes cálculos de la desigualdad de acuerdo con el coeficiente Gini hacía ver una disminución de la misma durante las décadas de 1970 y 1980 —y luego un incremento abrupto a partir de 1991[1]. Al fin y al cabo, en una economía más abierta y competitiva tienen ventaja los individuos de mayor nivel educacional y capacitación especializada, mientras que se descuenta el esfuerzo de quienes ofrecen un trabajo manual rudimentario. Es verdad que siempre podían algunos de éstos mantener o hasta aumentar su renta personal, aun cuando creciera la distancia relativa entre ellos y los de más arriba, mientras que en su condición de consumidores se aprovechaban de una caída de precios relativos, por ejemplo de los comestibles, que absorbían una tajada mayor del presupuesto de los bajos estratos sociales. Un caso concreto fue el pollo, que se abarató por la importación de presas y por la traída masiva de maíz, ingrediente básico en el alimento de las aves, de manera que creció significativamente el consumo de pollo entre la población colombiana y, por ende, la cantidad de proteínas en su dieta. Claro que los productores nacionales de maíz no se alegraron tanto, ni tampoco los colombianos menos favorecidos que no alcanzaban siquiera a comprar pollo barato, pues los índices estadísticos de pobreza y de indigencia habían empeorado. El debate continuaba.

Paradójicamente quizás, los indicadores con respecto a pobreza y desigualdad resultaron poco alentadores, a la vez que se daba un incremento significativo en el gasto social, equivalente en los años 1990-1991 a 6.7% del producto bruto nacional y diez años más tarde al 13.6%. La parte correspondiente a gastos de educación subió de 2.7 a 3.9% y la de servicios de salud de un magro 1 a 4.3%. Este gasto social no era todavía una cifra muy impresionante siquiera en el contexto regional latinoamericano, pero el sistema de seguridad social de salud, que tenía afiliada algo menos de la cuarta parte de la población en 1991, ostentaba una cobertura de más del 60% a principios del nuevo siglo[2]. Lamentablemente, sin embargo, mucha parte del gasto social se malgastaba por motivos políticos o simple ineficiencia. El escándalo mayor fue el del sistema pensional, por la desproporción entre lo recibido por ciertos grupos favorecidos, como ex congresistas, militares en retiro y algunas otras clases de servidores del Estado, y el colombiano de estratos inferiores, cuyos impuestos financiaban las sumas a veces extraordinarias que devengaban aquéllos. Se trataba de un problema plenamente reconocido, cuya resolución habría no sólo liberado fondos para programas más equitativos de asistencia sino contribuido a la solvencia fiscal. La solución era obvia, o sea recortar las pensiones excesivas, y obvia también la dificultad de que la votaran congresistas cuyas propias pensiones estaban en juego.

Conflictos perdurables

Los constituyentes de 1991 abrigaron la esperanza de que al amparo de una Carta tan democrática y progresista los guerrilleros, o sea la izquierda ilegal, depondrían las armas para participar en la política nacional de acuerdo con las nuevas reglas de juego. Así mismo, esperaban que a cambio de la prohibición de extraditar a nacionales colombianos los narcotraficantes enmendarían su conducta, no dejando necesariamente tan jugoso negocio pero bajando por lo menos su perfil y evitando en lo posible los métodos violentos. Desgraciadamente, no sucedió ni lo uno ni lo otro.

Entre los «artículos transitorios» agregados a la misma Constitución de 1991, se les ofrecía a grupos guerrilleros que estuvieran «decididamente» en un «proceso de paz» la posibilidad de tener sus representantes en el próximo Congreso ordinario, fuera por elección dentro de unas circunscripciones especiales o por nombramiento. No se acepó la oferta. El ELN venía abogando más bien por una gran convención nacional con nutrida presencia de la llamada «sociedad civil», para ponderar toda la problemática nacional, y tampoco le habría resultado fácil acceder sin el acompañamiento de las FARC: quedaban vigentes las diferencias de ideología y táctica entre las dos organizaciones, pero en la práctica había áreas de colaboración entre ellas y muchas cosas revueltas. Las FARC, por su parte, difícilmente habrían obtenido por el medio propuesto una representación política acorde con su poderío militar. Ni confiaban plenamente los grupos guerrilleros en las intenciones pacifistas del gobierno.

El presidente Gaviria después de su posesión había nombrado un ministro de Defensa civil, el primero desde la presidencia de Laureano Gómez, lo que era un importante gesto simbólico. Sin embargo, no habían cambiado necesariamente las relaciones de poder entre militares y políticos civiles existentes desde comienzos del Frente Nacional, o sea que aquéllos con contadas excepciones no trataban de inmiscuirse en otras materias de gobierno pero obtenían una gran latitud en cuestiones de seguridad, incluso la lucha antiguerrillera. Gaviria les dio así a los militares su visto bueno —quizás a regañadientes pero se lo dio— para lanzar un ataque a «Casa Verde», lugar que servía de cuartel general de las FARC en el municipio de Uribe, no tan lejos de Villavicencio, capital del Meta. Se esperaba no sólo rescatar la soberanía nacional en un sitio clave, sino también capturar a la cúpula de la organización subversiva y forzar al resto de sus militantes a negociar bajo los términos que fijara el gobierno. La operación tuvo éxito en cuanto se recuperó el sitio geográfico, pero los líderes de las FARC escaparon. Es más (y peor), la operación se realizó el mismo día de la instalación de la Asamblea Constituyente, lo que inevitablemente sembró más dudas entre los guerrilleros con respecto a la buena fe oficial.

El ELN seguía debilitándose aunque no desaparecía, pero las FARC cobraban cada vez más fuerza. Una cúpula dispersa o trashumante era un blanco más difícil de atacar (o con el cual negociar) que cuando estaba concentrada en un sitio. Gracias al secuestro, las extorsiones y sus conexiones con el narcotráfico, no les faltaban fondos para la compra de material bélico y el reclutamiento. No poseían la capacidad de tomar (ni menos retener) una población importante, pero sí de montar emboscadas y de asestar golpes sorpresivos a unidades de las fuerzas del gobierno. Además, su maquinaria de propaganda por internet y por otros medios les ganaba simpatizantes en el mundo, muy notoriamente entre la izquierda europea.

La guerrilla colombiana cosechaba menor simpatía en Estados Unidos, cuya ayuda militar a Colombia había crecido significativamente con el propósito ostensible de contribuir así a la «guerra» contra las drogas. No obstante, crecía también el cuestionamiento de semejante ayuda entre el mismo Congreso norteamericano, al que le tocaba votar la financiación del programa. A pesar de gastos millonarios en interdicción aérea y marítima de cocaína, entrenamiento y equipamiento de agentes colombianos y otros aspectos de dicha «guerra», no había ningún indicio de que se estaba ganando. Tampoco era un secreto para nadie, por más que se insinuara lo contrario, que el programa tenía por objeto también reforzar la lucha antiguerrillera. Obviamente, por el involucramiento de grupos guerrilleros en el negocio de las drogas no era posible hacer una clara diferenciación, pero se trataba de minimizar la apariencia de intervención en la política interna de un país vecino y así desviar críticas tanto en Latinoamérica como en Estados Unidos. Claro está que los fondos destinados al programa no necesariamente llegaban a Colombia, pues incluían todo lo gastado en los mismos Estados Unidos en la compra de equipo, pago de contratistas y así por el estilo, de manera que estaban de por medio hasta intereses concretos de ciertas firmas norteamericanas.

Casi ningún político de Estados Unidos osaba poner en tela de juicio la necesidad de combatir el tráfico de drogas ilícitas en sus puntos de origen, pero tanto la falta de resultados mayores como los reportes de violación de derechos humanos por miembros del Ejército y Policía colombianos se tradujeron en un esfuerzo de poner más controles y, de hecho, tener más injerencia norteamericana. Hacia mediados de los 90, el gobierno norteamericano a la vez que insistía que combatía sólo a narcotraficantes y no a guerrilleros, frenó el crecimiento de la ayuda y trató de canalizarla hasta lo posible a la Policía colombiana más bien que al Ejército, aparentemente el más culpable de las violaciones de derechos. Como también queda dicho, tomó el paso insólito de retirar la visa norteamericana del presidente Samper en protesta por los aportes de narcotraficantes a su campaña política. Cuando su administración auspició la derogación de la prohibición constitucional de extraditar a colombianos, el gobierno estadounidense se mostró complacido —pero no lo suficiente como para devolverle a Samper su visa.

El ascenso a la presidencia de Andrés Pastrana trajo un cambio brusco en la relación con Estados Unidos (él nunca perdió visa) y en el manejo de los conflictos internos. Su iniciativa más novedosa y también más arriesgada fue la creación de la zona de «despeje» de 42.000 kilómetros cuadrados en el departamento de Caquetá, al pie de la cordillera andina y frente a los llanos y la Amazonia, dos regiones de fuerte presencia guerrillera. El propósito fue llevar a cabo allí mismo una negociación en serio con las FARC, y por esto se retiraron todas las fuerzas del gobierno para que los insurgentes tuvieran una sensación de plena seguridad al entrar a platicar con delegados oficiales. Pero las FARC rehusaron dejar atrás sus propias armas, así que todo lo dicho de «área desmilitarizada» era aplicable a una sola de las partes. Los guerrilleros tampoco dejaban de utilizar la zona referida como otra base de operaciones subversivas, y mientras tanto las supuestas negociaciones no conducían a ningún lado. Antes de plantear unas propuestas concretas para una resolución del conflicto, las FARC insistían en arreglar un canje de guerrilleros presos por secuestrados de los que existían en manos de los rebeldes, pero siempre rechazaban la condición en que insistía el gobierno de que aquéllos al salir de la cárcel pública no regresaran a tomar las armas (y que, en caso necesario, se asilaran en el exterior).

Además de su intento de negociación pacífica, la administración Pastrana concibió un proyecto ambicioso de desarrollo socioeconómico y construcción de infraestructura, principalmente en áreas de importante influencia de la guerrilla y del narcotráfico. Se buscaba una generosa financiación norteamericana, pensando (entre otras cosas) en el modelo del exitoso Plan Marshall de reconstrucción europea después de la Segunda Guerra Mundial. Se llamaría Plan Colombia. El gobierno norteamericano mostró su interés pero tomó a su cargo el diseño definitivo del proyecto, que ya era básicamente de ayuda militar con unas cuantas migajas de desarrollo social. Por lo menos de tal manera pudo obtenerse más fácilmente la aprobación congresional y con los fondos apropiados Colombia consolidó con holgura el rango de tercer país receptor (después de Israel y Egipto) de ayuda norteamericana. En un principio, seguía vigente la noción de que el objetivo primordial era combatir el narcotráfico sin inmiscuirse en contiendas políticas, y a este respecto se puso gran énfasis en la táctica controvertida de la fumigación aérea de plantaciones de coca o de amapola, a pesar de los posibles daños ecológicos o destrucción «colateral» de cultivos legítimos. Mas al tomar la presidencia norteamericana en 2001 George W. Bush, los voceros oficiales reconocieron cada vez con mayor franqueza el propósito antiguerrillero de la ayuda a Colombia. Y después del ataque a las Torres Gemelas en Nueva York por terroristas musulmanes en septiembre del mismo año, convertida ya la lucha contra el terrorismo mundial en objetivo principal de la política exterior norteamericana, se declaraba con franqueza el propósito de combatir a los guerrilleros colombianos, en su condición no simplemente de narcotraficantes adjuntos sino de terroristas.

En lo referente al narcotráfico, los éxitos —como antes— fueron pocos y efímeros. Se presentaba un gradual descenso de su aporte al producto bruto nacional, que a la vuelta del siglo oscilaba entre el 2 y 3%, pero no necesariamente porque se cosechaba menos coca: crecían otros sectores económicos, y también se había hecho cada vez más complicado el lavado de dinero en Colombia misma, de modo que una menor tajada de las ganancias se traía al país. Un asedio al cartel de Cali por agentes tanto norteamericanos como colombianos acabó con su breve predominio, pero tan sólo para dar lugar al nuevo cartel del Norte del Valle y demás organizaciones dispersas y cartelitos (y, por supuesto, las FARC en su calidad de narcotraficantes). Cuando se erradicaban los cultivos en una región, brotaban otros en diferentes partes del país o en Perú y Bolivia; las drogas incautadas se remplazaban rápidamente, y todo lo demás como de costumbre. En la lucha antiguerrillera tampoco eran muy evidentes los adelantos: los secuestros perpetrados por la guerrilla alcanzaron un nuevo récord, mientras que las Fuerzas Armadas sufrieron unos reveses embarazosos. Las fuerzas del gobierno sí mejoraban poco a poco sus niveles de preparación, llegaban más helicópteros, y se modernizaban el armamento y demás recursos materiales, todo lo cual surtiría efectos a más largo plazo. Mas la farsa del «despeje» se volvía insostenible. A principios de 2006 Pastrana revocó la cesión de esa zona a las FARC, recuperándola para el Estado nacional. Este viraje en su política para con el grupo guerrillero ganó aplausos de la opinión pero llegó demasiado tarde para salvar el prestigio del presidente.

El sucesor de Pastrana, Álvaro Uribe, ascendió a la presidencia en 2002 con «Seguridad Democrática» como su proyecto bandera. Extremó más todavía la colaboración con Estados Unidos, hasta el punto de avalar la invasión norteamericana a Irak, y se dedicó con entusiasmo a la implementación del Plan Colombia. No rechazó la posibilidad de una eventual paz negociada y llevó a cabo unas conversaciones intermitentes con el ELN, pero por el momento confiaba más en una demostración de fuerza. Buscó poner puestos de policía en los numerosos municipios apartados que no tenían ninguna presencia de fuerza pública, combatir los bloqueos y otros actos subversivos que amenazaban el tránsito aun por carreteras principales y bajar la tasa mundial más alta de secuestros, y antes de finalizar su primer período, ya había registrado unos éxitos. El Estado recuperó el control en lugares donde antes mandaban grupos irregulares o no mandaba nadie, aunque no siempre se trataba de un control de noche o en campo abierto. En las carreteras principales no desaparecieron los accidentes de tránsito, pero con el Ejército y la Policía al acecho la guerrilla casi no molestaba más. Según el acerbo comentario de un columnista, gracias a Uribe los ricos ya podían visitar otra vez sus haciendas, pero además la economía ahorró importantes sumas que antes se dilapidaban en destrucción de vehículos, pérdida de cargamentos y pago de extorsiones. Con respecto a la caída de secuestros, en fin, ninguna cifra era plenamente confiable, ya que muchos no se reportaban a las autoridades, pero de la mejora no cabían dudas.

Lamentablemente el gobierno de Uribe, al igual que los de Samper y Pastrana, resultó tener su talón de Aquiles, en este caso su relación con el paramilitarismo. Los paramilitares, o «autodefensas», como a ellos les gustaba denominarse, no habían dejado de cometer sus masacres, inmiscuirse en el narcotráfico y forjar alianzas de hecho con oficiales del gobierno —hasta del Departamento Administrativo de Seguridad—, aun mientras la atención de los medios y del público se centraba preferentemente en las negociaciones o la lucha armada con la guerrilla. Pero toda esta problemática vino a llamar mucho más la atención nacional e internacional una vez que Uribe decidió buscar con los paramilitares la paz negociada que parecía todavía tan elusiva con respecto a la guerrilla. El hecho de compartir el mismo enemigo guerrillero facilitaba el contacto, aun cuando Uribe tenía la esperanza de que un arreglo con los paramilitares serviría de modelo para algo similar en su debido tiempo con los del ELN y las FARC. Habiendo desplegado su influencia (e incluso hecho unos cuantos fraudes electorales) en varias regiones del país a favor de la elección de Uribe, ellos se mostraban en general favorables a la negociación y hasta a la posibilidad de aceptar algún castigo por su mal comportamiento, con tal de que no consistiera en la extradición a

Estados Unidos o una visita demasiado larga a una institución penal (preferentemente de mínima seguridad) en Colombia.

Hacia fines del año 2006 se habían desmovilizado (según cálculos oficiales) más de 30.000 paramilitares. La cifra tal vez haya sido exagerada y algunos desmovilizados volvieron después a tomar las armas, pero se trataba de una reducción significativa que contribuyó al descenso general de la violencia en varias regiones y a la caída de la tasa nacional de homicidios. En este último rubro, Colombia había sido líder mundial en 1991, cuando el homicidio —con una tasa de 78 por 100.000 habitantes— era la causa más común de muerte en el país. Ya en 2005 la tasa de homicidios había descendido a un poco más de 37 por 100.000, lo que naturalmente no fue un resultado tan sólo de la desmovilización de paramilitares y medidas de la Seguridad Democrática (en Bogotá, por ejemplo, hubo una caída mucho más brusca, a 18.5 homicidios por 100.000, gracias a mejoras cívicas y de policía bajo una sucesión de alcaldes progresistas).

Mas existía también otra cara de la moneda. El programa de reinserción de desmovilizados era a todas luces inadecuado, dejando a muchos sin empleo productivo y tentados a unirse a otros bandos todavía no desmovilizados, o a regresar a cualquier especie de delincuencia común. Y cuando se hizo entrega de bienes mal habidos, éstos pararon muchas veces simplemente en las manos de nuevos testaferros. Se adoptaron medidas para obtener reparación a las víctimas y esclarecer la verdad de los crímenes, pero resultaron ineficaces aun cuando robustecidas a instancias de la Corte Constitucional. Hubo incluso un regateo poco elegante sobre posibles penas entre jefes paramilitares y el gobierno —prometiendo éste que en ciertas condiciones se suspendería la extradición— y mientras tanto continuaban unos sangrientos ajustes de cuentas entre jefes rivales.

El proceso de desmovilización de los paramilitares dejaba así mucho que desear, y en marzo de 2006 vino algo peor, que fue el descubrimiento del «Computador de Jorge 40». Contenía éste detalles abundantes de los desmanes del jefe así denominado y colegas suyos: masacres, extorsiones, robo de fondos públicos, hasta fraudes electorales. Tampoco faltaban datos concretos y abundantes sobre los nexos entre los paramilitares, oficiales de la fuerza pública y prestantes figuras políticas, especialmente en los departamentos de la costa. Se trataba no tanto de verdaderas revelaciones como de la confirmación de lo ya sospechado o sabido a medias, pero la cantidad de datos incriminatorios sí era algo novedoso. Se comenzó a hablar del «Proceso 8.000 de la Costa», comparando los nuevos escándalos con los de la administración Samper. Hubo arrestos de congresistas, rumores de más escándalos por venir, y denuncias indignadas por parte de los medios y de la oposición política. El presidente Uribe, aunque desplegaba una terquedad extrema en defensa propia, parecía poco salpicado personalmente y prometía escarmientos severos, pero habiéndolo apoyado políticamente a él la mayoría de los implicados, el nuevo «8.000» constituyó un comienzo algo incómodo para su segundo período. Y cuando finalmente unos jefes paramilitares empezaron a hacer sus declaraciones de «verdad» a cambio de las que esperaban recibir un tratamiento benigno, salieron a la luz pública detalles aún más escalofriantes.

Por fuera de los mentideros políticos lamentablemente seguía en pie el cúmulo de tragedias de las víctimas, no sólo del paramilitarismo sino de todos los conflictos internos. Entre ellas se destacaban quizás dos millones de colombianos, en su inmensa mayoría de origen humilde, desplazados de sus hogares. Como en los años 50, algunos habían huido simplemente de la violencia y otros habían sido expulsados por uno que otro bando con el propósito de apoderarse de sus terrenos y demás posesiones. En todo caso, estos millones mendigaban ahora una precaria existencia en Medellín, Cartagena, Bogotá u otras ciudades, lo que ya era el más grave de todos los problemas sociales a principios del siglo XXI. Por supuesto que no era el único —ni faltaban unos cuantos signos positivos esparcidos por el mismo panorama social.

Notas

1. Armando Montenegro y Rafael Rivas, *Las piezas del rompecabezas: desigualdad, pobreza y crecimiento* (Bogotá, Taurus, 2005), pp. 39-40.
2. *Ibíd.*, p. 322.

Capítulo 13

Se abre paso una nueva sociedad

Durante el último cuarto del siglo XX y primeros años del XXI, era un lugar común decir que el ritmo de cambio de la sociedad colombiana había dejado muy atrás el sistema político, en que unas prácticas anacrónicas sobrevivieron incluso a la adopción de la Constitución de 1991.

Y así como el registro económico es un sutil recordatorio de que en la historia reciente de Colombia hay mucho más que violencia por razones políticas o por narcotráfico, también hay más elementos significativos en la experiencia del país, aparte de precios, tendencias en la producción y deuda externa. Con frecuencia, académicos y observadores extranjeros no lograron captar que la población misma estaba evolucionando de una manera no siempre susceptible de análisis económico o político (y casi nunca planificada de modo consciente por organismos oficiales).

El censo colombiano de 2005 hace ver claramente varios cambios a largo plazo. El ritmo de urbanización continuaba, con un 80% aproximadamente de la población clasificada como urbana, en comparación con 52% en 1964 (y apenas un 30% en 1938). El incremento urbano no se concentraba en Bogotá, Medellín y Cali, pues algunas ciudades intermedias crecían más rápidamente que los principales centros metropolitanos. La tasa de crecimiento anual del conjunto de la población se redujo casi al 2% en el período entre 1973 y 1985, y a menos del 2% hacia 2005, aunque la tasa natural de aumento poblacional no había declinado en forma tan rápida. Los datos de crecimiento neto reflejaban la continua emigración hacia Venezuela, Estados Unidos, Ecuador y en años más recientes también a Europa, impulsada por motivos económicos y en especial en los años 90 también por los conflictos internos. En 2006 se calculaba que algo más de tres millones de colombianos vivían en el exterior. Una emigración tan abundante significaba una pérdida de brazos y cerebros para el país, pero a cambio traía un flujo de remesas que ya eran un renglón de importancia en la balanza de pagos, ocupando al fin del período el segundo lugar después del petróleo como fuente de divisas. Mientras tanto, por la reducción de los nacimientos, la edad promedio de los colombianos había ascendido de 15.5 años en 1964 a 20 años en 1985 y 26 años en 2005. Se había producido un abrupto descenso en la proporción de niños dependientes, mas no todavía un aumento preocupante en el de ancianos dependientes.

Los resultados de los censos han reafirmado también los progresos del país en el campo educativo y demuestran que no solamente se había avanzado en la alfabetización básica, ahora acercándose a universal en las grandes ciudades y a 93% de la población total, sino que a principios del siglo XXI aproximadamente el 15% de la población en edad universitaria estaba matriculada en instituciones docentes superiores, en contraste con el ínfimo 1% de 1950. La calidad de la educación era muchas veces precaria, incluso en el nivel superior donde abundaban hasta universidades improvisadas o «de garaje», y desde la década de los 80 el ritmo de expansión educacional había tendido a disminuir: la cobertura primaria sufrió unos altibajos, mientras que la secundaria aumentó sólo de 54 a 65% de 1993 a 2003. Es que lo más fácil ya se había logrado y la burocracia educacional en muchas regiones del país seguía adoleciendo de ineficiencia y corrupción clientelista. Pese a todo, en esta materia la situación del país era poco parecida a la de mediados del siglo XX.

Los datos censales reflejaban igualmente el cambiante papel de las mujeres, cuya participación en la fuerza laboral registrada se elevó de un 15.4% en 1964 a cerca de un tercio en 1985 y 39.4% en 2006. La mayor parte del incremento se presentó en empleos de servicios u otros pobremente remunerados, aunque no siempre era así: a principios de los años 90, por ejemplo, las mujeres manejaban entre el 70 y 89% de las sucursales bogotanas de las principales asociaciones de ahorro y vivienda del país[1]. Su participación en puestos de elección popular —como alcaldes, gobernadores, congresistas— seguía siendo mediocre en comparación con otros países americanos; mas por otro lado una ley de 2000 dispuso que en los puestos de «máximo nivel decisorio» deberían nombrarse un 30% de mujeres, y aunque la definición de «nivel decisorio» se prestaba a múltiples interpretaciones, ya no era sorpresivo verlas a cargo de cualquier organismo del poder ejecutivo, hasta como ministra de Defensa en el gobierno de imagen tan guerrerista de Álvaro Uribe. El servicio doméstico, claro está, representaba todavía una fuente importante de empleo para las mujeres, pero como cualquiera podía percibir en las conversaciones de la clase media urbana, las empleadas domésticas ya no estaban dispuestas a aceptar toda clase de trabajos fatigosos a cambio de salarios nominales. Ahora exigían vacaciones pagadas, tiempo para ver televisión y otros beneficios, y al menos en las grandes ciudades probablemente recibían la mayor parte de lo pedido. Por otra parte ellas cada vez más utilizaban, o esperaban utilizar, el empleo doméstico como peldaño hacia ocupaciones mejor remuneradas y con más reconocimiento social.

La creciente negativa de las mujeres a tomar empleos en los que no veían porvenir reflejaba una tendencia más generalizada hacia una mayor afirmación entre hombres y mujeres de las clases bajas o medio bajas, menos dispuestos que antes a aceptar automáticamente un *status* inferior, fuera para ellos o para sus hijos. Todavía no era fácil ascender socialmente. Pero la prominencia de una *clase emergente* (que no sólo estaba compuesta de traficantes ilegales) tanto en los negocios como en la política, indicaba la mayor fluidez en la estructura social del país. De igual manera, el poder político o de cualquier tipo se hacía más y más difuso. Las familias tradicionalmente consideradas «oligárquicas» (como el clan Ospina, por ejemplo) todavía tenían prestigio y riqueza. Pero compartían su cuota de influencia política con incontables «recién llegados». En el aspecto económico, el control de las empresas industriales y comerciales colombianas permanecía concentrado en manos de unas pocas compañías o «grupos» financieros, y las asociaciones empresariales privadas casi siempre tenían —como se ha dicho repetidamente— mucho más influencia en la formulación de políticas oficiales que los sindicatos. Sin embargo, la economía había crecido hasta el punto de que ya no se podía decir que determinado interés creado la controlaba, y el Estado colombiano, aunque difícilmente autónomo respecto de los que ejercían el poder económico, era demasiado grande y amorfo para ser el sirviente de confianza de nadie.

Como ya se anotó en el capítulo anterior, los grupos indígenas, tan largamente marginados, de repente desempeñaban un papel más visible en la vida nacional. La nueva Constitución consagró sus derechos a una representación en la política nacional y a la posesión continuada de sus terrenos ancestrales; la Corte Constitucional amplió estos derechos una y otra vez en sus interpretaciones. Pero todo esto no sucedía simplemente por el altruismo de la clase dirigente o el cabildeo de antropólogos ilustrados, sino que los mismos indígenas —asediados por un lado por las presiones de guerrilleros o paramilitares y por otro, como siempre, por las de terratenientes vecinos con sus aliados políticos— estaban mostrando un mayor activismo en defensa propia. Participaron además junto a otros grupos subalternos o marginados en movimientos de protesta, por ejemplo en contra de la propuesta de un tratado de libre comercio con Estados Unidos, a pesar de lo poco que en ese caso estaba realmente en juego la sobrevivencia de sus propias producciones.

Los indígenas identificados como tales en el censo, que básicamente son los miembros de comunidades tradicionales que han conservado terrenos y costumbres ancestrales—, representan apenas el 3% de la población, pero de acuerdo con la nueva Constitución se les ha reconocido el dominio sobre más de la cuarta parte del territorio nacional. Estas tierras por cierto están generalmente poco pobladas, poco accesibles desde los centros urbanos e infestadas a veces por los grupos armados ilegales. Pero los indígenas no se han contentado con defenderse mediante acciones de tutela u otros recursos judiciales, sino que en varias ocasiones montaron movimientos de resistencia cívica para excluir de sus pueblos a guerrilleros y paramilitares y hasta a fuerzas del gobierno, cuya presencia en su concepto tiende a atraer a aquéllos. Tampoco se contentaron con la representación legislativa concedida a través de las circunscripciones especiales de la Carta de 1991, sino que han buscado y a veces ganado (con el apoyo de muchos no indígenas) algunos otros puestos públicos, como por ejemplo la gobernación de Cauca.

La otra minoría étnica a la cual la Constitución de 1991 reconoció un *status* especial fue la afrocolombiana, cuya trayectoria histórica difiere en muchos aspectos de la indígena. Se calcula convencionalmente que constituye más o menos una décima parte de la población nacional, pero ha habido un mayor grado de asimilación biológica y cultural que en el caso de los indígenas —los afrocolombianos son hispanoparlantes en su casi totalidad— y quizás otra quinta parte de la población tiene alguna ascendencia africana. Sólo excepcionalmente los afrocolombianos viven en comunidades propias comparables a los resguardos indígenas, y desde la independencia han tenido mayor participación en la vida política del país; durante muchos años fueron un fiel bloque electoral del Partido Liberal, que a mediados del siglo XIX había legislado la extinción definitiva de la esclavitud. Ellos habían sido víctimas, sin embargo, de un trato discriminatorio en lo social, variable según el grado de negritud, y sus condiciones económicas dejaban en general mucho que desear. Por consiguiente, habían surgido también entre los afrocolombianos inquietudes y movimientos de protesta que tuvieron en cuenta los constituyentes de 1991 al reconocer formalmente la diversidad étnica y multicultural del país, y al disponer que dentro de dos años el Congreso debería expedir una ley en la que se afirmara la propiedad colectiva de las comunidades negras del occidente colombiano sobre los terrenos baldíos que venían ocupando. Semejante ley fue expedida en 1993, pero lamentablemente gran parte de las tierras en cuestión quedaba expuesta a incursiones de guerrilleros y paramilitares, así que los afrocolombianos fueron los más afectados por el fenómeno de desplazamiento forzoso, y no sólo a consecuencia de la violencia estrictamente política sino por los intentos de jefes paramilitares y aliados suyos de tomar estas tierras para siembras comerciales. La misma ley de 1993 creó otra circunscripción especial electoral, para quienes se considerasen miembros de alguna comunidad afrocolombiana; pero atrajo una clientela reducida, fuera por una renuencia a aceptar llanamente tal identificación o por la tradición de votar en la misma condición de cualquier ciudadano por las listas liberales.

Tanto la mayor, aunque desigual, concientización de los grupos étnicos como la disminución ya mencionada de la condescendencia social corrían paralelas con una falta de confianza en todas las instituciones nacionales, principalmente en el propio Estado. Ni siquiera la Iglesia era inmune a la desconfianza general. Poca atención, obviamente, recibían sus reservas sobre el control de la natalidad. Los sacerdotes se quejaban de que ya casi nadie se confesaba, mientras que una o dos generaciones antes, al menos durante la Semana Santa, se hacía cola durante horas frente a los confesionarios. Así y todo, los colombianos eran algo más devotos que la mayoría de los latinoamericanos y en los sondeos de opinión la Iglesia salía mejor librada que las instituciones políticas o que las Fuerzas Armadas en lo relativo a la confianza. La Iglesia institucional era todavía importante, si bien no todopoderosa: a fines de los 80 Colombia fue un país en el que *La última tentación de Cristo* no se pudo proyectar en las salas de cine por su aparente irrespeto a creencias fundamentales de la religión cristiana. Pero las restricciones a la pornografía filmada o impresa (que por supuesto no le interesaban sólo a la Iglesia) casi desaparecieron, o mejor dicho perdieron su efectividad debido a una legislación laxa.

En realidad, desde la época del Frente Nacional la Iglesia Católica (con excepción de la minoría de sacerdotes «tercermundistas» tipo Camilo Torres) había mantenido un perfil relativamente bajo; pero en el decenio final del siglo XX se notaba algún repunte de activismo. El clero montó una campaña exitosa con el objeto de presionar a la Asamblea Constituyente para que no se omitiese la mención de Dios en el preámbulo de la nueva Carta y la misma jerarquía participaba en diferentes procesos de paz —incluso negociando obispos regionales a veces con frentes de la guerrilla— y en esfuerzos de defensa de los derechos humanos. Hasta intervino el arzobispo de Bucaramanga en la campaña electoral de 1994, en oposición a Ernesto Samper por supuestos lazos con los grupos evangélicos. Es probable que tal actitud, compartida en varias partes por unos sacerdotes rasos, haya sido contraproducente. En todo caso y por un motivo u otro no escasearon críticas al episcopado, tanto de la derecha como de la izquierda.

La cuestión del divorcio ha reflejado quizás mejor que nada las ambigüedades de la posición de la Iglesia y de los valores religiosos tradicionales. El divorcio volvió a ser legal en 1976, con una flamante excepción: los matrimonios realizados por el rito católico sólo podían ser disueltos mediante anulación eclesiástica, no por el Estado. Pero la presión por obtener anulaciones aumentó notablemente, lo mismo que la aceptación social de divorcios realizados en el extranjero (sin validez legal en Colombia) y de separaciones *de facto*. Al menos en las áreas urbanas, donde se concentraba el grueso de la población, los cambios de pareja por divorcio y segundas nupcias ya no provocaban comentarios. El hecho de que para la elección presidencial de 1990 el Partido Conservador, otrora archidefensor de los valores católicos, candidatizara a un hombre divorciado que se había vuelto a casar con una mujer divorciada, era muy sintomático. La última palabra en el asunto la dijo la Asamblea Constituyente de 1991, al declarar que todos los matrimonios están sujetos a la ley civil y que por lo tanto pueden terminarse legalmente.

Aunque la Asamblea no quitó el nombre de Dios, subrayó la creciente secularización y el aumento del pluralismo de la sociedad al eliminar de la Constitución cualquier referencia al catolicismo romano como credo oficial y garantizar la igualdad jurídica de todas las denominaciones religiosas. La novedosa Corte Constitucional pronto acabaría también con la ceremonia anual de consagración de la república al Sagrado Corazón de Jesús. Por otra parte, en la misma Constitución de 1991 (y al parecer sin que muchos constituyentes se dieran cuenta del detalle) se restituyó el nombre colonial de Santafé [de Bogotá] para la capital de la nación, y la Asamblea Constituyente rechazó enérgicamente una propuesta de legalización del aborto. Pero la restitución del piadoso nombre colonial duró poco tiempo, y fue blanco de una de las primeras reformas de la nueva Carta. Tampoco se había emitido una última palabra sobre el aborto, porque en 2006 la Corte Constitucional, reunida bajo el crucifijo que adornaba la pared de su sala, declaró que en casos extremos como el incesto o la violación el aborto no se podía prohibir. Estalló una ola de protestas del clero y de laicos tradicionalistas, con amenazas de excomulgar a cualquier médico que hiciera tal operación. Mas la decisión era inapelable y poco después tuvo lugar el primer aborto legalizado en la historia de Colombia.

Los cambios en las costumbres sexuales y religiosas, así como la proliferación de mostradores de ensaladas en los restaurantes, el auge del consumo del vino y de otras bebidas alcohólicas en detrimento del tradicional aguardiente, y la aparición de letreros de «Gracias por no fumar» en los taxis constituyeron señales de que en última instancia Colombia, para bien o para mal, formaba parte de la civilización occidental, y que por lo tanto seguía las mismas modas de otros países. Cada vez lo hacía con menos retraso. Así mismo, el país le ofrecía al resto del mundo contribuciones que no se limitaban al café y la cocaína. El ejemplo quizás más obvio a este respecto es la obra literaria de Gabriel García Márquez, quien a partir de su clásica novela *Cien años de soledad* (1967) publicó un *best-seller* mundial tras otro y en 1982 se convirtió en el primer colombiano receptor de un Premio Nobel. El escritor, que mantenía una residencia en México y se alardeaba de ser amigo íntimo de Fidel Castro, no gozaba de una admiración universal entre sus compatriotas, pero gracias al galardón llegó a ser uno de los pocos colombianos que han tenido el privilegio en vida de admirar su propio retrato en una impresión de estampillas de correo. Su estilo recibió el nombre de «realismo mágico», en el que los más improbables sucesos son narrados como si fueran cosas normales; pero los ambientes de García Márquez eran casi siempre típicos de la costa del Caribe, su región natal, y la acción solía moldearse con base en la tradición folclórica o en sucesos históricos. Las obras de García Márquez contienen también permanentes comentarios peyorativos sobre Bogotá y sobre la gente y las costumbres del interior andino, pero su mensaje vino a considerarse de hecho como una expresión del genio colombiano. Así pues, y a pesar de su regionalismo, el escritor contribuyó al surgimiento de una literatura nacional que remplazó las fragmentarias tradiciones literarias regionales que predominaron hasta mediados del siglo XX.

Infortunadamente, el renombre de García Márquez opacó la obra de otros escritores contemporáneos, como Manuel Mejía Vallejo o Álvaro Mutis. Infortunadamente también, los colombianos no se aprovecharon como era debido de esta producción literaria nacional, pues a pesar de todos los adelantos educacionales el consumo por habitante de libros seguía siendo muy bajo: la industria editorial sobrevivía en parte gracias a haberse convertido el país desde los años 80 en exportador neto de material impreso. No faltaban bibliotecas para practicar la lectura, incluso la Biblioteca Luis Ángel Arango, reputada como la mejor de América Latina y manejada en Bogotá por el Banco de la República, aunque con sucursales en el resto del país. Los colombianos tenían acceso además a un número importante de bibliotecas públicas municipales (que habían sido una obsesión del presidente Barco), pero el ciudadano medio, como su contraparte en otras regiones del mundo, prefería la literatura hablada y filmada, o sea cine y televisión.

En Colombia, una industria propia del cine se remontaba casi a principios del siglo XX y había gozado de apoyo estatal intermitente, pero sólo a comienzos del XXI empezaba a tener un mercado seguro nacional para sus producciones y sólo excepcionalmente alguna de éstas alcanzó el éxito en el exterior; el consumo de películas era básicamente un rubro de importación. Le fue un poco mejor a la televisión colombiana, gracias al mandato de reservar ciertos espacios en los distintos canales para producciones nacionales, y en el género de la telenovela se registraron varios éxitos espectaculares no sólo en el mercado local sino en el hispanoamericano. Notable en particular fue el éxito de la telenovela *Yo soy Betty, la fea*, estrenada en Colombia en 1999, que después fue modelo para *La fea más bella* en la televisión mexicana y otras adaptaciones en Rusia, India, etc., y finalmente en 2006 reapareció en inglés como *Ugly Betty*, que se convirtió en un éxito rotundo en uno de los canales principales de Estados Unidos.

En otra área de las artes visuales, el colombiano Fernando Botero resultó sin duda el pintor latinoamericano mejor conocido de su generación. El rasgo principal de sus obras fue la irónica presentación de figuras grotescamente obesas, desde pequeños niños hasta generales condecorados, y cuando en 1989 apareció en Estados Unidos la nueva revista *Latin American Art,* una de las figuras de Botero, un ángel obeso con armadura sobre un trasfondo que evoca un escenario pueblerino típicamente colombiano, ilustró la portada del primer número[2]. La recepción entre los críticos del arte de Botero era desigual, pero museos y coleccionistas privados no vacilaban en ofrecer ingentes sumas por sus pinturas y también esculturas. Quienes no tenían ni recursos ni ganas para comprarlas a lo menos sabían quién era el artista, de modo que resultó otro éxito rotundo una promoción en 2007 de la cerveza

Club Colombia mediante la rifa de una obra (no de las mejores) de Botero a quien obtuviera una tapa de botella premiada. El mismo artista retribuyó la fama recibida de sus compatriotas donando colecciones importantes de obras propias, además de ajenas, a museos de Bogotá y Medellín. Pero así como la fama de García Márquez opacó la contribución de otros novelistas, la de Botero dejaba en la sombra la de artistas como Alejandro Obregón y Enrique Grau. La de todos en su conjunto había ubicado a Colombia de repente en la vanguardia del arte latinoamericano.

Ninguna pieza sinfónica de compositor colombiano ha ganado una fama comparable a la de los novelistas y pintores; en el área de la música clásica el país se dio a conocer más bien a través de las actuaciones y grabaciones de su gran clavecinista Rafael Puyana. Mas en el ámbito de la música popular, el ritmo afrocolombiano de la cumbia recorrió el resto de América Latina durante el tercer cuarto del siglo XX, aun cuando nunca se llegó a conocer ampliamente fuera de la región. Llama la atención, sin embargo, que desde los años 40 del mismo siglo, con la ayuda de redes nacionales de radiodifusión y de la producción de discos (que comenzó en Cartagena en el año 1943 con la marca Fuentes), la cumbia y otros ritmos de la costa atlántica hayan desplazado en gran medida a la música tradicional del interior, excepción hecha de las ocasiones en que se recrea artificialmente el ambiente del folclor andino. De esta manera, incluso mientras los colombianos se mataban unos a otros por diferencias en otros aspectos, se iba gestando espontáneamente una cultura común de música popular que a su turno alentaba cierta *costeñización* de la cultura general popular. La expresión más sorprendente de esto último quizás haya sido la selección del costeñísimo «sombrero vueltiao» como primer símbolo nacional colombiano en una encuesta que realizó en 2006 la revista *Semana*.

La música costeña no ha tenido un rival serio últimamente, salvo las sonoridades importadas como el rock, la salsa y similares, adaptadas de acuerdo con el genio de cantantes, músicos y el mismo público de Colombia. Se imaginaron algunos, dentro y fuera del país, que la salsa era música autóctonamente colombiana, siendo Cali famosa como «capital de la salsa», pero de hecho era una invención caribeña-neoyorquina, que se asentó en Cali con alguna ayuda del notorio cartel de Cali para el financiamiento de eventos especiales y la presentación de intérpretes visitantes. La costeña metrópoli de Barranquilla, en todo caso, fue la cuna de Shakira, cantante que ganó más premios internacionales y vendió más discos que cualquier otro artista del país, y a fines del siglo XX ya era multimillonaria. De ascendencia colombo-libanesa, ejemplificaba además el aporte de la corriente de inmigración moderna hacia Colombia. Se trataba de una corriente cuya influencia no sólo en la cultura popular sino en los negocios (vgr., los fundadores de SCADTA) y en la política (vgr., el 18% de los congresistas en 2004 eran descendientes de inmigrantes árabes) superaba por amplio margen su importancia numérica. Cabe añadir que, comparativamente, los indígenas y afrocolombianos quedaban muy a la zaga en los mundos empresarial y político. Los afrocolombianos sí habían liderado el auge de la música caribeña, pero sin igualar ni de lejos las ganancias de Shakira.

Como en otras naciones del mundo contemporáneo, en Colombia las emociones populares más fuertes parecen ser aquellas asociadas con la competencia deportiva. El país nunca ha brillado en los encuentros olímpicos, aun cuando un barranquillero con el nombre inverosímil de Helmut Bellingrodt —otro ejemplo del aporte de la inmigración moderna— ganó en 1972 una medalla de bronce en el tiro al jabalí y repitió la hazaña (pero con la de plata) doce años después. Hubo que esperar hasta el año 2000, en los Juegos de Sydney, cuando la pesista María Isabel Urrutia, una telefonista afrocolombiana de Cali, se llevó la primera medalla de oro para Colombia. Otros deportistas colombianos han cobrado notoriedad en el mundo del boxeo. Pero donde por primera vez alcanzaron renombre verdadero en las competencias internacionales fue en el ciclismo. La quebrada topografía andina resultó ser un magnífico campo de entrenamiento para desarrollar la habilidad y la energía necesarias en el ascenso en bicicleta, precisamente la fortaleza de los colombianos que, a partir de la década de los 80, participaron regularmente en eventos internacionales. En 1987 el colombiano Luis Herrera ganó la Vuelta a España. Aunque el Tour de France les produjo más bien frustraciones, los colombianos lograron al menos convertirse durante varios años en rivales importantes en el mundo del ciclismo.

También, como en toda América Latina y en el mundo casi entero, existe el fútbol. Aunque Colombia es una de las antiguas colonias españolas donde todavía se practica corrientemente el toreo, los domingos por la tarde se pueden encontrar por lo general más espectadores en los estadios de fútbol que en las plazas de toros. Como deporte profesional, el fútbol se estableció en Colombia de manera definitiva a finales de los años 40 y comienzos de los 50, en momentos en que problemas laborales del fútbol argentino facilitaron la contratación de entrenadores y jugadores argentinos por parte de empresarios colombianos, de manera que el nivel del balompié nacional se elevó rápidamente. Ya en 1960 Colombia clasificó para el Campeonato Mundial de Fútbol que se realizó en Chile. La segunda vez que el equipo nacional llegó a la clasificación fue en 1990, cuando Colombia tuvo una decorosa participación en la Copa Mundial en Italia. Desde el punto de vista de muchos colombianos, el suceso más importante del año 1989 no había sido el asesinato de Luis Carlos Galán ni la guerra total que emprendió el gobierno de Virgilio Barco contra el narcotráfico, sino la clasificación de la Selección Colombia para el campeonato mundial del año siguiente. Para esa época, si bien es cierto que los clubes colombianos todavía contaban con jugadores extranjeros, ya no dependían de ellos, y de hecho las ligas europeas empezaron a contratar jugadores del país. Seguirían haciéndolo a pesar de la desastrosa actuación de Colombia en el Mundial de 1994 en Estados Unidos, cuando su equipo resultó eliminado en la primera vuelta y para colmo de indignidad uno de sus miembros, culpable de un autogol, fue asesinado por un hincha furioso después de regresar al país.

A partir de ese entonces el fútbol colombiano ha visto mermado su protagonismo internacional, mientras que en el interior del país los clubes perdieron brillo y prestigio por sus rencillas internas y por la penetración de dineros de origen sospechoso a sus arcas. Sigue siendo el deporte de mayor popularidad, pero los triunfos siguientes fueron más bien individuales, de uno que otro beisbolista en las ligas norteamericanas y de Juan Pablo Montoya en las carreras automovilísticas a nivel mundial. En todo caso, la prensa internacional a duras penas prestaba atención a cualquier suceso que no estuviera relacionado con la violencia política o el narcotráfico, que naturalmente también les preocupaban a los colombianos. Pero la euforia con que ellos habían recibido los logros de sus atletas no fue mero escapismo. Constituía otro recordatorio de que Colombia es una nación de muchos millones de habitantes que en su mayoría trabajan para ganarse la vida y que buscan diversiones que por lo general son absolutamente legales, tal como lo hacen los habitantes de los países vecinos. Es más, los deportistas y novelistas, y Juan Valdez y su familia atendiendo su finca cafetera, estarán todavía presentes cuando el anacronismo de la guerra de guerrillas y de su contraparte paramilitar sea finalmente una cosa del pasado y las modas narcóticas del mundo exijan nuevas sustancias, para cuya comercialización Colombia no cuente con las mismas ventajas comparativas.

Notas

1. «Sólo para ellas», *Semana*, 24 de abril de 1990, p. 108.
2. *Latin American Art*, Nº 1 (primavera de 1989).

Epílogo

A medida que Colombia se acercaba al final del siglo XX y comienzos del XXI, la violencia relacionada con el narcotráfico parecía disminuir y la guerrillera por lo menos ya no causaba la misma preocupación política que en años anteriores. No se le ocurría a nadie, con la posible excepción de los altos mandos de las FARC, una posible toma guerrillera del poder nacional. A algunos colombianos hasta les había reconfortado la expansión del poder paramilitar como medida de protección contra los subversivos de izquierda, y a ese respecto les preocupaba algún tanto el proceso de desmovilización de paramilitares emprendido por el gobierno de Álvaro Uribe. A otros más les preocupaban toda la historia de ultrajes cometidos por los «paras» y la posibilidad de que con una desmovilización a medias no habría ni castigo real por sus crímenes ni reparación para las víctimas. El hecho es, sin embargo, que las fuerzas armadas del gobierno estaban mejor preparadas que antes para contener la amenaza guerrillera y ojalá meterla poco a poco en reversa, e incluso un arreglo jurídica y moralmente imperfecto con los paramilitares podría ofrecerle al país la disminución de violencia. Hasta la criminalidad común y corriente parecía haber descendido.

Así como el presidente Turbay hizo alguna vez la infortunada observación de que su meta era reducir la corrupción a sus justas proporciones (en lugar de erradicarla por completo), parece que los gobiernos colombianos hubieran estado buscando disminuir la violencia política a unas proporciones tolerables. Mas en el contexto general latinoamericano, tal violencia en Colombia distaba mucho de haber llegado a unas justas proporciones. Era más bien una anomalía chocante, residuo no de una tradición de permanente violencia, como tantas veces se decía, pero sí (entre otras cosas e incluso factores coyunturales) del rezago de desarrollo socioeconómico nacional en relación con el político y de la debilidad congénita del mismo Estado colombiano. Anómalo también era el creciente alineamiento de Colombia con los Estados Unidos en política internacional. No era nada anómalo en el puro contexto colombiano, pues con contadas excepciones semejante orientación se remontaba a la época de Marco Fidel Suárez y su Doctrina de la Estrella Polar, pero se intensificó con el estallido de la «guerra contra las drogas» y llegó a un punto culminante durante el gobierno de Uribe, quien hasta apoyó (moral y verbalmente) la invasión norteamericana a Irak. Este factor complicó a la vez las relaciones de Colombia con países de una mayor independencia frente a la política norteamericana, en especial Venezuela después del ascenso de Hugo Chávez.

Otras continuidades importantes en Colombia eran la severa desigualdad en la distribución del ingreso y en la prestación de servicios esenciales, la relativa ineficiencia de gran parte de la estructura productiva y la vulnerabilidad del café y otros productos básicos frente a las fluctuaciones de los mercados mundiales. Para un pueblo que en último análisis medía el comportamiento de su país según los modelos del llamado primer mundo (y que ansiosamente anhelaba hacerse con una posición dentro de él), la condición de Colombia dejaba todavía mucho que desear. Además, el Estado en sí no sólo presentaba peligrosas debilidades en varios aspectos sino que su legitimidad seguía siendo cuestionada por muchos colombianos, y no únicamente por la pequeña minoría que conformaba la resistencia armada. Mas a lo menos Colombia había evitado (otra vez algo anómalamente) caer en el populismo, cuyas medidas cortoplacistas habían dejado una secuela de inflación y desajustes en varios países del continente, de la misma manera que evitó el socialismo, este último tan desacreditado hacia fines del siglo XX aunque había dado tal vez nuevas señales de vida a principios del XXI. Con excepciones leves, Colombia por lo demás había evitado las dictaduras de derecha o de izquierda y permanecido fiel a las fórmulas de gobierno constitucional que se implantaron luego de la Independencia. El científico social y asesor de Virgilio Barco, Fernando Cepeda, exaltó por todo esto la «moderación» como una de las características esenciales de la nación[1]. No está del todo clara la forma como la «moderación» puede concordar con los horrores de la *Violencia* o las muchas otras instancias de conducta inmoderada entre los colombianos; pero seguramente las naciones pueden mostrar a veces rasgos de carácter incompatibles, de la misma manera que ocurre con los individuos.

Una constante que subyace y que siempre destacan los analistas nacionales y extranjeros ha sido por supuesto la social. La imagen de Colombia como país controlado desde sus inicios por una reducida «oligarquía» o «elite» es bastante exagerada, aun cuando se acepta corrientemente incluso en el medio colombiano. Los grupos dominantes —grandes propietarios de los medios de producción y detentadores del poder político, que bien pueden no ser los mismos— siempre han estado abiertos a los recién llegados, desde afuera o desde abajo, y éstos han crecido en volumen, especialmente durante el último medio siglo. A menudo aquéllos se han contentado con dejar el manejo inmediato de los asuntos, tanto en el gobierno como en el sector privado, al creciente estamento profesional. Sin embargo, en lo esencial su posición nunca ha sido amenazada y por esta razón las conquistas de las clases asalariadas rurales o urbanas han sido necesariamente limitadas. A la vez el gobierno constitucional en Colombia se ha mantenido a través del tiempo, por lo menos en parte, porque les

437

ha convenido a los ricos y poderosos. Es un sistema político en el cual ellos pueden participar si lo desean y sobre el cual siempre pueden influir a través de los partidos u otros mecanismos, mientras que cualquier tipo de autocracia podría escapárseles de las manos y resultar peligroso. Los oligarcas colombianos no han sentido la necesidad de llamar a ningún tosco dictador militar para que los salve de la revolución social, exceptuando tal vez a Rojas Pinilla en 1953, y desde su punto de vista la actuación del general sirvió solamente para resaltar la primacía de la autoridad civil y constitucional.

A pesar de que Colombia no ha experimentado la revolución social, ningún tipo de violencia le ha sido ajeno. Los mismos partidos tradicionales que hasta hace poco sirvieron de «opio» de las masas colombianas (en el sentido marxista) —y cuya sobrevivencia desde mediados del siglo XIX constituye otra continuidad tan impactante como anómala en la región— contribuyeron a través de los años a los brotes de violencia que, a su turno, han representado el más evidente fracaso del sistema político. Pero en el mundo actual no existe conexión intrínseca entre la democracia constitucional y el derramamiento de sangre por motivos políticos, y el sistema colombiano, que en repetidas ocasiones ha demostrado un alto grado de adaptabilidad y flexibilidad, debería ser capaz de sobreponerse a este dilema. Los dos partidos de origen decimonónico finalmente resolvieron sus conflictos, ahora que no ejercen el monopolio del poder político. Ya en 1990 la cabeza del M-19, Antonio Navarro, entró a integrar un gabinete ministerial (al que renunció para desempeñar un papel clave en la Asamblea Constituyente de 1991), y a comienzos del siglo actual un candidato de izquierda, Lucho Garzón, vino a ocupar el que convencionalmente se designa el segundo puesto más importante del país, la alcaldía de Bogotá. Por lo tanto, se hace cada vez más difícil sostener la tesis de que la violencia guerrillera surge simplemente porque los partidos dominantes se niegan de manera arrogante a compartir el espacio político con otros grupos. Es verdad que el M-19 en el fondo nunca fue tan radical como sonaba y actuaba, y Antonio Navarro, su líder en la transición a la legalidad, incluso llegó a aceptar un toque de neoliberalismo en su programa; así mismo, devolvió la espada de Bolívar. Por su parte el alcalde Garzón nunca estuvo en la guerrilla y dentro de su propia agrupación política ha sido considerado más bien de centro-izquierda que de izquierda pura. Pero el sistema político tampoco había sido nunca tan rígido como alguna vez llegó a creer Navarro. El tan amorfo «establecimiento» colombiano no consentiría que lo hicieran a un lado por medio de la violencia —ni busca el colombiano medio cambios violentos—, pero existe una amplia gama de temas susceptibles de negociación entre quienes desistan de la metodología armada.

Para el optimista, el país posible se vislumbra ya en la transformación que se ha operado en la capital del país, reputada hace no muchos años como una de las más peligrosas del mundo —por no decir nada de su tráfico anárquico y crecimiento desordenado— y convertida de repente en un destino altamente recomendado en la literatura turística mundial[2]. Y hasta proclamada por la Unesco capital mundial del libro en 2007. Bogotá ostenta no sólo una red ejemplar de ciclorrutas sino más de cien bibliotecas públicas, nuevos espacios verdes, reducida tasa de homicidios y un sistema de transporte masivo, denominado «Transmilenio», estrenado en 2000, que ya es un modelo admirado e imitado en otras ciudades del país y del exterior. Durante mucho tiempo en Bogotá se había hablado de la necesidad de construir un subterráneo, pero finalmente se rechazó tal solución por excesivamente costosa y en su lugar se creó una red de rutas de buses articulados que circulan por vías reservadas, con sus paradas tipo subterráneo aunque a ras de tierra. Todas estas mejoras se lograron desde hace 15 o 20 años por iniciativa de las administraciones municipales, aunque necesariamente con alguna cooperación de autoridades nacionales. Es un caso todavía excepcional en el país, pero de forzosa imitación en las demás ciudades principales que han estado gestando «transmilenios» propios; incluso Medellín, que ya tenía el único metro y que en años recientes ha estado construyendo teleféricos para el transporte de habitantes no hacia quintas suburbanas sino a comunas montadas en unas colinas de otras condiciones harto deficientes. Incluso en Bogotá no todo ni de lejos es perfecto, y en cientos de pueblos pequeños falta mucho por hacer, pero no todo es imposible.

Notas

1. Fernando Cepeda Ulloa, «Pensamiento político colombiano contemporáneo», ponencia presentada en el Congreso sobre el Pensamiento Político Latinoamericano, Caracas, 1983.

2. Por ejemplo, Chris Kraul, «Colombia City Makes a U-Turn», *Los Angeles Times*, 28 de octubre de 2006.

Población de Colombia

Año del censo	Total nacional	Crecimiento anual respecto del censo anterior (%)
1825	1.223.598	
1835	1.686.038	b
1843	1.955.264	1.9
1851	2.243.054	1.7
1871	2.951.111	1.4
1912	5.072.604	1.4
1918	5.855.077	2.2
1938	8.701.816	2.0
1951	11.548.172	2.2
1964	17.484.510	3.2
1973	20.666.920	3.0
1985	27.853.436	2.3
1993	33.109.840	2.2
2005	42.090.502	1.8

a. Este primer censo, realizado durante el período grancolombiano, presenta cómputos definitivamente bajos y es poco útil para compararlos con los de censos posteriores.

b. No se calculó la tasa de incremento, por la razón indicada en la nota a.

c. Panamá queda excluido. Fuentes: Departamento Administrativo Nacional de Estadística, *Colombia estadística*, Bogotá, 1991, p. 36; Censo 2005 (www.dane.gov.co/censo).

Población de las principales ciudades [a]

Ciudad	1851	1870	1912	1928	1938	1951	1964	1973	1985	1993	2005
Bogotá	29.649	40.833	121.257	235.421	330.312	648.324	1.697.311	2.995.556	4.207.657	4.945.448	6.778.691
Medellín	13.755	29.765	71.004	120.044	168.266	358.189	772.887	1.613.910	2.095.147	1.630.009	2.223.660
Cali	11.848	12.743	27.747	122.847	101.038	284.186	637.929	1.316.808	1.741.969	1.666.920	2.075.380
B/quilla	6.114	NA [b]	48.907	139.974	152.348	279.627	498.301	799.011	1.137.150	993.759	1.113.016
B/manga	10.008	11.255	19.735	44.083	51.283	112.252	229.748	361.799	544.567	414.365	509.918
C/gena	9.896	NA [c]	36.632	92.491	84.937	128.877	242.085	312.557	491.368	656.632	895.400

a. Hasta 1964 las cifras dan la población de municipios enteros, que podrían, en los censos anteriores, incluir a habitantes de distritos rurales aledaños. Los datos de los censos posteriores corresponden a las áreas metropolitanas.

b. Dato inaccesible. En 1874 la población fue de 11.595.

c. Dato inaccesible. En 1874 la población fue de 8.603.

Fuentes: William Paul McGreevey, *Historia económica de Colombia, 1845-1930*, Bogotá, Tercer Mundo, 1975, 113; «Colombian Census of 1985», *Colombia Today*, vol. 21, No. 8, 1986. Censo 2005 (www.dane.gov.co/censo).

APÉNDICE B

Elecciones presidenciales, 1826-1990

Nota: Los datos en bastardilla corresponden a los totales de votos electorales producto del sistema de elecciones indirectas, tal como se practicó hasta 1853, y posteriormente de 1892 a 1904, o a votos unitarios de los estados, bajo la Constitución de 1863. Los asteriscos indican que el candidato fue finalmente elegido Presidente por el Congreso, en los casos en que ninguno recibió la mayoría requerida. El año corresponde a la fecha del escrutinio, que no es necesariamente la de la elección. A partir de 1841 se incluye el nombre del partido junto con el del candidato. La «L» corresponde a liberal y la «C» a conservador (incluida la designación ministerial de este último partido). Los votos en blanco válidos se presentan algunas veces bajo «Otros» y otras veces se omiten, pero no son muy numerosos. Aquellos que llegaron a la presidencia por medios diferentes de la elección popular aparecen entre paréntesis rectangular ([ ]).

Año	Candidatos	Votos recibidos
1826	Simón Bolívar	528
	Otros	26
[1830	Joaquín Mosquera, elegido por el Congreso.	
1830-1831	Rafael Urdaneta, Presidente-dictador por golpe militar.	
1831-1832	Sucesión de vicepresidentes encargados del ejecutivo].	
1833	Francisco de Paula Santander	1.012
	Joaquín Mosquera	121
	Otros	130
1837	José Ignacio de Márquez	616
	José María Obando	536
	Vicente Azuero	164
	Otros	281
1841	Pedro Alcántara Herrán (C)	581
	Vicente Azuero (L)	596
	Eusebio Borrero (C)	377
	Otros	70
1845	Tomás Cipriano de Mosquera (C)	762
	Eusebio Borrero (C)	475
	Rufino Cuervo (C)	250
	Otros	177
1849	José Hilario López (L)	725
	José Joaquín Gori (C)	384
	Rufino Cuervo (C)	304
	Otros	276
1853	José María Obando (L)	1.548
	Tomás Herrera (L)	329
	Otros	131

Año	Candidatos	Votos recibidos
[1854-1855	José de Obaldía (L), Vicepresidente, Presidente encargado.	
1855-1857	Manuel María Mallarino (C), Vicepresidente, Presidente encargado].	
1857	Mariano Ospina Rodríguez (C)	97.407
	Manuel Murillo Toro (L)	80.170
	Tomás Cipriano de Mosquera (Nacional)	33.038
	Otros	75
1860 [a]	Julio Arboleda (C)	58.506
	Pedro Alcántara Herrán (C)	21.390
[1861-1864	Tomás Cipriano de Mosquera (L) llega a la presidencia por guerra civil y es consagrado Presidente «constitucional» en 1863 por la Convención de Rionegro].	
1864	Manuel Murillo Toro (L)	6
	Santos Gutiérrez (L)	2
	Tomás Cipriano de Mosquera (L)	1
1866	Tomás Cipriano de Mosquera (L)	7
	José Hilario López (L)	1
	Pedro J. Berrío (C)	1
[1867-1868	Santos Acosta (L), Designado, ocupa la presidencia luego de la deposición de Mosquera].	
1868	Santos Gutiérrez (L)	5
	Pedro J. Berrío (C)	2
	Eustorgio Salgar (L)	1
1870	Eustorgio Salgar (L)	6
	Tomás Cipriano de Mosquera (L)	2
	Pedro A. Herrán (C)	1

Año	Candidatos	Votos recibidos
1872	Manuel Murillo Toro (L)	6
	Manuel María Mallarino (C)	2
	Julián Trujillo (L)	1
1874	Santiago Pérez (L)	6
	Julián Trujillo (L)	3
1876	Aquileo Parra (L)	4
	Rafael Núñez (L)	2
	Bartolomé Calvo (C)	2
	En blanco	1
1878	Julián Trujillo (L)	9
1880	Rafael Núñez (L)	7
	Tomás Rengifo (L)	2
1882	Francisco J. Zaldúa (L)	8
	Solón Wilches (L)	1
[1882-1884	José Eusebio Otálora (L), Designado, ocupa la presidencia a la muerte de Zaldúa].	
1884	Rafael Núñez (L)	6
	Solón Wilches (L)	3
[1886-1892	Rafael Núñez (Nacional), por voto unánime del Consejo Nacional de Delegatarios].	
1892	Rafael Núñez (Nacional)	2.075
	Marceliano Vélez (Nacional-C)	509
[1894-1898	Miguel Antonio Caro (Nacional), Vicepresidente, termina el período interrumpido por la muerte de Núñez].	
1898	Manuel Antonio Sanclemente (Nacional)	1.606
	Miguel Samper (L)	318
	Rafael Reyes (C)	121

Año	Candidatos	Votos recibidos
[1900-1904	José Manuel Marroquín (C), Vicepresidente, asume el poder por golpe de Estado].	
1904	Rafael Reyes (C)	994
	Marceliano Vélez (C)	982
[1909-1910	Ramón González Valencia (C), elegido por el Congreso luego de la renuncia de Reyes].	
[1910-1914	Carlos E. Restrepo (Republicano), elegido por la Asamblea Nacional para un período completo].	
1914	José Vicente Concha (C)	300.735
	Nicolás Esguerra (L)	36.764
1918	Marco Fidel Suárez (C)	216.595
	Guillermo Valencia (C)	166.498
	José María Lombana (L)	24.041
	Otros	42
[1921-1922	Jorge Holguín (C), Designado, completa el período luego de la renuncia de Suárez].	
1922	Pedro Nel Ospina (C)	413.619
	Benjamín Herrera (L)	256.231
	Otros	203
1926	Miguel Abadía Méndez (C)	370.492
	Otros	431
1930	Enrique Olaya Herrera (L)	369.934
	Guillermo Valencia (C)	240.360
	Alfredo Vásquez Cobo (C)	213.583
	Otros	577
1934	Alfonso López Pumarejo (L)	938.808
	Otros	3.401

Año	Candidatos	Votos recibidos
1938	Eduardo Santos (L)	511.947
	Otros	1.573
1942	Alfonso López Pumarejo (L)	673.169
	Carlos Arango Vélez (L-C)	474.637
1946	Mariano Ospina Pérez (C)	565.939
	Gabriel Turbay (L)	441.199
	Jorge Eliécer Gaitán (L)	358.957
1950	Laureano Gómez (C)	1.140.122
	Otros	23
[1953-1957	Gustavo Rojas Pinilla, Presidente por golpe militar.	
1957-1958	Junta Militar].	
1958	Alberto Lleras Camargo (L)	2.482.948
	Jorge Leyva (C)	614.861
	Otros	290
1962	Guillermo León Valencia (C)	1.633.873
	Jorge Leyva (C)	308.814
	Alfonso López Michelsen (L)	624.863
	Gustavo Rojas Pinilla (C-Anapo)	54.557
	Otros	494
1966	Carlos Lleras Restrepo (L)	1.881.502
	José Jaramillo Giraldo (L-Anapo)	741.203
	Otros	589
1970	Misael Pastrana (C)	1.625.025
	Gustavo Rojas Pinilla (C-Anapo)	1.561.468
	Belisario Betancur (C)	471.350
	Evaristo Sourdís (C)	336.286
1974	Alfonso López Michelsen (L)	2.929.719
	Álvaro Gómez Hurtado (C)	1.634.879
	María Eugenia Rojas (Anapo)	492.166
	Otros	142.778

Año	Candidatos	Votos recibidos
1978	Julio César Turbay Ayala (L)	2.503.681
	Belisario Betancur (C)	2.366.620
	Otros	187.624
1982	Belisario Betancur (C)	3.189.587
	Alfonso López Michelsen (L)	2.797.786
	Luis Carlos Galán (L)	746.024
	Otros	83.368
1986	Virgilio Barco (L)	4.214.510
	Álvaro Gómez Hurtado (C)	2.588.050
	Jaime Pardo (Unión Patriótica)	328.752
	Otros	90.506
1990	César Gaviria (L)	2.834.118
	Álvaro Gómez Hurtado (Salvación Nacional)	1.401.128
	Antonio Navarro Wolff (M-19)	739.320
	Rodrigo Lloreda (C)	702.043
1994	(primera vuelta)	
	Ernesto Samper (L)	2.623.210
	Andrés Pastrana (C)	2.604.771
	Antonio Navarro (AD/M-19)	219.241
	Otros	214.863
1994	(segunda vuelta)	
	Ernesto Samper	3.733.336
	Andrés Pastrana	3.576.781
1998	(primera vuelta)	
	Andrés Pastrana (C)	3.653.048
	Horacio Serpa (L)	3.696.334
	Noemí Sanín (Indep.)	2.845.750
	Otros	311.060
1998	(segunda vuelta)	
	Andrés Pastrana	6.114.752
	Horacio Serpa	5.658.518

Año	Candidatos	Votos recibidos
2002	Álvaro Uribe Vélez (L, Indep.)	5.862.655
	Horacio Serpa (L)	3.514.779
	Luis Eduardo Garzón (Polo Dem.)	680.245
	Noemí Sanín (Indep.)	641.884
	Otros	155.966
2006	Álvaro Urive Vélez (Indep.)	7.397.835
	Carlos Gaviria (PDA)	2.613.157
	Horacio Serpa (L)	1.404.235
	Otros	449.183

a. Las elecciones tuvieron lugar en medio de una guerra civil nacional. Las regiones de predominio liberal (así como el Partido Liberal) no participaron.

b. Los votos por López Michelsen fueron anulados con el argumento de que, en virtud del plan de alternación presidencial del Frente Nacional, correspondía a los conservadores ocupar la presidencia; los de Rojas Pinilla fueron invalidados porque sus derechos políticos habían sido anulados.

Fuentes: David Bushnell, «Elecciones presidenciales colombianas, 1825-1856», en *Compendio de estadísticas históricas de Colombia*, ed. Miguel Urrutia y Mario Arrubla, Bogotá, 1970, pp. 219-310, y «Elecciones presidenciales, 1863-1883», *Revista de Extensión Cultural*, Universidad Nacional de Colombia, Sede de Medellín, 18 de diciembre de 1984, pp. 44-50; Óscar Delgado, *Colombia elige*, Bogotá, 1986, p. 38; Jesús María Henao y Gerardo Arrubla, *Historia de Colombia*, 8ª ed., Bogotá, 1967, p. 729 (para 1876), p. 885 (para 1930), p. 898 (para 1936); *El Nuevo Tiempo*, 8 de abril de 1914; Ministerio del Interior, *Memoria*, Bogotá, 1918, XXVI-XXVII, y *Memoria*, Bogotá, 1922, p. 193; *Diario Oficial*, Bogotá, 21 de julio de 1926; Departamento Administrativo Nacional de Estadística, *Colombia política*, Bogotá, 1972, pp. 154-155, p. 282; Departamento Administrativo Nacional de Estadística, *Colombia estadística*, Bogotá, 1987, 1, p. 769 (para 1986); *Revista Javeriana*, julio de 1990, p. 82; *Colombia estadística*, Bogotá, 1993-1997, pp. 1362-1363; 1998-2000, pp. 1685-1691.

APÉNDICE C

CONSTRUCCIÓN DE FERROCARRILES 1869-1885

Línea	Fecha de construcción	Kilómetros construidos hacia 1885	Ruta
Barranquilla-Sabanilla	1869-1871	27	Barranquilla a Sabanilla
Antioquia	1874-1929	38	Medellín a Puerto Berrío
Pacífico	1878-1915	26	Buenaventura a Cali
Cúcuta-Zulia	1878-1888	54	Cúcuta al río Zulia
Girardot	1881-1910	31	Girardot a Bogotá
La Dorada	1881-1882	15	Paso por el río Magdalena
Puerto Wilches	1881 [b]	4	Puerto Wilches a Bucaramanga
Sabana	1882-1889	18	Bogotá a Facatativá
Santa Marta	1882 [c]	12	Santa Marta al río Magdalena

a. La segunda fecha corresponde a la terminación del tramo principal.

b. Nunca fue completado.

c. Nunca se terminó tal como se había planeado originalmente, pero fue incorporado al ferrocarril del Atlántico, entre Bogotá y Santa Marta, que se completó en 1961.

APÉNDICE D

PRECIOS EXTERNOS REALES DEL CAFÉ COLOMBIANO EN DÓLARES CONSTANTES DE 1994

Año	US$	Año	US$	Año	US$	Año	US$	Año	US$
1821	5.02	1840	2.25	1859	2.83	1878	3.11	1897	2.70
1822	5.00	1841	2.28	1860	3.24	1879	2.85	1898	2.30
1823	4.63	1842	2.14	1861	3.05	1880	2.94	1899	1.65
1824	3.66	1843	2.03	1862	2.60	1881	2.70	1900	1.30
1825	2.97	1844	1.89	1863	2.72	1882	2.12	1901	1.39
1826	3.00	1845	1.57	1864	2.09	1883	1.76	1902	1.91
1827	2.34	1846	1.62	1865	1.94	1884	1.94	1903	1.78
1828	2.47	1847	1.49	1866	1.90	1885	2.10	1904	1.95
1829	2.31	1848	1.46	1867	1.62	1886	2.02	1905	1.86
1830	2.22	1849	1.62	1868	1.42	1887	2.08	1906	1.74
1831	2.08	1850	2.08	1869	1.89	1888	3.04	1907	1.75
1832	2.34	1851	2.10	1870	1.97	1889	2.55	1908	1.89
1833	2.72	1852	1.88	1871	1.87	1890	2.91	1909	1.80
1834	3.21	1853	1.81	1872	2.51	1891	3.35	1910	2.38
1835	2.60	1854	2.09	1873	3.32	1892	3.25	1911	2.61
1836	2.24	1855	2.26	1874	3.42	1893	3.76	1912	2.26
1837	2.04	1856	1.98	1875	2.67	1894	2.39	1913	2.33
1838	1.85	1857	1.98	1876	2.82	1895	3.18	1914	2.31
1839	1.94	1858	2.55	1877	2.87	1896	3.16	1915	2.10

Año	US$	Año	US$	Año	US$	Año	US$	Año	US$
1916	1.95	1932	1.23	1948	2.00	1964	2.32	1980	3.21
1917	1.48	1933	1.19	1949	2.32	1965	2.25	1981	2.36
1918	1.61	1934	1.51	1950	3.27	1966	2.14	1982	2.27
1919	2.35	1935	1.11	1951	3.34	1967	1.84	1983	2.09
1920	1.58	1936	1.19	1952	3.17	1968	1.80	1984	2.09
1921	1.29	1937	1.17	1953	3.29	1969	1.79	1985	2.14
1922	1.54	1938	1.15	1954	4.38	1970	2.15	1986	2.96
1923	1.63	1939	1.24	1955	3.55	1971	1.78	1987	1.60
1924	2.15	1940	0.88	1956	4.00	1972	2.00	1988	1.78
1925	2.32	1941	1.47	1957	3.35	1973	2.40	1989	1.27
1926	2.38	1942	1.43	1958	2.67	1974	2.32	1990	1.09
1927	2.13	1943	1.34	1959	2.28	1975	2.23	1991	0.97
1928	2.35	1944	1.33	1960	2.23	1976	4.09	1992	0.71
1929	1.97	1945	1.33	1961	2.15	1977	5.83	1993	0.77
1930	1.52	1946	1.70	1962	1.99	1978	4.18		
1931	1.51	1947	1.99	1963	1.90	1979	3.72		

Fuente: José Antonio Ocampo, «Qué tan bajos están los precios del café», *Estrategia económica y financiera*, dic. de 1989, y Federacafé, Estudios Especiales.

Ensayo bibliográfico

Para ser una nación que a menudo se ha enorgullecido de sus logros culturales, Colombia ha producido una literatura histórica sorprendentemente dispareja, y a este respecto ha recibido poca ayuda de los estudiosos extranjeros. La aparición en el país de la historia como disciplina profesional moderna data apenas de la década de 1960. En el lapso transcurrido desde entonces se ha alcanzado mucho, pero hay aspectos históricos que todavía no han recibido la atención que merecen. Los historiadores de escuela tradicional, que escribían (y siguen escribiendo) sin demasiado aparato científico ni rigor conceptual, produjeron unos trabajos de valor genuino y duradero, pero se han contentado, en términos generales, con escribir narrativas cronológicas de acontecimientos políticos y militares. Los más recientes historiadores «científicos», en contraste, se han concentrado sobre todo en lo social y económico. Han dejado atrás unos vacíos en la cobertura de la historia política no estrictamente relacionada con los acontecimientos y no siempre han relacionado en forma debida sus propios temas especializados al contexto nacional general; pero es impresionante la producción de los últimos años no sólo por la cantidad de obras publicadas sino por la aparición de algunas que sin duda se convertirán en referencias básicas y puntos de partida.

Estudios generales

Con raras excepciones, los historiadores colombianos no han intentado escribir un compendio de historia general, ni de un período específico, ni mucho menos de toda la experiencia nacional. Ni siquiera el género de las historias generales colectivas ha alcanzado el desarrollo que presenta en otros países latinoamericanos. Hasta una época reciente, el texto de historia de consulta casi obligatoria era el de Jesús María Henao y Gerardo Arrubla, ya muy desactualizado pero no totalmente descartable aún hoy día si uno necesita sacar unos datos rápidos sobre historia colonial o del siglo XIX y principios del XX. Incluso se había traducido al inglés. Mas ahora hay una excelente y reciente historia general, de dos historiadores profesionales —uno norteamericano y el otro colombiano, Frank Safford y Marco Palacios—, el segundo de los cuales ha escrito otra historia que abarca algo más de un siglo, desde la crisis del régimen liberal radical en la década de 1870 hasta la década de 1990 (contienen ambas unas bibliografías algo más extensas que ésta). Otra referencia general accesible y valiosa es la *Nueva historia de Colombia*, de unos once tomos y consistente en capítulos de historiadores tanto colombianos como extranjeros. Incluye colaboraciones de algunos de los más connotados estudiosos, entre ellos Jaime Jaramillo Uribe, decano de los historiadores colombianos contemporáneos, cuyos ensayos recopilados por separado, primordialmente sobre temas sociales y culturales, siempre vale la pena consultar por su valor intrínseco. La *Historia de Colombia*, ilustrada espléndidamente y editada por la firma española Salvat, es también útil. El más amplio compendio es la *Historia extensa de Colombia*, publicada por la Academia Colombiana de Historia en múltiples tomos (aunque confusamente numerados), que ofrece algunas de las mejores (y también unas menos estelares) muestras de la historiografía de corte tradicional. Varios de sus volúmenes aparecen separadamente por autor en esta bibliografía.

Además, existen trabajos generales sobre aspectos específicos de la historia colombiana. La historia económica ha sido la mejor librada, con la magnífica colección de ensayos compilada por José Antonio Ocampo; una introducción somera a la historia económica de Álvaro Tirado Mejía; el más detallado recuento, que cubre mucho más que la economía, de Salomón Kalmanovitz, y el estudio de las finanzas públicas preparado por Abel Cruz Santos para la *Historia extensa*. Una corta monografía de Juan Friede, publicada en los años 40, es todavía una lectura fundamental para la historia de las comunidades indígenas. Acerca de la población afrocolombiana y su situación dentro de la sociedad general (con enfoque especial sobre el Chocó) existe el excelente trabajo de Peter Wade. La sociedad rural de la cordillera Oriental es el tema de un estudio pionero del sociólogo Orlando Fals Borda, autor también de una muy sugestiva y estimulante, si bien idiosincrática, historia en cuatro tomos de los conflictos sociales y la cultura popular de la región de la costa caribe. Sobre la historia de la religión tenemos el libro de Ana María Bidegain y colaboradores, y sobre literatura el clásico recuento de Antonio Gómez Restrepo (en cuatro tomos) sigue siendo útil. Acerca de historia del arte existe otro multivolumen publicado por Salvat Editores. A propósito de relaciones internacionales hay dos trabajos generales ya clásicos, de los investigadores colombianos Germán Cavelier y Raimundo Rivas, y sobre las importantes relaciones que siempre ha habido entre Colombia y Estados Unidos existe el trabajo del profesor canadiense Stephen Randall, que llega afortunadamente hasta años recientes. Por último, hay dos diccionarios históricos, uno en español y otro en inglés, de Horacio Gómez Aristizábal y Robert Davis, respectivamente.

Ni en la primera sección (general) de esta bibliografía ni en las que siguen se ha intentado hacer un inventario exhaustivo de las fuentes disponibles. Ya que la primera versión de esta historia se escribió en inglés y en los Estados Unidos, para editarse en ese país, la muestra es sin duda más completa, relativamente, en cuanto a libros escritos originalmente en inglés, pero citando en lo posible traducciones al castellano. En todo caso, se ha tratado de ofrecer un listado básico y representativo de trabajos históricos, más algunos de disciplinas afines, como un punto de partida. Sólo cabe añadir que para obtener una visión general de la historiografía colombiana —con mención de unos títulos que no aparecen en esta bibliografía— se puede consultar el libro de Jorge Orlando Melo. Y para una idea de las tendencias actuales de la historiografía nacional no existe quizás mejor guía que el artículo suyo sobre la producción de los años 90.

Bidegain, Ana María, comp., *Historia del cristianismo en Colombia: corrientes y diversidad*, Bogotá, 2004.

Cavelier, Germán, *La política internacional de Colombia,* ed. revisada, 4 tomos, Bogotá, 1997.

Cruz Santos, Abel, *Economía y hacienda pública*, 2 tomos, Bogotá, 1965-1966.

David, Robert H., *Historical Dictionary of Colombia,* 2ª ed., Metuchen, N.J., 1993.

Fals Borda, Orlando, *El hombre y la tierra en Boyacá: desarrollo histórico de una sociedad minifundista*, 2a. ed., Bogotá, 1973.

————, *Historia doble de la costa*, 4 tomos, Bogotá, 1979-1984.

Friede, Juan, *El indio en lucha por la tierra,* 3ª ed., Bogotá, 1974.

Gómez Aristizábal, Horacio, *Diccionario de la historia de Colombia*, 2ª ed., Bogotá, 1985.

Gómez Restrepo, Antonio, *Historia de la literatura colombiana*, 3ª ed., 4 tomos, Bogotá, 1953-1954.

Henao, Jesús María, y Gerardo Arrubla, *Historia de Colombia*, 8ª ed., Bogotá, 1967.

Historia de Colombia, 8 tomos, Salvat Editores, Bogotá y Barcelona, 1985-1987.

Historia del arte colombiano. 7 tomos, Salvat Editores, Barcelona, 1977-1982.

Historia extensa de Colombia, 41 tomos, Bogotá, 1964-1986.

Jaramillo Uribe, Jaime, *Ensayos de historia social*, Bogotá, 1989.

————, *Ensayos sobre historia social colombiana*, Bogotá, 1960.

Kalmanovitz, Salomón, *Economía y nación: una breve historia de Colombia,* ed. revisada, Bogotá, 2003.

Melo, Jorge Orlando, «De la nueva historia a la historia fragmentada: la producción histórica colombiana en la última década del siglo», *Boletín Cultural y Bibliográfico*, N° 50/51 (2001).

————, *Historiografía colombiana: realidades y perspectivas*, Medellín, 1996.

Nueva historia de Colombia. 11 vols., Bogotá, 1989-1998.

Ocampo, José Antonio, comp., *Historia económica de Colombia,* Bogotá, 1987.

Palacios, Marco, *Entre la legitimidad y la violencia. Colombia 1875-1994,* Bogotá, 1995.

Palacios, Marco, y Frank Safford, *Colombia: país fragmentado, sociedad dividida: su historia*, Bogotá, 2002.

Randall, Stephen, *Aliados y distantes; las relaciones entre Colombia y Estados Unidos desde la Independencia hasta la guerra contra las drogas*, Bogotá, 1992.

Rivas, Raimundo, *Historia diplomática de Colombia, 1810-1934,* Bogotá, 1961.

Tirado Mejía, Álvaro, *Introducción a la historia económica de Colombia,* 12 ed., Bogotá, 1998.

Wade, Peter, *Gente negra, nación mestiza: dinámica de las identidades raciales en Colombia,* Bogotá, 1997.

Historia de la preindependencia

(Capítulo 1)

El pasado precolombino de Colombia ha sido objeto de menos atención que el período equivalente en la historia mexicana o peruana, tanto porque los logros de los primeros habitantes fueron en general menos espectaculares que los de los Incas o los Aztecas, como porque los habitantes actuales no son tan conscientes de sus predecesores nativos. Pero hay trabajos valiosos de historiadores y antropólogos, entre ellos un resumen magistral hecho por Gerardo Reichel-Dolmatoff, que no está plenamente actualizado —se publicó en forma póstuma, aunque hay versiones anteriores de la misma obra— pero es la mejor introducción al tema. Hay otros estudios importantes de los estudiosos Luis Duque Gómez, Carl Langebaek y Hermes Tovar Pinzón.

La historia de la conquista y la colonización fue narrada en primera instancia por cronistas españoles tales como Juan de Castellanos, Pedro de Aguado y Pedro Simón, y la literatura al respecto se discute apropiadamente en el ensayo historiográfico de Bernardo Tovar Zambrano. De Nicolás del Castillo Mathieu hay un recuento general muy útil. Pero los trabajos más importantes de publicación reciente son los de José Avellaneda Navas, basados en una investigación meticulosa y en los cuales se aplica la metodología de la prosopografía o biografía colectiva. Tampoco se pueden ignorar los extensos escritos de Juan Friede, primer historiador colombiano que combinó la investigación rigurosa con una profunda simpatía hacia los indígenas víctimas de la conquista.

En cuanto al estudio de las instituciones y la sociedad coloniales, no existe un solo resumen global de obligada referencia, pero la reciente obra del historiador inglés Anthony McFarlane, que se centra fundamentalmente en el siglo XVIII, es un certero análisis del régimen colonial maduro y tardío. Por lo demás, los cronistas mantienen su valor, así como las viñetas de Juan Rodríguez Freile sobre la vida en la Bogotá colonial. Son también valiosos dos productos de la historiografía del siglo XIX, muy diferentes entre sí, escritos por José Antonio Plaza y José Manuel Groot. El estudio de Plaza es tal vez más importante para establecer las extensas líneas de la crítica liberal a la herencia colonial, mientras que el de Groot, con base en una buena investigación y con una vivaz prosa, ofrece una apología conservadora y tradicionalista. En el siglo actual, miembros de la Academia Colombiana de Historia y de otras instituciones similares de orden regional han producido abundante narrativa cronológica que cubre el período colonial, generalmente con cierto énfasis institucional y biográfico. Este tipo de texto es bien representado en los tomos de la *Historia extensa*. El autor revisionista Indalecio Liévano Aguirre, en *Los grandes conflictos sociales y económicos de nuestra historia*, presentó una provocativa —y en un principio muy influyente— aunque poco documentada reinterpretación del período que va desde los orígenes coloniales hasta la época de la Independencia, en la cual buscó reivindicar a los jesuitas y a los primeros monarcas Habsburgo, a expensas de los Borbones y oligarcas criollos. Sin embargo, Juan Friede, quien también nos ha dejado un recuento detallado sobre Gonzalo Jiménez de Quesada, fue durante muchos años casi el único que se esforzó por hacer justicia historiográfica a la población indígena.

A pesar de los tempranos empeños de Friede, la historia socioeconómica de la Colonia fue reconocida plenamente sólo a partir de la profesionalización de la disciplina de la historia durante los últimos 40 años. Su mayor exponente fue Germán Colmenares, autor de trabajos fundamentales sobre la población nativa, los esclavos y el sistema de haciendas, de los que caben en el listado siguiente sólo algunos, a manera de muestra; deben mencionarse igualmente los trabajos de Hermes Tovar, Jorge Palacios Preciado y Margarita González. Por otra parte, varios de los ensayos de Jaramillo Uribe constituyen aportes esenciales. Los estudiosos extranjeros han contribuido también, principalmente en aspectos sociales y económicos: Robert West sobre la minería del oro, Peter Marzahl sobre la sociedad urbana de provincia, William Sharp sobre la población esclava, Jane Rausch a propósito de las regiones fronterizas de los Llanos y Ann Twinam sobre la formación de una sociedad típicamente antioqueña.

Aguado, Pedro de, *Recopilación historial*, 4 tomos, Bogotá, 1956.

Avellaneda Navas, José Ignacio, *Los compañeros de Federmann: cofundadores de Santa Fe de Bogotá*, Bogotá, 1990.

————, *The Conquerors of the New Kingdom of Granada*, Albuquerque, 1995.

Castellanos, Juan de, *Elegías de varones ilustres de Indias*, 4 tomos, Bogotá, 1955.

Colmenares, Germán, *Cali: terratenientes, mineros y comerciantes, siglo XVIII*, 4ª ed., Bogotá, 1997.

————, *Historia económica y social de Colombia*, 2 tomos, Cali y Medellín, 1973-1979.

Del Castillo Mathieu, Nicolás, *Descubrimiento y Conquista de Colombia*, Bogotá, 1988.

Duque Gómez, Luis, *Prehistoria*, 2 tomos, Bogotá, 1965-1967.

Friede, Juan, *El adelantado don Gonzalo Jiménez de Quesada*, 2 tomos, Bogotá, 1979.

————, *Los chibchas bajo la dominación española*, Bogotá, 1974.

————, *Vida y luchas de Juan del Valle, primer obispo de Popayán y protector de indios*, Popayán, 1961.

González, Margarita, *El resguardo en el Nuevo Reino de Granada*, Bogotá, 1970.

Groot, José Manuel, *Historia eclesiástica y civil de Nueva Granada*, 2ª ed., 5 tomos, Bogotá, 1889-1893.

Langebaek, Carl Henrik, *Mercados, poblamiento e integración étnica entre los muiscas: siglo XVI*, Bogotá, 1987.

Liévano Aguirre, Indalecio, *Los grandes conflictos sociales y económicos de nuestra historia*, Bogotá, 1964.

Marzahl, Peter, *Town in the Empire: Government, Politics, and Society in Seventeenth-Century Popayán*, Austin, Texas, 1978.

McFarlane, Anthony, *Colombia antes de la Independencia: economía, sociedad y política bajo el dominio borbón*, Bogotá, 1997.

Palacios Preciado, Jorge, *La trata de negros por Cartagena de Indias*, Tunja, 1973.

Plaza, José Antonio, *Memorias para la historia de la Nueva Granada desde el Descubrimiento hasta el 20 de julio de 1810*, Bogotá, 1850.

Rausch, Jane M., *Una frontera de la sabana tropical, los llanos de Colombia: 1531-1831,* Bogotá, 1994.

Reichel-Dolmatoff, Gerardo, *Arqueología de Colombia. Un texto introductorio,* Bogotá, 1986.

————, *Colombia indígena,* Bogotá, 1998.

Rodríguez Freile, Juan, *El carnero,* Ed. Germán Romero, Bogotá, 1984.

Sharp, William F., *Slavery on the Spanish Frontier: The Colombian Chocó, 1680-1810,* Norman, Okla., 1976.

Simón, Pedro, *Noticias historiales de las conquistas de Tierra Firme en las Indias Occidentales,* 9 tomos, Bogotá, 1953.

Tovar Pinzón, Hermes, *La formación social chibcha,* 2ª ed., Bogotá, 1980.

————, *Hacienda colonial y formación social,* Barcelona, 1988.

Tovar Zambrano, Bernardo, *La Colonia en la historiografía colombiana,* Medellín, 1984.

Twinam, Ann, *Mineros, comerciantes y labradores: las raíces del espíritu empresarial en Antioquia,* Medellín, 1985.

West, Robert C., *La minería de aluvión en Colombia durante el período colonial,* Bogotá, 1972.

La época de la Independencia

(capítulos 2 y 3)

El movimiento independentista ha recibido siempre especial atención por parte de los historiadores colombianos de la vieja escuela, quienes han producido una gran cantidad de obras narrativas sobre aspectos político-militares, que rinden homenaje retrospectivo a los fundadores de la nación. Si bien muchas de estas obras son recuentos bien hechos, también es verdad que otras carecen lamentablemente de sentido crítico. En cualquier caso, todavía es necesario consultarlas, aunque sea hasta cierto punto por el sencillo hecho de que el tema no ha resultado igualmente atractivo para los nuevos historiadores profesionales (ni tampoco para los colombianistas extranjeros). Así las cosas, el trabajo más importante sobre la Independencia sigue siendo el primero que se publicó, los volúmenes de José Manuel Restrepo, cuya versión original apareció mientras el autor ocupaba el cargo de secretario del Interior de la Gran Colombia. El trabajo de Restrepo se ha criticado últimamente por sus prejuicios subyacentes de tipo racista y clasista, pero no existe ningún texto moderno de su talla.

Sobre el trasfondo intelectual de la emancipación, Renán Silva ha escrito un texto difícilmente superable en un futuro previsible. En relación con el levantamiento de los Comuneros, movimiento precursor por lo menos de la revolución definitiva, el mejor trabajo probablemente es el del norteamericano John Leddy Phelan, pero toca complementarlo con el del colombiano Mario Aguilera Peña. Otras contribuciones extranjeras importantes han sido el estudio de Allan Kuethe sobre el estamento militar en vísperas de la Independencia y el del alemán Hans-Joachim König sobre los antecedentes del sentido de nación. Otro alemán, Gerhard Masur (radicado durante un tiempo en Bogotá), escribió una de las biografías mejor conocidas de Bolívar, mientras que el español Salvador de Madariaga produjo la que más enfureció a los guardianes del culto bolivariano por su sesgo peninsular. El libro de Madariaga está bien documentado, sin embargo, y es una de las biografías más completas. En Colombia, la biografía más popular de Bolívar ha sido la de Indalecio Liévano Aguirre, a cuya interpretación de mucha influencia se alude brevemente en el capítulo 3. En su trabajo *Los grandes conflictos*, el mismo autor había ya cubierto los antecedentes de la Independencia y la Patria Boba, retroproyectando cuestiones contemporáneas a períodos pasados a través de análisis siempre sugestivos aunque a menudo tendenciosos.

Las interpretaciones innovadoras de historiadores profesionales colombianos han sido más bien escasas y se concentran principalmente en aspectos sociales. El pequeño volumen de Germán Colmenares y sus colegas es en todo caso una fuente esencial a este respecto. Zamira Díaz de Zuluaga, quien colaboró en dicha obra, examinó en otro trabajo propio el contexto socioeconómico de la región suroccidental. En lo que se refiere al contexto caribeño y en especial al papel de la población afrocolombiana, hay no sólo el trabajo de Alfonso Múnera sino el aporte aún más reciente de la historiadora suiza Aline Helg. Hermes Tovar ha escrito también unos ensayos interesantes sobre el período, de enfoque sociopolítico, no siempre muy accesibles pero de los cuales aparece uno representativo en el listado que sigue. En una monografía reciente de Víctor Uribe-Ulan se analiza el papel de los letrados desde fines de la Colonia hasta los primeros años de la república, con base en otro análisis prosopográfico.

Una obra de Javier Ocampo López ofrece un inventario de las ideas en pugna, y por su parte Pilar Moreno de Ángel reafirma la tradicional y altamente positiva interpretación liberal de Santander en una extensa biografía. El trabajo de Bushnell referente a Santander, aunque a veces llamado biografía, es más bien un estudio de la historia interna de la Gran Colombia durante la administración Santander. No existe sobre Nariño un texto comparable al de Pilar Moreno sobre Santander, pero Camilo Riaño publicó una síntesis útil, con cierto énfasis en los aspectos militares. En términos generales, la lucha militar en la Nueva Granada ha sido satisfactoriamente cubierta por otros trabajos de Riaño, Guillermo Plazas Olarte y Oswaldo Díaz Díaz, los cuales forman parte de la *Historia extensa,* pero hace poco el investigador francés Clément Thibaud ha aportado un fascinante análisis sociopolítico de las fuerzas revolucionarias. Y por último la historiadora inglesa Rebecca Earle ha escrito un breve volumen sobre la guerra de Independencia en Colombia que enfatiza relativa aunque no exclusivamente en la acción de los realistas.

El estudioso de la Independencia bien puede aprovecharse de las numerosas colecciones de documentos que han aparecido, las más de las veces en honor de Bolívar, Santander y otros próceres, o con ocasión de conmemoraciones de aniversarios especiales. Dos de los más importantes son las *Memorias del general O'Leary,* por Simón B. O'Leary (colección de documentos del archivo de Bolívar), y la *Gaceta de Colombia,* órgano oficial del gobierno grancolombiano, que ha sido reeditada. Pero no se deben descuidar los relatos de viajeros extranjeros que comenzaron a aparecer en el decenio de 1820, que —desde posiciones de prevención aunque generalmente ajenas a los intereses locales— suministran numerosas y agudas percepciones sobre las costumbres sociales y condiciones materiales de vida, temas que la historiografía formal apenas empieza a explorar. Las ediciones originales son un tanto escasas, pero las más importantes (incluidas las aquí anotadas) se han publicado nuevamente en traducciones al castellano.

Aguilera Peña, Mario, *Los Comuneros: guerra social y lucha anticolonial*, Bogotá, 1985.

Bushnell, David, *El régimen de Santander en la Gran Colombia*, 2ª ed. castellana, Bogotá, 1985.

Cochrane, Charles Stuart, *Cartas escritas desde Colombia durante un viaje de Caracas a Bogotá y desde allí a Santa Marta en 1823*, Bogotá, 1975.

Colmenares, Germán (y otros), *La Independencia: ensayos de historia social*, Bogotá, 1986.

Díaz de Zuluaga, Zamira, *Guerra y economía en las haciendas: Popayán 1780-1830*, Bogotá, 1983.

Díaz Díaz, Oswaldo, *La reconquista española*, 2 tomos, Bogotá, 1964-1967.

Duane, William, *Viaje a la Gran Colombia en los años 1822-1823: de Caracas y La Guayra a Cartagena, por la cordillera hasta Bogotá, y de allí en adelante por el Río Magdalena*, 2 tomos, Caracas, 1968.

Earle, Rebecca, *Spain and the Independence of Colombia 1810-1825*, Exeter, 2000.

Gaceta de Colombia, ed. facsimilar, 6 tomos, Bogotá, 1973-1975 (primera publicación, 1822-1831).

Groot, José Manuel, *Historia de la Gran Colombia*, Caracas, 1941 (última sección de su *Historia eclesiástica y civil de Nueva Granada*).

Hamilton, John P., *Viajes por el interior de las provincias de Colombia*, 2 tomos, Bogotá, 1955.

Helg, Aline, *Liberty and Equality in Caribbean Colombia, 1770-1835*, Chapel Hill, 2004.

König, Hans-Joachim, *En el camino hacia la nación: nacionalismo en el proceso de formación del estado y de la nación de la Nueva Granada, 1750-1856*, Bogotá, 1994.

Kuethe, Allan, *Reforma militar y sociedad en la Nueva Granada: 1773-1808*, Bogotá, 1993.

Liévano Aguirre, Indalecio, *Bolívar*, México, 1956 (y muchas ediciones posteriores).

Madariaga, Salvador de, *Bolívar*, 2a. ed., 2 tomos, México, 1953.

Masur, Gerhard, *Simón Bolívar*, Caracas, 1987.

Mollien, Gaspar Théodore, *Viaje por la República de Colombia en 1823*, Bogotá, 1944.

Moreno de Ángel, Pilar, *Santander: biografía*, Bogotá, 1989.

Múnera, Alfonso, *El fracaso de la nación. Región, clase y raza en el Caribe colombiano (1717-1821)*, Bogotá, 1998.

Ocampo López, Javier, *El proceso ideológico de la emancipación en Colombia*, ed. revisada, Bogotá,1999.

O'Leary, Simón B., comp., *Memorias del general O'Leary*, 32 tomos, Caracas, 1879-1888.

Phelan, John Leddy, *El pueblo y el rey*, Bogotá, 1980.

Plazas Olarte, Guillermo, *Historia militar: la Independencia, 1819-1828*, Bogotá, 1971.

Restrepo, José Manuel, *Historia de la revolución de la República de Colombia*, 3ª ed., 8 tomos, Bogotá, 1942-1950.

Riaño, Camilo, *El teniente general don Antonio Nariño*, Bogotá, 1973.

————, *Historia militar: la Independencia, 1810-1819*, 2 tomos, Bogotá, 1971.

Silva, Renán, *Los ilustrados de la Nueva Granada 1760-1808. Genealogía de una comunidad de interpretación*, Medellín, 2002.

Thibaud, Clément, *Repúblicas en armas: los ejércitos boliva-rianos en la guerra de Independencia en Colombia y Venezuela*, Bogotá, 2003.

Tovar Pinzón, Hermes, «Guerras de opinión y represión en Colombia durante la Independencia (1810-1820)», *Anuario colombiano de historia social y de la cultura*, 11 (1983), pp. 187-233.

Uribe-Urán, Víctor M., *Honorable Lives: Lawyers, Family, and Politics in Colombia, 1780-1850*, Pittsburgh, 2000.

El primer siglo después de la Independencia

(capítulos 4-7)

En mayor medida que la historia de los períodos de la Colonia y la Independencia, la del siglo XIX, o de la «construcción de la nación», puede estudiarse con el apoyo de una extensa literatura legada por participantes en el proceso o por testigos directos. De nuevo, José Manuel Restrepo es una de las fuentes primordiales, pues escribió una historia general que se prolonga hasta el decenio de 1850 y un apretado diario en cuatro tomos. Casi tan valiosas son las memorias de unas figuras como Joaquín Posada Gutiérrez, José María Samper, Salvador Camacho Roldán y Aquileo Parra, todos comprometidos con la política y el gobierno del período —los dos últimos ardientes liberales, y Samper un gólgota que poco a poco se convirtió al conservatismo. En sus reminiscencias, José María Cordovez Moure presenta pintorescos episodios y viñetas de la vida cotidiana. A los anteriores se pueden añadir algunos notables relatos de viaje, especialmente la descripción de las provincias norteñas hecha por Manuel Ancízar como subproducto de su participación en un estudio científico a mediados del siglo, y más relatos de visitantes extranjeros, por ejemplo de los norteamericanos Isaac Holton y John Steuart.

Los historiadores de la escuela narrativa político-militar han dejado trabajos importantes, por supuesto con énfasis en la política partidista y las guerras civiles. Notable en este sentido es la detallada crónica de Gustavo Arboleda, que alcanza a cubrir hasta 1859. Los trabajos de Manuel Aguilera, Antonio Pérez Aguirre, Eduardo Rodríguez Piñeres y Luis Martínez Delgado constituyen otros buenos ejemplos de este tipo de fuente (y otra crónica, referida a los primeros años del siglo XX, la elaboraron Jorge Villegas y José Yunis con base en los periódicos de la época). Eduardo Lemaitre, por su parte, produjo tanto una biografía de Rafael Reyes como un relato de la separación de Panamá desde el punto de vista colombiano. Indalecio Liévano Aguirre encuentra otro tema para presentar sus tendencias revisionistas en una biografía de Rafael Núñez que bien puede ser la mejor disponible, acepte o no el lector la tesis de que el Regenerador fue un precursor de la socialdemocracia del siglo XX. Con respecto al trasfondo intelectual de la época, el trabajo *Las ideas liberales en Colombia,* del intelectual socialista Gerardo Molina, es más una historia política del liberalismo colombiano que una historia de las «ideas» en sentido estricto; para la historia intelectual lo indispensable sigue siendo el enfoque clásico de Jaime Jaramillo Uribe.

Las generaciones recientes de historiadores profesionales en Colombia han mostrado menor interés en la historia política del siglo XIX y comienzos del XX. Una de las pocas excepciones fue Germán Colmenares, quien se preocupó en uno de sus primeros trabajos por los orígenes de los partidos y regresó a la temática política en uno de sus últimos estudios, sobre el caricaturista de la primera mitad del siglo XX, Ricardo Rendón. Los académicos extranjeros han suplido en alguna parte esta falta de interés. Infortunadamente, el estudio fundamental de J. León Helguera sobre la primera administración de Mosquera no se ha publicado, aunque es constantemente citado en su forma de tesis doctoral. Mas de Helen Delpar hay publicado un sólido recuento del desarrollo de la política bipartidista, con énfasis en los liberales, y un artículo suyo ofrece una sutil introducción a la historiografía de Núñez y la Regeneración. Una obra de Robert Gilmore, editada muchos años después de escrita, analiza los orígenes y el desarrollo (hasta la década de 1850) del federalismo colombiano. El decano de los colombianistas británicos, Malcolm Deas, ha escrito una serie impresionante de ensayos, con cierto énfasis en aspectos de la cultura política, que se han reunido en traducción castellana con un enigmático título: *Del poder y la gramática*. Por su parte, David Johnson ofrece un excelente estudio sobre la región de Santander, y James Sanders reivindica el papel político de elementos populares durante el siglo XIX.

Aunque la colección de capítulos dirigida por Gonzalo Sánchez y Mario Aguilera es ahora una fuente esencial sobre la Guerra de los Mil Días, el libro *Café y conflicto,* de Charles Bergquist, es probablemente todavía el mejor estudio hecho por un solo autor sobre el tema referido. Bergquist presenta en él su tesis de que las divisiones políticas fueron determinadas en gran medida por diferencias en las relaciones entre sectores de la clase dominante y la economía mundial. Esta interpretación provocó una amistosa polémica con otro colombianista norteamericano, Frank Safford, quien resume su respuesta en un artículo sobre las interpretaciones socioeconómicas de la política. Safford presentó su criterio personal sobre las divisiones entre los partidos colombianos en un ensayo muy influyente, «Aspectos sociales de la política en la Nueva Granada», que aparece en un pequeño tomo de sus estudios sobre el siglo XIX colombiano. Pero en general sus trabajos, incluso la monografía *El ideal de lo práctico*, texto pionero en el análisis de la educación técnica, se han concentrado en la historia económica y de las restricciones materiales que determinan actitudes sociales y culturales.

Otros investigadores extranjeros que se han preocupado por los asuntos económicos son William McGreevey, cuya historia económica general es penetrante aunque a veces poco cuidadosa de los detalles, y Catherine LeGrand, quien escribió un amplio análisis del proceso de asentamiento en las regiones fronterizas. La variante específicamente antioqueña del asentamiento agrario constituye el tema de un estudio clásico temprano del geógrafo James Parsons (que se remonta a los orígenes coloniales). El desarrollo de la economía antioqueña es analizado por Roger Brew, mientras que Rausch escribió una prolongación de su trabajo sobre la historia colonial de la sociedad llanera. J. Fred Rippy criticó acerbamente las relaciones económicas entre Colombia y Estados Unidos a comienzos del siglo XX; en época más reciente, René de la Pedraja ha examinado la producción y la política energéticas. Malcolm Deas aporta un estudio muy original sobre las finanzas públicas, el cual hace parte de la compilación antes mencionada. Hernán Horna (historiador peruano radicado en Suecia) trata la construcción de ferrocarriles y Theodore Nichols traza los cambios en la importancia relativa de los puertos marítimos, naturalmente teniendo en cuenta el desarrollo de la navegación fluvial.

En historia económica, sin embargo, los mismos colombianos (tanto economistas como historiadores de oficio) también han mostrado el camino. Hace ya tres cuartos de siglo los ensayos de Luis Eduardo Nieto Arteta establecieron un marco de referencia para la interpretación de las reformas económicas liberales. El ulterior trabajo realizado por Luis Ospina Vásquez, que a pesar de su título es una historia económica más bien general del período, fue rápidamente reconocido, y sigue siéndolo, como referencia obligada por su sólida investigación y análisis desapasionado. El estudio más reciente de José Antonio Ocampo promete convertirse también en texto de consulta obligada; en él se analiza el sector externo de la economía desde una perspectiva moderada y altamente matizada de la «dependencia». Bernardo Tovar Zambrano se ha acercado al problema del papel del Estado en los asuntos económicos durante las primeras décadas del siglo XX. También se cuenta con obras claves sobre sectores específicos de la economía, como la de Marco Palacios sobre el café, la de Luis Sierra sobre el tabaco, la de Marcelo Bucheli (estudioso colombiano, aun cuando su obra haya aparecido primero en inglés) sobre la industria bananera y la de Santiago Montenegro sobre la industria textil; existen, por otra parte, la historia de la emancipación de esclavos escrita por Margarita González, y un sólido estudio regional de José Escorcia sobre la sociedad, la economía y la política del Valle del Cauca; Eduardo Posada Carbó ha hecho lo mismo con respecto a la región de la costa del Caribe.

Para la historia de los artesanos y, de manera más general, de los asuntos laborales se deben consultar los escritos de Miguel Urrutia y de David Sowell; mientras que Charles Bergquist analiza la fuerza de trabajo de la industria cafetera en un capítulo de su estudio comparativo de la historia laboral de América Latina. Ann Farnsworth-Alvear hace algo similar con respecto a la industria textil antioqueña, pero centrando su enfoque en la fuerza de trabajo femenina. Por lo demás, la historia social (que difícilmente se separa a veces de la política y la económica) la enriqueció Álvaro Tirado Mejía con una compilación (con introducción) de textos que ilustran aspectos «sociales» de los conflictos armados. Una obra de la antropóloga norteamericana Joanne Rappoport se enfoca sobre las tradiciones históricas conservadas por grupos indígenas e ilumina a la vez muchos aspectos de la historia de sus comunidades. Tanto Jane Rausch como Aline Helg han explorado el tema de la educación, mientras que Carlos Uribe Celis produjo una fascinante miscelánea de datos en relación con modas y caprichos de los años 20. Pero la «nueva historia social» está representada de mejor manera quizás por varios capítulos de la *Nueva historia de Colombia* (ya mencionada en la sección de obras generales) y por artículos diversos que en los últimos años han aparecido en revistas históricas nacionales tales como el *Anuario colombiano de historia social y de la cultura,* que publica la Universidad Nacional en Bogotá

Dada la importancia decisiva de la cuestión religiosa, es lamentable que se haya escrito tan poco sobre la Iglesia. El extenso memorial de ofensas que recibió el clero, redactó por Juan P. Restrepo y publicado hace más de un siglo, es todavía una lectura fundamental. Sin embargo, Fernando Díaz Díaz, Robert Knowlton y Jorge Villegas han iniciado al menos un examen serio del conflicto a propósito de las propiedades de la Iglesia. Fernán González revisa otros aspectos de las relaciones Estado-Iglesia durante la era radical, y Christopher Abel ha examinado en forma perceptiva la alianza entre ambos durante el período posterior a la Regeneración. Tampoco debe dejar de mencionarse la reciente obra de Patricia Londoño Vega sobre las expresiones de la religión en Medellín y Antioquia.

En el campo de las relaciones internacionales (aparte de los trabajos sobre relaciones económicas antes mencionadas), existe una importante obra general escrita por el ex canciller Alfredo Vázquez Carrizosa, que abarca cronológicamente el siglo XIX entero. Pero en la literatura existente el principal foco de interés lo han constituido los sucesos que llevaron a la separación de Panamá y los subsiguientes esfuerzos por sanear las relaciones entre Colombia y los Estados Unidos. Aunque la literatura en inglés es muy vasta para discutirla en esta bibliografía, el popular libro de David McCullough y el más antiguo de Dwight C. Miner cubren satisfactoriamente el tema central, y otro libro de Stephen Randall tiene como punto de partida la resolución final (por lo menos en el plano oficial) de la cuestión de Panamá. Desde la perspectiva colombiana, el trabajo mejor conocido sobre todo lo relacionado con la pérdida del istmo es el de Eduardo Lemaitre, pero en Panamá también, y de modo notable con motivo del centenario del evento, el problema ha motivado una amplia gama de publicaciones, entre ellas la sólida recopilación de datos que ofrece en tres tomos Humberto Ricard.

Abel, Christopher, *Política, Iglesia y partidos en Colombia,* Bogotá, 1987.

Aguilera, Miguel, *Visión política del arzobispo Mosquera,* Bogotá, 1954.

Ancízar, Manuel, *Peregrinación de Alpha por las provincias del norte de la Nueva Granada,* Bogotá, 1856.

Arboleda, Gustavo, *Historia contemporánea de Colombia,* 6 tomos, Bogotá, 1918-1932.

Bergquist, Charles, *Café y conflicto en Colombia, 1886-1910,* Medellín, 1980.

————, *Los trabajadores en la historia latinoamericana*, Bogotá, 1988.

Brew, Roger, *El desarrollo económico de Antioquia desde la Independencia hasta 1920*, Bogotá, 1977.

Bucheli, Marcelo, *Bananas and Business, The United Fruit Company in Colombia, 1899-2000*, Nueva York, 2005.

Camacho Roldán, Salvador, *Memorias*, 3ª ed., 2 tomos, Bogotá, 1946.

Colmenares, Germán, *Partidos políticos y clases sociales*, Bogotá, 1968.

————, *Rendón: una fuente para la historia de la opinión pública*, Bogotá, 1984.

Cordovez Moure, José María, *Reminiscencias de Santa Fe y Bogotá*, 6a. ed., 6 tomos, Bogotá, 1942.

Deas, Malcolm, *Del poder y la gramática*, Bogotá, 1993.

De la Pedraja, René, *Historia de la energía en Colombia, 1537-1930*, Bogotá, 1985.

Delpar, Helen, «Renegade or Regenerator? Rafael Núñez as Seen by Colombian Historians», *Revista interamericana de bibliografía*, vol. 35:1 (1985), pp. 25-37.

————, *Rojos contra azules: el partido liberal en la política colombiana 1863-1899*, Bogotá, 1994.

Díaz Díaz, Fernando, *La desamortización de bienes eclesiásticos en Boyacá*, Tunja, 1977.

Escorcia, José, *Desarrollo político, social y económico, 1800-1854*, Bogotá, 1983, (Vol. 3 de la serie *Sociedad y economía en el Valle del Cauca*).

Farnsworth-Alvear, Ann, *Dulcinea in the Factory: Myths, Morals, Men, and Women in Colombia's Industrial Expansion 1905-1960*, Durham, 2000.

Gilmore, Robert Louis, *El federalismo en Colombia, 1810-1858*, 2 tomos, Bogotá, 1995.

González, Fernán, «Iglesia y Estado desde la Convención de Rionegro hasta el Olimpo Radical, 1863-1878», *Anuario colombiano de historia social y de la cultura*, 15 (1987), pp. 91-103.

González, Margarita, «El proceso de manumisión en Colombia», en *Ensayos de historia colombiana*, Bogotá, 1977, pp. 182-333.

Helg, Aline, *La educación en Colombia, 1918-1955,* Bogotá, 1987.

Helguera, J. León, «The First Mosquera Administration in New Granada, 1845-1849», tesis doctoral, University of North Carolina, 1958.

Henderson, James, *La modernización en Colombia: los años de Laureano Gómez, 1889-1965,* Medellín, 2006.

Holton, Isaac, *La Nueva Granada: veinte meses en los Andes,* Bogotá, 1981.

Horna, Hernán, *Transport Modernization and Entrepreneurship in Nineteenth Century Colombia: Cisneros and Friends,* Uppsala, 1992.

Jaramillo Uribe, Jaime, *El pensamiento colombiano en el siglo XIX,* Bogotá, 1964.

Johnson, David Church, *Santander siglo XIX: cambios socioeconómicos,* Bogotá, 1984.

Knowlton, Robert J., «Expropiación de los bienes de la Iglesia en el siglo XIX en México y Colombia: una comparación», en *El siglo XIX colombiano visto por historiadores norteamericanos* (Bogotá, 1977).

LeGrand, Catherine, *Colonización y protesta campesina en Colombia: 1850-1950,* Bogotá, 1988.

Lemaitre, Eduardo, *Panamá y su separación de Colombia,* 2ª ed., Bogotá, 1972.

———, *Rafael Reyes: biografía de un gran colombiano,* 4ª ed., Bogotá, 1981.

Liévano Aguirre, Indalecio, *Rafael Núñez,* 3ª ed., Bogotá, 1967.

Londoño Vega, Patricia, *Religion, Culture, and Society in Colombia: Medellín and Antioquia, 1850-1930,* Oxford, 2002.

Martínez Delgado, Luis, *República de Colombia, 1885-1910,* 2 tomos, Bogotá, 1970.

McCullough, David, *The Path between the Seas: The Creation of the Panama Canal, 1870-1914,* Nueva York, 1977.

McGreevey, William P., *Historia económica de Colombia, 1845-1930,* Bogotá, 1975.

Miner, Dwight C., *The Fight for the Panama Route: The Story of the Spooner Act and the Hay-Herrán Treaty,* Nueva York, 1940.

Molina, Gerardo, *Las ideas liberales en Colombia,* 3 tomos, Bogotá, 1970-1977.

Montenegro, Santiago, *El arduo tránsito hacia la modernidad: historia de la ndustria textil colombiana durante la primera mitad del siglo XX,* Medellín, 2002.

Nichols, Theodore, *Tres puertos de Colombia,* Bogotá, 1973.

Nieto Arteta, Luis Eduardo, *Economía y cultura en la historia de Colombia,* 5ª ed., Bogotá, 1975.

Ocampo, José Antonio, *Colombia y la economía mundial, 1830-1910,* Bogotá, 1984.

Ospina Vásquez, Luis, *Industria y protección en Colombia, 1810-1930,* Medellín, 1955.

Palacios, Marco, *El café en Colombia, 1850-1970: una historia económica, social y política,* Bogotá, 1979.

Parra, Aquileo, *Memorias de Aquileo Parra,* Bogotá, 1912.

Parsons, James J., *La colonización antioqueña en el occidente colombiano,* Medellín, 1950.

Pérez Aguirre, Antonio, *25 años de historia colombiana, 1853 a 1878: del centralismo a la federación,* Bogotá, 1959.

Posada Carbó, Eduardo, *El Caribe colombiano: una historia regional, 1870-1950,* Bogotá, 1998.

Posada Gutiérrez, Joaquín, *Memorias histórico-políticas,* 4 tomos, Bogotá, 1929.

Randall, Stephen, *La diplomacia de la modernización: relaciones colombo-norteamericanas, 1920-1940,* Bogotá, 1989.

Rappoport, Joanne, *The Politics of Memory: Native Historical Interpretation in the Colombian Andes,* Cambridge, 1990.

Rausch, Jane, *La educación durante el federalismo: la reforma escolar de 1870,* Bogotá, 1993.

————, *La frontera de los Llanos en la historia de Colombia (1830-1930)*, Bogotá, 1999.

Restrepo, José Manuel, *Diario político y militar,* 4 tomos, Bogotá, 1954-1955.

————, *Historia de la Nueva Granada,* 2 tomos, Bogotá, 1952-1963.

Restrepo, Juan Pablo, *La Iglesia y el Estado en Colombia,* Londres, 1885

Ricord, Humberto C., *El 3 de noviembre de 1903 visto desde el centenario: la separación panameña de Colombia,* 2 tomos, Panamá, 2003.

Rippy, J. Fred, *El capitalismo norteamericano y la penetración imperialista en Colombia,* Bogotá y Medellín, 1970.

Rodríguez Piñeres, Eduardo, *El olimpo radical,* Bogotá, 1950.

Safford, Frank, *Aspectos del siglo XIX en Colombia,* Medellín, 1977.

————, *El ideal de lo práctico,* Bogotá, 1989.

————, «Acerca de las interpretaciones socioeconómicas de la política en la Colombia del siglo XIX: variaciones sobre un tema», *Anuario colombiano de historia social y de la cultura,* 13/14 (1985-1986), pp. 91-151.

Samper, José María, *Historia de un alma,* Medellín, 1971.

Sánchez, Gonzalo, y Mario Aguilera, *Memoria de un país en guerra. Los mil días, 1899-1902,* Bogotá, 2001.

Sanders, James, *Contentious Republicans. Popular Politics, Race, and Class in Nineteenth-century Colombia,* Durham, 2004.

Sierra, Luis F., *El tabaco en la economía colombiana del siglo XIX,* Bogotá, 1971.

Sowell, David, *Artesanos y política en Bogotá,* Bogotá, 2006.

Steuart, John, *Narración de una expedición a la capital de la Nueva Granada y permanencia allí de once meses,* Bogotá, 1989.

Tirado Mejía, Álvaro, *Aspectos sociales de las guerras civiles en Colombia,* Bogotá, 1976.

Tovar Zambrano, Bernardo, *La intervención económica del Estado en Colombia, 1914-1936*, Bogotá, 1984.

Uribe Celis, Carlos, *Los años veinte en Colombia: ideología y cultura*, Bogotá, 1985.

Urrutia, Miguel, *Historia del sindicalismo colombiano*, Bogotá, 1969.

Vázquez Carrizosa, Alfredo, *Relatos de historia diplomática de Colombia*, 3 vols., Bogotá, 1996.

Villegas, Jorge, *Colombia: enfrentamiento Iglesia-Estado, 1819-1887*, Medellín, 1977.

———— y José Yunis, *Sucesos colombianos, 1900-1924*, Medellín, 1976.

La colombia contemporánea

(capítulos 8-13)

Para el período más reciente, la literatura específicamente histórica no es muy vasta. Los historiadores colombianos han tendido a desatender el período contemporáneo y los extranjeros también han mostrado menos interés por esta época que por el siglo XIX, aunque por lo menos algunos de los libros citados en la sección anterior también abarcan, en menor o mayor grado, el período que se inicia en 1930. Entre los colombianos, Álvaro Tirado Mejía es autor de un importante estudio sobre Alfonso López Pumarejo, y Gonzalo Sánchez y algunos otros que se mencionarán a continuación han examinado diferentes aspectos de la *Violencia*, o mejor, de *las violencias*. Eduardo Sáenz Rovner ha explorado las políticas industriales; Medófilo Medina y Mauricio Archila Neira, entre otros, se han ocupado de la izquierda, el movimiento obrero y protestas sociales. No hay mucho más, pero los periodistas Silvia Galvis y Alberto Donadío ofrecen una documentada aunque no definitiva historia de la dictadura de Rojas Pinilla. Y Carlos Lleras Restrepo trabajó asiduamente en sus memorias, documento casi único en su género en la época contemporánea.

Entre las obras de historiadores extranjeros que se refieren al período desde 1930, las más notables son las de Herbert Braun (autor medio colombiano, por cierto) y W. John Green sobre Gaitán y la cultura política de su tiempo. Richard Stoller es autor de un artículo muy sugestivo sobre la política de López Pumarejo. Laureano Gómez, en su calidad de ideólogo, es tema de un tratamiento idiosincráticamente favorable por parte de James Henderson. Tanto Stephen Randall (en el libro citado en la sección anterior) como David Bushnell han escrito sobre las relaciones con Estados Unidos. Cabe citar además el trabajo de Vernon Fluharty, politólogo que trabajó más en el espíritu de la historia política, con su texto panorámico que abarca desde 1920 hasta Rojas Pinilla, a quien admiraba mucho.

La *Violencia* es, por supuesto, el tema de una bibliografía abundante de historiadores, científicos sociales y aficionados. A este respecto, el trabajo más influyente es también uno de los más antiguos: el estudio colectivo, crudamente realista, de Germán Guzmán Campos y sus asociados, que en sí mismo se convirtió en un evento histórico por la polémica que desató inmediatamente después de su publicación. Entre los trabajos más recientes escritos por investigadores colombianos se destacan los de Gonzalo Sánchez, decano de los «violentólogos» actuales, y Carlos Miguel Ortiz Sarmiento. Javier Guerrero hace un aporte muy original al tema, remontando su análisis a la anterior violencia de los años 30. El mejor trabajo extranjero es el de James Henderson, a pesar de concentrarse —aun cuando no de manera exclusiva— en una región específica. Mary Roldán ofrece una fresca interpretación de la *Violencia* en Antioquia, y el canadiense Keith Christie también ha escrito sobre la *Violencia,* pero iniciando su recuento bastante tiempo antes de 1946.

Varios politólogos extranjeros han hecho contribuciones significativas sobre la Colombia del siglo XX y aunque investigan la *Violencia* no se limitan a ese fenómeno. Entre ellos se encuentran los norteamericanos Robert Dix (cuya obra, que se cita a continuación, alcanza hasta el decenio de 1960), James Payne,

Paul Oquist y Jonathan Hartlyn; los dos primeros remontan su investigación del sistema político a sus orígenes decimonónicos, a pesar de poner su énfasis en el período reciente. Oquist extiende la historia de la violencia política más acá del período conocido como la *Violencia,* mientras que Hartlyn se ocupa especialmente de la época del Frente Nacional. El estudioso francés Daniel Pécaut escribió una obra mucho más importante sobre política y violencia en Colombia. A diferencia de los que enfatizan la hipertrofia de la competencia entre los partidos como origen de la *Violencia,* Pécaut hace hincapié en la manera como las relaciones económicas y sociales agravaron la persistente «precariedad» del Estado colombiano. Él ha elaborado además una «crónica» de los años 1968-1988.

Los economistas han escrito extensamente sobre el desarrollo colombiano desde 1930, pero más que todo en monografías altamente especializados o en artículos dispersos. No existe un trabajo que aporte una adecuada síntesis global. Sin embargo, la economista Nola Reinhardt, además del sociólogo Leon Zamosc y el académico francés Pierre Gilhodes, han escrito excelentes trabajos sobre asuntos agrarios. Hay que mencionar una vez más a José Antonio Ocampo como coautor de un estudio del problema de la deuda desde 1930, e igualmente a Miguel Urrutia por un análisis de la distribución del ingreso, tema éste que recibe un tratamiento más actualizado en la obra de Armando Montenegro y Rafael Rivas.

Aún queda bastante terreno por explorar, y tanto en la literatura monográfica como en las revistas académicas hay todavía muchos vacíos. Afortunadamente, los interesados en la Colombia contemporánea pueden intentar llenarlos con la ayuda de revistas como *Semana* y el diario bogotano *El Tiempo*, todos fácilmente accesibles en el exterior, al igual que en Colombia.

Archila Neira, Mauricio, *Barranquilla y el río. Una historia social de sus trabajadores,* Bogotá, 1987.

————, *Idas y venidas, vueltas y revueltas. Protestas sociales en Colombia, 1958-1990*, Bogotá, 2003.

Braun, Herbert, *Mataron a Gaitán*, Bogotá, 1987.

Bushnell, David, *Eduardo Santos y la política del buen vecino*, Bogotá, 1984.

Christie, Keith H., *Oligarcas, campesinos y política en Colombia: aspectos de la historia sociopolítica de la frontera antioqueña*, Bogotá, *1986*.

Dix, Robert H., *Colombia: The Political Dimensions of Change*, New Haven, Conn., 1967.

Fluharty, Vernon Lee, *La danza de los millones. Régimen militar y revolución social en Colombia (1930-1956)*, Bogotá, 1981.

Galvis, Silvia, y Alberto Donadío, *El jefe supremo: Rojas Pinilla en la violencia y el poder*, Bogotá, 1988.

Gilhodes, Pierre, *Las luchas agrarias en Colombia*, Bogotá, 1970.

Green, W. John, *Gaitanismo, Left Liberalism, and Popular Mobilization in Colombia*, Gainesville, 2003.

Guerrero, Javier, *Los años del olvido: Boyacá y los orígenes de la violencia*, Bogotá, 1991.

Guzmán Campos, Germán, Orlando Fals Borda y Eduardo Umaña Luna, *La violencia en Colombia*, 2ª ed., 2 tomos, Bogotá, 1952-1963.

Hartlyn, Jonathan, *La política del régimen de coalición: la experiencia del Frente Nacional en Colombia*, Bogotá, 1993.

Henderson, James, *Cuando Colombia se desangró*, Bogotá, 1984.

————, *Las ideas de Laureano Gómez*, Bogotá, 1985.

Lleras Restrepo, Carlos, *Crónica de mi propia vida*, Bogotá, 1983.

Medina, Medófilo, *Historia del Partido Comunista de Colombia*, Bogotá, 1980.

Montenegro, Armando, y Rafael Rivas, *Las piezas del rompecabezas: desigualdad, pobreza y crecimiento*, Bogotá, 2005.

Ocampo, José Antonio, y Eduardo Lara Torres, *Colombia y la deuda externa: de la moratoria de los treinta a la encrucijada de los ochenta*, Bogotá, 1989.

Oquist, Paul, *Violencia, conflicto y política en Colombia*, Bogotá, 1976.

Ortiz Sarmiento, Carlos Miguel, *Estado y subversión en Colombia (La violencia en el Quindío años 50)*, Bogotá, 1985.

Payne, James L., *Patterns of Conflict in Colombia*, New Haven, Conn., 1968.

Pécaut, Daniel, *Crónica de dos décadas de política colombiana, 1968-1988*, Bogotá, 1989.

————, *Orden y violencia: Colombia, 1930-1954*, 2 tomos, Bogotá, 1987.

Reinhardt, Nola, *Our Daily Bread: The Peasant Question and Family Farming in the Colombian Andes*, Berkeley y Los Ángeles, 1988.

Roldán, Mary, *A sangre y fuego: la violencia en Antioquia, Colombia 1946-1953*, Bogotá, 2003.

Sáenz Rovner, Eduardo, *Colombia años 50: industriales, política y diplomacia*, Bogotá, 2002.

————, *La ofensiva empresarial: industriales, política y violencia en Colombia, 1945-1952*, Bogotá, 1992.

Sánchez, Gonzalo, *Los días de la revolución: gaitanismo y el 9 de abril en provincia*, Bogotá, 1983.

————, *Ensayos de historia social y política del siglo XX*, Bogotá, 1985.

————, *Guerra y política en la sociedad colombiana*, Bogotá, 1991.

————, y Donny Meertens, *Bandoleros, gamonales y campesinos: el caso de la violencia en Colombia*, Bogotá, 1983.

Stoller, Richard, «Alfonso López Pumarejo and Liberal Radicalism in 1930s Colombia», *Journal of Latin American Studies* (Londres), mayo de 1995, pp. 367-397.

Tirado Mejía, Álvaro, *Aspectos políticos del primer gobierno de Alfonso López Pumarejo, 1935-1936*.

Urrutia, Miguel, *Los de arriba y los de abajo. La distribución del ingreso en Colombia en las últimas décadas,* Bogotá, 1984.

Zamosc, Leon, *Los usuarios campesinos y las luchas por la tierra en los años 70,* Bogotá, 1982.

Planeta

España
Av. Diagonal, 662-664
08034 Barcelona (España)
Tel. (34) 93 492 80 00
Fax (34) 93 492 85 65
Mail: info@planetaint.com
www.planeta.es

Paseo Recoletos, 4, 3.ª planta
28001 Madrid (España)
Tel. (34) 91 423 03 00
Fax (34) 91 423 03 25
Mail: info@planetaint.com
www.planeta.es

Argentina
Av. Independencia, 1668
C1100 Buenos Aires
(Argentina)
Tel. (5411) 4124 91 00
Fax (5411) 4124 91 90
Mail: info@eplaneta.com.ar
www.editorialplaneta.com.ar

Brasil
Av. Francisco Matarazzo,
1500, 3.º andar, Conj. 32
Edificio New York
05001-100 São Paulo (Brasil)
Tel. (5511) 3087 88 88
Fax (5511) 3087 88 90
Mail: ventas@editoraplaneta.com.br
www.editoriaplaneta.com.br

Chile
Av. Andrés Bello, 2115, piso 8
Providencia
Santiago (Chile)
Tel. (562) 2652 29 27
Fax (562) 2652 29 12
Mail: info@planeta.cl
www.editorialplaneta.cl

Colombia
Calle 73, 7-60, pisos 7 al 11
Bogotá, D.C. (Colombia)
Tel. (571) 607 99 97
Fax (571) 607 99 76
Mail: info@planeta.com.co
www.editorialplaneta.com.co

Ecuador
Whymper, N27-166,
y Francisco de Orellana
Quito (Ecuador)
Tel. (5932) 290 89 99
Fax (5932) 250 72 34
Mail: planeta@access.net.ec

México
Masaryk 111, piso 2.º
Colonia Chapultepec Morales
Delegación Miguel Hidalgo 11560
México, D.F. (México)
Tel. (52) 55 3000 62 00
Fax (52) 55 5002 91 54
Mail: info@planeta.com.mx
www.editorialplaneta.com.mx
www.planeta.com.mx

Perú
Av. Santa Cruz, 244
San Isidro, Lima (Perú)
Tel. (511) 440 98 98
Fax (511) 422 46 50
Mail: rrosales@eplaneta.com.pe

Portugal
Rua do Loreto, 16-1.º D
1200-242 Lisboa (Portugal)
Tel. (351) 21 340 85 20
Fax (351) 21 340 85 26
Mail: info@planeta.pt
www.planeta.pt
www.facebook.com/planetaportugal

Uruguay
Cuareim, 1647
11100 Montevideo (Uruguay)
Tel. (5982) 901 40 26
Fax (5982) 902 25 50
Mail: info@planeta.com.uy
www.editorialplaneta.com.uy

Venezuela
Final Av. Libertador,
Torre Exa, piso 3.º, of. 301
El Rosal, Caracas 1060 (Venezuela)
Tel. (58212) 952 35 33
Fax (58212) 953 05 29
Mail: info@planeta.com.ve
www.editorialplaneta.com.ve

Grupo ⬤ **Planeta**   Planeta es un sello editorial del Grupo Planeta   www.planeta.es

NOV